공무원 합격을 위한
해커스공무원의 특별 혜택

KB093683

해커스공무원 스타강사의 기출

해커스공무원(gosi.Hackers.com) 접속 후 로그인 ▶ 상단의 [무료강좌] ▶ [기출문제 해설특강]에서 이용

다회독에 최적화된 회독 학습 점검표 · 회독용 답안지

해커스공무원(gosi.Hackers.com) 접속 후 로그인 ▶ 상단의 [교재정보 → 무료 학습 자료]
▶ 회독 학습 점검표 · 회독용 답안지 다운로드

온라인 단과강의 20% 할인쿠폰

9 2 C C 9 3 6 E B A 8 D 5 3 3 P

해커스공무원(gosi.Hackers.com) 접속 후 로그인 ▶ 상단의 [나의 강의실] ▶ [쿠폰등록] ▶ 쿠폰번호 입력 후 이용

* 이용 기한: 2021년 12월 31일까지(등록 후 7일간 사용 가능)

해커스 회독증강 5만원 할인쿠폰

C C F 4 5 B A 5 C 8 6 5 6 9 Y N

해커스공무원(gosi.Hackers.com) 접속 후 로그인 ▶ 상단의 [나의 강의실] ▶ [쿠폰등록] ▶ 쿠폰번호 입력 후 이용

* 이용 기한: 2021년 12월 31일까지(등록 후 7일간 사용 가능) | * 월간 학습지 회독증강 행정학/행정법총론 개별상품은 할인쿠폰 할인대상에서 제외

해커스공무원

11개년
기출문제집

쉬운 행정학

2권

조철현

약력

제52회 행정고시 합격
한양대학교 정책학과 박사과정

현 | 해커스공무원 행정학 강의
현 | 해커스공무원 면접 강의
전 | 법무부 보호법제과 사무관
전 | 법무부 법무연수원 교수요원
전 | 행정고등고시 출제 검토위원
전 | 국가직공무원 공채, 경채 면접위원

저서

해커스공무원 쉬운 행정학, 해커스패스
해커스공무원 11개년 기출문제집 쉬운 행정학, 해커스패스
해커스공무원 면접마스터, 해커스패스

2021년 대비 최신개정판
상세한 해설을 담은 공무원 기출문제집!

해커스공무원

11개년
기출문제집
쉬운 행정학 2권

개정 3판 1쇄 발행 2020년 11월 4일

지은이	조철현
펴낸곳	해커스패스
펴낸이	해커스공무원 출판팀

주소	서울특별시 강남구 강남대로 428 해커스공무원
고객센터	02-598-5000
교재 관련 문의	gosi@hackerspass.com
	해커스공무원 사이트(gosi.Hackers.com) 교재 Q&A 게시판
학원 강의 및 동영상강의	gosi.Hackers.com

ISBN	2권 979-11-6454-841-5 (14350)
	세트 979-11-6454-839-2 (14350)
Serial Number	03-01-01

최단기 합격 1위,
해커스공무원(gosi.Hackers.com)

해커스공무원

- **해커스공무원 학원 및 인강** (교재 내 인강 할인쿠폰 수록)
- **해커스공무원 스타강사의 기출분석 무료특강**
- 다회독에 최적화된 무료 **회독 학습 점검표 · 회독용 답안지**
- '회독'의 방법과 공부 습관을 제시하는 **해커스 회독증강 콘텐츠** (교재 내 할인쿠폰 수록)

[최단기 합격 1위, 해커스공무원] 헤럴드미디어 2018 대학생 선호 브랜드 대상 '대학생이 선정한 최단기 합격 공무원학원' 분야 1위

서문

기출문제는 공무원 행정학의 방대한 양을 효율적으로 학습하기 위해 가장 좋은 수단입니다. 이제까지 누적된 기출문제를 학습하면서 반복 출제되는 이론과 유형 등을 알고, 스스로 학습의 범위와 방향을 명확하게 설정할 수 있습니다. 또, 더 나아가 문제 해결 능력까지 키울 수 있기 때문입니다.

〈2021 해커스공무원 11개년 기출문제집 쉬운 행정학〉은 행정학 학습의 기본이 되는 기출문제를 효과적으로 학습할 수 있도록 다음과 같은 특징을 가지고 있습니다.

첫째, 출제 경향을 분석하여 엄선한 104개의 THEME에 기출문제를 수록하였습니다.

공무원 행정학의 필수 이론과 출제 경향을 체계적으로 학습할 수 있도록 핵심 THEME 104개를 선별하여 배치하였습니다. THEME별로 재출제 가능성이 높은 기출문제만을 엄선하여 수록함으로써 기출문제를 효과적으로 학습하고 행정학 이론을 다시 한번 복습할 수 있습니다.

둘째, 문제풀이 과정에서 이론까지 복습할 수 있도록 상세한 해설을 수록하였습니다.

정답 지문에 대한 해설뿐만 아니라 정답 외 지문에 대한 해설 및 관련이론, 법령까지 상세하게 제시하였습니다. 이를 통해 이론학습의 연장선상에서 기출문제를 학습할 수 있으며, 문제풀이만으로도 깊이 있는 학습이 가능합니다.

셋째, 개편되는 공무원 행정학 시험에 대비할 수 있도록 실전모의고사 4회분을 수록하였습니다.

2021년부터 7급 국가직에서 행정학 과목은 25문항이 출제될 예정이며, 2022년부터 9급 행정학개론은 일반행정직에서 필수과목으로 전환되는 등 공무원 행정학 과목은 많은 변화를 앞에 두고 있습니다. 이에 본 교재는 개편되는 공무원 행정학 시험에 대비할 수 있도록 9급 실전모의고사 2회분, 7급 실전모의고사 2회분을 수록하였습니다. 학습 말미 실전모의고사를 풀어봄으로써 앞으로의 출제 경향을 미리 확인하고, 시간 안배 등 실전을 미리 경험해볼 수 있습니다.

넷째, 기출문제를 여러 번 학습할 수 있도록 다양한 학습장치를 제공합니다.

많은 합격생들이 '기출문제의 다회독'을 합격비법으로 꼽는 만큼, 기출문제를 여러 번 학습하는 것은 매우 중요합니다. 따라서 본 교재는 기출문제를 3회독 이상 학습할 수 있도록 회독 학습 점검표, 회독용 답안지, 회독 체크 박스 등 다양한 학습장치를 제공합니다. 이를 통해 각자의 학습 과정과 수준에 맞게 교재를 여러 방면으로 활용할 수 있습니다.

더불어, 공무원 시험 전문 사이트인 해커스공무원(gosi.Hackers.com)에서 교재 학습 중 궁금한 점을 나누고 다양한 무료 학습 자료를 함께 이용하여 학습 효과를 극대화할 수 있습니다.

부디 〈2021 해커스공무원 11개년 기출문제집 쉬운 행정학〉과 함께 공무원 행정학 시험의 고득점을 달성하고 합격을 향해 한걸음 더 나아가시기를 바랍니다.

조철현

차례

2권

실전모의고사 (책속의 책)

기출문제는 어떻게 학습해야 효율적일까요? 감을 못 잡겠어요.

해커스
공무원

기출문제를 다회독함으로써 시험에 출제되는 이론의 범위를 확인하고, 문제가 어떻게 변형·응용되는지에 대한 파악이 필요해요. 따라서 기출문제는 각 회독마다 전략을 세워 구체적인 학습 기간을 설정한 후에 회독하시기를 추천합니다. 다음 페이지에 해커스공무원이 제안하는 40일(1회독), 14일(2·3회독) 동안의 3회독 학습 방법과 플랜이 있으니 참고해 주세요!

같은 기출문제를 3회독 이상씩 해야 하는 이유가 있나요?

해커스
공무원

기본서 학습 단계에서 전체적인 흐름과 기본적인 개념을 숙지했다면, 기출문제 풀이 단계는 그 동안 공부했던 내용을 점검하고, 자신의 실력을 파악할 수 있는 시기예요. 특히 행정학은 총 7개의 단원으로, 각각의 단원을 대학에서 전공 수업으로 들을 경우 한 학기 이상이 소요될 만큼 양이 방대하기 때문에 기출문제를 여러 번 회독하여 자주 나오는 이론 위주로 학습범위를 줄여 나가는 것이 아주 중요해요!

그렇군요! 기출문제 회독이 매우 중요하겠네요. 그런데 기출문제를 반복하여 풀다 보니, 문제를 정확히 알고 푸는 것인지, 외워서 푸는 것인지 의문이 들어요.

해커스
공무원

맞아요. 회독 수가 늘어날수록 분명히 그런 생각이 들 거예요. 그럴 땐 아래와 같이 하나의 기출문제를 다양한 각도와 방법으로 접근해보세요!

1. A4 용지 등에 <2021 해커스공무원 11개년 기출문제집 쉬운 행정학>의 THEME를 적으면서 지금까지 자신이 공부한 내용 정리하기
2. 각 회독마다 어려운 지문이나 부족한 이론에 대한 나만의 단권화 노트 만들기
3. 해커스공무원이 제공하는 회독용 답안지와 회독 학습 점검표를 통해 실전 감각 키우기

* 회독용 답안지와 회독 학습 점검표는 [해커스공무원 사이트(gosi.Hackers.com) > 교재 > 무료 학습 자료]에서 다운받으실 수 있습니다.

해커스공무원이 제안하는 학습 플랜

* 14일 학습 플랜 때 PART 복습은 진행하지 않습니다.

나는 _____월 _____일까지 〈2021 해커스공무원 11개년 기출문제집 쉬운 행정학〉을 끝내겠습니다!

14일 학습 플랜	40일 학습 플랜	학습 THEME
DAY 1	DAY 1	THEME 001~005
	DAY 2	THEME 006~008
	DAY 3	THEME 009~013
DAY 2	DAY 4	THEME 014~016
	DAY 5	THEME 017~019
	DAY 6	THEME 020~023
DAY 3	DAY 7	PART 1 행정학의 기초이론 복습
	DAY 8	THEME 024~027
	DAY 9	THEME 028~031
DAY 4	DAY 10	THEME 032~034
	DAY 11	THEME 035~037
	DAY 12	PART 2 정책학 복습
DAY 5	DAY 13	THEME 038~041
	DAY 14	THEME 042~045
	DAY 15	THEME 046~049
DAY 6	DAY 16	THEME 050~053
	DAY 17	THEME 054~057
	DAY 18	PART 3 행정조직론 복습
DAY 7	DAY 19	THEME 058~060
	DAY 20	THEME 061~063
	DAY 21	THEME 064~066
DAY 8	DAY 22	THEME 067~069
	DAY 23	THEME 070~073
	DAY 24	PART 4 인사행정론 복습
DAY 9	DAY 25	THEME 074~076
	DAY 26	THEME 077~079
	DAY 27	THEME 080~082
DAY 10	DAY 28	THEME 083~085
	DAY 29	THEME 086~088
	DAY 30	PART 5 재무행정론 복습
DAY 11	DAY 31	THEME 089~091
	DAY 32	THEME 092~095
	DAY 33	PART 6 행정환류론 복습
DAY 12	DAY 34	THEME 096~098
	DAY 35	THEME 099~101
	DAY 36	THEME 102~104
DAY 13	DAY 37	PART 7 지방행정론 복습
	DAY 38	실전모의고사 1~2회
	DAY 39	실전모의고사 3~4회
DAY 14	DAY 40	전체 복습

스스로 세워보는 맞춤 학습 플랜

스스로 세워보는 40일 완성 학습 플랜

1회독

1회독 때에는 '내가 학습한 이론이 주로 이러한 형식의 문제로 출제되는구나!'를 익힌다는 생각으로 접근하시는 것이 좋습니다. 예를 들어 '직위분류제'라는 개념을 학습하였다면, 기출문제에서는 주로 '직위분류제의 장점, 등장배경, 계급제와의 차이점' 등을 묻고 있다는 사실에 주안점을 두고 학습하기 바랍니다.

* 학습한 THEME만큼 형광펜으로 색칠하거나 X 등으로 표시해보세요.

1	2	3	4	5	6	7	8	9	10	11	12	13
14	15	16	17	18	19	20	21	22	23	24	25	26
27	28	29	30	31	32	33	34	35	36	37	38	39
40	41	42	43	44	45	46	47	48	49	50	51	52
53	54	55	56	57	58	59	60	61	62	63	64	65
66	67	68	69	70	71	72	73	74	75	76	77	78
79	80	81	82	83	84	85	86	87	88	89	90	91
92	93	94	95	96	97	98	99	100	101	102	103	104

학습 날짜	순공 시간	학습 THEME	학습 날짜	순공 시간	학습 THEME
__월 __일	__H __M		__월 __일	__H __M	
__월 __일	__H __M		__월 __일	__H __M	
__월 __일	__H __M		__월 __일	__H __M	
__월 __일	__H __M		__월 __일	__H __M	
__월 __일	__H __M		__월 __일	__H __M	
__월 __일	__H __M		__월 __일	__H __M	
__월 __일	__H __M		__월 __일	__H __M	
__월 __일	__H __M		__월 __일	__H __M	
__월 __일	__H __M		__월 __일	__H __M	
__월 __일	__H __M		__월 __일	__H __M	
__월 __일	__H __M		__월 __일	__H __M	
__월 __일	__H __M		__월 __일	__H __M	
__월 __일	__H __M		__월 __일	__H __M	
__월 __일	__H __M		__월 __일	__H __M	
__월 __일	__H __M		__월 __일	__H __M	
__월 __일	__H __M		__월 __일	__H __M	
__월 __일	__H __M		__월 __일	__H __M	
__월 __일	__H __M		__월 __일	__H __M	
__월 __일	__H __M		__월 __일	__H __M	
__월 __일	__H __M		__월 __일	__H __M	

스스로 세워보는 14일 완성 학습 플랜

2회독

실전과 동일한 마음가짐으로 기출문제를 풀어보는 단계입니다. 또한 단순히 문제를 풀어보는 것에 그치지 않고, 더 나아가 각각의 지문이 왜 옳은지, 옳지 않다면 어느 부분이 잘못되었는지를 꼼꼼히 따져가며 학습하기 바랍니다.

* 학습한 THEME만큼 형광펜으로 색칠하거나 X 등으로 표시해보세요.

1	2	3	4	5	6	7	8	9	10	11	12	13
14	15	16	17	18	19	20	21	22	23	24	25	26
27	28	29	30	31	32	33	34	35	36	37	38	39
40	41	42	43	44	45	46	47	48	49	50	51	52
53	54	55	56	57	58	59	60	61	62	63	64	65
66	67	68	69	70	71	72	73	74	75	76	77	78
79	80	81	82	83	84	85	86	87	88	89	90	91
92	93	94	95	96	97	98	99	100	101	102	103	104

학습 날짜	순공 시간	학습 THEME	학습 날짜	순공 시간	학습 THEME
__월 __일	__H __M		__월 __일	__H __M	
__월 __일	__H __M		__월 __일	__H __M	
__월 __일	__H __M		__월 __일	__H __M	
__월 __일	__H __M		__월 __일	__H __M	
__월 __일	__H __M		__월 __일	__H __M	
__월 __일	__H __M		__월 __일	__H __M	
__월 __일	__H __M		__월 __일	__H __M	

3회독

만약 기출문제에서 A이론의 장점을 설명하였다면 추후에는 A이론의 대두배경, 단점, 특징 등이 출제될 수 있으므로 3회독 때에는 기출문제를 출제자의 시선에서 바라보고, 이를 변형하여 학습하는 연습이 필요합니다. 즉, 기출지문을 중심으로 이론 학습의 범위를 넓혀나가며 학습을 완성하시기 바랍니다.

* 학습한 THEME만큼 형광펜으로 색칠하거나 X 등으로 표시해보세요.

1	2	3	4	5	6	7	8	9	10	11	12	13
14	15	16	17	18	19	20	21	22	23	24	25	26
27	28	29	30	31	32	33	34	35	36	37	38	39
40	41	42	43	44	45	46	47	48	49	50	51	52
53	54	55	56	57	58	59	60	61	62	63	64	65
66	67	68	69	70	71	72	73	74	75	76	77	78
79	80	81	82	83	84	85	86	87	88	89	90	91
92	93	94	95	96	97	98	99	100	101	102	103	104

학습 날짜	순공 시간	학습 THEME	학습 날짜	순공 시간	학습 THEME
__월 __일	__H __M		__월 __일	__H __M	
__월 __일	__H __M		__월 __일	__H __M	
__월 __일	__H __M		__월 __일	__H __M	
__월 __일	__H __M		__월 __일	__H __M	
__월 __일	__H __M		__월 __일	__H __M	
__월 __일	__H __M		__월 __일	__H __M	
__월 __일	__H __M		__월 __일	__H __M	

PART

4

인사행정론

CHAPTER 1 인사행정의 기초이론 및 제도

THEME 058 인사행정의 기초이론

01 ☐☐☐
2012년 경찰간부

현대 인사행정의 특징에 관한 설명으로 가장 옳지 않은 것은?

① 하나의 전문화된 행정영역으로 이해된다.
② 일반적이고 보편적인 인사행정원리의 탐색을 강조한다.
③ 개방체제적·가치갈등적 성격을 중시한다.
④ 종합학문적 관점에서의 접근을 강조한다.

---

01 │ 현대 인사행정의 특징

현대 인사행정은 일반적이고 보편적인 인사행정의 원리보다 부처 사정과 상황에 맞는 신축적인 인사행정을 중시한다.

📋 현대적 인사행정

고전적 인사행정	• 직무 중심의 과학적·합리적 인사행정(과학적 관리론) • 실적제, 직위분류제
신고전적 인사행정	인간의 가치를 중시하는 민주적 인사행정(인간관계론)
적극적 인사행정	• 적극적·신축적·분권적 인사행정(후기인간관계론) • 인적 자원관리 • 실적제의 한계로 대표관료제, 개방형 직위 등 엽관주의적 요소 도입 • 고위공무원단제(SES) 등 직위분류제와 계급제의 상호접근

답 ②

THEME 059 인사행정의 주요이론과 제도

02 ☐☐☐
2015년 서울시 9급

엽관주의 인사의 단점에 대한 다음 설명 중 가장 옳지 않은 것은?

① 행정의 안정성을 저해할 수 있다.
② 공무원의 정치적 중립을 저해한다.
③ 행정의 전문성을 저하시킬 수 있다.
④ 행정에 대한 민주적 통제를 약화시킨다.

---

02 │ 엽관주의

엽관주의는 민주적인 정권 교체에 의해 공무원들이 교체되는 것으로서 행정에 대한 민주적 통제를 강화하는 제도이다.

📋 엽관주의의 장·단점

장점	단점
• 정당정치의 발전 • 정책의 강력한 추진 가능 • 공직 침체의 방지 • 관료의 대응성 향상 • 책임행정 가능	• 공직의 전문성 및 능률성 저하 • 관료의 정당 사병화 • 불필요한 관직의 남설 • 부정부패의 만연

답 ④

03 □□□

엽관제의 장점에 해당하지 않는 것을 〈보기〉에서 모두 고른 것은?

〈보기〉
ㄱ. 부정부패를 방지하기가 쉽다.
ㄴ. 행정의 안정성과 지속성을 확보하기 쉽다.
ㄷ. 정부관료제의 민주화에 기여한다.
ㄹ. 정치적 책임을 확보하기 용이하다.
ㅁ. 직업공무원제 정착에 도움이 된다.
ㅂ. 공무원들의 충성심을 확보하기 용이하다

① ㄱ, ㄴ, ㅁ
② ㄴ, ㄷ, ㅂ
③ ㄷ, ㄹ, ㅁ
④ ㄱ, ㄴ, ㄹ

04 □□□

엽관주의(spoils system)에 대한 설명으로 옳은 것은?

① 관료가 정당을 위해서 봉사하기 때문에 행정의 공정성 확보가 용이하다.
② 국민의 지지에 따라서 정부가 구성되므로 정책 추진이 용이하며 의회와 행정부 간의 조정이 활성화된다.
③ 모든 사람은 누구나 일정한 자격만 갖추면 공직에 취임할 수 있다는 기회균등의 정신을 구현할 수 있다.
④ 엽관주의를 택한 영국에서는 대대적인 교체가 있었으나, 일단 임용이 되면 종신적 성격을 띠어 신분이 보장되었다.
⑤ 엽관주의란 공직임용기준을 개인의 객관적인 능력·자격·성적에 두는 인사행정제도이다.

---

03 | 엽관제

ㄱ. 엽관제는 공직의 사유화를 가져오기 때문에 부정부패가 생기기 쉽다.
ㄴ. 엽관제는 일정 기간별로 주기적으로 대량적인 공직경질이 이루어지기 때문에 행정의 안정성과 지속성을 확보하기 힘들다.
ㅁ. 엽관제는 관료의 신분보장이 이루어지지 않기 때문에 강력한 신분보장을 전제로 하는 직업공무원제의 정착이 어렵다.

답 ①

04 | 엽관주의

엽관주의나 정실주의는 공무원의 인사관리나 공직임용에 있어 그 기준을 당파성(정당에 대한 충성도)이나 인사권자에 대한 개인적 충성·혈연·학벌 등에 두는 제도로, 집권정당이 관료를 임명하기 때문에 의회와 행정부 간의 관계가 원만하다.

〔선지분석〕
① 엽관주의에서는 관료가 정당을 위해 봉사하기 때문에 정당의 사병으로 전락할 가능성이 높고, 행정의 공정성 확보가 어렵다.
③, ⑤ 엽관주의가 아니라 실적주의에 대한 설명이다.
④ 영국에서는 정실주의를 택하였고, 일단 임용이 되면 종신적 성격을 띠어 신분이 보장되었다.

답 ②

실적주의(merit system)에 대한 설명으로 옳지 않은 것은?

① 실적주의의 도입은 중앙인사기관의 권한과 기능을 분산시키는 결과를 가져왔다.

② 사회적 약자의 공직진출을 제약할 수 있다는 점은 실적주의의 한계이다.

③ 미국의 실적주의는 펜들턴법(Pendleton Act)이 통과됨으로써 연방정부에 적용되기 시작하였다.

④ 실적주의에서 공무원은 자의적인 제재로부터 적법절차에 의해 구제받을 권리를 보장 받는다.

실적주의의 주요 구성요소로 보기 어려운 것은?

① 공직취임의 기회균등

② 공무원 인적 구성의 다양화

③ 신분보장 및 정치적 중립

④ 실적에 의한 임용

05	실적주의

중앙인사기관은 엽관주의를 극복하고 실적주의를 도입하면서 권한이 집중되고 기능이 강화되었다.

📋 실적주의의 장·단점

장점	단점
• 민주적 평등 실현 가능	• 공무원의 특권화
• 행정능률의 향상	• 중앙집권적 인사행정과 경직성
• 행정의 안정성 확보	• 행정의 대응성 저하
• 정치적 중립성으로 공정성 확보	• 행정의 비인간화와 소외현상
	• 형식적 형평성의 문제 발생

답 ①

06	실적주의

공무원 인적 구성의 다양화는 실적주의가 아니라 대표관료제의 특징에 해당한다. 대표관료제는 실력 중심의 실적주의가 가지는 한계를 보완하기 위하여 등장한 사회적 약자, 소외 계층을 할당임용하는 제도로서 공직구성의 다양성을 확보하기 위한 것이다.

📋 실적주의의 주요 내용

1. 공직의 기회균등
2. 공무원의 정치적 중립성
3. 공무원의 신분보장
4. 능력·자격·실적 등 객관적인 기준에 의한 공직임용
5. 공개경쟁시험에 의한 채용과 채용시험의 공개
6. 중앙인사기관의 독립성 보장과 권한 강화

답 ②

07 □□□

엽관주의와 실적주의에 대한 설명으로 옳지 않은 것은?

① 엽관주의는 행정의 민주화에 공헌한다는 장점이 있다.
② 실적주의는 공무원의 정치적 중립을 강조한다.
③ 잭슨(Jackson)대통령이 암살당한 사건은 미국에서 실적주의 도입 배경이 되었다.
④ 엽관주의는 공직의 상품화를 가져올 가능성이 있다.

08 □□□

엽관주의와 실적주의에 대한 설명으로 옳은 것만을 모두 고르면?

> ㄱ. 엽관주의는 실적 이외의 요인을 고려하여 임용하는 방식으로 정치적 요인, 혈연, 지연 등이 포함된다.
> ㄴ. 엽관주의는 정실임용에 기초하고 있기 때문에 초기부터 민주주의의 실천원리와는 거리가 멀었다.
> ㄷ. 엽관주의는 정치지도자의 국정지도력을 강화함으로써 공공정책의 실현을 용이하게 해 준다.
> ㄹ. 실적주의는 정치적 중립에 집착하여 인사행정을 소극화·형식화시켰다.
> ㅁ. 실적주의는 국민에 대한 관료의 대응성을 높일 수 있다는 장점이 있다.

① ㄱ, ㄷ
② ㄴ, ㄹ
③ ㄴ, ㅁ
④ ㄷ, ㄹ

---

07 엽관주의와 실적주의

실적주의 도입의 배경이 된 것은 잭슨(Jackson)대통령이 아니라 가필드(Garfield)대통령이 암살당한 사건이다.

(선지분석)
① 엽관주의는 민주정치의 기초가 되는 정당정치를 유지하게 해주는 제도이며, 집권하고 있는 정당이 추구하는 이념과 공약의 강력한 추진이 가능하다.
② 실적주의는 엽관주의의 정치성으로 야기된 폐단을 극복하면서 도입된 제도로, 정권이 교체 되어도 공무원의 신분이 유지되어야 하므로 공무원의 정치적 중립을 강조한다.
④ 엽관주의로 인해 공직의 사유화와 상품화 경향이 야기되어 행정윤리가 저하되고 매관매직, 정경유착 등의 부패가 만연하게 될 수 있다.

답 ③

---

08 엽관주의와 실적주의

ㄷ. 엽관주의는 선출된 정치치도자가 공직을 충성의 대가로 배분할 수 있으므로 국정지도력을 강화하고 정책집행자의 충성심을 통하여 공공정책의 실현을 용이하게 한다.
ㄹ. 실적주의의 정치적 중립에 대한 집착은 적극적 인사행정을 저해한다.

(선지분석)
ㄱ. 정치적 요인, 혈연, 지연 등을 포함하여 임용하는 방식은 정실주의이다. 엽관주의는 정당에의 충성도를 기준으로 관직에 임용하는 방식이다.
ㄴ. 엽관주의는 국민과의 동질성 확보, 선거를 통한 관료의 책임성 확보 등 민주주의의 실천원리와 관련이 있다.
ㅁ. 실적주의가 아니라 엽관주의의 장점이며, 실적주의는 행정의 대응성을 확보하지 못한다는 단점이 있다.

답 ④

엽관주의와 실적주의 발전 과정에 대한 설명 중 가장 적절하지 않은 것은?

① 엽관주의는 민주정치의 발달과 불가분의 관계가 있다.
② 직업공무원제는 직위분류제와 일반행정가주의를 지향하고 있다.
③ 엽관주의는 관료기구와 국민의 동질성을 확보하기 위한 수단으로 발전하였다.
④ 정실주의는 인사권자의 개인적 신임이나 친분관계를 기준으로 한다.
⑤ 대표관료제는 실적주의를 훼손하고 행정능률을 저하시킬 수 있다.

---

09 │ 엽관주의와 실적주의

직업공무원제는 계급제와 일반행정가주의를 지향한다.

(선지분석)
① 민주정치의 발전으로 인해 엽관주의가 발전하게 되었으므로, 엽관주의와 민주정치의 발달은 불가분의 관계에 있다.
③ 엽관주의는 관료의 특권화가 배제되면서 공무원 체제의 민주성과 사회적 대표성이 높아지는 등 관료기구와 국민의 동질성을 확보하는 수단이 되었다.
④ 정실주의는 인사권자의 개인적 신임이나 친분관계 등 실적 이외의 요인을 기준으로 공직에 임명하는 정치적 인사제도이다.
⑤ 대표관료제는 사회적 대표성을 고려하는 임용으로 능력과 업적에 따른 인사관리를 강조하는 실적주의와 갈등이 생길 수 있으며, 행정능률을 저하시킬 수 있다.

답 ②

정부조직을 유연하게 만들기 위한 관리융통성제도에 해당되지 않는 것은?

① 팀제
② 총액인건비제
③ 개방형 임용제
④ 실적주의

---

10 │ 관리융통성제도

관리융통성제도는 변화하는 환경에 효과적으로 대응할 수 있도록 운영상의 자율성과 융통성을 높인 인사행정모형으로, 실적주의의 한계를 보완하기 위한 적극적 인사행정의 일환이다. 따라서 실적주의는 관리융통성제도에 해당하지 않는다.

(선지분석)
① 팀제는 수직적 계층과 부서 간 경계를 제거하여 의사소통과 학습 및 조정이 용이하고 서비스를 신속하게 제공할 수 있으므로 관리융통성제도에 해당한다.
② 총액인건비제는 중앙행정기관이 총 정원과 정원 상한 및 인건비 예산의 총액을 정해주면, 각 부처는 그 범위 안에서 재량권을 발휘하여 인력 운영 및 기구 설치를 할 자율성과 책임성을 보장받으므로 관리융통성제도에 해당한다.
③ 개방형 임용제는 계급과 직위를 불문하고 공직에 적합한 자를 정부 내외에서 공개적으로 채용하는 제도로서 모든 계급이나 직위에서 신규채용이 허용되므로 관리융통성제도에 해당한다.

답 ④

직업공무원제의 단점을 보완하는 것으로 옳지 않은 것은?

① 개방형 인사제도
② 계약제 임용제도
③ 계급정년제의 도입
④ 정치적 중립의 강화

직업공무원제에 대한 설명으로 옳지 않은 것은?

① 젊고 우수한 인재가 공직을 직업으로 선택해 일생을 바쳐 성실히 근무하도록 운영하는 인사제도이다.
② 폐쇄적 임용을 통해 공무원집단의 보수화를 예방하고 전문행정가 양성을 촉진한다.
③ 행정의 안정성을 확보할 수 있고, 높은 수준의 행동규범을 유지하는 데 도움이 된다.
④ 조직 내에 승진적체가 심화되면서 직원들의 불만이 증가할 수 있다.

---

11   직업공무원제

직업공무원제는 공무원이라는 직업의 특권집단화로 인해 국민의 민주통제를 어렵게 한다는 단점이 있는데, 이는 정치적 중립의 완화를 통해 보완할 수 있다.

(선지분석)
① 개방형 인사제도는 직업공무원제의 폐쇄형 임용으로 인한 공직의 침체를 보완할 수 있다. 또한 각 분야의 전문가를 채용함으로써 행정의 전문화와 기술화 저해를 보완할 수 있다.
②, ③ 계약제 임용제도 및 계급정년제는 지나친 신분보장으로 인한 공무원 집단의 보수화 및 무사안일주의를 보완할 수 있다.

답 ④

---

12   직업공무원제

직업공무원제도는 폐쇄적 임용을 원칙으로 하기 때문에 공무원집단의 보수화를 야기하는 한편, 평생을 공무원으로 근무하는 것을 전제로 하는 만큼 전문행정가가 아닌 일반행정가 양성을 촉진한다.

(선지분석)
① 젊고 유능한 인재들이 공직을 보람있는 직업으로 선택하여 일생을 바쳐 성실히 근무할 수 있도록 운영하는 인사제도이며, 원칙적으로 연령과 학력을 제한한다.
③ 공무원의 신분보장을 통해 정권교체에도 행정의 연속성과 계속성, 일관성을 유지할 수 있다.
④ 직업공무원제는 공무원의 신분보장을 내용으로 하므로 승진적체가 심화된다.

답 ②

13 ☐☐☐

직업공무원제에 대한 설명으로 옳지 않은 것은?

① 공무원 집단이 환경적 요청에 민감하지 못하고 특권 집단화될 우려가 있다.
② 직업공무원제가 성공적으로 확립되기 위해서는 공직에 대한 사회적 평가가 높아야 한다.
③ 직업공무원제는 행정의 계속성과 안정성 및 일관성 유지에 유리하다.
④ 직업공무원제는 일반적으로 전문행정가 양성에 유리하기 때문에 행정의 전문화 요구에 부응한다.

13	직업공무원제

직업공무원제는 일반적으로 전문행정가 양성과 행정의 전문화 요구에 대응이 불리하며, 내부 충원의 방식으로 폐쇄적인 채용체제를 가지고 있어 일반행정가의 양성에 유리하다.

(선지분석)
① 공무원 집단이 환경적 요청에 민감하지 못하고, 공무원이라는 직업의 특권 집단화로 인해 국민의 민주적 통제를 어렵게 할 우려가 있다.
② 직업공무원제가 확립되기 위해서는 유능한 인재가 공직을 매력적으로 느낄 수 있도록 공직에 대한 사회적 평가가 높아야 한다.
③ 공무원은 신분보장이 되므로 정권교체가 이루어져도 행정의 계속성과 안정성 및 일관성을 유지할 수 있다.

답 ④

---

14 ☐☐☐

다음 제도에 대한 설명으로 옳지 않은 것은?

> 킹슬리(Kingsley)가 처음 사용한 용어로, 그 사회의 주요 인적 구성에 기반하여 정부관료제를 구성함으로써, 정부관료제 내에 민주적 가치를 주입하려는 의도에서 발달되었다.

① 관료들은 누구나 자신의 사회적 배경의 가치나 이익을 정책과정에 반영시키려고 노력한다는 점을 전제로 한다.
② 크랜츠(Kranz)는 이 제도의 개념을 비례대표로까지 확대하는 것에 반대한다.
③ 라이퍼(Riper)는 이 제도의 개념을 확대해 사회적 특성 외에 사회적 가치까지도 포함시키고 있다.
④ 현대 인사행정의 기본 원칙인 실적제를 훼손할 뿐만 아니라 역차별을 야기할 수 있다는 비판을 받는다.

14	대표관료제

제시문은 대표관료제에 대한 내용이다. 크랜츠(Kranz)는 대표관료제의 개념을 비례대표로까지 확대하여 관료제 내의 모든 직무분야와 계급의 구성 비율을 총인구 구성 비율에 상응하게 분포시켜야 한다고 주장한다.

(선지분석)
① 대표관료제는 누구나 자신의 사회적 배경의 가치나 이익을 정책과정에 반영시키려고 노력한다는 점 즉, 소극적 대표가 적극적 대표를 보장한다는 점을 전제로 하는 제도이다.
③ 라이퍼(Riper)는 대표관료제의 개념을 확대해 사회적 계층이나 집단 등의 특성 외에 형평성, 효율성 등 사회적 가치까지도 포함시키고 있다.
④ 대표관료제는 실적주의에 기반한 인사행정의 기본 원칙을 훼손하고, 사회적 약자를 배려하는 것이 결과적으로 역차별을 야기할 수 있다는 비판을 받는다.

📄 대표관료제의 장·단점

장점	단점
• 정부 관료제의 대응성·책임성·민주성 확보	• 관료의 재사회화 경시
• 정부에 대한 효율적인 내부 통제 강화	• 역차별과 사회분열 문제
• 사회적 형평성 제고	• 실적주의와의 갈등
• 실질적 평등의 확보	• 기술상의 문제

답 ②

15 ☐☐☐

대표관료제에 대한 설명으로 가장 옳지 않은 것은?

① 관료들은 누구나 자신의 사회적 배경의 가치나 이익을 정책 과정에 반영시키려고 노력한다는 명제를 전제로 한다.
② 할당제로 인한 역차별의 문제를 야기할 수 있다.
③ 실적제 구현과 행정 능률 향상에 기여하는 제도로 평가받는다.
④ 우리나라는 현재 여성, 장애인, 지방인재 등에 대한 공직임용 확대 노력을 하고 있다.

---

15 | 대표관료제

대표관료제는 사회적 대표성을 고려하여 임용하므로 능력과 업적에 따른 인사관리를 강조하는 실적제와 상충되는 제도이며, 행정 능률 저하를 초래할 우려가 있다.

(선지분석)

① 관료들의 객관적 책임은 비현실적이며, 관료들은 자신의 출신집단의 이익을 반영하기 위하여 주관적이고 내면적인 책임을 가진다고 전제한다.
② 수직적 형평성은 확보하였지만 실적주의라면 충분히 합격할 수 있는 유능한 인재가 할당제로 인해 임용이 되지 못하면서 수평적 형평성의 침해가 문제될 수 있고, 이는 사회집단 간 갈등과 분열을 야기할 수 있다.
④ 우리나라는 대표성을 확보하기 위해 양성평등채용목표제, 장애인의무고용제, 지역인재 추천채용을 시행하고 있다.

답 ③

16 ☐☐☐

대표관료제에 대한 설명으로 옳지 않은 것은?

① 소극적 대표가 적극적 대표를 촉진한다는 가정 하에 제도를 운영해왔다.
② 엽관주의 폐단을 시정하기 위해 등장하였으며 역차별의 문제를 완화할 수 있다.
③ 소극적 대표성은 전체 사회의 인구 구성적 특성과 가치를 반영하는 관료제의 인적 구성을 강조한다.
④ 우리나라는 균형인사제도를 통해 장애인 · 지방인재 · 저소득층 등에 대한 공직진출 지원을 하고 있다.

---

16 | 대표관료제

대표관료제는 실적주의의 폐단을 시정하기 위해 등장하였으나 역차별의 문제가 제기된다.

(선지분석)

① 대표관료제는 소극적·피동적 대표가 능동적 대표를 보장한다는 것을 전제로 한다. 소극적·피동적 대표는 형식적인 비례분포로, 인적 구성을 사회 내 세력분포의 비율과 동일하게 구성한다. 적극적 대표는 실질적인 대표기능으로, 선발된 대표관료들이 관료조직 내에서 출신 집단의 가치와 이익을 반영한다.
③ 소극적 대표성은 관료제의 인적 구성이 사회의 특성을 반영하는 것을 의미한다.
④ 우리나라는 대표성을 확보하기 위해 양성평등채용목표제, 장애인의무고용제, 지역인재 추천채용 등의 제도를 시행하고 있다. 단, 국가유공자 우대제도의 경우, 국가에 대한 공로를 인정하여 채용 시 우대하는 제도로서 대표관료제와는 거리가 있다.

📑 정부규제의 영역별 분류

소극적 대표	적극적 대표
• 형식적 대표	• 정책적 대표
• 구성적 대표	• 실직적 대표
• 배경적 대표	• 태도적 대표
	• 역할적 대표

답 ②

대표관료제에 대한 설명으로 옳지 않은 것은?

① 엽관주의의 폐단을 시정하기 위해 등장하였다.

② 관료의 국민에 대한 대응성과 책임성을 향상시킨다.

③ 형평성을 제고할 수 있으나 역차별의 문제가 발생할 수 있다.

④ 우리나라도 대표관료제적 임용정책을 시행하고 있다.

다음 중 대표관료제에 대한 설명으로 옳지 않은 것은?

① 대표관료제는 실적주의의 폐단을 보완하기 위해 도입되었다.

② 대표관료제는 관료조직 내의 내부통제를 약화시킨다.

③ 대표관료제는 사회경제적 인구구성을 반영토록 하여 해당 관료가 출신집단에 책임을 질 수 있도록 보장하기 위한 제도적 장치이다.

④ 대표관료제는 할당제와 역차별로 인한 사회분열을 조장할 수 있다.

⑤ 대표관료제는 사회적 약자를 보호하기 위한 형평성을 지향한다.

17	대표관료제

엽관주의의 폐단을 시정하기 위하여 등장한 것은 실적주의이며, 대표관료제는 형식적인 실적주의의 폐단을 시정하기 위하여 등장하였다. 대표관료제는 관료제의 대응성과 책임성을 제고할 수 있고, 실질적인 기회균등 및 수직적 형평성을 가져올 수 있다.

(선지분석)

② 다양한 사회집단의 참여를 통해 관료들이 국민의 다양한 요구에 반응하게 하여 정부의 대응성과 책임성을 제고시키고, 관료제의 민주화에 기여한다.

③ 수직적 형평성은 확보하였지만, 실적주의라면 충분히 합격할 수 있는 유능한 인재가 할당제로 인해 임용이 되지 못하면서 수평적 형평성의 침해가 문제될 수 있다.

④ 우리나라의 대표성 확보제도에는 양성평등채용목표제, 장애인의무고용제, 지역인재 추천채용 등이 있다.

답 ①

18	대표관료제

대표관료제는 공직사회의 다양성과 대표성을 확보하기 위한 인사제도로서 출신집단별 비율로 공직을 구성하며, 사회집단의 대중통제를 정부 관료제에 내재화시킴으로써 관료조직의 내부통제를 강화한다.

(선지분석)

① 대표관료제는 실적주의의 폐단을 보완하기 위해 도입된 제도이다.

③ 사회를 구성하는 주요 집단의 인구 비례에 따라 정부 관료를 충원하고, 정부 관료가 사회의 모든 계층과 집단에 공평하게 대응할 수 있도록 하여 소외되는 집단 없이 평등한 행정이 가능하다.

④ 수직적 형평성은 확보하였지만 수평적 형평성은 침해될 수 있고 이는 사회집단 간 갈등과 분열을 야기한다.

⑤ 소외계층에게 공직진출에의 실질적인 기회를 보장함으로써 결과의 평등과 수직적 형평성 확보에 기여한다.

답 ②

19 ☐☐☐

대표관료제에 대한 설명으로 적절하지 않은 것은?

① 국민의 다양한 요구에 대한 정부의 대응성을 향상시킬 수 있다.
② 현대 인사행정의 기본원칙인 실적주의를 강화시킨다.
③ 정부 관료의 충원에 있어서 다양한 집단을 참여시킴으로써 정부 관료제의 민주화에 기여할 수 있다.
④ 장애인채용목표제는 대표관료제의 일종이다.

20 ☐☐☐

대표관료제(Representative Bureaucracy)에 대한 설명으로 옳지 않은 것은?

① 킹슬리(Kingsley)가 처음 사용한 용어로서 엽관주의 인사제도의 폐단을 극복하기 위해 등장하였다.
② 관료제의 인적 구성 측면을 강조하며 관료제의 대표성과 대응성을 강화하기 위한 제도이다.
③ 우리나라의 양성평등채용목표제는 대표관료제의 발상을 반영한 것이라고 할 수 있다.
④ 행정의 전문성과 생산성을 저해할 수 있다는 비판이 있다.

| 19 | 대표관료제 |

대표관료제는 사회적 대표성을 고려하여 선발하는 임용으로 능력과 업적에 따른 인사관리를 강조하는 실적주의와 갈등이 생기고, 실적주의를 침해한다는 단점이 있다.

답 ②

| 20 | 대표관료제 |

대표관료제는 실적주의의 소극적인 인사행정 및 폐단을 극복하기 위하여 등장하였다.

(선지분석)
② 대표관료제는 정부 관료제의 대응성과 책임성, 민주성 확보를 중시한다.
③ 우리나라의 양성평등채용목표제는 성비 불균형의 해소를 위해 채용 비율을 설정한 제도로, 대표성을 확보하기 위한 제도 중 하나이다.
④ 대표관료제는 실적주의하에서 관료로 충원될 수 없는 자를 관료로 충원하므로, 행정의 전문성과 생산성이 저해될 수 있다.

답 ①

21 □□□

대표관료제이론이 상정하는 효과를 모두 고른 것은?

> ㄱ. 다양한 집단을 참여시킴으로써 정부관료제를 민주화하
> 는 데 기여한다.
> ㄴ. 공무원 신분보장을 통해 행정의 안정성과 계속성을 확
> 보한다.
> ㄷ. 기회균등원칙을 보장함으로써 사회적 형평성을 제고한다.
> ㄹ. 정당의 대중화와 정당정치 발달에 기여한다.
> ㅁ. 국민의 다양한 요구에 대한 대응성을 제고한다.

① ㄱ, ㄴ, ㄷ
② ㄱ, ㄷ, ㅁ
③ ㄴ, ㄷ, ㄹ
④ ㄷ, ㄹ, ㅁ

22 □□□

다음 중 대표관료제에 대한 설명으로 옳지 않은 것은?

① 대표관료제는 정부관료제가 그 사회의 인적 구성을 반영
하도록 구성함으로써 관료제 내에 민주적 가치를 반영시
키려는 의도에서 발달하였다.

② 크랜츠(Kranz)는 대표관료제의 개념을 비례대표로까지 확
대하여 관료제 내의 출신집단별 구성비율이 총인구 구성
비율과 일치해야 할 뿐만 아니라 나아가 관료제 내의 모든
직무 분야와 계급의 구성비율까지도 총인구비율에 상응하
게 분포되어 있어야 한다고 주장한다.

③ 대표관료제의 장점은 사회의 인구 구성적 특징을 반영하
는 소극적 측면의 확보를 통해서 관료들이 출신집단의 이
익을 위해 적극적으로 행동하는 적극적인 측면을 자동적
으로 확보하는 데 있다.

④ 대표관료제는 할당제를 강요하는 결과를 초래해 현대 인
사행정의 기본원칙인 실적주의를 훼손하고 행정능률을 저
해할 수 있다는 비판을 받는다.

⑤ 우리나라의 양성평등채용목표제나 지역인재추천채용제
는 관료제의 대표성을 제고하기 위해 도입된 제도로 볼 수
있다.

21	대표관료제

ㄱ. 대표관료제이론은 관료제의 민주화에 기여한다.
ㄷ. 소외계층에게 공직진출에의 실질적인 기회를 보장함으로써 결과의 평
등과 수직적 형평성 확보에 기여한다.
ㅁ. 다양한 사회집단의 참여를 통해 관료들이 국민의 다양한 요구에 반응하
게 하여 정부의 대응성을 제고시킨다.

(선지분석)

ㄴ. 직업공무원제의 효과이다.
ㄹ. 엽관주의의 효과이다.

답 ②

22	대표관료제

대표관료제의 소극적 대표성은 출신성분이 관료의 태도를 결정한다는 것을
의미하며, 적극적 대표성은 태도가 행동을 결정한다는 것을 의미한다. 대
표관료제는 소극적 측면의 확보가 곧바로 적극적 측면의 확보로 이어지지
않을 수 있다는 문제점이 제기된다.

(선지분석)

① 대표관료제는 관료제 내에 민주적 가치를 반영시키기 위해 사회를 구성
하는 주요 집단의 인구 비례에 따라 정부 관료를 충원하여, 정부 내의 모
든 계급에 비례적으로 배치하는 인사행정제도이다.

② 크랜츠(Kranz)는 관료제의 개념을 비례대표까지 확대하여 관료제 내의
모든 직무분야와 계급의 구성 비율을 총인구 구성 비율에 상응하게 분포
시켜야 한다고 주장하였다.

④ 대표관료제는 사회적 대표성을 고려하는 임용으로 능력과 업적에 따른
인사관리를 강조하는 실적주의와 갈등이 생길 수 있고, 행정능률을 저해
할 수 있어 비판을 받는다.

⑤ 우리나라의 대표성 확보제도로 양성평등채용목표제, 지역인재 추천채
용제 등이 있다.

답 ③

23 □□□

다음 중 사회를 구성하는 모든 주요 집단으로부터 인구비례에 따라 관료를 충원하고 이들을 정부 내의 모든 계급에 비례적으로 배치하여 정부가 그 사회의 모든 계층과 집단에 공평하게 대응토록 하는 인사제도는?

① 탈관료제
② 계급제
③ 직위분류제
④ 대표관료제
⑤ 직업공무원제

24 □□□

대표관료제에 대한 설명으로 옳은 것은?

① 행정의 효율성과 효과성 증진을 목표로 하는 제도이다.
② 관료들이 출신집단의 이익과 무관하게 전체적 이익에 봉사할 것이라는 가정에 기반하고 있다.
③ 엄정한 능력에 따른 채용을 통해 관료를 선발한다.
④ 우리나라의 '양성평등채용목표제'는 대표관료제를 반영한 인사제도라 할 수 있다.

| 23 | 대표관료제 |

지문은 대표관료제에 대한 설명이다. 대표관료제는 정부 관료가 사회의 모든 계층과 집단에 공평하게 대응할 수 있도록 하여 소외되는 집단 없이 평등한 행정이 가능하도록 한다.

(선지분석)
① 탈관료제는 후기산업사회(정보화산업사회)에 들어 전통적 관료제의 한계가 지적되면서 정보화시대에 적합한 조직구조로서 등장한 조직으로, 높은 융통성과 적응성을 특징으로 하는 유기적·동태적 조직모형이다.
② 계급제는 개인이 사회에서 차지하는 지위와 신분에 따라 공직을 계급으로 분류하는 제도이다.
③ 직위분류제는 직무를 중심으로 공직구조를 체계화하고 이에 적합한 사람을 공무원으로 임용하는 제도이다.
⑤ 직업공무원제는 젊고 유능한 인재들이 공직을 보람 있는 직업으로 선택하여 일생을 바쳐 성실히 근무할 수 있도록 운영하는 인사제도이다.

답 ④

| 24 | 대표관료제 |

우리나라의 양성평등채용목표제와 장애인 의무고용제, 지역인재추천채용 등은 대표관료제를 반영한 제도이다.

(선지분석)
① 대표관료제는 사회적 대표성을 가장 우선적으로 고려하기 때문에 행정의 효율성과 효과성이 낮아진다.
② 대표관료제는 관료들이 자신들의 출신집단의 이익을 반영할 것이라는 것을 기본적인 전제로 하는 인사제도이다.
③ 대표관료제는 능력에 따른 선발이 아니라 소외계층을 우대하는 할당임용제이다.

답 ④

25 □□□

대표관료제(Representative Bureaucracy)에 대한 설명으로 옳지 않은 것은?

① 킹슬리(Kingsley)가 1944년에 처음 사용한 개념이다.
② 임명직 관료집단이 민주적 방법으로 행동하도록 하기 위한 방안으로 도입되었다.
③ 대표관료제는 내부통제를 강화하는 기능을 가지고 있다.
④ 관료들의 객관적 책임을 매우 현실적이라고 주장한다.

26 □□□

대표관료제의 논리가 지니는 문제점으로 옳지 않은 것은?

① 내부통제의 강화
② 피동적 대표성이 능동적 대표성을 보장한다는 전제의 허구성
③ 천부적 자유의 개념과 상충
④ 할당제와 역차별로 인한 사회분열의 조장
⑤ 대표의 집단이기주의화

25	대표관료제

대표관료제란 사회를 구성하는 주요 집단의 인구 비례에 따라 정부 관료를 충원하여, 정부 내의 모든 계급에 비례적으로 배치하는 인사행정제도이다. 다양한 출신의 구성원들이 들어가 상호 견제·내부통제를 하는 것으로 대표성을 높이며, 관료 자신들의 출신집단의 이익을 반영하기 위하여 관료들의 책임의식은 주관적이고 내면적이다. 즉, 관료들의 객관적 책임은 비현실적이라고 본다.

(선지분석)

① 킹슬리(Kingsley)가 1944년 출간한 『대표관료제』라는 저서에서 처음 사용한 개념이다.
② 임명직 관료집단이 사회 전체의 국민에 대한 대응성을 제고하고 민주적 방법으로 행동하도록 하기 위한 방안으로 도입되었다.

답 ④

26	대표관료제

내부통제의 강화는 대표관료제가 지닌 효과 중 하나이다. 오히려 대표관료제는 외부통제가 약화된다는 문제점이 있다.

📄 대표관료제의 문제점

1. 관료의 재사회화 경시
2. 역차별과 사회분열 문제
3. 실적주의와의 갈등
4. 기술상의 문제

답 ①

---

27 □□□

인사행정제도에 대한 설명으로 가장 옳은 것은?

① 직위분류제는 계급제에 비해 탄력적 인사관리가 가능한 장점을 가진다.
② 엽관주의는 정당에의 충성도와 공헌도를 임용 기준으로 삼았기 때문에 민주주의와 전혀 관련이 없다.
③ 실적주의는 정치적 중립을 지향하여 인사행정을 소극화, 형식화시켰다.
④ 직업공무원제는 원칙적으로 개방형 충원 및 전문가주의에 입각하고 있다.

28 □□□

인사행정에 대한 설명으로 가장 옳지 않은 것은?

① 균형인사정책은 대표관료제의 단점, 즉 소외집단에 대한 배려가 다른 집단에 대한 역차별을 불러올 가능성을 낮추는 데 기여할 수 있다.
② 대표관료제는 정부관료제 인적 구성의 대표성 확보를 통해 전체 국민에 대한 정부의 대응성을 향상 시킬 수 있다.
③ 엽관제는 정당정치의 발달과 행정의 민주성 제고에 기여할 수 있다.
④ 엽관제는 정치지도자의 행정 통솔력을 강화시켜 정책과정의 능률성을 제고할 수 있다.

27	인사행정제도

실적주의는 인력의 탄력적 운영이 어렵고 인사행정의 경직성과 형식성을 특징으로 하며, 최근에는 인사행정의 소극성 및 경직성을 해소하기 위하여 엽관주의와의 조화를 추구하는 경향이 있다.

선지분석
① 계급제는 수평적 인사이동이 용이하므로 직위분류제보다 탄력적 인사관리가 가능한 장점이 있다.
② 엽관주의는 선거에서 승리한 정당이 정당에의 충성도와 공헌도를 기준으로 공직을 배분하였기 때문에 관료도 선거로 선출한 효과를 발생시켜 민주적 대응성이 높은 제도이다.
④ 직업공무원제는 원칙적으로 폐쇄형 충원과 일반행정가주의에 입각하고 있다.

답 ③

28	인사행정

대표관료제는 균형인사정책의 대표적인 사례에 해당하며, 균형인사정책은 소외집단에 대한 배려가 다른 집단에 대한 역차별을 야기하는 문제가 있다.

선지분석
② 대표관료제는 사회를 구성하는 주요 집단의 인구 비례에 따라 정부 관료를 충원하여 정부 내의 모든 계급에 비례적으로 배치하는 인사행정제도이다. 다양한 사회집단의 참여를 통해 관료들이 국민의 다양한 요구에 반응하게 하므로 정부의 대응성과 책임성을 제고시킨다는 장점이 있다.
③ 엽관제는 관료를 선거로 임용하는 효과가 발생하므로 민주성 제고에 기여할 수 있다.
④ 엽관제는 정치지도자의 리더십과 행정 통솔력을 강화한다.

답 ①

인사행정제도에 관한 설명 중 적절하지 않은 것은?

① 엽관주의는 정당에의 충성도와 공헌도를 관직임용의 기준으로 삼는 제도이다.

② 엽관주의는 국민의 요구에 대한 관료적 대응성을 확보하기 어렵다는 단점을 갖는다.

③ 행정국가현상의 등장은 실적주의 수립의 환경적 기반을 제공하였다.

④ 직업공무원제는 계급제와 폐쇄형 공무원제, 그리고 일반행정가주의를 지향한다.

인사행정제도에 대한 다음 설명 중 가장 옳은 것은?

① 직업공무원제는 장기근무를 장려하고 행정의 계속성과 일관성을 유지하는 데 긍정적인 제도로 개방형 인사제도 및 전문행정가주의에 입각하고 있다.

② 엽관주의는 정당에의 충성도와 공헌도를 임용 기준으로 삼는 인사행정제도로 행정의 민주화에 공헌한다는 장점이 있다.

③ 실적주의는 개인의 능력이나 자격, 적성에 기초한 실적을 임용 기준으로 삼는 인사행정제도로 정치지도자들의 행정 통솔력을 강화시키는 데 기여한다.

④ 대표관료제는 전체 국민에 대한 정부의 대응성을 향상시키고 실적주의를 강화하여 행정의 능률성을 향상시키는 장점이 있다.

29	인사행정제도

엽관주의는 정당이나 선거를 통하여 국민의 요구에 대한 관료집단의 대응성을 확보할 수 있다.

(선지분석)
① 엽관주의의 인사관리나 공직임용의 기준은 정당에 대한 충성도이다.
③ 행정이 고도로 전문화되고 행정기능이 분화됨으로써 행정의 영향력이 강화되고 이에 따라 전문적 지식과 능력을 갖춘 관료가 요구되면서 실적주의가 성립되었다.
④ 직업공무원제는 계급제와 폐쇄형 충원제도를 지향하고, 일반행정가 양성에 중점을 둔다.

답 ②

30	인사행정제도

엽관주의는 선거에 의한 정권의 교체와 그 정권교체에 따른 공직교체가 가능하기 때문에 민주정치의 발전에 기여하였다.

(선지분석)
① 직업공무원제는 장기근무를 장려하고 행정의 계속성과 일관성을 유지하는 데 긍정적인 제도로 신분보장과 계급제, 폐쇄형 인사제도 및 일반행정가주의에 입각하고 있다.
③ 실적주의가 아니라 엽관주의가 정치지도자들의 행정 통솔력을 강화시키는 데 기여한다.
④ 대표관료제는 실적주의를 비판하며 등장한 인사제도로서 행정의 전문성과 능률성을 저하시킬 우려가 있다.

답 ②

31 □□□

인사제도에 대한 설명으로 옳지 않은 것은?

① 직업공무원제가 성공하려면 우선 공직임용에서 연령상한 제를 폐지하는 것이 필수적이다.
② 대표관료제는 관료들이 출신집단의 가치와 이익을 대변하 리라는 기대에 기반을 둔다.
③ 엽관주의는 국민의 요구에 대한 대응성 향상에 도움이 되 는 제도이다.
④ 폐쇄형 인사제도는 내부승진의 기회를 개방형보다 더 많 이 제공한다.

THEME 060 중앙인사행정기관

32 □□□

비독립단독형 중앙인사기관에 관한 설명으로 옳지 않은 것은?

① 미국의 인사관리처(OPM)는 이 유형에 속한다.
② 인사행정의 공정성과 중립성이 저해될 가능성이 있다.
③ 인사행정의 책임소재가 분명해진다.
④ 정부 인적 자원을 안정적·합리적으로 관리하기 어렵다.
⑤ 인사정책의 결정이 지나치게 지연되는 경우가 많다.

31	인사제도

직업공무원제의 전제조건 중 하나는 공직임용에서 연령상한제를 두는 것이 다. 직업공무원제는 공직이 유능하고 인품 있는 젊은 남녀에게 개방되어 매 력적인 것으로 여겨지고, 업적과 능력에 따라 명예롭게 높은 지위에까지 올 라갈 수 있는 기회가 부여됨으로써 공직이 전 생애를 바칠 만한 보람 있는 일 로 간주될 수 있는 조치가 마련되어 있는 제도이다. 따라서 젊고 유능한 인 재등용을 위하여 연령상한제를 전제조건으로 한다.

(선지분석)

② 대표관료제는 관료들이 출신집단의 가치와 이익을 대변하리라는 기대, 즉 소극적 대표성이 적극적 대표성을 보장한다는 기대에 기반을 둔다.
③ 엽관주의는 관료를 선거로 뽑은 효과를 발생시키므로 국민의 요구에 대 한 대응성 향상에 도움이 되는 제도이다.
④ 폐쇄형 인사제도는 외부 인사의 임용이 이루어지지 않기 때문에 조직 내 부 구성원에게 승진 기회가 개방형보다 더 많이 제공된다.

답 ①

32	비독립단독형 중앙인사기관

인사정책의 결정이 지나치게 지연되는 경우가 많은 것은 독립합의형 중앙인 사기관의 단점에 해당한다.

📄 독립합의형과 비독립단독형 중앙인사기관의 장·단점

구분	독립합의형(위원회형)	비독립단독형(집행부형)
장점	• 엽관주의의 영향력을 배제하 여 정치적 중립과 실적제 발 전에 유리 • 인사행정의 전횡과 독단을 막 을 수 있음 • 인사행정에 관한 결정의 신 중화 • 인사행정의 계속성 확보	• 인사행정의 책임소재 명확화 • 인사정책의 신속한 결정 가능 • 인사행정을 통해 국가정책의 신속하고 강력한 추진 가능 • 행정 변화에 신축적 대응 가능
단점	• 인사행정의 책임 분산 • 인사정책의 결정 지연 • 인사행정의 적극화·전문화 곤란 • 행정수반이 인사수단을 확보 하지 못하여 강력한 정책추 진 곤란	• 인사행정의 엽관화 우려 • 독선적·자의적인 결정을 견 제하기 어려움 • 인사행정의 일관성·계속성 확 보 곤란

답 ⑤

33 □□□

중앙인사기관의 형태에는 독립합의형, 비독립단독형, 절충형 등이 있다. 다음 중 독립합의형의 장점으로 볼 수 없는 것은?

① 인사행정의 정치적 중립을 보장하여 실적제를 발전시키는 데 유리하다.
② 다수의 위원들이 인사행정에 관한 결정을 함으로써 신중한 의사결정을 할 수 있다.
③ 인사행정에 대한 이익집단의 요구를 균형 있게 수용할 수 있다.
④ 입법부, 일반 국민 및 행정부와의 관계를 원만하게 유지할 수 있으므로 행정수반이 자신의 정책을 강력히 추진하는 데 도움이 된다.
⑤ 위원들을 부분적으로 교체할 경우 인사행정의 계속성을 확보할 수 있다.

34 □□□

중앙인사기관에 대한 설명으로 옳지 않은 것은?

① 독립합의형은 엽관주의를 배제하고 실적제를 발전시키는 데 유리하지만, 책임소재가 불분명해질 수 있는 단점이 있다.
② 비독립단독형은 집행부 형태로 인사행정의 책임이 분명하고 신속한 의사결정을 가능하게 해주지만, 인사행정의 정실화를 막기 어렵다.
③ 독립단독형은 독립합의형과 비독립단독형의 절충적 성격을 가진 형태로서 대표적인 예는 미국의 인사관리처나 영국의 공무원 장관실 등이다.
④ 정부 규모의 확대로 전략적 인적자원관리가 강조되어 중앙인사기관의 설치 및 기능이 중요시된다.

33	독립합의형 중앙인사기관

독립합의형은 입법부, 일반 국민 및 행정부와의 관계를 원만하게 유지할 수 있으나, 행정수반은 자신의 인사수단을 확보하지 못하여 정책을 강력하게 추진하기 어려운 기관형태이다.

(선지분석)
① 독립합의형은 중앙인사기관이 행정부(행정수반)로부터 독립되어 있어 정치적 중립을 제고할 수 있으며, 정권의 교체와 무관하게 인사행정을 운용할 수 있으므로 실적제를 발전시키는 데 유리하다.
② 독립합의형은 합의제 형태인 위원회로 운영되므로 다수의 위원들이 인사행정에 관한 결정을 함으로써 신중한 의사결정을 할 수 있다.
③ 각 위원들은 제 각각 대변하는 이익집단이 있으므로 인사행정에 대한 이익집단의 요구를 균형 있게 수용할 수 있다.
⑤ 위원들을 시차를 두고 부분적으로 교체할 경우 인사행정의 계속성, 종적 일관성을 확보할 수 있다.

답 ④

34	중앙인사기관

미국의 인사관리처나 영국의 공무원 장관실은 비독립단독형 중앙인사기관이다.

(선지분석)
① 독립합의형은 일반적으로 행정부에서 분리되어 있으며, 행정수반으로부터 독립된 지위를 가지는 유형으로 실적제를 발전시키는데 유리하지만 책임소재가 모호하다는 단점이 있다.
② 비독립단독형은 행정수반에 의하여 임명된 한 사람의 기관장이 의사결정을 하는 형태로, 인사행정의 책임소재가 명확하고 신속한 결정이 가능하지만 인사행정의 정실화를 초래한다는 단점이 있다.
④ 국가 규모의 확대로 전략적 인적자원관리가 필요함에 따라 중앙인사기관이 중요시된다.

답 ③

---

35 ☐☐☐

중앙인사기관에 대한 설명으로 가장 옳지 않은 것은?

① 우리나라의 중앙인사위원회는 합의제 중앙인사기관으로 1999년부터 2008년까지 존속하였다.

② 미국의 연방인사위원회가 독립형 합의제 중앙인사기관의 대표적인 예이다.

③ 일본의 총무성은 중앙인사기관이 행정부의 한 부처로 속해 있는 비독립형 단독제기관의 예이다.

④ 현재 우리나라 인사혁신처는 합의제 중앙인사기관으로 설립되어 있다.

36 ☐☐☐

다음 중 중앙인사기관에 대한 설명으로 옳지 않은 것은?

① 영국의 내각사무처는 비독립단독형 인사기관 형태를 채택하고 있다.

② 독립합의형 인사기관은 인사행정의 책임소재를 명확히 할 수 있다.

③ 중앙인사기관의 기능은 준입법·준사법 기능과 집행·감사 기능을 모두 포함한다.

④ 비독립단독형 인사기관은 주요 인사정책의 신속한 추진을 가능하게 한다.

⑤ 독립합의형 인사기관은 인사행정의 공정성 확보가 용이하다는 장점이 있다.

35	중앙인사기관

우리나라의 인사혁신처는 합의제기관이 아니라 비독립단독형 중앙인사기관이다.

선지분석

① 우리나라의 중앙인사위원회는 1999년 김대중 정부 때 설립되었으며, 노무현 정부 때 인사에 대한 정책과 집행기능을 수행하는 조직으로 확장되었지만, 2008년 이명박 정부 때 폐지되었다.

② 독립형 합의제는 행정부로부터 분리되어 초당적 인사로 구성되는 위원회 형태이다. 1978년 이전 미국의 인사위원회(CSC) 및 현재의 실적제보호위원회(MSPB)가 이에 해당한다.

③ 일본의 총무성은 행정부의 여러 부처 중 하나의 부처에 불과하며, 총무성의 수장은 총무대신으로 독임제 기관이다.

답 ④

36	중앙인사기관

독립합의형 인사기관은 결정에 대한 책임이 모호하고 분산되어 책임소재를 명확히 하기 어렵다.

📄 **중앙인사기관의 전통적 기능과 발전방향**

전통적 기능	준입법적 기능	관계 법률의 범위 안에서 인사 규칙 제정
	준사법적 기능	위법 혹은 부당한 처분을 받은 공무원의 이의신청 재결
	기획 기능	인력 계획 수립 등 인사 기획 수행
	결정 및 집행 기능	실질적인 인사행정에 대한 결정과 사무 집행
	감사 기능	각 부처 인사기관에 대한 감사와 통제 기능
발전방향	• 자문 기능 강화 • 준입법권 약화에 따른 인사 기능의 분권화 도모 • 새로운 인사관리제도의 연구 기능 필요	

답 ②

37 ☐☐☐

「국가공무원법」상 중앙인사관장기관이 아닌 것은?

① 감사원사무총장
② 법원행정처장
③ 헌법재판소사무처장
④ 국회사무총장

---

38 ☐☐☐

소청심사제도에 대한 설명으로 옳은 것은?

① 소청심사위원회의 결정은 처분행정청에 대해 권고와 같은 효력이 있다.
② 강임과 면직은 심사대상이나, 휴직과 전보는 심사대상에 해당되지 않는다.
③ 지방소청심사위원회는 기초자치단체별로 설치되어 있다.
④ 지방소청심사위원회 위원은 자치단체의 장이 임명 또는 위촉하나, 위원장은 위촉위원 중에서 호선한다.

37	중앙인사관장기관

감사원은 헌법상 독립기관이 아닌 대통령 소속기관이므로 감사원사무총장은 중앙인사관장기관이 아니다.

(선지분석)
② 법원, 헌법재판소, 국회는 모두 헌법상 독립기관으로 법원행정처장, 헌법재판소사무처장, 국회사무총장은 중앙인사관장기관이다.

답 ①

38	소청심사제도

소청심사제도란 징계처분이나 강임·휴직, 면직처분 등 그의 의사에 반하여 불이익처분을 받은 공무원이 그에 불복하여 이의를 제기하는 경우 이를 심사하고 결정하는 행정심판제도의 일종이다. 지방소청심사위원회 위원과 위원장에 대해서는 「지방공무원법」에 규정하고 있다.

> **「지방공무원법」 제14조【심사위원회의 의원】** ② 위원은 다음 각 호의 어느 하나에 해당하는 사람 중에서 특별시장·광역시장·도지사 또는 특별자치도지사 또는 교육감이 임명하거나 위촉한다.
> **제15조【심사위원회의 위원장】** ① 심사위원회에 위원장 1명을 두며, 위원장은 심사위원회에서 심사위원회 위촉위원 중에서 호선한다.

(선지분석)
① 소청심사위원회의 결정은 처분행정청을 기속(羈束)한다. 즉, 강제력이 있다.
② 소청심사의 대상에는 징계처분(파면, 해임, 강등, 정직, 감봉, 견책), 기타 의사에 반하는 불리한 처분(강임, 휴직, 직위해제, 면직, 전보, 계고, 경고 등), 부작위(복직 청구 등) 등을 모두 포함한다.
③ 공무원의 징계, 그 밖에 그 의사에 반하는 불리한 처분이나 부작위(不作爲)에 대한 소청을 심사·결정하기 위하여 시·도에 임용권자별로(임용권을 위임받은 자는 제외한다) 지방소청심사위원회 및 교육소청심사위원회를 둔다(「지방공무원법」 제13조).

답 ④

다음 중 소청심사에 대한 설명이 틀린 것은?

① 소청심사위원회는 위법 · 부당한 신분상 불이익처분을 모두 소관대상으로 한다.
② 소청심사위원회는 직급별로 소관을 달리 한다.
③ 반드시 소청심사를 거쳐 소송을 제기할 수 있다.
④ 소청심사의 결정은 최종적으로 합의에 의한다.

「국가공무원법」상 소청심사위원회를 둘 수 없는 기관은?

① 행정안전부
② 국회사무처
③ 중앙선거관리위원회사무처
④ 법원행정처

39	소청심사

소청심사위원회는 직급별로 설치되어 있지 않다. 행정부는 전 직급, 전 부처를 대상으로 인사혁신처에 설치하며, 국회 · 법원 등 헌법상 독립기관은 각 기관별로 별도로 설치한다.

📑 소청심사	
소청 대상	• 징계처분, 기타 의사에 불리한 처분이나 부작위: 강임, 휴직, 직위해제, 면직, 전보 등 • 청구 대상이 아닌 것: 근평결과, 승진탈락, 변상명령 등의 불만족사항
결정의 효력	• 구속력 인정 → 처분청의 행위 • 행정소송의 필수적 전심절차: 행정소송은 소청심사위원회의 심사 · 결정을 거치지 않으면 제기할 수 없음
구성	• 위원장(차관급 정무직) 1인을 포함한 5~7인의 상임위원과 상임위원 수의 2분의 1 이상인 비상임위원(현재 상임 5인, 비상임 4인) • 임기: 상임위원 3년(1차에 한해 연임), 비상임위원 1년

답 ②

40	소청심사위원회

행정기관 소속공무원의 소청을 심사 · 결정하기 위하여 행정안전부가 아닌 인사혁신처에 소청심사위원회를 둔다. 국회사무처, 법원행정처, 헌법재판소사무처 및 중앙선거관리위원회사무처에 각각 해당 소청심사위원회를 둔다.

답 ①

공무원의 사기관리에 대한 설명으로 옳은 것은?

① 「공무원 제안 규정」상 우수한 제안을 제출한 공무원에게 인사상 특전을 부여할 수 있지만, 상여금은 지급할 수 없다.

② 소청심사제도는 징계처분과 같이 의사에 반하는 불이익 처분을 받은 공무원이 그에 불복하여 이의를 제기했을 때 이를 심사하여 결정하는 절차이다.

③ 우리나라는 공무원의 고충을 심사하기 위하여 행정안전부에 중앙고충심사위원회를 둔다.

④ 성과상여금제도는 공직의 경쟁력을 높이기 위하여 공무원 인사와 급여체계를 사람과 연공 중심으로 개편한 것이다.

41	공무원의 사기관리

소청심사제도는 공무원의 징계처분, 그 밖에 그 의사에 반하는 불리한 처분에 대한 소청의 심사·결정 및 그 재심청구사건의 심사·결정에 관한 절차이다.

선지분석
① 제안자에게 인사상 특전 및 상여금을 지급할 수 있다.
③ 공무원의 고충을 심사하기 위하여 중앙인사관장기관에 중앙고충심사위원회를 두되, 중앙고충심사위원회의 기능은 소청심사위원회에서 관장한다. 즉, 행정안전부가 아니라 인사혁신처이다.
④ 성과상여금제도는 공직의 경쟁력을 높이기 위하여 인사와 급여체계를 사람과 연공 중심에서 능력과 성과 중심으로 개편한 것이다.

답 ②

고충처리제도와 소청심사제도에 대한 설명으로 옳지 않은 것은?

① 양자 모두 공무원의 권익보호를 위한 제도이다.

② 고충심사위원회와 소청심사위원회의 결정은 관계기관의 장을 기속한다.

③ 중앙고충심사위원회의 기능은 인사혁신처 소청심사위원회에서 관장한다.

④ 소청심사제도는 공무원이 징계처분 기타 그 의사에 반하는 불이익 처분에 대해 이의를 제기하는 경우 이를 심사·결정하는 특별행정심판제도이다.

42	고충처리제도와 소청심사제도

고충심사위원회의 결정은 법적 구속력이 없다.

📋 소청심사와 고충처리 비교

구분	소청심사	고충처리
유사점	공무원의 권익을 보호함	
법령근거	「국가공무원법」	「국가공무원법」, 「공무원고충처리규정」
대상	징계처분 그 밖에 그 의사에 반하는 불리한 처분이나 부작위 (신분상의 불이익처분)	인사·조직·처우 등 각종 직무 조건과 그 밖에 신상 문제 (상대적으로 범위가 넓음)
내용	처분의 적법성 여부를 판단하는 준사법적 기능 (불만이나 부당한 사항은 대상이 되지 않음)	직무 조건과 각종 신상 문제에 대해 부당 또는 불만사항을 시정할 수 있도록 관리
청구	직접적·구체적 이익의 침해가 있어야 청구 가능	심리적 불만으로도 청구 가능
청구기한	처분사유설명서를 받은 날 또는 처분이 있는 것을 안 날로부터 30일 이내	–
기관	소청심사위원회 (높은 독립성)	고충심사위원회 (상대적으로 낮은 독립성)
결정	재적위원 3분의 2 이상 출석과 출석위원 과반수	재적위원 과반수
결정기한	60일 이내(30일 연장 가능)	30일 이내(30일 연장 가능)
기속력	위원회의 결정은 처분행정청을 기속	기속력은 없음

답 ②

CHAPTER 2 공직의 분류

THEME 061 공직분류의 의의

01 □□□
2016년 국회직 8급

다음 중 현행 「국가공무원법」과 「지방공무원법」에서 정하고 있는 공무원으로 옳지 않은 것은?

① 대통령
② 비례대표 국회의원
③ 서울대학교 총장
④ 세종특별자치시장
⑤ 부산광역시 해운대구의회 의원

01	「국가공무원법」과 「지방공무원법」상 공무원

서울대학교는 2014년 7월부터 법인화되었으므로 서울대학교 총장은 현재 공무원이 아니다. 인천대학교 및 중앙의료원도 법인화되었다.

답 ③

THEME 062 경력직과 특수경력직

02 □□□
2019년 서울시 7급(2월 추가)

「지방공무원법」상 특정직공무원이 아닌 것은?

① 기술에 대한 업무를 담당하는 공무원
② 공립 대학 및 전문대학에 근무하는 교육공무원
③ 자치경찰공무원
④ 지방소방공무원

02	특정직공무원

기술에 대한 업무를 담당하는 공무원은 일반직공무원이다.

(선지분석)
②, ③, ④ 특정직공무원은 특수분야의 업무를 담당하는 공무원으로서 법관, 검사, 외무공무원, 경찰공무원, 소방공무원, 교육공무원, 군인, 군무원, 헌법재판소 헌법연구관, 국가정보원 직원 등이 해당한다. 특정직공무원은 공무원의 비율 중 가장 많은 비중을 차지하며, 신분이 보장된다는 점에서 일반직공무원과 같다.

답 ①

03 ☐☐☐

정무직공무원에 해당하지 않는 것은?

① 감사원 사무차장
② 헌법재판소 사무차장
③ 국무총리실 사무차장
④ 국가정보원 차장

| **03** | **정무직공무원** |

감사원의 사무차장은 과거에는 별정직공무원이었고, 현재는 일반직공무원이다.

> 📋 **정무직공무원**
>
> 1. 선거에 의하여 취임하는 공무원: 대통령, 국회의원, 자치단체의 장, 지방의회의원, 교육감 등
> 2. 국회의 동의나 정치적 판단에 의하여 임명하는 공무원: 국무총리, 감사원장, 헌법재판소장, 헌법재판소 재판관, 중앙선거관리위원회 위원, 국가정보원장
> 3. 기타: 고도의 정책결정 업무를 담당하거나 이러한 업무를 보조하는 공무원

답 ①

04 ☐☐☐

다음 중 특정직공무원에 해당하는 것만을 모두 고르면?

> ㄱ. 국가인권위원회 상임위원
> ㄴ. 검사
> ㄷ. 헌법재판소의 헌법연구관
> ㄹ. 도지사의 비서
> ㅁ. 국가정보원의 직원

① ㄱ, ㄷ, ㄹ
② ㄱ, ㄹ, ㅁ
③ ㄴ, ㄷ, ㄹ
④ ㄴ, ㄷ, ㅁ

| **04** | **특정직공무원** |

ㄴ, ㄷ, ㅁ. 검사, 헌법재판소의 헌법연구관, 국가정보원의 직원은 특정직공무원에 해당한다.

(선지분석)
ㄱ. 국가인권위원회 상임위원(차관급)은 정무직공무원이다.
ㄹ. 도지사의 비서는 별정직공무원이다.

답 ④

05 □□□

공무원의 구분에 대한 설명으로 옳은 것은?

① 일반직공무원은 경력직과 특수경력직으로 구분된다.
② 지방소방사는 특정직공무원에 해당된다.
③ 행정부 국가공무원 중에서는 일반직공무원의 수가 가장 많다.
④ 국가정보원 7급 직원은 특수경력직공무원에 해당된다.

06 □□□

(   ) 안에 들어갈 말을 바르게 나열한 것은?

> 「국가공무원법」상 행정각부의 차관은 (ㄱ)공무원 중 (ㄴ)공무원이다.

	ㄱ	ㄴ
①	경력직	일반직
②	경력직	특정직
③	특수경력직	별정직
④	특수경력직	정무직

---

06 | 공무원의 구분

「국가공무원법」상 행정각부의 차관은 특수경력직공무원 중 정무직공무원에 해당한다.

> **「국가공무원법」제2조【공무원의 구분】** ① 국가공무원(이하 '공무원'이라 한다)은 경력직공무원과 특수경력직공무원으로 구분한다.
> ② '경력직공무원'이란 실적과 자격에 따라 임용되고 그 신분이 보장되며 평생 동안(근무기간을 정하여 임용하는 공무원의 경우에는 그 기간 동안을 말한다) 공무원으로 근무할 것이 예정되는 공무원을 말하며, 그 종류는 다음 각 호와 같다.
> 1. 일반직공무원: 기술·연구 또는 행정 일반에 대한 업무를 담당하는 공무원
> 2. 특정직공무원: 법관, 검사, 외무공무원, 경찰공무원, 소방공무원, 교육공무원, 군인, 군무원, 헌법재판소 헌법연구관, 국가정보원의 직원과 특수 분야의 업무를 담당하는 공무원으로서 다른 법률에서 특정직공무원으로 지정하는 공무원
> ③ '특수경력직공무원'이란 경력직공무원 외의 공무원을 말하며, 그 종류는 다음 각 호와 같다.
> 1. 정무직공무원
>   가. 선거로 취임하거나 임명할 때 국회의 동의가 필요한 공무원
>   나. 고도의 정책결정업무를 담당하거나 이러한 업무를 보조하는 공무원으로서 법률이나 대통령령(대통령비서실 및 국가안보실의 조직에 관한 대통령령만 해당한다)에서 정무직공무원으로 지정하는 공무원
> 2. 별정직공무원: 비서관·비서 등 보좌업무 등을 수행하거나 특정한 업무 수행을 위하여 법령에서 별정직으로 지정하는 공무원

---

05 | 공무원의 구분

지방소방사는 소방공무원으로, 특정직공무원에 해당된다.

선지분석
① 일반직공무원은 경력직공무원에 속한다.
③ 행정부 국가공무원 중에서는 특정직공무원의 수가 일반직공무원의 수보다 더 많다.
④ 국가정보원 7급 직원은 경력직공무원 중 특정직공무원에 해당한다.

답 ②

답 ④

우리나라 인사제도에 대한 설명으로 옳지 않은 것은?

① 인사혁신처는 비독립형 단독제 형태의 중앙인사기관이다.
② 전문경력관이란 직무 분야가 특수한 직위에 임용되는 일반직공무원을 말한다.
③ 별정직공무원의 근무상한연령은 65세이며, 일반임기제 공무원으로 채용할 수 있다.
④ 각 부처의 고위공무원을 범정부적 차원에서 효율적으로 관리하고자 고위공무원단 제도를 운영하고 있다.

다음 중 우리나라 공직분류에 대한 설명 중 틀린 것은?

① 지방공무원의 수가 국가공무원보다 많다.
② 경력직에는 일반직과 특정직이 있다.
③ 특수경력직에는 정무직과 별정직이 있다.
④ 임기제공무원은 경력직공무원에 해당한다.

07	우리나라 인사제도

별정직공무원의 근무상한연령은 60세이며(「별정직공무원 인사규정」 제6조 제1항), 임기제 공무원은 경력직공무원을 임용할 때 활용한다.

(선지분석)
① 인사혁신처는 국무총리 소속(비독립)의 독임제(단독제) 형태이므로 비독립형 단독제 중앙인사기관이다.
② 전문경력관이란 일반직공무원 중 계급 구분과 직군 및 직렬의 분류를 적용하지 않는 특수 업무 분야에 종사하는 공무원이다.
④ 중앙부처의 실·국장급 국가공무원은 고위공무원단 소속 공무원이 되므로 범정부적 관리의 대상이 된다.

답 ③

08	우리나라 공직분류

지방공무원보다 국가공무원의 수가 더 많다.

(선지분석)
② 경력직에는 기술·연구 또는 행정 일반에 대한 업무를 담당하는 일반직공무원과 특수 분야의 업무를 담당하는 특정직공무원이 있다.
③ 특수경력직에는 선거에 의하여 취임하거나 국회의 동의, 정치적 판단에 의해 임명되는 정무직공무원과, 특정한 업무를 담당하기 위하여 별도의 자격 기준에 의하여 임용하는 별정직공무원이 있다.
④ 임기제공무원은 경력직공무원인 일반직공무원 또는 특정직공무원에 해당한다.

답 ①

09 ☐☐☐

우리나라 고위공직자의 인사청문제도에 대한 설명으로 옳지 않은 것은?

① 국무위원 후보자는 국회 인사청문의 대상이다.
② 국회는 임명동의안이 제출된 날로부터 20일 이내에 인사청문을 마쳐야 한다.
③ 국회에 제출하는 임명동의안 첨부서류에는 최근 5년간의 소득세·재산세·종합토지세의 납부 및 체납 실적에 관한 사항이 포함되어 있다.
④ 인사청문특별위원회 위원장은 인사청문경과를 국회 본회의에 보고한 후, 대통령에게 인사청문경과보고서를 송부한다.

09	인사청문제도

대통령에게 인사청문경과를 보고하는 것은 원칙적으로 국회의장이 한다.

📑 **국회의 인사청문 대상 공직자**

1. 헌법에 의하여 그 임명에 국회의 동의를 요하는 직위: 인사청문특별위원회의 인사청문으로 인사청문특별위원회 및 본회의의 의결을 거치며 대정부 구속력이 있다.
   예 대법원장, 헌법재판소장, 국무총리, 감사원장, 대법관 및 국회에 선출하는 헌법재판관·중앙선거관리위원회위원 등
2. 개별법에 의하여 국회의 인사 청문을 거치는 직위: 소관 상임위원회에서 인사 청문을 실시하며 대정부 구속력이 없다.
   예 국가정보원장, 국세청장, 검찰총장, 경찰청장, 대통령 임명·대법원장 지명 헌법재판관·중앙선관위 위원·장관 등
3. 헌법재판소 판례에 따르면 개별법에 의하여 인사청문을 실시할 경우 대통령에 대한 법적 구속력이 없다.

답 ④

THEME 063 폐쇄형과 개방형

10 ☐☐☐

중앙행정기관의 개방형 임용제도에 대한 설명으로 옳지 않은 것은?

① 경력개방형 직위제도는 공무원과 민간인이 경쟁하여 최적임자를 선발하는 것이다.
② 개방형 직위는 고위공무원단 또는 과장급 직위 총수의 20% 범위에서 지정한다.
③ 공무원이 개방형 직위나 공모직위를 통해 임용된 경우 공히 임용기간 만료 후 원소속으로 복귀가 가능하다.
④ 공모직위제도는 타 부처 공무원들과의 경쟁을 통해 최적임자를 선발하는 제도로 경력직 고위공무원단 직위 수의 30% 범위에서 지정한다.

10	개방형 임용제도

경력개방형 직위제도는 공무원과 민간인이 경쟁하여 최적임자를 선발하는 개방형 직위와 달리 민간인으로만 선발하는 개방형 채용직위이다.

〈선지분석〉

② 개방형 직위제도는 고위공무원단 직위 총수의 20%, 과장급 직위의 20% 이내의 범위에서 지정한다.
③ 공무원이 개방형 직위나 공모직위를 통해 임용된 경우 임용기간 만료 후 원소속 부처(기관)로 복귀할 수 있다.
④ 공모직위제도는 해당 기관의 직위 중 효율적인 정책 수립 또는 관리를 위하여 공직 내의 부처 내외에서 공개모집을 통하여 적격자를 선발하는 제도로, 공모대상은 경력공무원으로 임용 가능한 고위공무원단 직위 총수의 30%, 과장급 직위의 20% 이내이다.

답 ①

11 ☐☐☐

개방형 인사제도에 대한 설명으로 옳지 않은 것은?

① 폭넓은 지식을 갖춘 일반행정가를 육성하는 데에 효과적이다.

② 기존 관료들에게 승진기회가 축소될 수 있다는 불안감을 주고 사기를 저하시킬 수 있다.

③ 정실주의로 전락할 가능성이 있다.

④ 기존 내부 관료들에게 전문성 축적에 대한 자극제가 된다.

12 ☐☐☐

개방형 인사관리에 관한 설명으로 틀린 것은?

① 충원된 전문가들이 관료집단에서 중요한 역할을 수행하게 한다.

② 개방형은 승진기회의 제약으로, 직무의 폐지는 대개 퇴직으로 이어진다.

③ 정치적 리더십의 요구에 따른 고위층의 조직장악력 약화를 초래한다.

④ 공직의 침체, 무사안일주의 등 관료제의 병리를 억제한다.

⑤ 민간부문과의 인사교류로 적극적 인사행정이 가능하다.

11	개방형 인사제도

개방형 인사제도는 계급과 직위를 불문하고 공직에 적합한 자를 정부 내외에서 공개적으로 채용하는 제도이다. 공직임용에 있어 민관 전문가들 사이에 경쟁체제를 도입하여 전문성이 있는 사람을 공직에 채용하고자하는 목적을 가지고 있다. 따라서 폭넓은 지식을 갖춘 일반행정가가 아니라 전문적인 지식을 갖춘 전문행정가를 육성하는 데 효과적인 제도이다.

(선지분석)

② 개방형 인사제도는 외부 인사의 영입으로 인하여 기존 관료들에게 승진기회가 축소될 수 있다는 불안감을 주고 사기를 저하시킬 수 있다.

③ 개방형 인사제도를 통해 개인적 친분관계 등을 고려한 외부 인사를 영입할 경우 정실주의로 전락할 가능성이 있다.

④ 개방형 인사제도는 기존 내부의 관료들이 외부의 전문가와 경쟁하는 과정에서 전문성 축적에 대한 자극제가 될 수 있다.

답 ①

12	개방형 인사관리

개방형 인사관리는 인사권자에게 보다 많은 재량권을 주기 때문에 정치적 리더십의 요구에 따른 고위층의 조직장악력이 강화된다.

📄 개방형과 폐쇄형 인사관리의 장·단점

구분	개방형	폐쇄형
장점	• 행정의 민주성·대응성·전문성 제고 • 공직의 침체 방지 • 우수한 인재 등용 가능 • 경쟁체제의 강화로 공무원의 자기 개발 노력 촉진	• 승진기회의 확대로 사기 제고 • 신분보장이 강화되어 행정의 안정성 유지 가능 • 직업공무원제 확립에 기여
단점	• 재직자의 승진이 곤란하여 사기 저하 우려 • 조직의 응집력 약화 • 신분보장이 곤란하여 행정의 안정성 저해 • 직업공무원제의 확립 저해 • 행정의 책임성 저해	• 공직의 무사안일 초래 • 행정의 전문성 저해 • 민주적인 통제 곤란 • 정책변동에 필요한 인재의 채용 곤란

답 ③

13 ☐☐☐

우리나라 개방형 직위제도에 대한 설명으로 옳은 것은?

① 모든 직급과 계급에서 개방형 직위를 지정하여 임용할 수 있다.

② 개방형 직위의 규모는 중앙행정기관과 지방자치단체에서 동일하다.

③ 개방형 직위는 업무 수행상 고도의 전문성이 요구된다고 판단되는 직위에 한정하고 있다.

④ 개방형 직위는 공직 내부와 외부에서 적격자를 공개모집에 의한 시험을 거쳐 선발한다.

14 ☐☐☐

개방형 또는 폐쇄형 인사제도에 대한 설명으로 옳은 것은?

① 개방형은 재직자의 승진기회가 많고 경력발전의 기회가 많다.

② 폐쇄형은 조직에 대한 소속감이 높고 공무원의 사기가 높다.

③ 개방형은 공무원의 신분보장이 강화됨으로써 행정의 안정성을 유지할 수 있다.

④ 폐쇄형은 국민의 요구에 민감하게 대응하며 행정에 대한 민주통제가 보다 용이하다.

13	우리나라 개방형 직위제도

임용권자 또는 임용제청자는 해당 기관의 직위 중 전문성이 특히 요구되거나 효율적인 정책수립을 위하여 필요하다고 판단되어 공직 내부 또는 외부에서 적격자를 임용할 필요가 있는 직위에 대하여는 개방형 직위로 지정하여 운영할 수 있다.

(선지분석)

①, ③ 공직사회의 경쟁력을 제고하기 위하여 전문성이 특히 요구되거나 효율적인 정책수립이 필요하다고 판단되는 경우 직위를 지정하여 임용한다. 모든 직급과 계급에서 지정하여 임용하는 것은 아니다.

② 중앙행정기관과 지방자치단체의 개방형 직위의 규모는 다르다.

답 ④

14	개방형 또는 폐쇄형 인사제도

폐쇄형 인사제도는 신분이 보장되고, 내부적으로 승진가능성이 높아 조직에 대한 소속감이 높고 공무원의 사기가 높다는 장점이 있다.

(선지분석)

① 개방형은 재직자의 승진기회가 적고, 경력발전의 기회가 적다. 재직자의 승진기회와 경력발전의 기회가 많은 것은 폐쇄형이다.

③ 개방형은 공무원의 신분보장이 약해 행정의 안정성 유지가 부족하다. 공무원의 신분보장이 강화됨으로써 행정의 안정성을 유지할 수 있는 것은 폐쇄형이다.

④ 폐쇄형은 국민의 요구에 민감하지 못해 행정에 대한 민주통제가 곤란하다. 국민의 요구에 민감하게 대응하여 행정에 대한 민주통제가 보다 용이한 것은 개방형이다.

답 ②

15 ☐☐☐

국가공무원의 인사관계법령이 규정하고 있는 공모직위제에 관한 내용으로 옳지 않은 것은?

① 임용권자나 임용제청권자는 해당 기관의 직위 중 전문성이 요구되거나 효율적인 정책수립 또는 관리를 위하여 적격자를 임용할 필요가 있는 직위에 대하여 공모직위로 지정하여 운영할 수 있다.

② 임용권자나 임용제청권자는 직위별로 직무의 내용·특성 등을 고려하여 직무수행요건을 설정하고 그 요건을 갖춘 자를 임용하거나 임용제청하여야 한다.

③ 중앙인사관장기관의 장은 공모직위를 운영할 때 각 기관 간 인력의 이동과 배치가 적절한 균형을 유지할 수 있도록 관계기관의 장과 협의하여 이를 조정할 수 있다.

④ 공모직위에 임용되는 공무원은 전보·승진·전직 또는 특별채용의 방법에 의하여 임용하여야 한다.

15	**공모직위제**

임용권자나 임용제청권자는 해당 기관의 직위 중 효율적인 정책수립 또는 관리를 위하여 해당 기관 내부 또는 외부의 공무원 중에서 적격자를 임용할 필요가 있는 직위에 대하여는 공모직위로 지정한다. 한편, 임용권자나 임용제청권자는 해당 기관의 직위 중 선문성이 요구되거나 효율적인 정책수립을 위하여 공직 내부 또는 외부에서 적격자를 임용할 필요가 있는 직위는 개방형 직위로 지정한다.

답 ①

THEME 064 고위공무원단

16 ☐☐☐

우리나라의 공무원에 대한 설명으로 옳지 않은 것은?

① 특수경력직공무원은 경력직공무원 이외의 공무원으로서 실적주의와 직업공무원제의 획일적인 적용을 받지는 않는다.

② 법관, 검사, 외무공무원, 경찰공무원, 소방공무원, 교육공무원, 군인, 군무원, 헌법재판소 헌법연구관, 국가정보원 직원 등은 경력직공무원 중에서 특정직공무원에 해당한다.

③ 선거로 취임하거나 임명할 때 국회의 동의가 필요한 공무원은 특수경력직공무원 중에서 정무직공무원에 해당한다.

④ 고위공무원단은 중앙행정기관과 지방자치단체의 실장·국장 및 이에 상당하는 보좌기관에 임용되어 재직 중이거나 파견·휴직 등으로 인사관리되고 있는 국가공무원과 지방공무원을 말한다.

16	**우리나라의 공무원**

고위공무원단은 아직 지방공무원에는 도입되지 않았다. 고위공무원단은 국가공무원으로 보하는 지방자치단체 및 지방교육행정기관의 실장·국장 및 이에 상당하는 보좌기관은 포함되지만, 지방공무원은 포함되지 않는다.

📄 고위공무원단에 해당하는 공무원과 해당하지 않는 공무원

구분	고위공무원단에 해당하는 공무원	고위공무원단에 해당하지 않는 공무원
직종	• 국가직공무원 • 일반직·별정직·임기제공무원 • 특정직 중 외무직공무원	• 지방직공무원 • 정무직공무원 • 특정직공무원 중 경찰, 소방, 군인 등
기관	• 중앙행정기관(소속기관 직위 포함) • 행정부 각급 기관(중앙행정기관이 아닌 기관의 실·국장)	헌법상 독립기관(국회, 법원, 헌법재판소, 선거관리위원회 등)
정부	• 광역자치단체 행정부지사·행정부시장 • 지방교육행정기관 부교육감	• 광역자치단체 정무부지사·정무부시장 • 기초자치단체(시·군·구)의 부단체장

답 ④

---

17 ☐☐☐

고위공무원단에 대한 설명으로 옳지 않은 것은?

① 우리나라에서 고위공무원이 되기 위해서는 고위공무원후 보자과정을 이수해야 하고, 역량평가를 통과해야 한다.

② 미국의 고위공무원단제도에는 엽관주의적 요소가 혼재되 어 있다.

③ 우리나라의 경우 이명박 정부 시기인 2008년 7월 1일에 고 위공무원단제도를 도입하였다.

④ 미국에서는 고위공무원단제도를 카터 행정부 시기인 1978 년에 공무원제도개혁법 개정으로 도입하였다.

18 ☐☐☐

「국가공무원법」상 우리나라 인사제도에 대한 설명으로 옳지 않은 것은?

① 인사혁신처장은 고위공무원단에 속하는 공무원이 갖추어 야 할 능력과 자질을 설정하고 이를 기준으로 고위공무원 단 직위에 임용되려는 자를 평가하여 신규채용·승진임용 등 인사관리에 활용할 수 있다.

② 국가공무원은 경력직공무원과 특수경력직공무원으로 구 분하고, 경력직공무원은 다시 일반직공무원과 특정직공무 원으로 나뉜다.

③ 개방형 직위로 지정된 직위에는 외부 적격자뿐만 아니라 내부 적격자도 임용할 수 있다.

④ 고위공무원단에 속하는 일반직공무원의 경우 소속 장관 은 해당 기관에 소속되지 아니한 공무원에 대하여 임용제 청을 할 수 없다.

17	고위공무원단

우리나라의 경우 노무현 정부 시기인 2006년도에 고위공무원단제도를 도 입하였다.

선지분석

① 우리나라에서 고위공무원이 되기 위해서는 신규채용(외부임용), 승진임 용 또는 전보(내부임용) 전에 인사혁신처가 실시하는 후보자교육 과정을 이수한 후, 역량평가를 통과하여야 한다.

② 미국뿐만 아니라 고위공무원단 제도는 인사권자의 정치적 재량이 확대 되므로 엽관주의적 요소가 존재한다.

④ 미국에서는 1978년 카터(Carter) 행정부에서 개방형 인사제도의 일환 으로 고위공무원단 제도를 도입하였다.

답 ③

18	우리나라 인사제도

고위공무원단에 속하는 일반직공무원의 경우 각 부처 장관은 소속에 구애 되지 않고 고위공무원단 전체에서 적임자를 임용제청할 수 있다.

선지분석

① 공무원 임용에 관한 소관부처는 인사혁신처이다.

② 실적과 자격에 따라 임용되고 그 신분이 보장되며 평생 동안 공무원으로 근무할 것이 예상되는 공무원은 경력직공무원이며, 일반직과 특정직이 있다. 경력직 이외의 공무원으로서 계급이 없으며 신분보장이 되지 않는 공무원은 특수경력직공무원이며, 정무직과 별정직이 있다.

③ 개방형 직위는 임용권자 또는 임용제청자는 당해 기관의 직위 중 전문성 이 특히 요구되거나 효율적인 정책수립을 위하여 필요하다고 판단되어 공직 내부 또는 외부에서 적격자를 임용할 필요가 있는 직위에 대하여는 개방형 직위로 지정하여 운영할 수 있다.

답 ④

우리나라 국가공무원제도에 대한 설명으로 옳지 않은 것은?

① 현재 시행하고 있는 고위공무원단제도는 일반직공무원만을 대상으로 하고 있다.

② 계급제를 기본으로 직위분류제적 요소를 가미하여 운영하고 있다.

③ 예산의 범위 안에서 기구, 정원, 보수 및 예산에 관한 자율성을 가지되 그 결과에 대하여 책임을 지는 총액인건비제를 운영할 수 있다.

④ 결원이 발생하였을 때 정부 내 공개모집을 통하여 해당 기관 내부 또는 외부의 공무원 중에서 적격자를 임용할 수 있는 공모직위제도를 운영할 수 있다.

고위공무원단제도에 대한 설명으로 옳은 것은?

① 고위공무원단의 구성은 소속 장관별로 개방형 직위 30%, 공모직위 20%, 기관자율직위 50%로 이루어져 있다.

② 고위공무원단 직무 등급이 2009년 2등급에서 5등급으로 변경됨에 따라 계급 중심의 인사관리로 회귀할 가능성이 높아졌다.

③ 적격 심사에서 부적격 결정을 받은 경우에 한해서만 직권면직이 가능하므로 제도 도입 전보다 고위공무원의 신분보장이 강화되었다.

④ 고위공무원단으로 관리되는 풀(pool)에는 일반직공무원뿐만 아니라 외무공무원도 포함된다.

19	우리나라 국가공무원제도

고위공무원단은 일반직공무원뿐만 아니라 별정직공무원과 일부 특정직공무원도 그 대상에 해당한다.

(선지분석)

② 우리나라 공무원제도는 1~9급의 계급제를 기본으로 고위공무원단제도, 개방형 직위 등의 직위분류제적 요소가 가미되어 있다.

③ 총액인건비제도는 인력과 예산 운영의 효율성을 제고하고 조직성과를 향상하기 위하여 각 시행기관이 당해 연도에 편성된 총액인건비 예산의 범위 안에서 기구·정원·보수·예산 등의 운영에 관해 자율성을 가지는 것이다.

④ 공모직위는 공직 내의 부처 내외 공직자를 대상으로 한다.

답 ①

20	고위공무원단제도

고위공무원단의 대상 직위에는 중앙행정기관의 실·국장(보조기관) 직위의 일반직·별정직과 외무공무원 및 이에 상당하는 보좌기관과 행정부 각급 기관의 직위 중 실·국장에 상당하는 직위가 포함된다.

(선지분석)

① 고위공무원단의 구성은 소속 장관별로 개방형 직위 20%, 공모직위 30%, 기관자율 공모직위 50%로 이루어져 있다.

② 고위공무원단 직무 등급은 2009년 5등급에서 2등급으로 변경됨에 따라 계급 중심의 인사관리로 회귀할 가능성이 높아졌다.

③ 적격 심사에서 부적격 결정을 받은 경우에는 직권면직이 가능하므로 제도 도입 전보다 고위공무원의 신분보장이 약화되었다.

답 ④

21 ☐☐☐

고위공무원단제도에 대한 설명으로 옳지 않은 것은?

① 전(全)정부적으로 통합 관리되는 공무원 집단이다.

② 계급제나 직위분류제적 제약이 약화되어 인사운영의 융통성이 강화된다.

③ 고위공무원단에 속하는 모든 일반직공무원의 신규채용 임용권은 각 부처의 장관이 가진다.

④ 성과계약을 통해 고위직에 대한 성과관리가 강화된다.

22 ☐☐☐

다음 중 우리나라의 고위공무원단에 대한 설명으로 옳지 않은 것은?

① 고위공무원단의 일부는 공모직위제도에 의해 충원된다.

② 고위공무원단제도는 지방자치단체의 지방공무원에 대해서는 도입되지 않고 있다.

③ 고위공무원단은 계급제가 아닌 직무등급제를 기반으로 운영된다.

④ 고위공무원단의 대상은 일반직공무원이며 별정직공무원은 그 대상에서 제외된다.

⑤ 고위공무원단의 성과연봉은 전년도 근무성과에 따라 결정된다.

---

21 | 고위공무원단제도

고위공무원단에 속하는 모든 일반직공무원의 신규채용 임용권은 각 부처의 장관이 아니라 대통령이 가진다.

(선지분석)

① 고위공무원단제도는 고위공무원들의 자질향상과 정치적 대응능력을 높이고 업무의 성취동기를 부여하기 위하여 공직체계 중 일부 고위직을 중하위직과 구별하여 운영하는 시스템으로, 전정부적으로 통합 관리된다.

② 1~3(일부)급은 통합하여 운영하므로 계급제적 제약이 약화되었고, 전정부적으로 통합 관리되므로 직위분류제적 제약이 약화되었다.

④ 연공서열식으로 승진 및 임용이 이루어지는 계급제하의 비탄력적 인적자원관리의 개혁과 고위직 공무원의 성과관리 운영기반을 확립한다.

답 ③

---

22 | 고위공무원단제도

고위공무원단은 일반직·별정직·특정직으로 구성된다. 따라서 별정직공무원도 고위공무원단의 대상에 해당한다.

(선지분석)

① 고위공무원단은 개방형 직위(20% 이내), 공모직위(30% 이내), 자율직위(50% 이내)로 구성된다.

⑤ 고위공무원단의 연봉은 직무성과급적 연봉제이다. '기본급 + 성과급'으로 구성되며 직무평가 결과를 토대로 책정된다.

답 ④

우리나라 고위공무원단제도 운영의 효과에 대한 설명으로 옳지 않은 것은?

① 민간전문가의 고위직 임용가능성이 증가하였다.
② 연공서열에 의한 인사관리를 강화하여 직위의 안정을 도모하였다.
③ 고위직 공무원이 다른 부처로 이동할 가능성이 증가하였다.
④ 공무원 개개인의 능력발전과 성과관리의 중요성이 더욱 커졌다.

고위공무원단제도와 관련된 설명으로 옳지 않은 것은?

① 각종 성과급과 장려급에 의해 우수공무원에 대한 처우를 개선할 수 있다.
② 고위공무원단의 인사관리는 계급이나 신분보다는 업무 중심으로 이루어진다.
③ 고위공무원단제도는 직업공무원들의 사기를 저하시킬 수 있다.
④ 우리나라의 고위공무원단제도는 직업공무원제도를 강화하는 측면이 있다.

23	고위공무원단제도

고위공무원단제도는 연공서열 중심의 인사관리를 타파하고, 능력과 성과 중심의 인사관리를 중시하는 제도이다.

📄 고위공무원단제도의 효용과 문제점

효용	문제점
• 부처이기주의 타파와 부처 간의 조정과 협력 용이	• 정실임용 등 관료제의 정치화 문제가 발생할 수 있음
• 직무능력과 성과를 제고시키는 관리 가능	• 고위공무원의 기관 간 유동성이 실제로 크게 제고되지 않음
• 인력풀을 통한 고위공무원의 탄력적 활용 가능	• 행정부문의 성과측정이 본질적으로 제약됨
• 외부의 유능한 인재 유치 가능	• 정체성과 응집력의 약화
• 고위공무원의 범정부적·통합적 시야 확보	• 가시적 성과를 낼 수 있는 부서의 선호현상이 발생

답 ②

24	고위공무원단제도

고위공무원단제도는 적격심사를 통해 부적격결정이 난 공무원을 직권면직할 수 있다. 따라서 신분보장을 전제조건으로 하는 직업공무원제도를 오히려 약화시키는 측면이 있다.

(선지분석)

① 고위공무원단제도 도입으로 고위공무원에 대한 성과평가의 결과에 따른 성과급 지급 등으로 우수공무원에 대한 처우를 개선할 수 있다.
② 고위공무원단의 인사관리는 계급이 아닌 실제 수행하는 업무(직무) 중심으로 이루어진다.
③ 고위공무원단제도는 성과관리의 강화 및 외부 인사 채용의 확대를 초래하므로 직업공무원들의 사기를 저하시킬 수 있다.

답 ④

25 □□□

2018년 지방직 9급

역량평가에 대한 설명으로 옳은 것만을 모두 고르면?

> ㄱ. 역량은 조직의 평균적인 성과자의 행동특성과 태도를 의미한다.
> ㄴ. 다수의 훈련된 평가자, 평가대상자가 수행하는 역할과 행동을 관찰하고 합의하여 평가 결과를 도출한다.
> ㄷ. 고위공무원단 역량평가의 대상은 문제인식, 전략적 사고, 성과지향, 변화관리, 고객만족, 조정·통합의 6가지 역량으로 구성되어 있다.
> ㄹ. 고위공무원단 후보자가 되기 위해서는 역량평가를 거친 후 반드시 고위공무원단 후보자 교육과정을 이수해야 한다.

① ㄱ, ㄴ
② ㄱ, ㄹ
③ ㄴ, ㄷ
④ ㄷ, ㄹ

26 □□□

2016년 서울시 9급

다음 중 역량평가제도에 대한 설명으로 가장 옳은 것은?

① 역량평가제도는 근무 실적 수준만으로 해당 업무 수행을 위한 역량을 보유하고 있는지에 대해 평가하는 것을 목적으로 한다.
② 역량평가제도는 대상자의 과거 성과를 평가하는 것이고, 성과에 대한 외부변수를 통제하지 않는다.
③ 역량평가제도는 구조화된 모의상황을 설정한 뒤 현실적 직무상황에 근거한 행동을 관찰해 평가하는 방식이다.
④ 역량평가는 한 개의 실행 과제만을 활용하여 평가한다.

25	역량평가

ㄴ. 집단토론, 역할연기, 서류함기법 등을 활용하여 현실적 직무 상황에 근거한 행동을 관찰하고 업무를 성공적으로 수행할 수 있는 역량이 있는지 행동양식을 평가한다.
ㄷ. 역량평가의 요소로는 문제인식, 전략적 사고, 성과지향, 변화관리, 고객만족, 조정·통합이 있다.

(선지분석)
ㄱ. 역량은 조직에서 탁월하고 효과적으로 업무를 수행해 내거나 낼 수 있는 조직원의 행동특성과 태도를 의미한다.
ㄹ. 고위공무원단 후보자 교육 과정을 이수한 후, 역량평가를 통과한 4급 이상 공무원으로 승진소요 최저연수를 갖추거나 과장급 직위에 재직한 연구관·지도관으로서 5년의 근무연수를 갖춘 자가 고위공무원단 후보자가 된다.

답 ③

26	역량평가

역량평가제도는 집단토론, 역할연기, 서류함기법 등을 활용하여 현실적으로 직무상황에 근거한 행동을 관찰하고 업무를 성공적으로 수행할 수 있는 역량이 있는지를 평가하는 것이다.

(선지분석)
① 근무 실적 수준만을 평가하는 것은 근무성적평정이다.
② 역량평가제도는 미래의 잠재력(역량)을 평가하는 것으로 성과에 대한 외부 변수를 통제하여 객관적으로 평가가 이루어진다.
④ 역량평가는 다양한 방법을 활용하여 다수의 실행 과제를 평가한다.

답 ③

27 ☐☐☐

역량평가제에 대한 설명 중 옳은 것만을 모두 고른 것은?

> ㄱ. 일종의 사전적 검증장치로 단순한 근무실적 수준을 넘어 공무원에게 요구되는 해당 업무 수행을 위한 충분한 능력을 보유하고 있는지에 대한 평가를 목적으로 한다.
>
> ㄴ. 근무실적과 직무수행능력을 대상으로 정기적으로 이루어지며 그 결과는 승진과 성과급 지급, 보직관리 등에 활용된다.
>
> ㄷ. 조직 구성원으로 하여금 조직 내외의 모든 사람과 원활한 인간관계를 증진시키려는 강한 동기를 부여함으로써 업무 수행의 효율성을 제고할 수 있다.
>
> ㄹ. 다양한 평가기법을 활용하여 실제 업무와 유사한 모의상황에서 나타나는 평가 대상자의 행동특성을 다수의 평가자가 평가하는 체계이다.
>
> ㅁ. 미래 행동에 대한 잠재력을 측정하는 것이며 성과에 대한 외부변수를 통제함으로써 객관적 평가가 가능하다.

① ㄱ, ㄴ, ㄷ
② ㄱ, ㄹ, ㅁ
③ ㄴ, ㄷ, ㄹ
④ ㄷ, ㄹ, ㅁ

---

27 | 역량평가

ㄱ. 고위공무원단제도 도입에 따라 고위공무원으로서 필요한 역량을 갖추었는지 사전에 검증하는 제도이다.

ㄹ. 집단토론, 역할연기, 서류함기법 등을 활용하여 현실적 직무 상황에 근거한 행동을 관찰하고 업무를 성공적으로 수행할 수 있는 역량이 있는지 행동양식을 평가한다.

ㅁ. 성과에 대한 대외변수의 통제를 통하여 개인역량의 객관적인 평가가 가능하다.

(선지분석)

ㄴ. 근무실적과 직무수행능력을 대상으로 정기적으로 이루어지는 것은 근무성적평가에 대한 설명이다. 근무성적평가는 5급 이하의 공무원을 대상으로 이루어지며, 그 결과는 승진과 성과급 지급, 보직관리 등에 활용된다.

ㄷ. 다면평가제에 대한 설명이다. 다면평가제는 피평정자 본인, 상관, 부하, 동료, 고객 등 다양한 평정자의 참여가 이루어지는 집단평가방법이다. 이는 조직 구성원으로 하여금 조직 내외의 모든 사람과 원활한 인간관계를 증진시키려는 강한 동기를 부여함으로써 업무 수행의 효율성을 제고하는 데 목적이 있다.

답 ②

---

28 ☐☐☐

다음 중 직무성과계약제에 대한 설명으로 가장 옳은 것은?

① 직무성과계약제는 상·하급자 간의 합의를 통해 목표를 설정하고 성과계약의 내용이 구체적이며 상향식으로 체결된다는 점에서 목표관리제(MBO)와 유사하다.

② 직무성과계약제는 실·국장 등과 5급 이하 공무원 간에 공식적 성과계약을 체결한다.

③ 직무성과계약제는 주로 개인의 성과평가제도로 조직 전반의 성과관리를 중심으로 하는 균형성과지표(BSC)와 구분된다.

④ 직무성과계약제는 산출이나 성과보다는 투입부문의 통제에 초점을 두고 있다.

---

28 | 직무성과계약제

직무성과계약제는 개인의 성과목표 및 평가의 기준을 직상급자와 합의하여 1년 단위의 성과계약을 체결하는 것으로 개인의 성과평가제도에 해당하며, 균형성과표(BSC)는 조직에 영향을 주는 다양한 동인을 4가지 관점으로 균형화시켜 조직의 비전을 달성할 수 있는 바람직한 관리평가지표를 도출하는 것이다.

(선지분석)

① 직무성과계약제는 목표관리제(MBO)와 다르게 조직의 비전 등에 따라 하향적으로 목표가 도출된다.

② 5급 이하 공무원은 직무성과계약제의 성과계약 체결 대상에 해당하지 않는다.

④ 직무성과계약제는 투입보다는 산출이나 성과에 초점을 두고 있다.

답 ③

---

29 ☐☐☐

「공무원보수규정」상 고위공무원단 소속 공무원에 적용되는 직무성과급적 연봉제에 대한 설명으로 옳지 않은 것은?

① 고위공무원단에 속하는 모든 공무원에 대하여 적용한다.
② 기본연봉은 기준급과 직무급으로 구성된다.
③ 기준급은 개인의 경력 및 누적성과를 반영하여 책정된다.
④ 직무급은 직무의 곤란성 및 책임의 정도를 반영하여 직무등급에 따라 책정된다.

29	직무성과급적 연봉제

고위공무원단에 속하는 공무원에 대해서 직무성과급적 연봉제가 적용되는 것은 맞지만, 모든 고위공무원단에 적용되는 것은 아니다. 고위공무원단 소속의 일부 별정직공무원에 대해서는 호봉제를 적용한다.

> **「공무원보수규정」 제63조 【고위공무원의 보수】** ① 고위공무원에 대해서는 직무성과급적 연봉제를 적용한다. 다만, 대통령경호처 직원 중 고위공무원단에 속하는 별정직공무원에 대해서는 호봉제를 적용한다.

답 ①

THEME 065 계급제와 직위분류제

30 ☐☐☐

계급제와 직위분류제에 대한 설명으로 가장 옳은 것은?

① 과학적 관리론과 실적제의 발달은 직위분류제의 쇠퇴와 계급제의 발전에 기여했다.
② 우리나라 「국가공무원법」에는 직위분류제 주요 구성개념인 '직위, 직군, 직렬, 직류, 직급' 등이 제시되어 있다.
③ 직위분류제는 공무원 개인의 능력이나 자격을 기준으로 공직분류체계를 형성한다.
④ 계급제와 직위분류제는 절대 양립불가능하며 우리나라는 계급제를 기반으로 한다.

30	계급제와 직위분류제

우리나라 국가공무원법에는 직위분류제의 구성요소, 즉 직위, 직군, 직렬, 직류, 직급 등이 정의되어 있다.

(선지분석)
① 과학적 관리론과 실적제의 발달은 직위분류제 발전에 기여했다.
③ 공무원 개인의 능력이나 자격을 기준으로 공직분류체계를 형성하는 것은 계급제이다.
④ 계급제와 직위분류제는 양립가능하며 우리나라의 경우 계급제를 기반으로 직위분류제를 가미한 형태이다.

답 ②

사람을 기준으로 공직을 분류한 계급제의 특성에 대한 설명으로 옳지 않은 것은?

① 순환보직을 통해 다양한 업무를 경험할 수 있도록 한다.
② 공직에 자리가 비었을 때 외부 충원을 원칙으로 한다.
③ 계급을 신분과 동일시하려는 경향이 강하다.
④ 공무원의 신분이 안정적으로 보장된다.

31	**계급제**

계급제는 공직에 자리가 비었을 때 내부 충원이 원칙이다. 결원 시 외부 충원이 원칙인 것은 직위분류제의 특성이다.

📄 계급제와 직위분류제 비교

구분	계급제	직위분류제
분류기준	개인의 자격, 능력, 신분 (횡적 분류)	직무의 종류, 책임도, 곤란도 (종적 + 횡적 분류)
발달배경 및 국가	농업사회 (영국, 독일, 한국)	산업사회 (미국, 캐나다, 필리핀)
중심내용	인간 중심 (인사행정의 탄력성)	직무 중심 (인사행정의 합리성)
시험·채용	비합리성(주먹구구식)	합리성, 형평성
행정주체	일반행정가 양성	전문행정가 양성
보수	생활급(생계유지수준), 낮은 보수의 형평성	직무급(동일직무 동일보수), 높은 보수의 형평성
인사배치	신축성(횡적 이동 용이)	비신축성(횡적 이동 곤란)
행정계획	장기적 계획	단기적 계획
교육훈련수요	정확한 파악 곤란	정확한 파악 용이
업무조정, 협조	용이	곤란(할거주의 초래)
공직구조	폐쇄형(내부충원형)	개방형(외부충원형)
신분 보장 (직업공무원제)	강함(확립 용이)	약함(확립 곤란)
조직구조와의 관계	연계성 낮음	연계성 높음
인사운용의 탄력성	높음	낮음
공직의 경직성	높음(폐쇄적)	낮음(개방적)
장기적 능력발전	유리	불리

답 ②

다음 중 계급제에 대한 설명으로 가장 옳지 않은 것은?

① 계급제는 개인의 자격, 능력, 학벌 등에 의해 분류된 계급에 따라 직무가 부여되는 제도이다.
② 계급제는 정치적 민주화가 꽃을 피우기 훨씬 전부터 국가체제를 유지하기 위한 공직분류체계의 기본 틀로 형성되었다.
③ 사회의 수평적 분화가 이루어지고 산업사회가 고도화됨에 따라 많은 나라가 계급제의 골격을 유지하면서 직위분류제를 도입하고 있다.
④ 계급제는 직위분류제에 비해 분류구조와 보수체계가 복잡하고 융통성이 적어 그 활용성이 떨어진다는 단점이 있다.

32	**계급제**

계급제는 직위분류제에 비해 분류구조와 보수체계가 단순하고 융통성이 커서 활용성이 높다는 장점이 있다.

선지분석

① 계급제는 공무원 개개인의 자격과 능력을 기준으로 계급을 설정하고, 이에 따라 공직을 분류하는 제도이다.
② 계급제는 전근대 신분사회를 공직분류체계의 기본 틀이다.
③ 계급제는 신분제를 기원으로 하는 일반행정가 양성제도로, 사회의 수평적 분화와 산업사회의 고도화는 직위분류제적 요소 도입을 강화하게 되었다.

답 ④

33 □□□

계급제에 관한 설명으로 옳지 않은 것은?

① 개별 공무원의 자격과 능력을 기준으로 계급을 설정하고 이에 따라 공직을 분류하는 제도이다.
② 계급 간 승진이 어려워 한정된 계급범위에서만 승진이 가능하다.
③ 공무원 간의 협력이 원활하게 이루어지기 어렵다.
④ 해당 직무에 적임자의 임용이 보장되지 않는다.
⑤ 공무원의 신분보장과 경력발전이 강조된다.

34 □□□

계급제의 장점에 대한 설명으로 옳지 않은 것은?

① 공무원의 신분안정과 직업공무원제 확립에 기여한다.
② 인력활용의 신축성과 융통성이 높다.
③ 정치적 중립 확보를 통해 행정의 전문성을 제고할 수 있다.
④ 단체정신과 조직에 대한 충성심 확보에 유리하다.

---

33 │ 계급제

계급제는 순환근무를 통해 신축적인 인사행정이 가능하다. 따라서 다른 부서의 공무원과 협조가 원활하게 이루어질 수 있다.

(선지분석)
① 계급제는 공무원 개개인의 자격과 능력을 기준으로 계급을 설정하고, 이에 따라 공직을 분류하는 제도이다.
② 엄격한 계층제로 인해 수직적 이동의 경직성이 심하고 계급 간 승진이 어려워 한정된 계급범위에서만 승진이 가능하다.
④ 계급제는 적임자의 임용을 담보하지 못하여 능률성을 저하시킬 우려가 있다.
⑤ 계급제는 공무원의 신분안정과 개인의 장기적인 경력발전에 기여한다.

답 ③

---

34 │ 계급제

계급제는 공직에 채용된 이후에 다양한 경험과 지식을 축적시켜 조직 전체 시각에서 업무를 파악하고 처리할 수 있는 일반행정가를 지향한다. 따라서 계급제는 오히려 행정의 전문성을 저해할 가능성이 크며, 행정의 전문성을 제고하는 제도로는 직위분류제가 적합하다.

📄 계급제의 장·단점

장점	단점
• 조직 전체 인력활용의 융통성 및 효율성 제고 가능	• 행정의 전문화에 부응하지 못함
• 공무원의 신분안정과 개인의 장기적인 경력발전에 기여	• 인사관리의 주관성으로 인해 인사행정의 합리화 및 형평성의 제고가 어려움
• 일반행정가의 육성에 유리	• 엄격한 계급 구분의 경직성으로 공무원의 동기유발을 좌절시킴
• 조직에서 갈등의 사후적인 조정이 용이	• 신분보장으로 무사안일과 특권집단화 우려가 있음
• 조직설계의 변화와 장기적 조직발전 계획에 적응 유리	• 적임자의 임용을 담보하지 못하여 능률성 저하
• 직업공무원제의 확립에 기여	• 한정된 범위 내에서만 승진 가능

답 ③

35 ☐☐☐

직위분류제의 단점은?

① 행정의 전문성 결여
② 조직 내 인력 배치의 신축성 부족
③ 계급 간 차별 심화
④ 직무경계의 불명확성

| **35** | 직위분류제 |

직위분류제는 직무에 적합한 사람을 공무원으로 임용하여 해당 직무가 아닌 다른 직무에 투입될 수 없으므로 전직이나 전보의 범위가 매우 좁고 조직 내 인력 배치의 신축성이 부족하다.

(선지분석)
① 직위분류제는 조직 내부뿐만 아니라 외부에서도 모든 계층의 신규채용이 허용되므로 전문가를 채용함으로써 행정의 전문성을 제고할 수 있다.
③ 계급 간 차별 심화는 계급제에 대한 설명이다. 직위분류제는 계급을 엄격하게 구분하지 않으므로 계급 간 차별을 완화할 수 있다.
④ 직위분류제는 직무경계가 명확하여 행정활동의 중복과 갈등을 예방할 수 있다는 장점이 있다.

답 ②

36 ☐☐☐

직위분류제와 관련하여 다음 설명에 해당하는 것은?

> • 직무의 곤란성과 책임성을 기준으로 상대적 가치를 결정하는 것이다.
> • 서열법, 분류법, 점수법 등을 활용한다.
> • 개인에게 공정한 보수를 제공하는 데 필요한 작업이다.

① 직무조사
② 직무평가
③ 직무평가
④ 정급

| **36** | 직위분류제 |

직무를 곤란성, 책임성의 수준에 따라 수준별로 구분하는 횡적·수평적인 분류작업인 직무평가에 대한 설명이다. 직무평가는 직무의 상대적 가치를 결정하고, 보수와 직접적으로 연결되는 과정이다.

(선지분석)
① 직무조사는 분류될 직무에 관한 정보를 수집하고 조사하는 과정이다.
② 직무분석은 직무의 성격과 종류에 따라 각 직위를 직군, 직렬, 직류별로 구분하는 종적·수직적인 분류작업이다.
④ 정급은 직무분석과정에서 수집된 각 직위에 대한 정보와 직급명세서를 비교하여 해당 직급에 분류 대상의 직위를 배정하는 것이다.

답 ③

37 ☐☐☐

직위분류제의 출발에 영향을 미친 것을 모두 고르면?

> ㄱ. 과학적 관리론
> ㄴ. 종신고용보장
> ㄷ. 보수의 형평성 요구
> ㄹ. 실적주의(merit system) 요구

① ㄱ, ㄷ
② ㄴ, ㄹ
③ ㄱ, ㄷ, ㄹ
④ ㄱ, ㄴ, ㄷ, ㄹ

38 ☐☐☐

직위분류제의 장점에 대한 설명으로 옳지 않은 것은?

① 근무성적평정을 객관적으로 할 수 있는 기준을 제시해준다.
② 직위 간의 권한과 책임의 한계를 명확히 해준다.
③ 전문직업인을 양성하는 데 도움이 되고 행정의 전문화에 기여한다.
④ 조직과 직무의 변화 등에 신속히 대응할 수 있다.

---

37 | 직위분류제

ㄱ. 과학적 관리론은 정부개혁에 영향을 미쳐 정부 인사관리기술을 발달시켰으며 이는 직위분류제의 출발로 이어졌다.
ㄷ. 직위분류제는 동일 직무에 대한 동일 임금을 원칙으로 하여 보수의 형평성을 제고한다.
ㄹ. 직위분류제는 직무수행에 필요한 지식과 기술, 능력에 따른 임용이라는 점에서 실적주의와 같은 맥락으로 볼 수 있다.

(선지분석)

ㄴ. 직위분류제는 종신고용을 보장하지 않으므로, 신분보장이 계급제에 비해서 약하다.

답 ③

---

38 | 직위분류제

직위분류제는 인사배치의 신축성이 부족하기 때문에 조직과 직무의 변화 등에 신속히 대응할 수 없다는 단점을 가지고 있다.

📄 **직위분류제의 장·단점**

장점	단점
• 행정의 전문화·합리화·능률화에 기여 • 실적과 능력을 기초로 한 인사행정 가능 • 권한과 책임의 한계가 명확해지면서 행정활동의 중복과 갈등 예방 • 인력계획, 임용, 근무성적평정 등의 공정한 기준을 제공하여 형평성 있는 인사행정이 가능 • 행정 전문가 양성에 도움	• 인사배치의 신축성이 부족해지므로 환경 변화에 따른 효과적 대응 곤란 • 일반적인 관리능력과 장기적인 시야를 가진 일반행정가의 양성을 방해함 • 직업공무원제의 확립이 곤란 • 조직 구성원들의 자발적 헌신이나 단결심을 조장하기 어려움 • 공무원의 인간적인 요소가 고려되기 어려움 • 지나친 배치전환의 경직성으로 인하여 조정과 협조가 곤란하므로 갈등의 해결이 어려움

답 ④

직위분류제의 장점에 대한 설명으로 옳지 않은 것은?

① 동일 직렬에서 장기간 근무하기 때문에 전문가 양성에 도움이 된다.

② 동일 직무를 수행하는 직원이 동일한 보수를 받도록 하는 직무급체계를 확립하는 것이 용이하다.

③ 직무의 성질·내용에 따라 공직을 분류하므로 채용·승진 등 인사배치를 위한 합리적 기준을 제공해 준다.

④ 특정 직위에 맞는 사람을 배치하는 제도이기 때문에 직위나 직무의 변화상황에 신속히 대처할 수 있는 상황적응적인 인사제도라고 할 수 있다.

직위분류제(position classification)의 장점으로 옳지 않은 것은?

① 행정의 전문화를 유도할 수 있다.

② 직무 중심의 인사행정을 수행할 수 있게 한다.

③ 공무원의 신분보장과 직업공무원제를 확립하는 데 용이하다.

④ 현직 공무원의 교육훈련수요를 파악하는 데 기여할 수 있다.

39	직위분류제의 장점

특정 직위에 맞는 사람을 배치하고, 직위나 직무의 변화상황에 신속히 대처할 수 있는 상황적응적인 인사제도는 계급제이다. 직위분류제는 인사배치의 신축성이 부족하고, 환경의 변화에 따른 효과적인 대응이 어렵다는 단점이 있다.

(선지분석)

① 직위분류제는 횡적 이동이 곤란하므로 동일 직렬 내에서의 장기근무로 인한 전문가 양성이 가능하다.

② 직위분류제는 보수가 공무원의 계급이 아닌 수행업무(직무)에 따라 결정되므로 직무로 체계를 확립하는 것이 용이하다.

③ 직위분류제는 직무의 내용과 수준에 따라 합리적·체계적인 인사운영이 가능하다.

답 ④

40	직위분류제

직위분류제는 공무원의 신분보장과 직업공무원제를 확립하는 데 용이하지 않다. 공무원의 신분보장과 직업공무원제를 확립하는 데 용이한 제도는 계급제이다.

(선지분석)

① 직위분류제는 행정의 전문화·합리화·능률화에 기여한다.

② 직위분류제는 직무를 중심으로 공직구조를 체계화하고 이에 적합한 사람을 공무원으로 임용하는 제도이다.

④ 직위분류제는 실제 수행하는 직무를 중심으로 인사행정을 운용한다. 따라서 잠정적 직무를 전제로 하는 계급제와 달리, 현직 공무원에게 필요한 교육훈련수요를 파악하는데 기여할 수 있다.

답 ③

41 ☐☐☐

직위분류제에 대한 설명으로 옳은 것을 모두 고르면?

> ㄱ. 과학적 관리운동은 직위분류제의 발달에 많은 자극을 주었다.
> ㄴ. 직무의 종류, 곤란성과 책임도가 상당히 유사한 직위의 군은 직렬이다.
> ㄷ. 조직 내에서 수평적 이동이 용이하여 유연한 인사행정이 가능하다.
> ㄹ. 사회적 출신배경에 관계없이 담당 직무의 수행능력과 지식기술을 중시한다.

① ㄱ, ㄴ
② ㄱ, ㄹ
③ ㄴ, ㄷ
④ ㄷ, ㄹ

42 ☐☐☐

다음 중 직위분류제에 대한 설명으로 옳지 않은 것은?

① 계급제가 사람의 자격과 능력을 기준으로 한 계급구조라면 직위분류제는 사람이 맡아서 수행하는 직무와 그 직무수행에 수반되는 책임을 기준으로 분류한 직위구조이다.
② 직위분류제는 책임명확화·갈등예방·합리적 절차수립을 돕는다는 장점이 있다.
③ 직무수행의 책임도와 자격요건이 다르지만, 직무의 종류가 유사해 동일한 보수를 지급할 수 있는 직위의 횡적 군을 등급이라고 한다.
④ 직위분류제는 인적자원 활용에 주는 제약이 크다는 비판을 받는다.
⑤ 직렬은 직무의 종류가 유사하고 그 책임과 곤란성의 정도가 상이한 직급의 군이다.

---

41 | 직위분류제

ㄱ. 직위분류제는 과학적이고 객관적인 공직분류방식으로, 과학적 관리운동이 직위분류제의 발달에 많은 자극을 주었다.
ㄹ. 직위분류제는 직무를 중심으로 공직구조를 체계화하고 이에 적합한 사람을 공무원으로 임용하는 제도이다.

(선지분석)
ㄴ. 직렬이 아니라 직급에 해당한다.
ㄷ. 직위분류제가 아니라 계급제의 장점에 해당한다. 직위분류제는 직류, 직렬, 직군 등의 구분이 엄격하여 수평적 이동이 자유롭지 않다.

답 ②

---

42 | 직위분류제

등급은 직무의 종류는 상이하지만 직무수행의 책임도와 자격요건이 유사하여 동일한 보수를 지급할 수 있는 횡적 군을 의미한다.

(선지분석)
① 계급제는 공무원 개개인의 자격과 능력을 기준으로 계급을 설정하고 이에 따라 공직을 분류하는 제도인 반면, 직위분류제는 각 직위의 직무 특성·내용에 따라 유사한 직무를 수직적으로 분류한 후 직무의 곤란도·책임도가 유사한 직무를 수평적으로 분류하는 제도이다.
② 직위분류제는 권한과 책임의 한계가 명확해지면서 행정활동의 중복과 갈등을 예방할 수 있고, 합리적인 절차 수립을 돕는다는 장점이 있다.
④ 직위분류제는 수평적 이동이 제약되므로 인적자원 활용에 제약이 있다.
⑤ 직렬은 직무의 종류는 유사하지만 곤란도와 책임도의 정도가 상이한 직급의 군이다.

답 ③

43 ☐☐☐

직위분류제 분류 구조와 관련된 개념을 바르게 연결한 것은?

> ㄱ. 한 사람의 공무원에게 부여할 수 있는 직무와 책임
> ㄴ. 직무의 종류는 다르지만, 그 곤란성·책임수준 및 자격 수준이 상당히 유사하여 동일한 보수를 지급할 수 있는 모든 직위를 포함하는 것
> ㄷ. 직렬 내에서 담당 분야가 동일한 직무의 군
> ㄹ. 직무의 종류가 유사한 직렬의 군

	ㄱ	ㄴ	ㄷ	ㄹ
①	직위	등급	직류	직군
②	직렬	등급	직군	직류
③	직위	직급	직류	직군
④	직렬	직급	직군	직류

44 ☐☐☐

직위분류제를 형성하는 기본 개념들에 대한 다음 설명 중 옳지 않은 것은?

① 직급 - 직무의 종류는 다르지만 그 곤란성·책임도 및 자격 수준이 상당히 유사하여 동일한 보수를 지급할 수 있는 모든 직위를 포함하는 것
② 직류 - 동일한 직렬 내에서 담당 직책이 유사한 직무의 군
③ 직렬 - 난이도와 책임도는 서로 다르지만 직무의 종류가 유사한 직급의 군
④ 직군 - 직무의 종류가 광범위하게 유사한 직렬의 범주

43	직위분류제

ㄱ은 직위, ㄴ은 등급, ㄷ은 직류, ㄹ은 직군에 대한 설명이다.

📄 직위분류제의 구성요소

구분		개념	예시
직위 (position)		한사람의 공무원에게 부여할 수 있는 직무와 책임	과장, 실장, 국장
직무 분석	직류 (sub-series)	동일한 직렬 내에서 담당분야가 유사한 직무의 군	행정직렬 내의 일반행정직류와 법무행정직류
	직렬 (series)	직무의 종류는 유사하지만 곤란도와 책임도의 정도가 상이한 직급의 군	행정직군 내의 행정직렬과 세무직렬
	직군 (group)	직무의 성질이 유사한 직렬의 군	행정직군과 기술직군
직무 평가	직급 (class)	직무의 종류, 곤란성과 책임도가 상당히 유사한 직위의 군 → 임용시험과 보수 등 인사관리에서의 동일하게 다룰 수 있는 기준이 됨	행정주사, 관세주사보
	등급 (grade)	직무의 종류는 상이하지만 곤란도와 책임도가 유사하여 동일한 보수를 지급할 수 있는 직위의 횡적인 군	1급 ~ 9급

답 ①

44	직위분류제

직급이란 직무의 종류, 곤란성과 책임도가 상당히 유사한 직위의 군이다. 직급은 임용시험과 보수 등 인사관리에서 동일하게 다룰 수 있는 기준이 된다.

(선지분석)

② 직류는 동일한 직렬 내에서 담당분야가 유사한 직무의 군으로, 행정직렬 내 일반행정직류, 법무행정직류 등이 있다.
③ 직렬은 직무의 종류는 유사하지만 곤란도와 책임도의 정도가 상이한 직급의 군으로, 행정직군 내 행정직렬과 세무직렬 등이 있다.
④ 직군은 직무의 성질이 유사한 직렬의 군으로, 행정직군, 기술직군 등이 있다.

답 ①

45 ☐☐☐

공직분류에 대한 설명으로 가장 옳은 것은?

① 직무의 종류는 다르나 곤란도와 책임도가 상당히 유사한 직위의 군을 직렬이라고 한다.

② 직무의 종류는 유사하지만 곤란도와 책임도가 서로 다른 직무의 군을 직급이라고 한다.

③ 비슷한 성격의 직렬들을 모은 직위분류의 대단위는 직군이라고 한다.

④ 동일한 직급 내에 담당 분야가 동일한 직무의 군으로 세분화한 것을 직류라고 한다.

46 ☐☐☐

다음 중 직위분류제의 분류와 그 예시의 연결이 가장 옳지 않은 것은?

① 직류 - 일반행정, 법무행정, 국제통상

② 직렬 - 행정, 세무, 관세, 교정

③ 직군 - 행정, 기술

④ 직위 - 관리관, 이사관, 서기관

45	공직분류

직군은 비슷한 성격의 직렬들을 모은 직위분류의 대단위이다.

(선지분석)

① 직무의 종류는 상이하지만 곤란도와 책임도가 유사한 직위의 군은 등급이다.

② 직무의 종류는 유사하지만 곤란도와 책임도가 서로 다른 직급의 군을 직렬이다.

④ 직류는 동일한 직렬 내에서 담당 분야가 동일한 직무의 군으로 세분화한 것이다.

답 ③

46	직위분류제

관리관, 이사관, 서기관은 직위가 아니라 등급에 해당한다.

(선지분석)

① 직류는 동일한 직렬 내에서 담당분야가 유사한 직무의 군으로, 행정직렬 내 일반행정직류와 법무행정직류 등이 있다.

② 직렬은 직무의 종류는 유사하지만 곤란도와 책임도의 정도가 상이한 직급의 군으로, 행정직군 내 행정직렬과 세무직렬 등이 있다.

③ 직군은 직무의 성질이 유사한 직렬의 군으로, 행정직군, 기술직군 등이 있다.

답 ④

47 ☐☐☐ 2015년 국가직 9급

직위분류제에 있어서 직무의 난이도와 책임의 경중에 따라 직위의 상대적 수준과 등급을 구분하는 것은?

① 직무평가(job evaluation)
② 직무분석(job analysis)
③ 정급(allocation)
④ 직급명세(class specification)

48 ☐☐☐ 2010년 서울시 9급

다음 중 동일한 보수를 지급할 수 있는 직위의 횡적인 군을 뜻하는 것은?

① 직류
② 등급
③ 직렬
④ 직급명세서
⑤ 직급

---

47 | 직위분류제

직무평가는 직무를 곤란도와 책임도의 수준에 따라 수준별로 구분하는 횡적이고 수평적인 분류작업이다.

(선지분석)
② 직무분석은 직무의 성격과 종류에 따라 각 직위를 직군·직렬·직류별로 구분하는 종적이고 수직적인 분류작업이다.
③ 정급은 직무분석 과정에서 수집된 각 직위에 대한 정보와 직급명세서를 비교하여 해당 직급에 분류 대상의 직위를 배정하는 것이다.
④ 직급명세는 직급에 대한 내용을 명백하고 상세하게 기록하는 것이다.

답 ①

48 | 등급

등급은 직무의 종류는 다르지만 곤란도와 책임도가 유사하여 동일한 보수를 지급할 수 있는 직위의 횡적인 군을 의미한다.

(선지분석)
① 직류는 동일한 직렬 내에서 담당분야가 동일한 직무의 집합이다.
③ 직렬은 직무의 종류는 유사하나 곤란도와 책임도가 상이한 직급의 군이다.
⑤ 직급은 직무의 종류와 곤란도 등이 유사하여 채용·보수 등 인사행정상 동일하게 다룰 수 있는 직위의 군이다.

답 ②

468 해커스공무원 학원·인강 gosi.Hackers.com

49 ☐☐☐

직무분석과 직무평가에 대한 설명으로 옳은 것은?

① 직무분석은 직무들의 상대적인 가치를 체계적으로 분류하여 등급화 하는 것이다.
② 직무자료 수집방법에는 관찰, 면접, 설문지, 일지기록법 등이 있다.
③ 일반적으로 직무평가 이후에 직무 분류를 위한 직무분석이 이루어진다.
④ 직무평가 방법으로 서열법, 요소비교법 등 비계량적 방법과 점수법, 분류법 등 계량적 방법을 사용한다.

50 ☐☐☐

직무평가방법에 대한 설명으로 ㄱ과 ㄴ을 바르게 연결한 것은?

> (ㄱ)에서는 등급기준표를 미리 정해 놓고 각 직무를 등급정의에 비추어 어떤 등급에 배치할 것인가를 결정해 나간다. 미리 정한 등급기준이 있다는 점에서 (ㄴ)과 구분되지만, 양자는 직무를 포괄적으로 취급하고 수량적인 분석이 아닌 개괄적 판단에 의지한다는 점에서 서로 유사하다.

	ㄱ	ㄴ
①	분류법	서열법
②	분류법	요소비교법
③	서열법	분류법
④	요소비교법	분류법

49	직무분석과 직무평가

직무자료를 수집하는 데에는 관찰법, 면접법, 설문지법 등 다양한 방법이 동원된다.

(선지분석)
① 직무들의 상대적인 가치를 체계적으로 분류하여 등급화 하는 것은 직무평가이다.
③ 일반적으로 직무분석 이후에 직무평가가 이루어진다.
④ 직무평가 방법으로는 서열법, 분류법 등 비계량적 방법과, 점수법, 요소비교법 등 계량적 방법이 있다.

📋 **직무평가의 방법**

구분	비계량적 (직무 전체 비교)	계량적 (직무 구성요소 비교)
직무와 직무 (상대평가)	서열법	요소비교법
직무와 기준표 (절대평가)	분류법	점수법

답 ②

50	직무평가방법

ㄱ은 분류법, ㄴ은 서열법이다.

📋 **직무평가의 방법**

서열법	직무를 전체적·종합적으로 평가하여 상대적 중요도에 따라 서열을 부과하는 방법
분류법	직무 전체를 종합적으로 판단하여 미리 정해 놓은 등급기준표에 따라 직무의 책임과 곤란도 등을 파악하는 방법
점수법	직위의 직무구성요소를 정의하고 요소별로 직무평가기준표에 의한 점수를 총합하는 방법
요소비교법	• 점수법의 임의성을 보완하기 위한 방법 • 기준 직위를 선정하여 이와 대비시켜 보수액을 산정하는 방법

답 ①

직무평가방법에 대한 설명으로 가장 옳지 않은 것은?

① 계량적 방법과 비계량적 방법이 있으며, 서열법과 분류법이 전자에 해당되고 요소비교법이 후자에 해당된다.
② 단순서열법은 직위의 수가 많을수록 평가가 어렵다.
③ 분류법은 직위의 등급 수를 정하고, 분류기준에 의거한 등급기준표의 작성이 필요하다.
④ 요소비교법은 대표직위를 선정하고 대표직위의 평가요소별 서열을 정하는 과정이 필요하다.

직무평가의 방법에 대한 설명으로 가장 옳지 않은 것은?

① 서열법은 직무 전체의 중요도, 난이도, 책임도 등을 고찰하고, 각 직무의 상대적 가치를 비교하여 서열을 결정하는 방법이다.
② 분류법은 각 직무에 요구되는 기술과 책임감의 수준 등을 판정하여 사전에 정해놓은 등급에 분류하는 평가방법이다.
③ 점수법은 각 직무를 기초적인 요소의 척도에 따라 계량적으로 계측하는 방법이다.
④ 요소비교법은 조직 내의 중심이 되는 기준직무를 선정하여, 평가하고자 하는 직무와 기준직무의 평가요소들을 상호비교하여 상대적 가치를 질적으로 판단하는 방법이다.

51	직무평가방법

직무평가의 방법에는 계량적 방법과 비계량적 방법이 있다. 서열법과 분류법이 비계량적 방법에 해당하고, 요소비교법과 점수법이 계량적 방법에 해당한다.

답 ①

52	직무평가방법

요소비교법은 조직 내의 중심이 되는 기준직무를 선정하여, 평가하고자 하는 직무와 기준직무의 평가요소들을 상호비교하여 상대적 가치를 계량적으로 판단하는 방법이다.

> **📋 요소비교법의 순서**
>
> 1. 평가할 직위에 공통되는 평가요소를 선정한다.
> 2. 대표직위를 선정하여 비교의 기준직무를 정한다.
> 3. 각 요소별로 평가할 직무와 기준직무를 비교해 점수를 부여한다.

답 ④

53 ☐☐☐

직무평가방법에 대한 설명으로 옳은 것은?

① 서열법은 직무와 직무를 직접 비교하기 때문에 주관성 배제에는 유리하지만 비용이 많이 든다는 단점이 있다.

② 점수법은 직무평가표에 따라 구성요소별 점수를 매기고, 이를 합계해 총점을 계산하므로 시간과 노력이 적게 든다는 장점이 있다.

③ 요소비교법은 점수법과 같이 시행의 단순성과 편의성으로 인해 가장 광범위하게 사용되고 있다.

④ 분류법에서는 등급기준표가 완성되기까지 직무평가가 이루어져서는 안 된다.

54 ☐☐☐

직무평가의 방법 중 점수법에 대한 설명으로 가장 옳은 것은?

① 직무 전체를 종합적으로 판단해 미리 정해 놓은 등급기준표와 비교해가면서 등급을 결정한다.

② 대표가 될 만한 직무들을 선정하여 기준 직무(key job)로 정해놓고 각 요소별로 평가할 직무와 기준 직무를 비교해가며 점수를 부여한다.

③ 비계량적 방법을 통해 직무기술서의 정보를 검토한 후 직무상호 간에 직무 전체의 중요도를 종합적으로 비교한다.

④ 직무평가기준표에 따라 직무의 세부 구성요소들을 구분한 후 요소별 가치를 점수화하여 측정하는데, 요소별 점수를 합산한 총점이 직무의 상대적 가치를 나타낸다.

53	직무평가방법

분류법은 직무 전체를 종합적으로 판단하여 미리 정해 놓은 등급기준표에 따라 직무의 책임과 곤란도 등을 파악하는 방법으로 등급기준표가 완성된 후 직무평가가 이루어져야 한다.

(선지분석)

① 서열법은 직무평가의 방법 중에서 가장 간단하고 오래 사용된 방법으로, 단순하고 경제적이며 단기간에 평가가 용이하다는 장점이 있지만 자의적인 평가가 이루어질 수 있다는 단점도 있다.

② 점수법은 직위의 직무구성요소를 정의하고 요소별로 직무평가기준표에 의한 점수를 총합하는 방식이다. 일반적으로 가장 많이 사용하는 방법으로 결과의 신뢰도와 타당도가 높고, 평가 결과를 수용하기 용이하다는 장점이 있지만 고도의 기술과 많은 시간, 노력이 필요하다는 단점이 있다.

③ 요소비교법은 점수법의 임의성을 보완하기 위하여 가장 늦게 고안된 방법으로 시간, 비용, 노력이 많이 소요된다. 일반적으로 점수법이 가장 많이 사용된다.

답 ④

54	점수법

점수법은 직위의 직무구성요소를 정의하고 요소별로 직무평가기준표에 의한 점수를 총합하는 방식으로, 일반적으로 가장 많이 사용하는 방법이다.

(선지분석)

① 분류법에 해당하는 설명이다.
② 요소비교법에 해당하는 설명이다.
③ 서열법에 해당하는 설명이다.

답 ④

직무평가방법과 설명이 바르게 연결된 것은?

> A. 서열법(job ranking)
> B. 분류법(classification)
> C. 점수법(point method)
> D. 요소비교법(factor comparison)

> ㄱ. 직무 전체를 종합적으로 판단해 미리 정해 높은 등급기준표와 비교해가면서 등급을 결정한다.
> ㄴ. 대표가 될 만한 직무들을 선정하여 기준 직무(key job)로 정해놓고 각 요소별로 평가할 직무와 기준 직무를 비교해가며 점수를 부여한다.
> ㄷ. 비계량적 방법을 통해 직무기술서의 정보를 검토한 후 직무 상호 간에 직무 전체의 중요도를 종합적으로 비교한다.
> ㄹ. 직무평가표에 따라 직무의 세부 구성요소들을 구분한 후 요소별 가치를 점수화하여 측정하는데, 요소별 점수를 합산한 총점이 직무의 상대적 가치를 나타낸다.

	A	B	C	D
①	ㄱ	ㄴ	ㄷ	ㄹ
②	ㄱ	ㄷ	ㄹ	ㄴ
③	ㄷ	ㄴ	ㄱ	ㄹ
④	ㄷ	ㄱ	ㄹ	ㄴ

55　　직무평가방법

ㄱ은 분류법(B), ㄴ은 요소비교법(D), ㄷ은 서열법(A), ㄹ은 점수법(C)에 대한 설명이다.
- ㄱ. 분류법(B)은 직무전체를 종합적으로 판단하여 미리 정해 놓은 등급기준표(등급, 등급의 정의로 구성)에 따라 직무의 책임과 곤란도 등을 파악하는 방법으로, 서열법보다는 다소 세련된 방안이고 정부부문에서 많이 사용된다.
- ㄴ. 요소비교법(D)은 평가요소의 비중결정과 단계구분에 따른 점수부여의 임의성을 보완하기 위한 방법으로, 직무를 평가요소별로 나누어 계량적으로 평가하되 기준직위를 선정하여 이와 대비시켜 보수액을 산정한다.
- ㄷ. 서열법(A)은 직무를 전체적·종합적으로 평가하여 상대적 중요도에 따라 서열을 부여하는 방법으로, 단순하고 경제적이며 단기간에 평가가 용이하고 소규모 조직에 적용이 가능하다.
- ㄹ. 점수법(C)은 직위의 직무구성요소를 정의하고 각 요소별로 직무평가기준표에 의하여 평가한 점수를 총합하는 방식으로, 일반적으로 가장 많이 사용하며 결과의 신뢰도와 타당도가 높고 평가 결과를 수용하기가 용이하다.

답 ④

직무평가의 방법 중에서 다음의 장점을 가진 방법은?

> • 체계적·과학적인 방법에 의해 작성된 직무평가기준표를 사용하기 때문에 평가 결과의 타당성과 신뢰성이 인정된다.
> • 한정된 평가요소만을 사용하는 것이 아니라, 분류대상 직위의 직무에 공통적이며 중요한 특징을 평가요소로 사용하기 때문에 관계인들이 평가 결과를 쉽게 수용한다.

① 서열법
② 점수법
③ 분류법
④ 요소비교법

56　　점수법

제시문은 점수법에 대한 설명이다. 점수법은 직위의 직무구성요소를 정의하고 요소별로 직무평가기준표에 의한 점수를 총합하는 방식으로, 일반적으로 가장 많이 사용하는 방법이다. 결과의 신뢰도와 타당도가 높고, 평가 결과를 수용하기가 용이하지만 고도의 기술과 많은 시간, 노력이 필요한 방법에 해당한다.

답 ②

---

57 ☐☐☐

계급제와 비교할 때, 직위분류제의 특성과 가장 거리가 먼 것은?

① 업무의 전문화로 인하여 상위 직급에서의 업무 통합이 쉽다.
② 인사관리의 탄력성과 신축성이 저해되기 쉽다.
③ 동일 직무에 대한 동일 보수의 원칙을 적용하기 쉽다.
④ 각 직무를 담당하고 있는 직원들의 교육훈련수요를 파악하기 쉽다.

58 ☐☐☐

공직분류에 관한 설명으로 옳지 않은 것은?

① 사람을 기준으로 한 공직분류는 공무원의 신분보장에 용이하다.
② 개인의 능력과 자격을 기준으로 한 공직분류는 일반행정가 양성에 용이하다.
③ 직무분석을 통한 직무의 구조적 배열에 중점을 둔 공직분류는 외부에 대한 공직개방에 용이하다.
④ 직무의 난이도와 책임도를 기준으로 한 공직분류는 순환보직제도를 통한 탄력적 인력운용에 용이하다.

57	직위분류제

직위분류제는 해당 직무의 전문행정가를 양성하고, 행정의 전문화·합리화·능률화에 기여할 수 있다는 장점이 있으나, 일반적인 관리능력과 장기적 시야를 가진 일반행정가의 양성을 방해하고 지나친 경직성으로 인하여 조직의 조정과 협조가 곤란하기 때문에 업무 통합이 어렵다는 단점이 있다.

(선지분석)
② 횡적이동의 제약으로 인사관리의 탄력성과 신축성이 저해된다.
③ 동일직무 동일보수의 원칙에 따라 보수의 공정성이 높다.
④ 교육훈련수요의 정확한 파악이 용이하다.

답 ①

58	공직분류

직무의 난이도와 책임도를 기준으로 한 공직분류는 직위분류제이다. 직위분류제는 직렬 간 엄격한 구분으로 수평적인 이동이 자유롭지 않아 탄력적 인력운용이 곤란하다. 순환보직 등 탄력적 인력운용에 용이한 것은 계급제의 장점이다.

(선지분석)
① 사람을 기준으로 한 공직분류는 계급제이며, 계급제는 공무원의 신분보장에 용이하다.
② 개인의 능력과 자격을 기준으로 한 공직분류는 계급제이다.
③ 직무분석을 통한 직무의 구조적 배열에 중점을 둔 공직분류는 직위분류제이다.

답 ④

59 □□□

직위분류제와 계급제의 특성에 대한 비교설명으로 옳지 않은 것은?

① 직위분류제는 조직계획의 단기적 합리성을 확보할 수 있다.
② 직위분류제에서는 직무의 종류나 성격에 관계없이 폭넓은 인사이동이 가능하다.
③ 계급제에서는 직업공무원제 확립이 용이하다.
④ 계급제에서는 공무원 간의 유대의식이 높아 행정의 능률성을 제고할 수 있다.

59	계급제와 직위분류제

직위분류제는 전문행정가를 중심으로 한 직무 중심의 제도이기 때문에 인사배치의 신축성이 낮고 환경의 변화에 따른 효과적 대응이 어렵다는 단점이 있다.

(선지분석)
① 직위분류제는 조직의 현 시점에 필요에 따라 직무를 분류하므로 조직계획의 단기적 합리성을 확보할 수 있다.
③ 계급제는 신분보장을 기본으로 한 직업공무원제의 확립이 용이하다.
④ 계급제는 장기근무를 통한 공무원간의 유대의식이 높다.

답 ②

60 □□□

공직의 분류에 대한 설명으로 옳지 않은 것은?

① 계급제는 사람을 중심으로, 직위분류제는 직무를 중심으로 공직을 분류하는 인사제도이다.
② 직위분류제에 비해 계급제는 인적 자원의 탄력적 활용이라는 측면에서 유리한 제도이다.
③ 직위분류제에 비해 계급제는 폭넓은 안목을 지닌 일반행정가를 양성하는 데 유리한 제도이다.
④ 계급제에 비해 직위분류제는 공무원의 신분을 강하게 보장하는 경향이 있는 제도이다.

60	공직의 분류

직위분류제에 비해 계급제는 공무원의 신분을 강하게 보장하는 경향이 있는 제도이다.

(선지분석)
① 계급제는 개인의 자격·능력·신분 기준, 직위분류제는 직무의 종류·책임도·곤란도를 기준으로 분류하는 인사제도이다.
② 계급제는 인사운용의 탄력성이 높은 반면, 직위분류제는 낮은 편이다.
③ 계급제는 일반행정가의 육성에 유리한 반면, 직위분류제는 전문행정가의 양성에 도움이 된다.

답 ④

61 ☐☐☐

인사행정 관련 제도에 대한 설명으로 옳지 않은 것은?

① 관료들이 출신집단의 이익을 위해 적극적으로 행동하는 적극적 대표는 민주주의에 위협요소로 작용할 수 있다.
② 직위분류제는 계급제에 비해 인력 활용의 융통성과 효율성이 높아 탄력적 인사관리가 가능하다는 장점을 가진다.
③ 우리나라에서 시행되고 있는 양성평등채용목표제, 지역인재추천채용제 등은 관료제의 대표성을 제고하기 위해 도입된 제도이다.
④ 엽관제는 선출직 정치지도자들을 통하여 관료집단에 대한 통제를 용이하게 함으로써 관료제의 대응성을 제고할 수 있다.

62 ☐☐☐

계급제와 직위분류제를 비교한 설명으로 옳지 않은 것은?

① 직위분류제가 계급제보다 직업공무원제도 확립에 더 유리하다.
② 직위분류제가 계급제보다 직무급의 결정에 더 타당한 자료를 제공할 수 있다.
③ 직위분류제가 계급제보다 전문행정가의 양성에 더 유리하다.
④ 계급제가 직위분류제보다 탄력적 인사관리에 더 유리하다.

---

61 │ 인사행정 관련 제도

계급제는 직위분류제에 비해 분류구조와 보수체계가 단순하고, 인력 활용의 융통성과 효율성이 높아 탄력적 인사관리가 가능하다는 장점을 가진다. 반면, 직위분류제는 원칙적으로 동일 직렬에서만 승진이나 전보가 가능하기 때문에 인사관리의 탄력성과 신축성이 결여된다.

선지분석
① 관료들이 출신집단의 이익을 위해 적극적으로 행동하는 적극적 대표는 관료가 전체 국민에 대한 봉사자여야 한다는 민주주의 정신에 위협요소로 작용할 수 있다.
③ 양성평등채용목표제, 지역인재추천채용제, 저소득층 전형, 장애인 전형 등은 관료제의 대표성을 제고하기 위해 도입한 제도이다.
④ 엽관제는 민주적으로 선출된 선출직 정치지도자들을 통하여 직업공무원인 관료집단에 대한 통제를 용이하게 함으로써 관료제의 민주적 대응성을 제고할 수 있다.

답 ②

62 │ 계급제와 직위분류제

계급제가 직위분류제보다 직업공무원제도 확립에 더 유리하다. 직위분류제는 개방형으로서 공무원의 신분보장이 약해 직업공무원제 확립에 불리한 제도이다.

선지분석
② 계급제는 실제 수행하는 직무와 무관하게 공무원의 계급에 따라 보수가 결정되는 반면, 직위분류제는 실제 수행하는 직무에 따라 보수가 결정되기 때문에 직무급 결정에 더 타당한 자료를 제공할 수 있다.
③ 순환보직을 전제로 하는 계급제는 일반행정가 양성에 유리하고, 직무의 적임자 배치를 전제로 하는 직위분류제는 전문행정가 양성에 더 유리하다.
④ 수평적 인사이동이 용이한 계급제가 직위분류제보다 탄력적 인사관리에 더 유리하다.

답 ①

공직의 분류 혹은 구조에 관한 설명으로 옳은 것은?

① 계급제는 직무보다는 사람을 중심으로 공직을 분류하며, 규모가 크고 복잡한 조직에 적합하다.

② 직위분류제에서 각 계층의 구성원들은 자기 집단이익의 옹호에 집착할 가능성이 높다.

③ 직위분류제는 잠정적·비정형적 업무로 구성된 역동적이고 불확실한 상황에 유용하다.

④ 계급제하에서는 인적자원 활용의 수평적 융통성은 높으나 수직적 융통성은 낮은 편이다.

계급제와 직위분류제의 장단점에 대한 설명으로 옳지 않은 것은?

① 계급제는 부서 간·부처 간 교류와 협조에 용이하다.

② 직위분류제는 조직 내 인적 자원의 교류 및 활용에 주는 제약이 상대적으로 크다.

③ 직위분류제는 직무 중심적 동기유발을 촉진하여 행정의 전문화를 저해하게 된다.

④ 계급제는 인사의 탄력성과 융통성을 증진시켜준다.

63	공직의 분류

계급제는 엄격한 계층제로 인해 수직적 이동의 경직성이 심하고 계급 간 승진이 어려워 한정된 계급범위에서만 승진이 가능하다. 다만, 동일한 계급 내에서 수평적 이동은 자유롭다.

(선지분석)
① 계급제는 규모가 작고 단순한 조직에 적합하다.
② 직위분류제에서는 직무 자체에 몰입하는 특성상 자기 집단이익의 옹호에 집착할 가능성은 낮다.
③ 직위분류제는 인사배치의 신축성이 부족하기 때문에 잠정적·비정형적 업무로 구성된 역동적이고 불확실한 상황에 불리하다.

답 ④

64	계급제와 직위분류제

직위분류제는 '직무'를 중심으로 공직구조를 체계화하고 이에 적합한 사람을 공무원으로 임용하는 제도이다. 직위분류제는 그 일과 그에 따른 책임을 기준으로 하는 객관적 직무 중심의 인사제도이기 때문에 행정의 전문화에 기여한다.

(선지분석)
①, ④ 계급제는 수평적 인사이동이 쉬워 부서 간·부처 간 교류와 협조가 용이하며, 인사행정의 탄력성과 융통성이 제고된다.
② 직위분류제는 구성원의 인사이동이 곤란하므로 조직 내 인적 자원의 교류 및 활용에 주는 제약이 계급제보다 크다.

답 ③

CHAPTER 3 인적자원관리(임용, 능력발전, 사기부여)

THEME 066 인사행정의 과정과 인적자원관리의 방향

01 □□□
2017년 국가직 9급(4월 시행)

전략적 인적자원관리에 대한 설명으로 옳지 않은 것은?

① 장기적이며 목표·성과 중심적으로 인적자원을 관리한다.
② 개인의 욕구는 조직의 전략적 목표달성을 위해 희생해야
한다는 입장이다.
③ 인사업무 책임자가 조직 전략 수립에 적극적으로 관여한다.
④ 조직의 전략 및 성과와 인적자원관리 활동 간의 연계에 중
점을 둔다.

02 □□□
2014년 지방직 7급

공무원 경력개발 시 준수해야 할 기본원칙에 해당되지 않는 것은?

① 적재적소의 원칙
② 직급중심의 원칙
③ 인재양성의 원칙
④ 자기주도의 원칙

---

01 전략적 인적자원관리

전략적 인적자원관리는 개인의 욕구를 조직의 전략적 목표달성을 위해 희생
해야 하는 것으로 보지 않고, 조직과 개인 목표의 통합과 조직 구성원의 인
간적 측면을 강조하여 직업생활의 질 향상을 중시한다.

📄 **전략적 인적자원관리**

1. 전략적 인적자원관리(Strategic Human Resource Manage-
ment)란 조직의 비전 및 목표, 조직 내·외부를 모두 고려하여 가장
적합한 인력을 개발하고 관리하여 조직목표의 극대화를 추구하는
인사관리기법이다.
2. 채용, 교육, 훈련, 평가 등의 개별적 요소들을 거시적 시각에서 통합
적으로 관리하려는 시도에 해당한다.

답 ②

---

02 공무원 경력개발

공무원 경력개발 시 준수해야 할 기본원칙은 직급중심의 원칙이 아니라, 직
무와 역량중심의 원칙이다.

📄 **공무원 경력개발의 기본원칙**

적재적소의 원칙	직원을 적재적소에 배치하는 것
승진경로의 원칙	특정 공무원의 경력·전공·적성 등을 종합적으로 고려하여 전문분야를 지정하는 것
인재양성의 원칙	인재를 외부보다는 내부에서 자체적을 양성하는 것
직무와 역량중심의 원칙	직급이 아닌 직무중심의 경력계획 수립과 역량강화를 위해 보직경로별로 역량 수요의 흐름에 맞게 교육훈련체계를 수립하는 것
개방성 및 공정경쟁의 원칙	경력개발의 기회가 모든 직원에게 공평하게 제공되어야 하며, 보직 이동의 기회도 공정한 경쟁을 통해 제공되어야 한다는 것
자기주도의 원칙	직원 스스로 적극적인 경력목표와 경력개발계획을 작성하고 능동적으로 학습을 실시하여야 한다는 것

답 ②

03 ☐☐☐

2016년 국가직 7급

전통적인 연공주의 인적자원관리와 비교할 때 성과주의 인적자원관리의 특징으로 옳지 않은 것은?

① 형식요건을 중시하고 규격화된 임용방식을 확대한다.
② 태도와 근속연수보다 성과와 능력 중심의 평가를 강조한다.
③ 직급파괴와 역량에 의한 승진을 강조한다.
④ 조기퇴직 및 전직 지원을 활성화한다.

THEME 067 공무원의 임용과 승진

04 ☐☐☐

2015년 국가직 9급

우리나라의 공무원 인사제도에 대한 설명으로 옳지 않은 것은?

① 공무원을 수직적으로 이동시키는 내부임용의 방법으로는 전직과 전보가 있다.
② 강등은 1계급 아래로 직급을 내리고(고위공무원단에 속하는 공무원은 3급으로 임용하고, 연구관 및 지도관은 연구사 및 지도사로 한다) 공무원 신분은 보유하나 3개월간 직무에 종사하지 못하며 그 기간 중 보수는 전액을 감한다.
③ 청렴하고 투철한 봉사정신으로 직무에 모든 힘을 다하여 공무집행의 공정성을 유지하고 깨끗한 공직 사회를 구현하는 데에 다른 공무원의 귀감이 되는 공무원은 특별승진 임용하거나 일반승진시험에 우선 응시하게 할 수 있다.
④ 임용권자는 만 8세 이하(취학 중인 경우에는 초등학교 2학년 이하)의 자녀를 양육하기 위하여 필요하거나 여성공무원이 임신 또는 출산하게 되어 휴직을 원하면 대통령령으로 정하는 특별한 사정이 없으면 휴직을 명하여야 한다.

03	성과주의 인적자원관리

형식요건을 중시하고 규격화된 임용방식을 확대하는 것은 연공주의 인적자원관리의 특징이다.

선지분석

② 성과주의 인적자원관리는 근무한 연차보다 성과와 능력을 더욱 중시한다.
③ 기존 직급을 중시하지 않고 성과를 달성할 수 있는 역량을 중시한다.
④ 성과주의 인적자원관리를 강화할 경우 성과가 저조한 구성원은 조기 퇴직을 유도하고 전직을 지원한다.

답 ①

04	우리나라의 공무원 인사제도

전직과 전보는 수직적 인사이동이 아니라 수평적 인사이동에 해당한다.

📄 **내부임용(재배치)의 종류**

수평적 이동	전직, 전보, 배치전환, 휴직, 직무대행, 겸임, 파견
수직적 이동	승진, 강임, 승급

답 ①

05 ☐☐☐

공무원의 인사이동에 대한 설명으로 옳은 것은?

① 겸임은 한 사람에게 둘 이상의 직위를 부여하는 것으로 그 대상은 특정직공무원이며, 겸임 기간은 3년 이내로 한다.

② 전직은 인사 관할을 달리하는 기관 사이의 수평적 인사이동에 해당하며, 예외적인 경우에만 전직시험을 거치도록 하고 있다.

③ 같은 직급 내에서 직위 등을 변경하는 전보는 수평적 인사이동에 해당하며, 전보의 오용과 남용을 방지하기 위해 전보가 제한되는 기간이나 범위를 두고 있다.

④ 예산 감소 등으로 직위가 폐지되어 하위 계급의 직위에 임용하려면 별도의 심사 절차를 거쳐야 하고, 강임된 공무원에게는 강임된 계급의 봉급이 지급된다.

06 ☐☐☐

배치전환에 대한 설명으로 가장 옳지 않은 것은?

① 능력의 정체와 퇴행현상을 방지할 수 있다.

② 직무의 부적응을 해소하고 조직 구성원에게 재적응의 기회를 부여할 수 있다.

③ 행정의 전문성과 능률성을 증진시킬 수 있다.

④ 정당한 징계절차에 의하지 않고 일종의 징계수단으로 활용될 가능성이 존재한다.

05	공무원의 인사이동

전보는 동일한 직급 및 직렬 내에서의 보직이 변경되는 수평적(횡적) 인사이동에 해당하며, 전보의 오용과 남용을 방지하기 위해 전보가 제한되는 기간(2년, 3~4급 공무원은 1년 6개월, 고위공무원단은 1년)이나 범위(고충직원의 전보 제한 등)를 두고 있다.

(선지분석)

① 한 사람에게 둘 이상의 직위를 부여하는 것이 겸임이며 직무 내용이 유사하고 담당 직무 수행에 지장이 없다고 인정하면 일반직공무원을 대학교수 등 특정직공무원이나 특수 전문 분야의 일반직공무원 또는 관련 교육·연구기관, 그 밖의 기관·단체의 임직원과 서로 겸임하게 할 수 있고 그 기간은 원칙적으로 2년이다(「국가공무원법」 제32조의3, 「공무원임용령」 제40조 제3항).

② 인사 관할을 달리하는 기관 사이의 수평적 인사이동은 전입이며, 전입은 시험을 요한다.

④ 임용권자는 직제 또는 정원의 변경이나 예산의 감소 등으로 직위가 폐직되거나 하위의 직위로 변경되어 과원이 된 경우 또는 본인이 동의한 경우에는 소속 공무원을 강임할 수 있다(「국가공무원법」 제73조의4 제1항). 별도의 심사 절차를 거쳐야 하는 것은 아니다. 만약 강임된 공무원이 강임되기 전보다 많아질 때까지는 강임 전의 봉급을 지급한다(「공무원 보수규정」 제6조 제1항).

답 ③

06	배치전환

전직, 전보 등의 수평적 인사이동인 배치전환이 잦을 경우 행정의 전문성과 능률성이 저해될 수 있다.

(선지분석)

① 한 가지 직위에 장기간 근무할 때 발생할 수 있는 능력의 정체와 퇴행 현상을 방지할 수 있다.

② 직무에 적응하지 못할 경우 조직 구성원을 다른 직무로 이동시켜 재적응의 기회를 부여할 수 있다.

④ 일종의 징계수단으로 활용될 가능성이 있다.

답 ③

우리나라 내부임용제도에 대한 설명으로 옳지 않은 것은?

① 승급은 같은 계급 또는 등급 내에서 호봉이 높아지는 것을 말한다.
② 전보는 동일한 직급 내에서 보직을 변경하는 것을 말한다.
③ 파면은 연금법상의 불이익은 없으나, 3년 동안 공무원 피임용권을 박탈하는 것을 말한다.
④ 직권면직은 폐직 또는 과원발생 등의 경우 임용권자가 직권에 의해 공무원의 신분을 박탈하는 것을 말한다.

정부 내의 인적자원을 효율적으로 활용하기 위한 배치전환의 본질적인 용도와 가장 거리가 먼 것은?

① 선발에서의 불완전성을 보완하여 개인의 능력을 촉진한다.
② 조직구조 변화에 따른 저항을 줄이고 비용을 절감한다.
③ 부서 간 업무 협조를 유도하고 구성원 간 갈등을 해소한다.
④ 징계의 대용이나 사임을 유도하는 수단으로 사용한다.

07	우리나라 내부임용제도

연금법상의 불이익이 없고, 3년 동안 재임용이 금지되는 것은 해임이다. 파면은 징계의 일종으로 연금이 2분의 1에서 4분의 1까지 지급 제한되는 연금법상의 불이익이 있고, 5년간 재임용이 불가능하다.

선지분석
① 승급은 계급이나 직책의 변동 없이 호봉이 높아지는 것을 말한다.
② 전보는 동일한 직급·직렬 내에서의 보직변경을 말한다.
④ 직권면직은 공무원이 감원, 직무수행능력 부족 등 법에 정한 사유에 해당되었을 경우 본인의 의사와 관계없이 임용권자의 직권에 의해 면직시키는 것을 말한다.

답 ③

08	배치전환

징계의 대용이나 사임을 유도하는 수단으로 배치전환을 사용하는 것은 배치전환의 부정적인 기능에 해당한다. 배치전환은 수평적으로 보수나 계급에 변동 없이 직위를 옮기는 것으로 공직사회의 침체를 방지하고 부처 간의 교류와 협력을 증진하는 데 목적을 둔다.

📑 우리나라 배치전환의 문제점

1. 징계의 수단으로 이용된다.
2. 사임의 강요수단으로 이용된다.
3. 징계회피수단으로 이용된다.
4. 잦은 보직이동으로 전문성이 저해된다.

답 ④

09 □□□

「공무원임용시험령」상의 면접시험 평정요소가 아닌 것은?

① 공무원으로서의 정신자세
② 직장인으로서의 대인관계능력
③ 전문지식과 그 응용능력
④ 예의 · 품행 및 성실성

10 □□□

「국가공무원법」상 공무원의 인사제도에 대한 설명으로 옳지 않은 것은?

① 특수업무 분야에 종사하는 공무원은 대통령령으로 정하는 바에 따라 일반직공무원의 계급구분과 직군분류를 적용받지 않을 수 있다.
② 인사혁신처장은 필요에 따라 인사교류계획을 수립하고, 국무총리의 승인을 받아 이를 실시할 수 있다.
③ 징계로 해임처분을 받은 때부터 5년이 지나지 아니한 자는 공무원으로 임용될 수 없다.
④ 임용권자는 지역인재의 임용을 위한 수습 기간을 3년의 범위에서 정할 수 있다.

| 09 | 면접시험 평정요소 |

직장인으로서의 대인관계능력은 「공무원임용시험령」상의 면접시험 평정요소가 아니다.

> 「공무원임용시험령」 제5조 【시험의 방법】 ③ 면접시험은 해당 직무수행에 필요한 능력 및 적격성을 검정하며, 다음 각 호의 모든 평정요소를 각각 상·중·하로 평정한다.
> 1. 공무원으로서의 정신자세
> 2. 전문지식과 그 응용능력
> 3. 의사 표현의 정확성과 논리성
> 4. 예의·품행 및 성실성
> 5. 창의력·의지력 및 발전 가능성

답 ②

| 10 | 공무원의 인사제도 |

징계로 해임처분을 받은 때부터 3년이 지나지 아니한 자는 공무원으로 임용될 수 없다.

(선지분석)
① 특정직공무원(검사, 법관, 교원, 군인 등) 등 특수업무 분야에 종사하는 공무원은 대통령령으로 정하는 바에 따라 일반직공무원의 계급구분과 직군분류를 적용받지 않을 수 있다.
④ 임용권자는 지역인재 임용을 위한 수습 기간을 3년의 범위에서 정할 수 있고, 현재는 1년이다.

답 ③

11 □□□

임용에 대한 설명으로 옳지 않은 것은?

① 징계로 해임처분을 받은 때부터 5년이 지나지 아니한 자는 공무원으로 임용될 수 없다.

② 승진의 기준으로 공무원 근무경력만을 중시하는 경우 행정의 능률성을 저하시킬 수 있다.

③ 전직과 전보는 부처 간 할거주의의 폐단을 타파하고 부처 간 협력조성을 위한 기반을 마련해 줄 수 있다.

④ 임용권자는 직제 또는 정원이 변경되거나 예산의 감소 등으로 직위가 폐직되었을 경우 또는 본인이 동의한 경우에는 소속 공무원을 강임할 수 있다.

---

12 □□□

우리나라 시보제도에 관한 설명으로 옳은 것은?

① 시보기간이 종료되고 정규공무원으로 임용되기 위해서는 보직을 부여받아야 한다.

② 시보공무원은 공무원법상 공무원에 해당하기 때문에 시보기간 동안에도 직위를 맡을 수 있다.

③ 시보기간 중에 직권면직이 되면, 향후 3년간 다시 공무원으로 임용될 수 없는 결격사유에 해당한다.

④ 시보기간 동안 신분이 보장되지 않기 때문에 공무원의 경력에도 포함되지 아니한다.

11	임용

해임은 공무원을 강제퇴직시키는 처분으로서 3년간 공직취임이 제한되며 연금법상의 불이익은 없다. 다만, 금전적 비리(뇌물 및 향응수수, 공금횡령 및 유용 등)로 해임된 경우에는 퇴직급여의 경우 5년 미만은 8분의 1, 5년 이상은 4분의 1이 감액되며 퇴직수당도 4분의 1이 감액 지급되는 등의 연금법상 불이익을 받게 된다.

답 ①

12	우리나라 시보제도

시보공무원은 공무원법상 공무원에 해당한다. 따라서 시보기간 동안에도 직위를 맡는 것이 가능하다.

(선지분석)

① 시보기간이 종료되면 보직 부여의 여부와 관계없이 정규공무원으로 임용된다.

③ 시보기간 중에 직권면직이 되어도 임용 결격사유에 해당하지 않는다.

④ 시보기간 동안은 신분은 보장되지 않으나, 공무원의 경력에는 포함된다.

답 ②

13 □□□

채용시험의 구성 타당성(construct validity)에 관한 설명으로 옳은 것은?

① 채용시험이 이론적으로 추정된 능력요소를 얼마나 정확하게 측정할 수 있는가
② 채용시험이 장래의 직무수행에 필요한 능력요소를 얼마나 정확하게 예측할 수 있는가
③ 채용시험이 특정한 직위의 직무수행에 필요한 능력요소를 어느 정도까지 측정할 수 있는가
④ 채용시험이 개인 간의 능력 차이를 어느 정도까지 식별할 수 있는가

14 □□□

공무원 선발시험과목 중 행정학시험의 타당성을 검증하기 위해 행정학교수들로 패널을 구성하여 전체적인 문항들을 검증하는 방법과 가장 관련이 있는 것은?

① 기준 타당성(criterion-related validity)
② 예측적 타당성(predictive validity)
③ 내용 타당성(content validity)
④ 구성개념 타당성(construct validity)

13	구성 타당성

타당성이란 측정하려는 대상의 내용을 얼마나 충실하고 정확하게 측정하고 있는가를 나타내는 것으로 시험성적과 근무성적을 비교해본다. 그 중 구성 타당성은 시험이 이론적으로 구성된 능력요소를 얼마나 정확히 측정할 수 있는가에 대한 타당성이다.

📑 타당도의 종류

기준 타당도	• 직무수행능력을 제대로 예측한 정도 • 시험점수와 근무실적의 상관관계	
	예측적 타당도	합격한 수험생의 시험성적과 업무실적 비교
	동시적 타당도	재직자의 시험성적과 업무실적 비교
내용 타당도	특정한 직무수행에 필요한 능력요소를 제대로 측정한 정도	
구성 타당도	이론적으로 구성한 능력요소(추상적 개념)를 제대로 측정한 정도	
	수렴적 타당도	하나의 개념을 상이한 척도로 측정 시 측정치의 상관관계가 높은 정도
	차별적 타당도	상이한 개념을 하나의 척도로 측정 시 측정치의 상관관계가 낮은 정도

답 ①

14	내용 타당성

행정학시험의 타당성을 검증하기 위해 행정학교수들로 패널을 구성하여 전체적인 문항들을 검증하는 것은 시험이 직위의 의무와 책임에 직접적으로 관련되는 직무수행에 필요한 지식, 기술, 태도 등을 제대로 측정할 수 있느냐에 관한 기준을 나타내는 것이다. 이들을 제대로 측정할 수 있는 시험이라면 내용 타당성이 높은 것이라고 할 수 있다.

(선지분석)

① 기준 타당성(criterion-related validity)이란 직무수행능력을 제대로 예측한 정도로 시험점수와 근무실적의 상관관계이다.
② 예측적 타당성(predictive validity)이란 합격한 수험생의 시험성적과 향후의 업무실적을 비교하는 것이다.
④ 구성개념 타당성(construct validity)이란 이론적으로 구성한 능력요소(추상적 개념)를 제대로 측정한 정도이다.

답 ③

15 □□□

선발시험의 타당성과 신뢰성에 대한 설명으로 옳은 것은?

① 시험의 신뢰성은 시험과 기준의 관계이며, 재시험법은 시험의 횡적 일관성을 조사하는 것이다.

② 동시적 타당성 검증에서는 시험합격자를 대상으로 시험성적과 일정기간을 기다려야 나타나는 근무실적을 시차를 두고 수집하여 비교하는 것이다.

③ 내용 타당성은 직무에 정통한 전문가 집단이 시험의 구체적 내용이나 항목이 직무의 성공적 임무 수행에 얼마나 적합한지를 판단하여 검증하게 된다.

④ 현재 근무하고 있는 재직자에게 시험을 실시한 결과 근무실적이 좋은 재직자가 시험성적도 좋았다면, 그 시험은 구성적 타당성을 갖추었다고 인정할 수 있다.

16 □□□

공무원 임용시험의 효용성을 측정하는 기준에 대한 설명으로 옳지 않은 것은?

① 시험의 타당성은 시험이 측정하고자 하는 것을 실제로 얼마나 정확하게 측정했는가를 의미하며 그 종류에는 기준 타당성, 내용 타당성, 구성 타당성 등이 있다.

② 내용 타당성은 시험성적이 직무수행실적과 얼마나 부합하는가를 판단하는 타당성으로 두 요소 간 상관계수로 측정된다.

③ 측정 대상을 일관성 있게 측정하는 정도를 신뢰성이라고 하며 같은 사람이 여러 번 시험을 반복하여 치르더라도 결과가 크게 변하지 않을 때 신뢰성을 갖게 된다.

④ 신뢰도를 측정하는 방법으로는 재시험법(test-retest)과 동질이형법(equivalent forms) 등이 사용된다.

15	타당성과 신뢰성

내용 타당성은 특정한 직무수행에 필요한 능력요소를 제대로 측정한 정도를 뜻한다.

(선지분석)

① 시험과 기준의 관계는 기준 타당성이다. 신뢰성은 측정도구의 측정 결과가 보여주는 일관성을 의미한다. 재시험법은 종적 일관성을 검증하는 신뢰성 검증방법이다.

② 예측적 타당성에 대한 설명으로 합격한 수험생의 시험성적과 업무실적을 비교한다. 동시적 타당성 검증은 재직자의 시험성적과 업무실적을 비교한다.

④ 구성적 타당성이 아닌 동시적 타당성을 갖추었다고 인정할 수 있다. 구성적 타당성은 이론적으로 구성한 능력요소를 제대로 측정한 정도를 의미한다.

답 ③

16	효용성

시험성적이 직무수행실적과 얼마나 부합하는가를 판단하며 두 요소 간 상관계수로 측정되는 것은 기준 타당성이다. 내용 타당성은 특정한 직무수행에 필요한 능력요소를 제대로 측정한 정도를 의미한다.

(선지분석)

③ 측정 대상을 일관성 있게 측정하는 정도를 신뢰성이라고 하며, 같은 사람이 여러 번 시험을 반복하여 치르더라도 결과가 동일하다면 신뢰성을 갖게 된다. 따라서 결과가 계속 동일하다면 타당하지 않더라도 신뢰성을 높을 수 있다.

④ 신뢰도를 측정하는 방법으로는 재시험법, 동질이형법(복수양식법), 반분법, 내적 일관성 분석법 등이 있다.

답 ②

17 □□□

소방공무원의 선발시험에 대한 신뢰성과 타당성의 검증방법에 대한 연결로 옳지 않은 것은?

① 동질이형법(equivalent forms) – 내용과 난이도에 있어 동질적인 Ⓐ, Ⓑ책형을 중앙소방학교 교육후보생들을 대상으로 시험을 보게 한 후, 두 책형의 성적 간 상관관계를 분석한다.

② 내용 타당성 – 소방공무원을 선발하고자 할 때 그 직무에 정통한 전문가의 의견을 들어 선발시험의 내용을 구성한다.

③ 기준 타당성 – 소방직 시험에 합격한 사람들에게 3개월 뒤 같은 문제로 시험을 보게 하여 두 점수 간의 상관관계를 분석한다.

④ 구성 타당성 – 지원자의 근력·지구력 등을 측정하기 위해 새로 만든 시험방법을 통해 측정한 점수와 기존의 시험방법으로 측정한 결과 간의 상관관계를 분석한다.

THEME 068 공무원의 능력발전

18 □□□

교육훈련방법에 대한 설명으로 옳은 것은?

① 직장 내 훈련(OJT: on-the-job training)은 감독자의 능력과 기법에 따라 훈련성과가 달라지며 많은 사람을 동시에 교육하기 어렵다.

② 감수성훈련(sensitivity training)은 원래 정신병 치료법으로 발달한 것으로 전문가의 지원을 받아 과제의 해결책을 도출하는 방법이다.

③ 모의연습(simulation)은 T - 집단훈련으로도 불리며 주어진 사례나 문제에서 어떠한 역할을 실제로 연기해 봄으로써 당면한 문제를 체험해 보는 방법이다.

④ 액션러닝(action learning)은 미국 GE사 전략적 인적자원개발프로그램으로 활용된 것으로 태도와 행동의 변화를 통해 인간관계 기술을 향상하려는 것이 주된 목적이다.

17	타당성과 신뢰성의 검증방법

기준 타당성이 아니라 신뢰도 측정방법 중 하나인 재시험법에 대한 예시이다. 재시험법은 동일한 측정도구로 동일한 상황에서 동일한 대상에게 일정 기간을 두고 반복적으로 측정하여 그 성적을 비교하는 방법이다.

📋 신뢰성 검증방법

재시험법	동일한 측정도구로 동일한 상황에서 동일한 대상에게 일정 기간을 두고 반복 측정하여 측정 결과의 동일 여부 평가
복수양식법	동일한 개념에 대해 2개 이상의 상이한 측정도구를 개발하고 각각 측정치 간의 일치 여부 검증
반분법	측정도구를 임의로 반으로 나누어 각각을 독립된 척도로 보고 이들의 측정 결과 비교
내적 일관성 분석법	하나의 측정도구 내 문항들 간 밀접한 연관이 있는지 측정 문항의 신뢰도를 추정

답 ③

18	교육훈련방법

직장 내 훈련(OJT)은 감독자의 능력과 기법에 따라 훈련성과가 달라질 수 있고, 많은 사람을 동시에 교육하기 어렵다는 단점이 있다.

선지분석

② 감수성훈련(sensitivity training)은 외부환경과 격리된 인위적인 장소에서 잘 알지 못하는 사람들끼리 소집단을 구성하여 비정형적인 접촉을 통해 자신을 평가·개선하고 타인을 이해하는 기회를 갖게 하는 훈련이다. 따라서 전문가의 지원을 받아 어떠한 과제의 해결책을 도출한다는 것은 옳지 않다.

③ 모의연습(simulation)은 피훈련자가 업무수행 중에 겪게 될 상황을 가정해서 꾸며놓고 피훈련자가 그 상황에 대처하도록 하는 기법이다.

④ 액션러닝(action learning)은 교육참가자들이 팀을 구성하여 실제 현안 문제를 해결하는 것과 동시에 문제해결과정에 대한 성찰을 통해 학습하도록 지원하는 행동학습 방법이다.

답 ①

19 ☐☐☐

교육훈련의 종류를 OJT(On-the-Job Training)와 OFFJT (Off-the-Job training)로 구분할 때 OJT의 주요 프로그램에 해당하지 않는 것은?

① 인턴십(internship)
② 역할 연기(role playing)
③ 직무순환(job rotation)
④ 실무지도(coaching)

20 ☐☐☐

다음 설명에 해당하는 교육훈련 방법은?

> 서로 모르는 사람 10명 내외로 소집단을 만들어 허심탄회하게 자신의 느낌을 말하고 다른 사람이 자신을 어떻게 생각하는지를 귀담아듣는 방법으로 훈련을 진행하기 위한 전문가의 역할이 요구된다.

① 역할연기
② 직무순환
③ 감수성훈련
④ 프로그램화 학습

19	교육훈련의 종류

역할 연기(role playing)는 실제 직무수행 상황과 유사한 가상의 상황을 부여하고 특정의 역할을 연기하도록 하여 그의 당면한 문제를 체험해 봄으로써 타인에 대한 이해를 도모하게 하는 기법으로, 감독자 훈련에 적합하고 고객에 대한 태도개선에 효과가 있다.

(선지분석)
① 인턴십(internship)은 공무원 신분을 획득하지 않은 사람들을 임시로 고용하여 공무원의 업무를 맡기는 것이다.
③ 직무순환(job rotation)은 여러 분야의 직무를 경험하도록 계획된 순서에 따라 직무를 순환시키는 실무훈련이다.
④ 실무지도(coaching)는 일상근무 중에 상관이 부하에게 직무수행과 관련한 기술을 가르쳐주거나 질문에 답해주는 각종 지도활동으로, 실무능력을 교육한다.

답 ②

20	감수성훈련

감수성훈련은 서로 모르는 사람과 소집단을 만들어 자신의 느낌을 말하고 다른 사람이 자신을 어떻게 생각하는지 듣고 태도와 행동 변화를 통해 대인관계기술을 향상시키는 기법이다. 자연스럽게 감정을 주고받을 수 있는 분위기를 만들어야 하므로 훈련을 진행하는 전문가의 역할을 중시한다.

(선지분석)
① 역할연기는 감독자가 피감독자 역할을, 민원 응대 공무원이 민원인의 역할을 직접 수행하는 방식의 교육훈련 방법이다.
② 직무순환은 OJT의 일환으로, 다양한 직무를 경험해보는 교육훈련 방법이다.

답 ③

21 ☐☐☐

평상시 근무하면서 일을 배우는 직장 내 교육훈련방법으로 가장 옳지 않은 것은?

① 실무지도
② 인턴십
③ 직무순환
④ 감수성훈련

22 ☐☐☐

공무원 교육훈련방법에 대한 설명으로 옳지 않은 것은?

① 현장훈련(on the job training)은 피훈련자가 실제 직무를 수행하면서 직무수행에 관한 지식과 기술을 배우는 방법이다.
② 강의, 토론회, 시찰, 시청각교육 등은 태도나 행동의 변화를 주된 목적으로 한다.
③ 액션러닝(action learning)은 소규모로 구성된 그룹이 실질적인 업무현장의 문제를 해결해 내고 그 과정에서 성찰을 통해 학습하도록 하는 행동학습(learning by doing) 교육훈련방법이다.
④ 감수성훈련(sensitivity training)은 대인관계의 이해와 이를 통한 인간관계의 개선을 목적으로 한다.

21	직장 내 교육훈련방법

감수성훈련은 현장 외 훈련(교육원훈련)의 하나로 서로 모르는 사람과 소집단을 만들어 자신의 느낌을 말하고 다른 사람이 자신을 어떻게 생각하는지 듣고, 태도와 행동 변화를 통해 대인관계기술을 향상시키는 기법이다.

(선지분석)

① 실무지도는 일상근무 중에 상관이 부하에게 직무수행과 관련한 기술을 가르쳐주거나 질문에 답해주는 각종 지도활동으로 실무능력을 교육한다.
② 인턴십은 공무원 신분을 획득하지 않은 사람들을 임시로 고용하는 현장훈련방법이다.
③ 직무순환은 여러 분야의 직무를 경험하도록 계획된 순서에 따라 직무를 순환시키는 실무훈련이다.

답 ④

22	공무원 교육훈련방법

태도나 행동의 변화를 주된 목적으로 하는 공무원 교육훈련방법은 감수성훈련이다.

(선지분석)

① 현장훈련(on the job training)은 피훈련자가 근무 현장에서 직접 훈련을 받는 것으로, 신규채용자훈련이나 재직자훈련에 흔히 활용된다.
③ 액션러닝(action learning)은 조직구성원이 팀을 구성하여 동료와 촉진자의 도움을 받아 실제 업무의 현안 문제를 해결하면서 문제 해결 과정에 대한 성찰을 통해 학습하도록 지원하는 훈련방법이다.
④ 감수성훈련(sensitivity training)은 서로 모르는 사람과 소집단을 만들어 자신의 느낌을 말하고 다른 사람이 자신을 어떻게 생각하는지 듣고, 태도와 행동 변화를 통해 대인관계기술을 향상시키는 기법이다.

답 ②

23 □□□

교육참가자들이 팀을 구성하여 실제 현안문제를 해결하면서 동시에 문제해결 과정에 대한 성찰을 통해 학습하도록 지원하는 행동학습(learning by doing)으로서, 주로 관리자훈련에 사용되는 교육방식은?

① 멘토링(mentoring)
② 감수성훈련(sensitivity training)
③ 액션 러닝(action learning)
④ 워크아웃 프로그램(work-out program)

24 □□□

공무원 교육훈련방법에 대한 설명으로 옳지 않은 것은?

① 강의(lecture)는 교육내용을 다수의 피교육자에게 단시간에 전달하는 데 효과적인 방법이다.
② 역할연기(role playing)는 실제 직무상황과 같은 상황을 실현시킴으로써 문제를 빠르게 이해시키고 참여자들의 태도 변화와 민감한 반응을 촉진시킨다.
③ 감수성훈련(sensitivity training)은 어떤 사건의 윤곽을 피교육자에게 알려주고 그 해결책을 찾게 하는 방법이다.
④ 시뮬레이션(simulation)은 업무수행 중 직면할 수 있는 어떤 상황을 가상적으로 만들어 놓고 피교육자가 그 상황에 대처해보도록 하는 방법이다.

23	액션 러닝

액션 러닝(action learning)은 이론과 지식 전달 위주의 강의식·집합식 교육의 한계를 극복하고 참여와 성과 중심의 교육훈련을 지향하는 방식으로 주로 관리자훈련에 사용되는 훈련기법이다.

(선지분석)
① 멘토링(mentoring)은 경험과 지식이 풍부한 사람이 지도를 받는 사람에게 지도와 조언을 하면서 실력과 잠재력을 개발해주는 훈련기법이다.
② 감수성훈련(sensitivity training)은 비정형적인 자발적 체험학습을 통하여 자기를 인식하고 타인을 이해하는 훈련기법이다.
④ 워크아웃 프로그램(work-out program)은 비효율적인 업무를 제거하고 업무 속에 배어있는 그릇된 습관을 퇴치하도록 하는 훈련기법이다.

답 ③

24	공무원 교육훈련방법

어떤 사건의 윤곽을 피교육자에게 알려주고 그 해결책을 찾게 하는 방법은 사건처리연습(incident method)에 해당한다. 감수성훈련이란 인간 관계의 개선이나 가치관, 태도 변화를 도모하는 방법이다.

(선지분석)
① 강의(lecture)는 강사가 일방적으로 지식 및 기술을 전달하는 방법으로 다수의 인원을 대상으로 같은 정보를 가장 효율적으로 전달 가능하다.
② 역할연기(role playing)는 실제 직무수행 상황과 유사한 가상의 상황을 부여하고 특정한 역할을 연기하도록 하여 그의 당면한 문제를 체험해 봄으로써 타인에 대한 이해를 도모하게 하는 기법이다.
④ 시뮬레이션(simulation)은 피훈련자가 업무수행 중에 겪게 될 상황을 가정해서 꾸며놓고 피훈련자가 그 상황에 대처하도록 하는 기법이다.

답 ③

THEME 069 공무원의 근무성적평정

25 □□□

〈보기〉의 설명에 해당하는 근무성적평정 방법으로 가장 옳은 것은?

〈보기〉
저는 학생들을 평가함에 있어 성적 분포의 비율을 미리 정해 놓고 등급을 줍니다. 비록 평가 대상 전원이 다소 부족하더라도 일정 비율의 인원이 좋은 평가를 받거나, 혹은 전원이 우수하더라도 일부 학생은 낮은 평가를 받게 되지만, 이 방법을 통해 학생들의 성적 분포가 과도하게 한쪽으로 집중되는 것을 막아 평정 오차를 방지할 수 있다는 점에서 유용합니다.

① 강제배분법
② 서열법
③ 도표식 평정척도법
④ 강제선택법

---

25 | 근무성적평정

〈보기〉는 강제배분법에 대한 설명이다.

(선지분석)
② 서열법은 평정대상자들을 서로 비교하여 순위를 정하면서 평정하는 상대평가 방법이다.
③ 도표식평정척도법은 평정요소마다 주어진 측정척도에 따라 피평정자에 대한 평가를 표시하는 방법으로 대표적이고 전형적인 평정방법이다.

답 ①

26 □□□

평정자가 평정표(평정서)에 나열된 평정요소에 대한 설명 또는 질문을 보고 피평정자에게 해당되는 것을 골라 표시를 하는 평정방법은?

① 도표식평정척도법
② 체크리스트법
③ 산출기록법
④ 직무기준법

---

26 | 체크리스트법

체크리스트법에 대한 내용이다. 체크리스트법은 사실표지법이라고도 하며, 평가요소에 대한 표준행동목록을 미리 작성하고 그 기준에 따라 피평정자의 특성에 맞추어 표시하는 평정방법이다.

📄 **근무성적평정의 방법**

서열법	평정대상자들을 서로 비교하여 순위를 정하면서 평정하는 방법
산출기록법	일정한 시간당 달성한 업무량(생산량, 근무실적)을 평가의 대상으로 하는 방법
체크리스트법	평가요소에 대한 표준행동목록을 미리 작성하고 기준에 따라 피평정자의 특성에 맞춰 표시하는 평정방법
목표관리법	상하급자 간 협의를 통해 부서 및 개인목표를 설정하고 일정 기간 동안 의견교환을 하여 목표달성도를 평가한 후 그 목표달성도로 근무성적을 평정하는 방법
도표식평정척도법	평정요소마다 주어진 측정척도에 따라 피평정자에 대한 평가를 표시하는 방법
중요사건기록법	평정대상자의 직무수행과 근무실적에 영향을 주는 중요사건을 관찰하여 평정기간 동안 일시적으로 기록해 두고 누적된 사건기록을 중심으로 평정하는 방법
강제배분법	도표식 평정척도법에서 생길 수 있는 오차를 방지하기 위하여 성적분포 비율을 미리 정해 놓고 성적에 따라 등급별로 인원을 강제로 배분하는 방법
행태기준평정척도법	도표식 평정척도법의 주관성을 배제하고, 중요사건기록법의 상황 비교의 곤란성을 극복하여 평정의 타당성을 높이기 위하여 두 가지 방식을 결합한 방법
행태관찰척도법	행태기준평정척도법을 바탕으로 직무와 관련된 중요한 과업분야를 선정하고 각 과업분야에 대해서 가장 이상적인 과업행태로부터 가장 바람직하지 않은 과업행태까지 나열하여 그러한 행동을 얼마나 자주 하는가에 대한 빈도를 표시하는 방법

답 ②

근무성적평정방법에 대한 설명으로 옳지 않은 것은?

① 도표식평정척도법(graphic rating scale)에서는 연쇄효과 (halo effect)가 나타나기 쉽다.
② 대인비교법(man-to-man comparison)은 평정기준으로 구체적인 인물을 활용한다는 점에서 평정의 추상성을 극복할 수 있다.
③ 산출기록법(production records)은 일정한 시간당 달성한 작업량과 같이 객관적 사실에 기초를 두고 평가하는 방법이다.
④ 체크리스트법(check list)은 피평정자의 근무실적에 큰 영향을 주는 사건들을 평정자로 하여금 기술하게 하는 방법이다.

근무성적평정방법과 그 단점에 대한 설명으로 옳지 않은 것은?

① 행태관찰척도법은 도표식 평정척도법이 갖는 등급과 등급 간의 모호한 구분과 연쇄효과의 오류가 나타날 수 있다.
② 중요사건기록법은 평정자인 감독자와 피평정자인 부하가 해당 사건에 대해 서로 토론하는 과정에서 피평정자의 태도와 직무수행을 개선하기 어렵고, 이례적인 행동을 지나치게 강조하게 될 위험이 있다.
③ 강제배분법은 평정자가 미리 정해진 비율에 따라 평정대상자를 각 등급에 분포시키고, 그 다음에 역으로 등급에 해당하는 점수를 부여하는 역산식 평정을 할 가능성이 높다.
④ 체크리스트평정법은 평정요소에 관한 평정 항목을 만들기가 힘들 뿐만 아니라, 질문 항목이 많을 경우 평정자가 혼란을 갖게 된다.

---

27   근무성적평정방법

피평정자의 근무실적에 큰 영향을 주는 사건들을 평정자로 하여금 기술하게 하는 방법은 중요사건기록법이다. 체크리스트법(check list)은 평가요소에 대한 표준행동목록을 미리 작성하고 기준에 따라 피평정자의 특성에 맞추어 표시하는 평정방법이다.

（선지분석）

① 도표식평정척도법(graphic rating scale)은 연쇄효과가 발생할 수 있으며 자의적인 평가의 우려가 있다.
② 대인비교법(man-to-man comparison)은 평정의 추상성을 극복하고, 평정의 조정이 용이하다는 장점이 있다.
③ 산출기록법(production records)은 일정한 시간당 달성한 업무량(생산량, 근무실적)을 평가의 대상으로 하는 방법이다.

답 ④

28   근무성적평정방법

중요사건기록법은 평정대상자의 직무수행과 근무실적에 영향을 주는 중요 사건을 관찰하여 평정기간 동안 일시적으로 기록해 놓았다가 누적된 사건 기록을 중심으로 평정하는 방법이다. 이 방법은 이례적인 행동을 지나치게 강조하고 상호 비교가 곤란한 것이 단점이지만, 감독자와 부하가 해당 사건에 대해 토론하는 과정에서 피평정자의 태도와 직무수행을 개선하기 용이하다는 장점이 있다.

（선지분석）

① 행태관찰척도법은 행태기준평정척도법(도표식평정척도법＋중요사건기록법)과 도표식평정척도법을 결합한 방식으로, 도표식평정척도법의 문제점이 그대로 나타난다.
③ 강제배분법은 역산식 평정으로 인해 실제 평정자의 판단을 왜곡되게 표현할 수 있다.
④ 체크리스트평정법은 평정요소에 대한 표준행동목록을 미리 작성하고 기준에 따라 피평정자의 특성에 맞춰 체크하는 평정방법으로, 표준행동목록에 따른 평정 항목을 만들기가 어렵고 질문 항목이 많을 경우 평정자가 혼란을 갖게 될 우려가 있다.

답 ②

다음 중 공무원 평정방법에 대한 설명으로 옳지 않은 것은?

① 도표식평정척도법은 전형적인 평정방법으로 직관과 선험에 근거하여 평가요소를 결정하기 때문에 작성이 빠르고 쉬우며, 경제적이라는 장점이 있다.

② 도표식평정척도법은 평정요소와 등급의 추상성이 높기 때문에 평정자의 자의적 해석에 의한 평가가 이루어지기 쉽다는 단점이 있다.

③ 집중화 · 관대화 · 엄격화 경향이란 각각 평정척도상의 중간 등급에 집중적으로 몰리거나 실제 실적 수준보다 후하거나 엄한 경향으로, 강제배분법을 사용함으로써 발생하는 오류이다.

④ 목표관리제 평정법에서는 목표설정 과정에 개인의 능력 및 태도가 반영되지만 실제 평가에서는 활동 결과를 평가 대상으로 한다.

⑤ 다면평정법은 여러 사람을 평정자로 활용함으로써 소수평정자의 주관과 편견, 그리고 이들 간의 개인 편차를 줄여 공정성을 높일 수 있는 제도이다.

근무성적평정에서 나타나기 쉬운 집중화 경향과 관대화 경향을 시정하기 위한 방법으로 적절한 것은?

① 자기평정법

② 목표관리제 평정법

③ 중요사건기록법

④ 강제배분법

29	공무원 평정방법

강제배분법을 사용함으로써 집중화 · 관대화 · 엄격화의 경향이 발생하는 것을 방지할 수 있다.

선지분석

① 도표식평정척도법은 작성이 빠르고 쉬워 이용이 편리하고, 경제적이라는 장점이 있다.

② 도표식평정척도법은 등급 간의 기준이 모호하고 연쇄효과가 발생할 수 있으며 자의적 평가의 우려가 있다.

④ 목표관리제 평정법은 목표설정 과정에 하급자가 참여하므로 참여자의 능력 및 태도가 반영되지만, 실제 평가 시에는 구체적인 목표달성 결과에 따라 평가하게 된다.

⑤ 다면평정법은 공무원 개인을 평가할 때 기존 상관 위주의 일방적인 평가 방법에서 벗어나, 동료나 부하, 민원인 등 다수의 평가자가 평가의 주체로 참여하여 평가하므로 공정성을 확보할 수 있다.

답 ③

30	집중화 경향과 관대화 경향

강제배분법은 평정 점수가 중간으로 몰리는 집중화 경향과 평정 점수를 후하게 주는 관대화 경향을 방지하기 위하여 등급 분포 비율을 강제로 배분하는 방식이다.

선지분석

① 자기평정법은 피평정자가 스스로를 평정하게 하는 방법으로, 관대화 경향이 나타나기 쉽다.

② 목표관리제 평정법은 단기적이고 가시적인 목표를 설정한 후 그 목표달성 여부에 따라 근무성적을 평정하는 방식이다.

③ 중요사건기록법은 중요한 사건을 별도로 기록한 후, 그 기록을 바탕으로 근무성적을 평정하는 방식이다.

답 ④

국내 최고 대학을 졸업했기 때문에 일을 잘했을 것이라고 생각하여 피평정자에게 높은 근무성적평정 등급을 부여할 경우 평정자가 범하는 오류는?

① 선입견에 의한 오류
② 집중화 경향으로 인한 오류
③ 엄격화 경향으로 인한 오류
④ 첫머리 효과에 의한 오류

근무성적평정상의 오류 중 평가자가 일관성 있는 평가기준을 갖지 못하여 관대화 및 엄격화 경향이 불규칙하게 나타나는 것은?

① 연쇄효과(halo effect)
② 규칙적 오류(systematic error)
③ 집중화 경향(central tendency)
④ 총계적 오류(total error)

31	근무성적평정상의 오류

평정의 요소와 관계없이 피평정자에 대해 그가 속단 집단이나 범주에 대한 고정관념(국내 최고 대학을 졸업한 집단은 일을 잘했을 것이라는 생각)에 의해서 발생하는 오류는 선입견에 의한 오류이다.

(선지분석)
② 집중화 경향으로 인한 오류는 아주 높거나 아주 낮은 평가를 할 때의 심리적 부담감을 줄이고자 중간등급을 중심으로 평정하는 데서 오는 오류이다.
③ 엄격화 경향으로 인한 오류는 실제 수준보다 낮게 평정하는 오류이다.
④ 첫머리 효과(초기효과)에 의한 오류는 평가를 할 때 전체 기간의 근무성적을 평가하는 것이 아니라 최초의 실적과 성과를 중심으로 평가하는 오류이다.

답 ①

32	근무성적평정상의 오류

평가자가 일관성 있는 평가기준을 갖지 못하여 관대화 및 엄격화 경향이 불규칙하게 나타나는 근무성적평정상의 오류는 총계적 오류(total error)에 해당한다.

(선지분석)
① 연쇄효과(halo effect)는 어느 하나의 평정요소에 대한 평정자의 평가 결과가 다른 평정요소에 연쇄적으로 영향을 미치거나, 평정자가 피평정자에 대해 가지고 있는 일반적인 인상이 모든 평정요소에 영향을 미치는 착오를 말한다.
② 규칙적 오류(systecmatic error)는 평정자가 일관되게 항상 관대화 경향을 보이거나 항상 엄격화 경향을 보이는 것을 말한다.
③ 집중화 경향(central tendency)은 평정자가 평정 시에 아주 높거나 아주 낮은 평가를 하는 것에 대한 심리적 부담감을 줄이고자 중간등급을 중심으로 평정하는 데서 오는 오류를 말한다.

답 ④

근무성적평정의 오류 중 관대화 경향, 엄격화 경향, 집중화 경향을 방지할 수 있는 방법 중 가장 효과적인 것은?

① 서술적 보고법
② 강제배분법
③ 연공서열법
④ 가점법

근무성적평정 오차 중 사람에 대한 경직적 편견이나 고정관념 때문에 발생하는 오차는?

① 상동적 오차(error of stereotyping)
② 연속화의 오차(error of hallo effect)
③ 관대화의 오차(error of leniency)
④ 규칙적 오차(systematic of error)
⑤ 시간적 오차(recency of error)

---

33   강제배분법

강제배분법은 성적분포 비율을 미리 정해 놓고 성적에 따라 등급별로 인원을 강제로 배분하는 방법으로 관대화·엄격화·집중화 경향을 방지할 수 있다.

(선지분석)
① 서술적 보고법은 직무수행에 대해서 서술적인 문장으로 기록하는 업무보고법이다.
③ 연공서열법은 평정대상자들을 서로 비교하여 순위를 정하면서 평정하는 상대평가방법이다.
④ 가점법은 피평정자의 행동에서 나타나는 긍정적 혹은 부정적 요인을 발견하여 긍정적 요인에는 가점을, 부정적 요인에는 감점을 주는 방법이다.

답 ②

---

34   근무성적평정상의 오류

지문은 상동적 오차에 대한 내용이다. 상동적 오차는 평정의 요소와 관계없이 피평정자에 대해 그가 속한 집단이나 범주에 대한 고정관념(편견)에 의해서 발생하는 오류로, 선입견에 의한 오류, 유형화(정형화·집단화)의 오류라고도 한다.

(선지분석)
② 연속화의 오차는 한 평정요소에 대한 평정자의 판단이 다른 평정요소에도 영향을 주는 현상이다.
③ 관대화의 오차는 평정 결과의 분포가 우수한 쪽에 집중되는 현상이다.
④ 규칙적 오차는 다른 평정자들보다 항상 후하거나 나쁜 점수를 주는 현상이다.
⑤ 시간적 오차는 최근의 사건이나 실적이 평정에 영향을 주는 근접오류현상이다.

답 ①

다음의 근무성적평정상의 오류 중 '어떤 평정자가 다른 평정자들보다 언제나 좋은 점수 또는 나쁜 점수를 주게됨'으로써 나타나는 것은?

① 집중화 경향
② 관대화 경향
③ 시간적 오류
④ 총계적 오류
⑤ 규칙적 오류

공무원의 근무성적평정에 대한 설명으로 옳은 것은?

① 평정대상자의 근무실적과 직무수행능력을 평가하지만 적성, 근무태도 등은 평가하지 않는다.
② 중요사건기록법은 평정대상자로 하여금 자신의 근무실적을 스스로 보고하도록 하는 방법이다.
③ 평정자가 평정대상자를 다른 평정대상자와 비교함으로써 발생하는 오류는 대비오차이다.
④ 우리나라의 6급 이하 공무원에게는 직무성과계약제가 적용되고 있다.

35	근무성적평정상의 오류

지문은 규칙적 오류에 대한 내용이다. 규칙적 오류는 평정자가 일관되게 항상 관대화 경향을 보이거나 항상 엄격화 경향을 보이는 것을 말한다.

(선지분석)
① 집중화 경향은 중간등급을 중심으로 평정하고자 하는 것이다.
② 관대화 경향은 실제 수준보다 관대하게 평정하는 경향이다.
③ 시간적 오류는 시간적으로 더 가까운 때에 일어난 사건이 평정에 영향을 더 크게 미치는 오류이다.
④ 총계적 오류는 평정자의 평정기준이 일관성 없는 비규칙적인 착오이다.

답 ⑤

36	공무원의 근무성적평정

대비오차는 근무성적평정 과정에서 발생하는 오류로, 직전의 평정대상자와 비교하여 평가함으로써 발생한다.

(선지분석)
① 근무성적평정은 평정대상자의 근무실적과 직무수행을 평가하며, 근무태도도 임의사항으로 평가 항목으로 설정할 수 있다.
② 중요사건기록법은 중요한 사건을 기록해둠으로써 근접오류 등을 방지하는 기법이다.
④ 우리나라는 4급 이상 공무원에게는 직무성과계약제를 적용하고, 5급 이하 공무원에게는 근무성적평가를 시행하고 있다.

답 ③

37 □□□

근무성적평가제에 대한 설명 중 가장 옳은 것은?

① 4급 이상 공무원을 대상으로 한다.

② 매년 말일을 기준으로 연 1회 평가가 실시된다.

③ 평가단위는 소속장관이 정할 수 있다.

④ 공정한 평가를 위해 평가자와 피평가자의 사전협의가 금지된다.

38 □□□

공무원 근무성적평정제도에 대한 설명으로 옳은 것을 모두 고른 것은?

> ㄱ. 근무성적평정의 목적 중에는 공무원의 능력발전, 시험의 타당성 측정 등이 있다.
> ㄴ. 우리나라는 평정상의 오차나 편파적 평정을 시정하기 위하여 이중평정제를 실시한다.
> ㄷ. 근무성적평정의 기준이 일정하지 않은 경우에 발생하는 오류를 시간적 오류라고 한다.
> ㄹ. 근무성적평정 요소 간의 상대적 비중은 근무성적 50%, 직무수행능력 30%, 직무수행태도 20%이다.

① ㄱ, ㄴ

② ㄱ, ㄷ

③ ㄴ, ㄹ

④ ㄷ, ㄹ

37	근무성적평가제

우리나라 근무성적평가제의 경우 평가항목과 평가단위 등은 부처 특성에 따라 달리 정할 수 있도록 규정되어 있다.

선지분석

① 근무성적평가는 5급 이하의 공무원을 대상으로 한다.

② 근무성적평가는 매년 정기평정으로 연 2회 실시하고 있다.

④ 평가자는 근무성적평가가 공정하고 타당하게 실시되도록 하기 위하여 근무성적평가 대상 공무원과 의견교환 등 성과면담을 실시하여야 한다.

답 ③

38	공무원 근무성적평정제도

ㄱ. 근무성적평정은 인사행정의 합리적인 기준을 제공하기 위하여 공무원이 일정 기간 동안에 수행한 능력, 근무성적, 가치관, 태도 등을 체계적이고 정기적으로 평가하여 재직, 승진, 훈련수요의 파악, 보수결정 및 상벌에 활용하는 제도이다.

ㄴ. 우리나라는 평정상의 오차나 편파적 평정을 시정하기 위해 이중평정제를 실시하여, 평가자와 확인자가 평정한다.

선지분석

ㄷ. 근무성적평정의 기준이 일정하지 않은 경우에 발생하는 오류를 총계적 오류라고 하는데, 평정자의 평정기준이 일관성 없는 착오로 인하여 관대화 및 엄격화 경향 등이 불규칙하기 때문에 일어나는 현상이다. 시간적 오류는 첫인상에 큰 비중을 두는 것에서 오는 최초효과와 가장 최근의 정보를 중시한 근접효과 등으로 발생하는 것이다.

ㄹ. 근무성적평정의 항목은 근무실적 및 직무수행능력으로 하고, 필요하다고 인정되면 직무수행태도를 10%의 범위 내에서 추가하는 것이 가능하다.

답 ①

공무원을 대상으로 하는 성과평가제도에 대한 설명으로 가장 옳지 않은 것은?

① 성과평가제도의 목적은 공무원의 능력과 성과를 향상시켜 성과 중심의 인사제도를 구성하는 것이 핵심 요소이다.

② 근무성적평가제도는 4급 이상 고위공무원단을 대상으로 시행한다.

③ 현행 평가제도는 직급에 따라 차별적 평가체제를 적용하고 있다.

④ 다면평가제도는 능력보다는 인간관계에 따른 친밀도로 평가가 이루어질 수 있다는 단점이 있다.

성과평가제도에 대한 설명으로 옳은 것은?

① 일반직공무원의 근무성적평정은 크게 5급 이상을 대상으로 한 '성과계약 등 평가'와 6급 이하를 대상으로 한 '근무성적평가'로 구분된다.

② '성과계약 등 평가'는 정기평가와 수시평가로 나눌 수 있으며, 정기평가는 6월 30일과 12월 31일 기준으로 연 2회 실시한다.

③ 다면평가는 평가의 객관성과 공정성을 제고할 수 있으나 각 부처가 반드시 이를 실시해야 하는 것은 아니다.

④ 역량평가제도는 5급 신규 임용자를 대상으로 업무수행에 필요한 충분한 역량을 보유하고 있는지를 평가한다.

---

39   성과평가제도

우리나라의 근무성적평가제도는 5급 이하의 공무원에게만 실시되며, 4급 이상과 고위공무원단에는 성과계약 등의 평가제가 실시된다.

📄 성과계약 등 평가제와 근무성적평정제 비교

구분	성과계약 등 평가제	근무성적평가제
대상	4급 이상	5급 이하
평가 시기	연 1회(12월 31일)	정기(연 2회: 6월 30일, 12월 31일) 및 수시로 진행
평가 항목	성과목표달성도, 부서단위의 운영평가 결과, 그 밖에 직무수행과 관련된 자질 또는 능력 등	근무실적 및 직무수행능력으로 하되, 필요시 직무수행태도를 추가
평가위원회	규정 없음	근무성적평가위원회
승진 후보자 명부	미작성	작성(근무성적평정 + 경력평정 + 훈련성적평정)

답 ②

40   성과평가제도

소속 장관은 소속 공무원에 대한 능력개발 및 인사관리 등을 위하여 해당 공무원의 상급 또는 상위 공무원, 동료, 하급 또는 하위 공무원 및 민원인 등에 의한 다면평가를 실시할 수 있다(「공무원 성과평가 등에 관한 규정」 제28조).

선지분석

① 일반직공무원의 근무성적평정은 크게 4급 이상을 대상으로 한 '성과계약 등 평가'와 5급 이하를 대상으로 한 '근무성적평가'로 구분된다.

② '성과계약 등 평가'는 연 1회, 12월 31일에 실시한다. 연 2회 실시하는 정기평가는 근무성적평가이다.

④ 역량평가제도는 고위공무원과 과장급 직위에 임용되는 공무원을 대상으로 한다.

답 ③

41 ☐☐☐

공무원 평정제도에 대한 설명으로 옳은 것은?

① 근무성적평가 결과는 승진 및 보직관리에는 이용되지 않고 성과급 지급에만 활용된다.

② 근무성적평정 결과와 공무원채용시험 성적의 일치성이 높을수록 시험의 타당성이 높다고 할 수 있다.

③ 역량평가제는 고위공무원으로 임용된 이후 업무실적을 평가하는 사후평가제도로서 고위공무원의 업무역량 강화에 기여할 수 있다.

④ 다면평가를 계서적 문화가 강한 조직에 적용할 경우 상급자와 하급자 간의 갈등을 최소화할 수 있다.

42 ☐☐☐

다음 중 근무성적평정에 대한 설명으로 옳지 않은 것은?

① 원칙적으로 5급 이상 공무원을 대상으로 하며 평가대상 공무원과 평가자가 체결한 성과계약에 따른 성과목표달성도 등을 평가한다.

② 정부의 근무성적평정방법은 다원화되어 있으며, 상황에 따라 신축적인 운영이 가능하다.

③ 행태기준척도법은 평정의 임의성과 주관성을 배제하기 위하여 도표식 평정척도법에 중요사건기록법을 가미한 방식이다.

④ 다면평가는 보다 공정하고 객관적인 평정이 가능하게 하며, 평정 결과에 대한 당사자들의 승복을 받아내기 쉽다.

⑤ 어느 하나의 평정요소에 대한 평정자의 판단이 다른 평정요소의 평정에 영향을 미치는 현상을 연쇄적 착오라 한다.

41	공무원 평정제도

근무성적평정은 근무능력을 측정하기 쉽지 않은 시험의 적합성 여부와 시험의 타당성 측정의 기준을 제공해준다.

[선지분석]

① 근무성적평가 결과는 승진 및 보직관리, 성과급 지급에 활용된다.

③ 역량평가제는 고위공무원으로의 임용 전 개인별 역량을 사전에 검증하는 제도이다.

④ 다면평가를 계서적 문화가 강한 조직에 적용할 경우 상급자와 하급자 간의 갈등을 초래할 수 있다.

답 ②

42	근무성적평정

근무성적평정은 모든 공무원이 대상이 된다. 다만, 5급 이하의 공무원은 원칙적으로 근무성적평가제에 의해 근무성적평정이 이루어지며, 4급 이상의 공무원은 평가대상 공무원과 평가자가 체결한 성과계약에 따른 성과목표달성도 등을 평가하는 평가제로 근무성적평정이 실시된다.

[선지분석]

② 현재 정부의 근무성적평정방법은 고위직과 하위직을 다르게 평가하고 있으며, 상황에 따라 평정요소를 유동적으로 활용할 수 있다.

③ 행태기준척도법은 도표식 평정척도법의 주관성을 배제하고, 중요사건기록법의 상황 비교의 곤란성을 극복하여 평정의 타당성을 높이기 위하여 두 가지 방식을 결합한 방법이다. 그러나 행태기준척도법은 행태의 상호 배타성을 전제로 한다는 문제점이 있다.

④ 다면평가는 상관이 일방향에서 평가하는 것이 아니라 동료, 하급자, 민원인까지 평정에 참여하므로 보다 공정하고 객관적인 평정이 가능하며, 평정 결과에 대한 당사자들의 승복을 받아내기가 용이하다.

답 ①

43 □□□

다음 설명에 해당하는 공무원 평정제도를 바르게 짝지은 것은?

> ㄱ. 고위공무원단제도의 도입에 따라 고위공무원으로서 요구되는 역량을 구비했는지를 사전에 검증하는 제도적 장치로 도입되었다.
> ㄴ. 직무분석을 통해 도출된 성과책임을 바탕으로 성과목표를 설정·관리·평가하고, 그 결과를 보수 혹은 처우 등에 적용하는 일련의 과정을 거친다.
> ㄷ. 행정서비스에 관한 다방향적 의사전달을 촉진하며 충성심의 방향을 다원화하는 데 기여할 수 있다.
> ㄹ. 공무원의 능력, 근무성적 및 태도 등을 평가해 교육훈련 수요를 파악하고, 승진 및 보수결정 등의 인사관리 자료를 얻는 데 활용한다.

	ㄱ	ㄴ	ㄷ	ㄹ
①	역량평가제	직무성과관리제	다면평가제	근무성적평정제
②	다면평가제	역량평가제	근무성적평정제	직무성과관리제
③	역량평가제	근무성적평정제	다면평가제	직무성과관리제
④	다면평가제	직무성과관리제	역량평가제	근무성적평정제

44 □□□

우리나라의 다면평가제도에 대한 설명으로 옳지 않은 것은?

① 해당 공무원에게 평가정보를 다각적으로 제공하는 경우에는 능력개발을 유도할 수 있다.
② 다면평가의 결과는 승진, 전보, 성과급 지급 등에 참고자료로 활용될 수 있다.
③ 다면평가의 결과는 해당 공무원에게 공개할 수 있다.
④ 민원인은 해당 공무원에 대한 다면평가에 참여할 수 없다.

---

43 | 공무원 평정제도

ㄱ. 역량평가제, ㄴ. 직무성과관리제, ㄷ. 다면평가제, ㄹ. 근무성적평정제에 해당한다.

📋 **공무원 평정제도의 종류**

역량평가제	• 고위공무원단제도의 도입에 따라 고위공무원으로서 필요한 역량을 갖추었는지 사전에 검증하는 제도 • 집단토론, 역할연기, 서류함기법 등을 활용하여 현실적 직무상황에 근거한 행동을 관찰하고 업무를 성공적으로 수행할 수 있는 역량이 있는지 행동양식을 평가함
직무성과관리제	장·차관 등 기관책임자와 실·국장, 과장 간에 성과목표 및 지표 등에 관해 합의하여 성과계약을 체결하고 당해 연도의 성과평가 결과를 성과급, 승진 등 인사관리에 반영하는 제도
다면평가제	공무원 개인을 평가할 때 기존의 상관 위주의 일방적인 평가에서 벗어나 동료나 부하, 민원인 등 다수의 다양한 평가자가 평가의 주체로 참여하여 평가하는 제도
근무성적평정제	인사행정의 합리적 기준을 제공하기 위하여 공무원이 일정 기간 동안에 수행한 능력, 근무성적, 가치관, 태도 등을 체계적이고 정기적으로 평가하여 재직, 승진, 훈련수요의 파악, 보수결정 및 상벌에 활용하는 제도

답 ①

44 | 우리나라의 다면평가제도

우리나라 다면평가제도에서 평가자는 상위 공무원, 동료, 하급 또는 하위 공무원 및 민원인 등이다(「공무원 성과평가 등에 관한 규정」 제28조 제1항).

(선지분석)
② 다면평가의 결과는 승진, 전보, 성과급 지급 등에 의무적으로 반영되지는 않으며 참고자료로만 활용될 수 있다.
③ 다면평가의 결과는 해당 공무원에게 공개할 수 있다(「공무원 성과평가 등에 관한 규정」 제28조 제4항).

답 ④

45 □□□

다면평가제도의 장점에 대한 설명 중 가장 거리가 먼 것은?

① 평가의 객관성과 공정성 제고에 기여할 수 있다.

② 계층제적 문화가 강한 사회에서 조직 간 화합을 제고해 준다.

③ 피평가자가 자기의 역량을 강화할 수 있는 기회를 제공해 준다.

④ 조직 내 상하 간, 동료 간, 부서 간 의사소통을 촉진할 수 있다.

⑤ 팀워크가 강조되는 현대 사회의 새로운 조직 유형에 부합한다.

46 □□□

다면평가제도에 대한 설명으로 가장 옳지 않은 것은?

① 다수의 평가자가 참여해 합의를 통해 평가 결과를 도출하는 체계이며, 개별평가자의 오류를 방지하고 평가의 공정성을 확보할 수 있다.

② 개인을 평가할 때 직속상사에 의한 일방향의 평가가 아닌 다수의 평가자에 의한 다양한 방향에서의 평가이다.

③ 조직 구성원들에게 조직 내외의 모든 사람과 원활한 인간관계를 증진시키려는 강한 동기를 부여함으로써 업무수행의 효율성을 제고할 수 있다.

④ 능력보다는 인간관계에 따른 친밀도로 평가가 이루어져 상급자가 업무추진보다는 부하의 눈치를 의식하는 행정이 이루어질 가능성이 높다.

45	다면평가제도

다면평가제도는 부하에 의한 상관의 평가가 이루어져 상하 간 갈등이 야기될 수 있으며 상사의 통제권을 제약하기 때문에 계층제적 문화가 강한 사회에서 조직 간 갈등이 야기될 수 있다는 문제점이 있다.

📑 다면평가제도의 장·단점

장점	단점
• 평가의 정확성·객관성·공정성· 신뢰성 확보 가능 • 관리자의 민주적 리더십 향상 • 조직 상하 간, 조직 구성원들과 고객 간의 의사소통을 증진시킴 • 국민을 평가자로 참여시켜 국민에 대한 공무원의 충성심 강화 • 장기적으로 권위주의적 행정문화 타파에 기여함	• 능력이나 실적 보다는 인간관계나 인기 위주의 평가가 이루어질 수 있음 • 평정자들이 평정의 취지와 방법을 잘 알고 있으므로 담합하거나 모략성 응답을 할 가능성이 큼 • 부하에 의한 상관의 평가가 이루어져 상하 간 갈등이 야기될 수 있으며 상사의 통제권을 제약하므로 계층제적 조직에는 적용이 부적합함 • 상급자가 하급자의 눈치를 보며 업무를 추진하게 됨 • 시간과 비용이 소요됨

답 ②

46	다면평가제도

다면평가제도는 다수의 평가자가 참여하는 것은 맞지만 합의를 통하여 결과를 도출하는 것은 아니다. 다면평가제도는 여러 사람이 평가에 참여함으로써 소수인의 주관과 편견, 개인편차를 줄여 평가의 공정성을 높이고 평가에 대한 관심을 높일 수 있다. 하지만 평가자의 구성과 개별 점수는 비밀로 하는 익명평가를 원칙으로 한다.

(선지분석)

② 다면평가제도는 상관이 일방향에서 평가하는 것이 아니라 동료, 하급자, 민원인까지 평정에 참여하므로 보다 공정하고 객관적인 평가가 가능하며, 평가 결과에 대한 당사자들의 승복을 받아내기가 용이하다.

③ 다면평가자는 조직 내는 물론 조직 외의 민원인 등 모든 사람과 원활한 인간관계를 증진시키려는 강한 동기를 부여함으로써 업무수행의 효율성을 제고할 수 있다.

④ 다면평가제도는 인간관계에 따른 친밀도로 평가가 이루어져 인기투표로 변질되고 상급자가 하급자의 눈치를 의식하는 행정이 이루어질 우려가 있다.

답 ①

다면평가제도에 대한 설명으로 옳지 않은 것은?

① 평가대상자의 동료와 부하를 제외하고 상급자가 다양한 측면에서 평가한다.

② 일면평가보다는 평가의 객관성과 신뢰성을 확보할 수 있다.

③ 평가 결과의 환류를 통하여 평가대상자의 자기역량 강화에 활용할 수 있다.

④ 평가항목을 부처별·직급별·직종별 특성에 따라 다양하게 설계하는 것이 바람직하다.

공무원 평정제도로서 다양한 계급의 평가자가 피평가자를 평가하는 다면평가제도의 장점으로 옳지 않은 것은?

① 입체적·다면적 평가를 통해 평가의 객관성과 공정성을 높일 수 있다.

② 상급자가 직원들을 의식하지 않고 강력하게 업무를 추진할 수 있다.

③ 조직 내 원활한 인간관계를 증진시키려는 동기부여를 통해 업무의 효율성과 상호 간 이해의 폭을 높일 수 있다.

④ 계층구조의 완화와 팀워크가 강조되는 새로운 조직 유형에 적합한 평가제도이다.

47	다면평가제도

다면평가제도는 동료와 부하, 상급자, 민원인 등이 평가에 가담하여 평가대상자의 능력을 여러 시각에서 평가하게 된다.

선지분석

② 일면평가보다 다양한 사람이 참여하므로 평가의 객관성과 신뢰성을 제고할 수 있다.

③ 평가 결과의 환류는 대상자가 그 결과를 참고하여 역량을 강화하는 데 활용할 수 있다.

④ 다면평가의 평가항목을 부처별·직급별·직종별 특성에 따라 적합하게 설계하면 평가의 효용을 제고할 수 있다.

답 ①

48	다면평가제도

다면평가제도는 상급 공무원뿐만 아니라 동료, 하위 공무원 및 민원인 등이 참여자가 되어 평가가 이루어지는 집단평정방법이다. 이는 부하에 의한 상관의 평가가 이루어져 상하 간 갈등이 야기될 수 있으며 상사의 통제권을 제약하고 상급자가 하급자의 눈치를 보면서 업무를 추진하게 된다는 문제점이 있다.

선지분석

① 다면평가제도는 다양한 평정자의 평가로 입체적이고 다면적인 평가가 이루어져 평가의 객관성과 공정성이 제고될 수 있다.

③ 다면평가제도는 상급자뿐만 아니라 동료, 부하까지 평정에 참여하므로 조직 내 원활한 인간관계를 증진시키려는 동기가 부여된다.

④ 다면평가제도는 하급자가 평정자로 참여하므로 관료제적 계층구조를 완화시킬 수 있고, 조직 내 구성원 간의 팀워크가 증진된다.

답 ②

49 ☐☐☐

다면평가제도에 대한 설명이 옳은 것은?

① 공정성과 객관성을 향상시킬 수 있으나 당사자들의 승복을 받아내기는 어렵다.
② 행정서비스에 대한 다양한 의견을 수렴하기 어렵다.
③ 기존의 관료적 행태의 병폐를 시정하고 시민 중심적 충성심을 강화할 수 있다.
④ 계층제 문화가 강한 경우에 조직의 화합을 제고시킬 수 있다.

THEME 070 공무원의 사기와 보수 및 복지

50 ☐☐☐

현행 법령상 공무원의 보수 및 연금제도에 대한 설명으로 옳지 않은 것은?

① 호봉 간 승급에 필요한 기간은 1년이며, 직종별 구분 없이 하나의 봉급표가 적용된다.
② 고위공무원단에 속하는 공무원에 대해서는 대통령경호처 직원 중 별정직공무원을 제외하고 직무성과급적 연봉제를 적용한다.
③ 「공무원연금법」상 퇴직급여에는 퇴직연금, 퇴직연금일시금, 퇴직연금공제일시금, 퇴직일시금이 있다.
④ 군인과 선거에 의하여 취임하는 공무원은 「공무원연금법」상의 공무원에서 제외된다.

49	다면평가제도

다면평가제도는 기존의 상관 위주의 일방적인 평가에서 벗어나 동료, 부하인 조직 내부 구성원들뿐만 아니라 조직 외부의 민원인까지 평가의 주체로 참여하는 평정방법이다. 따라서 시민 중심적 충성심을 강화할 수 있다.

(선지분석)
① 공정성과 객관성을 향상시켜 당사자들의 승복을 받아내기 쉽다.
② 행정서비스에 대한 다양한 의견을 수렴할 수 있다.
④ 계층제 문화가 강한 경우 조직의 갈등이 발생할 수 있다.

답 ③

50	공무원 보수 및 연금제도

행정직, 기술직, 공안업무에 종사하는 경우 등 직종별로 봉급표가 상이하며 호봉 간 승급에 필요한 기간은 원칙적으로 1년이지만, 검사 등 예외적인 경우가 있다.

(선지분석)
② 고위공무원단에 속하는 공무원에 대해서는 직무성과급적 연봉제를 적용한다. 다만, 대통령경호처 직원 중 고위공무원단에 속하는 별정직공무원에 대해서는 호봉제를 적용한다.
③ 퇴직급여에는 퇴직연금, 퇴직연금일시금, 퇴직연금공제일시금, 퇴직일시금이 있다(「공무원연금법」 제28조).
④ 「공무원연금법」에 따르면 군인과 선거에 의하여 취임하는 공무원은 공무원에서 제외된다.

> **「공무원연금법」 제3조 【정의】** ① 이 법에서 사용하는 용어의 뜻은 다음과 같다.
> 1. "공무원"이란 공무에 종사하는 다음 각 목의 어느 하나에 해당하는 사람을 말한다.
>   가. 「국가공무원법」, 「지방공무원법」, 그 밖의 법률에 따른 공무원. 다만, 군인과 선거에 의하여 취임하는 공무원은 제외한다.
>   나. 그 밖에 국가기관이나 지방자치단체에 근무하는 직원 중 대통령령으로 정하는 사람

답 ①

「국가공무원법」 제46조에 나타나 있는 보수결정의 원칙에 대한 설명으로 가장 정확한 것은?

① 공무원의 보수는 일반의 '가계생계비, 민간의 임금, 기타 사정을 고려하여 직무의 곤란성 및 책임의 정도에 상응하도록 계급별·직위별로 정한다.'
② 공무원의 보수는 일반의 '표준생계비, 민간의 임금, 기타 사정을 고려하여 직무의 곤란성 및 책임의 정도에 상응하도록 계급별·직위별로 정한다.'
③ 공무원의 보수는 일반의 '표준생계비, 민간의 임금, 기타 사정을 고려하여 직무의 곤란성 및 책임의 정도에 상응하도록 계급별로 정한다.'
④ 공무원의 보수는 일반의 '표준생계비와 기타 사정을 고려하여 직무의 곤란성 및 책임의 정도에 상응하도록 계급별·직위별로 정한다.'
⑤ 공무원의 보수는 일반의 '표준생계비, 민간의 임금, 기타 사정을 고려하여 계급별·직위별로 정한다.'

공무원 보수에 대한 설명으로 옳지 않은 것은?

① 직능급이란 직무의 난이도와 책임에 따라 결정되는 보수이다.
② 실적급(성과급)은 개인이나 집단의 근무실적과 보수를 연결시킨 것이다.
③ 생활급은 생계비를 기준으로 하는 보수로서 공무원과 그 가족의 기본적인 생활을 보장하기 위한 것이다.
④ 연공급(근속급)은 근속연수와 같은 인적 요소를 기준으로 하는 보수이다.

| 51 | 보수결정의 원칙 |

공무원의 보수는 직무의 곤란성과 책임의 정도에 맞게 계급별·직위별 또는 직무등급별로 정하며, 일반의 표준생계비, 물가 수준, 그 밖의 사정을 고려하여 정하되 민간 부문의 임금 수준과 적절한 균형을 유지하도록 노력해야 한다.

> 「국가공무원법」 제46조【보수결정의 원칙】① 공무원의 보수는 직무의 곤란성과 책임의 정도에 맞도록 계급별·직위별 또는 직무등급별로 정한다. 다만, 직무의 곤란성과 책임도가 매우 특수하거나 결원을 보충하는 것이 곤란한 직무에 종사하는 공무원과 제4조 제2항에 따라 같은 조 제1항의 계급 구분을 적용하지 아니하는 공무원의 보수는 따로 정할 수 있다.
> ② 공무원의 보수는 일반의 표준생계비, 물가 수준, 그 밖의 사정을 고려하여 정하되, 민간 부문의 임금 수준과 적절한 균형을 유지하도록 노력하여야 한다.
> ③ 경력직공무원 간의 보수 및 경력직공무원과 특수경력직공무원 간의 보수는 균형을 도모하여야 한다.
> ④ 공무원의 보수 중 봉급에 관하여는 법률로 정한 것 외에는 대통령령으로 정한다.
> ⑤ 이 법이나 그 밖의 법률에 따른 보수에 관한 규정에 따르지 아니하고는 어떠한 금전이나 유가물도 공무원의 보수로 지급할 수 없다.

답 ②

| 52 | 공무원 보수 |

직무의 난이도와 책임에 따라 결정되는 보수는 직무급이다. 직능급은 능력의 범위를 산정하여 직무수행능력을 기초로 하는 보수를 의미한다.

📋 공무원 보수체계

기본급	보수결정기준	관련 이론	관련 원칙
생활급	연령, 가족	계급제, 인간관계론, 직업공무원제	생활보상의 원칙
연공급	근무연한	계급제	
직무급	• 직무의 난이도와 책임의 정도에 따라 직무의 가치를 결정하고 그 가치를 보수와 연결 • 동일 직무에 대한 동일 보수의 원칙	과학적 관리론, 실적주의, 직위분류제	근로대가의 원칙
직능급 (능력급)	노동력의 가치, 직무수행 능력	신공공관리론	
성과급 (실적급)	성과가치, 근무성적		

답 ①

53 □□□

공무원 보수제도 중 연봉제에 대한 설명으로 옳지 않은 것은?

① 직무성과급적 연봉제는 고위공무원단 소속 공무원에게 적용된다.

② 고정급적 연봉제에서 연봉은 기본연봉과 성과연봉으로 구성된다.

③ 직무성과급적 연봉제에서 기본연봉은 기준급과 직무급으로 구성된다.

④ 성과급적 연봉제와 직무성과급적 연봉제의 성과연봉은 전년도의 업무실적에 따른 평가 결과에 따라 차등지급된다는 점에서 유사한 면이 있다.

54 □□□

공무원 보수제도로서 연봉제에 대한 설명으로 옳은 것은?

① 연봉제 도입을 통하여 관료제 내부의 공동체의식이나 팀정신이 향상된다.

② 연봉제는 실적주의 및 직위분류제를 강화시키지만 직업공무원제 및 계급제는 약화시키는 경향이 있다.

③ 우리나라의 경우 연봉액을 1년 단위로 책정하여 전액을 매년 1회 일괄해서 지급하는 것이 원칙이다.

④ 우리나라 고위공무원단에 속하는 공무원의 연봉제 수립에 있어서 직무분석이 직무평가보다 더 중요한 기능을 한다.

53	연봉제

고정급적 연봉제는 기본급여의 연액만을 기본연봉으로 지급하며 정무직 공무원에 적용된다.

📄 공무원 보수제도

기본급	적용대상	보수구조						
		기본급여	성과급여					
고정급적	정무직	기본연봉	–					
연봉제 직무성과급적	고위공무원단	기본연봉	기준급	성과연봉	매우우수	우수	보통	미흡·매우미흡
			직무급(2등급)		15%	10%	6%	0%
성과급적	5급이상	기본연봉	성과연봉	최상20%	상위30%	하위40%	최하10%	
				7%	5%	3%	0%	
호봉제	6급이하	봉급(직급과 근무연한)	성과상여금	최상20%	상위30%	하위40%	최하10%	
				230%이상	160%	90%이하	0%	

답 ②

54	연봉제

연봉제는 성과 중심의 보수제도이므로 실적주의 및 직위분류제를 강화시키지만 직업공무원제 및 계급제는 약화시키는 경향이 있다.

(선지분석)

① 연봉제 도입은 성과 중심제를 바탕으로 하기 때문에 공동체의식이나 팀정신을 저해할 수 있다.

③ 우리나라의 경우 연봉액을 12개월로 나누어 매월 지급하는 것이 원칙이다.

④ 우리나라 고위공무원단에 속하는 공무원은 직무성과급적 연봉제이기 때문에 직무분석보다는 직무평가가 더 중시된다.

답 ②

55 □□□

우리나라 공무원 보수에 관한 설명으로 옳은 것은?

① 보수에 대한 정치적 통제가 미약하여 민간기업 보수보다 경직성이 약하다.
② 성과급적 연봉제는 실적평가 결과를 반영하여 보상의 차등화를 지향한다.
③ 전통적으로 생활급 중심의 보수체계로 인해 공무원 보수의 공정성이 높다.
④ 공무원의 노동삼권이 보장되어 동일 노동·동일 보수의 원칙이 적용되고 있다.

56 □□□

공무원 보수에 대한 설명으로 옳지 않은 것은?

① 계급제를 채택하고 있는 나라의 경우 수당의 종류가 많은 것이 일반적이다.
② 한국, 영국, 미국에서의 공무원 보수 수준 결정은 주로 대내적 상대성 원칙을 따르고 있다.
③ 우리나라에서는 총액인건비 내에서 조직·보수제도를 성과향상을 위한 인센티브제로 활용하여 성과 중심의 조직을 운영할 수 있다.
④ 성과급제도는 개인 및 집단이 수행한 작업성과에 기초하여 보수를 차등하여 지급하는 것을 의미하며 우리나라에서는 1990년대 후반에 도입되었다.

55	우리나라 공무원 보수

성과급적 연봉제는 기본연봉에 성과연봉을 추가하여 지급하는 것으로 5급 이상 공무원에게 적용된다.

(선지분석)
① 공무원 보수는 정치적·사회적 통제가 강하기 때문에 민간기업 보수보다 경직성이 강하다.
③ 전통적으로 생활급 중심의 보수체계로 인해 공무원 보수의 공정성이 낮다.
④ 공무원사회도 동일 노동·동일 보수의 원칙을 추구하지만, 일반적으로 노동삼권 중 단체행동권은 인정되지 않는다.

답 ②

56	공무원 보수

영국과 미국의 보수 수준은 대외적 비교성의 원칙을 따르고 있으나, 우리나라의 경우에는 대내적 상대성 원칙을 더 중시한다.

(선지분석)
① 계급제는 수당 중심, 직위분류제는 기본급을 중심으로 운영되므로 계급제를 채택하고 있는 국가는 대부분 수당의 종류가 많다.
③ 우리나라는 총액인건비제와 성과상여금제를 채택하고 있다.
④ 성과급제도는 NPM적 개혁의 일환으로 김대중 정부 때 도입되었다.

답 ②

57 ☐☐☐

총액인건비제도의 운영 목표와 가장 거리가 먼 것은?

① 민주적 통제의 강화
② 성과와 보상의 연계 강화
③ 자율과 책임의 조화
④ 기관운영의 자율성 제고

58 ☐☐☐

공무원 인사제도에 대한 설명으로 옳지 않은 것은?

① 직업공무원제도는 공직을 직업전문 분야로 확립시키기도 하지만, 행정의 전문성 약화를 가져오기도 한다.
② 엽관주의하에서는 행정의 민주성과 관료적 대응성의 향상은 물론 정책수행 과정의 효율성 제고도 기대할 수 있다.
③ 대표관료제는 역차별 문제의 발생과 실적주의 훼손의 비판이 제기되며, 사회적 소외집단을 배려하는 우리나라의 균형인사정책은 미국의 적극적 조치(affirmative action)의 관점에서 이해될 수 있다.
④ 총액인건비제도는 일반적으로 기구·정원 조정에 대한 재정당국의 중앙통제는 그대로 둔 채 수당의 신설·통합·폐지와 절감예산 활용 등에서의 부처 자율성을 부여하는 특성을 갖는다.

---

57 | 총액인건비제도

총액인건비제도는 총액인건비 범위 내에서는 인사운영의 자율성을 부여하기 위한 제도로서 민주적 통제보다는 기구·인력·예산·정원운영상 자율성을 부여하여 자율과 성과의 책임을 조화시키려는 인사제도이다.

> 📄 **총액인건비제도의 도입목적과 기대효과**
>
> 1. 각 기관의 자율성 제고
> 2. 성과중심의 정부조직 운영 가능
> 3. 최소한의 규제 및 부처의 책임성 확보 가능

답 ①

58 | 공무원 인사제도

총액인건비제도는 인력과 예산운영의 효율성을 제고하고 조직성과를 향상하기 위하여 각 시행기관이 당해 연도에 편성된 총액인건비예산의 범위 안에서 기구·정원·보수·예산 등의 운영에 관해 자율성을 가지는 제도이다.

(선지분석)

① 직업공무원제도는 공직을 하나의 직업으로 확립시키기도 하지만, 직업공무원제도의 신분보장성과 직무순환방식은 행정의 전문성 약화를 가져오기도 한다.
② 엽관주의하에서는 행정의 민주성과 관료적 대응성 향상을 기대할 수 있고, 정책결정자의 정치적 판단에 정책집행자가 동의하므로 정책수행 과정의 효율성 제고도 기대할 수 있다.
③ 대표관료제는 약자를 우대하는 결과를 가져옴으로써 역차별의 문제가 발생하고 실적주의 원칙을 훼손할 수 있다. 한편, 사회적 소외집단을 배려하는 우리나라의 균형인사정책은 소수 인종을 우대하는 등의 미국의 적극적 조치의 관점에서 이해될 수 있다.

답 ④

우리나라 공무원연금 재정 확보 방식을 옳게 짝지은 것은?

① 기금제 – 기여제
② 기금제 – 비기여제
③ 비기금제 – 기여제
④ 비기금제 – 비기여제

공무원연금제도에 대한 설명으로 옳은 것은?

① 비기금제는 적립된 기금 없이 연금급여가 발생할 때마다 필요한 비용을 조달하여 지급하는 방식으로 미국 등이 채택하고 있다.
② 2009년 연금 개혁으로 공무원연금의 적용대상이 확대됨에 따라 공무원연금공단 직원도 대상에 포함하게 되었다.
③ 공무원연금제도는 행정안전부가 관장하고, 그 집행은 공무원연금공단에서 실시하고 있다.
④ 비기여제는 정부가 연금재원의 전액을 부담하는 제도이다.

59 　공무원연금 재정 확보 방식

우리나라는 연금지급에 필요한 재정을 확보하기 위하여 미리 재원을 마련하는 기금제와, 정부와 공무원이 공동으로 기금 재원 조성의 비용을 납부하는 기여제를 채택하고 있다.

📄 기금제와 비기금제 비교

구분	기금제	비기금제
개념	연금지급에 필요한 재원을 조달하기 위하여 미리 기금을 마련하는 제도	기금을 미리 마련하지 않고, 국가의 일반세입금 중에서 연금지출에 소요되는 재원을 마련하는 제도
장점	• 연금의 지속적인 지급 보장이 가능 • 미래세대에 연금지급의 부담이 전가되지 않음	• 개시비용이 적음 • 초기의 운영 및 관리비용이 적게 들어감
단점	• 초기에 기금을 마련하는 개시 비용의 부담이 큼 • 관리가 복잡하고 관리비용이 많이 듦 • 인플레이션이 심한 경우 기금가치의 하락 우려가 있음	• 장기적으로 비용이 많이 소요됨 • 연금의 지속적인 지급 보장이 어려움

답 ①

60 　공무원연금제도

비기여제는 정부가 기금조성비용의 전액을 납부하는 제도이다.

(선지분석)
① 미국은 기금제를 채택하고 있다.
② 공무원연금공단 직원은 준정부기관 소속으로, 공무원이 아니기 때문에 공무원연금의 적용 대상에 해당하지 않는다.
③ 공무원연금제도는 인사혁신처가 관장한다.

답 ④

61 ☐☐☐

공무원연금은 재원의 형성방식에 따라 부과방식과 적립방식으로 나눌 수 있다. 부과방식과 비교한 적립방식의 장점이 아닌 것은?

① 인구구조의 변화나 경기 변동에 영향을 덜 받는다.
② 인플레이션이 심하더라도 연금급여의 실질가치를 유지할 수 있다.
③ 연금재정 및 급여의 안정성을 꾀할 수 있다.
④ 기금 수익을 통해 장기 비용부담을 덜어 제도의 안정적인 운영이 가능하다.

---

62 ☐☐☐

우리나라 공무원연금제도에 대한 설명으로 옳은 것만을 모두 고른 것은?

> ㄱ. 최초의 공적 연금제도로서 직업공무원을 대상으로 하는 특수직역연금제도이다.
> ㄴ. 「공무원연금법」상 공무원연금 대상에는 군인, 공무원 임용 전의 견습직원 등이 포함된다.
> ㄷ. 사회보험원리와 부양원리가 혼합된 제도이다.

① ㄱ
② ㄱ, ㄷ
③ ㄴ, ㄷ
④ ㄱ, ㄴ, ㄷ

61	공무원연금

공무원연금은 재원의 형성방식에 따라 부과방식(비기금제)과 적립방식(기금제)으로 나눌 수 있다. 적립방식(기금제)은 인플레이션이 심할 때 기금의 가치가 하락하고 급여의 실질가치가 저하될 수 있다.

선지분석

①, ③ 적립방식은 연금의 재원을 적립을 통해 미리 마련해두기 때문에 부과방식에 비하여 인구구조의 변화나 경기 변동에 영향을 덜 받고 연금재정 및 급여의 안정성을 도모할 수 있다.
④ 적립방식은 적립된 기금을 운용하여 발생하는 수익을 통하여 장기 비용부담을 완화할 수 있다.

답 ②

62	우리나라 공무원연금제도

ㄱ. 우리나라는 1960년 「공무원연금법」을 제정하였고, 그 대상으로는 「국가공무원법」, 「지방공무원법」, 그 밖의 법률에 따른 공무원, 그 밖에 대통령령으로 정하는 국가나 지방자치단체의 직원 등이 있다.
ㄷ. 우리나라 공무원연금제도는 사회보험원리와 부양원리가 혼합되어 운영된다.

선지분석

ㄴ. 「공무원연금법」 제3조에 따르면 '공무원'이란 「국가공무원법」, 「지방공무원법」, 그 밖의 법률에 따른 공무원으로, 군인과 선거에 의하여 취임하는 공무원은 제외한다. 따라서 연금의 대상에 포함되지 않는다.

답 ②

63 ☐☐☐

공무원연금제도에 대한 설명으로 옳지 않은 것은?

① 우리나라 「공무원연금법」의 적용 대상에는 장관도 포함된다.
② 우리나라의 공무원연금제도는 기금제(pre-funding system 또는 funded plan)를 채택하고 있다.
③ 기금제는 운용·관리비용이 적게 든다는 장점이 있다.
④ 기금제를 채택하는 경우 기금 조성의 비용을 정부에서 단독 부담하는 제도를 비기여제(non-contributory system)라 한다.

64 ☐☐☐

우리나라 국가공무원과 지방공무원에 대한 설명으로 옳은 것은?

① 인사관리에 적용하는 기본 법률이 동일하다.
② 고위공무원단제도는 동일하게 시행되고 있다.
③ 모두 「공무원연금법」의 적용을 받는다.
④ 특별지방행정기관에 소속된 공무원은 국가직이 아니다.

63	공무원연금제도

공무원연금제도는 공무원의 퇴직, 사망, 공무로 인한 보상이나 질병 등에 대하여 적절한 급여를 줌으로써 공무원 및 그 유족의 생활 안정과 복리 향상에 기여하는 공무원에 대한 사회보장제도의 일환이다. 연금기금의 조성방식은 재원조달방법에 따라 기금제와 비기금제로 구분하는데 우리나라의 경우 기금제를 채택하고 있다. 기금제는 연금지급에 필요한 재원을 조달하기 위하여 미리 기금을 마련하고, 이 기금과 기금을 투자해서 얻어지는 이익금으로 연금재원을 충당하는데, 초기에 기금을 마련하는 개시비용의 부담이 크고 관리가 복잡하기 때문에 운용·관리비용이 많이 든다는 단점이 있다.

선지분석
① 우리나라 「공무원연금법」 적용 대상에 선출직 공직자는 제외되나, 장관과 차관은 포함된다.
② 우리나라의 공무원연금제도는 기금을 마련한 뒤 그 기금을 운용하여 발생한 수익으로 연금의 재원을 마련하는 기금제 방식을 채택하고 있다.
④ 기금제를 채택하는 경우 기금 조성의 비용을 정부에서 단독 부담하는 제도를 비기여제라고 하며, 공무원이 정부와 함께 부담하는 제도를 기여제라고 한다. 우리나라는 기여제 방식이다.

답 ③

64	국가공무원과 지방공무원

국가공무원과 지방공무원은 모두 「공무원연금법」을 동일하게 적용받는다. 우리나라의 「공무원연금법」상 연금 지급대상 공무원은 「국가공무원법」, 「지방공무원법」, 그 밖의 법률에 따른 공무원(군인과 선거에 의하여 취임하는 공무원은 제외한다), 그 밖에 대통령령으로 정하는 국가나 지방자치단체의 직원이다.

선지분석
① 국가공무원의 경우에는 「국가공무원법」이, 지방공무원의 경우에는 「지방공무원법」이 적용된다.
② 고위공무원단제도는 국가공무원에 적용하며, 지방공무원에는 적용하지 않는다.
④ 특별지방행정기관은 국가의 특정 중앙행정기관에 속하여 해당 관할구역 내에서 시행되는 소속 중앙행정기관의 권한에 속하는 행정사무를 관장하는 국가의 지방행정기관이다. 따라서 특별지방행정기관에 소속된 공무원은 국가직공무원이다.

답 ③

65 □□□

우리나라 공무원연금제도에 대한 설명으로 옳지 않은 것은?

① 공무원연금제도는 공무원에 대한 사회보장제도의 일환이다.

② 우리나라에서는 1960년에 「공무원연금법」이 제정·공포되었다.

③ 보수후불설(거치보수설)에 따르면 퇴직연금은 공무원의 당연한 권리이다.

④ 「공무원연금법」의 적용대상자에는 선거에 의해 취임하는 공무원을 포함한다.

66 □□□

제안제도의 직접적인 효용으로 옳지 않은 것은?

① 행정절차의 간소화, 경비 절감 등의 업무 개선

② 공직의 침체 방지와 비공식적 집단의 활성화

③ 조직 구성원의 자기 개발 능력을 자극하여 창의력, 문제해결능력 신장

④ 참여의식 조장으로 조직 구성원의 사기 제고

---

65 | 우리나라 공무원연금제도

「공무원연금법」 적용대상자는 「국가공무원법」, 「지방공무원법」, 그 밖의 법률에 따른 공무원, 그 밖에 대통령령으로 정하는 국가나 지방자치단체의 직원으로서 군인과 선거에 의하여 취임하는 공무원은 제외한다.

(선지분석)

① 공무원 연금의 일부는 정부가 부담하므로 사회보장제도의 성격이 있다.

③ 보수후불설(거치보수설)은 공무원이 자신의 보수 중 일부를 공무원 연금의 기금으로 납부해두고, 일정기간 거치 후 수령하는 것이기 때문에 퇴직연금은 공무원의 당연한 권리이다.

답 ④

66 | 제안제도

비공식적 집단의 활성화는 제안제도의 직접적인 효용이 아니다. 제안제도는 직무수행 과정에서 예산의 절약과 행정능률의 향상을 가져올 수 있는 사안에 대해서 이를 제안하도록 하고, 그것이 행정의 능률화와 합리화에 기여할 수 있다고 인정되는 경우에 그 정도에 따라 표창하고 상금을 지급하는 제도이다. 제안제도의 1차적인 목적은 업무개선을 통한 능률향상이고, 2차적인 목적은 하의상달을 통한 사기앙양이다.

(선지분석)

① 제안제도는 실제 행정을 수행하는 공무원이 행정제도 등에 대한 제안을 함으로써 행정절차를 간소화하고, 경비 절감 등의 업무 개선을 기대할 수 있다.

③ 제안제도를 통한 제안을 하는 과정에서 조직 구성원의 자기 개발 능력을 자극하여 창의력, 문제해결능력을 신장할 수 있다.

④ 조직의 문제해결을 위한 제안을 수행함으로써 조직에 대한 참여의식을 조장하고, 조직 구성원의 사기를 제고하는 측면이 있다.

답 ②

67 ☐☐☐

공무원의 신분보장 및 퇴직에 대한 설명으로 옳지 않은 것은?

① 정치적 중립을 확보하기 위한 신분보장은 실적주의 및 직업공무원제 정착에 기여한다.

② 임의퇴직을 늘리기 위한 하나의 방편으로서 권고사직은 공무원에게 온정적 조치이지만 때로는 신분보장을 침해할 위험이 있다.

③ 우리나라 1급 공무원을 포함한 경력직공무원은 형의 선고, 징계처분 또는 법령에서 정하는 사유에 따르지 아니하고는 본인의 의사에 반하여 휴직·강임 또는 면직을 당하지 아니한다.

④ 직위해제의 경우는 공무원의 신분을 유지하나, 해임 및 파면의 경우는 공무원의 신분을 상실한다.

68 ☐☐☐

계급정년제도에 대한 설명으로 옳지 않은 것은?

① 공무원이 일정한 기간 동안 승진하지 못하고 동일한 계급에 머물러 있으면, 그 기간이 만료된 때에 그 사람을 자동적으로 퇴직시키는 제도이다.

② 인적자원의 유동률을 높여 국민의 공직취임 기회를 확대할 수 있다.

③ 공무원의 교체를 촉진하여 낡은 관료문화 타파에 기여할 수 있다.

④ 모든 공무원의 직업적 안정성을 확보할 수 있다.

---

67 공무원의 신분보장 및 퇴직

공무원은 형의 선고, 징계처분 또는 「국가공무원법」에서 정하는 사유에 따르지 아니하고는 본인의 의사에 반하여 휴직·강임 또는 면직을 당하지 아니한다. 다만, 1급 공무원과 직무등급이 가장 높은 등급의 직위에 임용된 고위공무원단에 속하는 공무원은 그러지 아니하다(「국가공무원법」 제68조).

답 ③

---

68 계급정년제도

계급정년제도란 공무원이 일정 직급에서 일정 기간 동안 승진하지 못하면 자동적으로 퇴직시키는 제도로서 군인, 경찰, 소방공무원 등 일부 특정직의 상위직에 적용이 된다. 이러한 계급정년제도는 해당 공무원의 신분불안으로 사기가 저하되고 직업적 안정성을 해친다는 문제점이 있다.

(선지분석)

②, ③ 계급정년제도는 연령정년에 달하기 이전이라도 강제로 퇴직시키는 제도이므로, 인적자원의 유동률이 높아지고 공무원 교체를 촉진한다.

답 ④

69 ☐☐☐　　　　　　　　　　2018년 지방직 9급

「국가공무원법」상 공무원 인사에 대한 설명으로 옳지 않은 것은?

① 당연퇴직은 법이 정한 사유가 발생한 경우 별도의 처분 없이 공무원 관계가 소멸되는 것을 말한다.

② 직권면직은 법이 정한 사유가 발생한 경우 임용권자가 일방적으로 공무원 관계를 소멸시키는 것을 말한다.

③ 직위해제는 직무수행능력이 부족하거나 근무성적이 극히 나쁜 경우 공무원의 신분은 유지하지만 강제로 직무를 담당하지 못하게 하는 것이다.

④ 강임은 한 계급 아래로 직급을 내리는 것으로 징계의 종류 중 하나이다.

---

69 ｜ 공무원 인사

한 계급 아래로 직급을 내리는 것은 강임이 아니라 강등에 해당한다. 강임은 징계가 아니라 정부조직개편으로 폐직·과원의 상태가 되었거나 본인의 희망에 의하여 하위 등급의 직위로 이동하는 내부임용의 한 종류이다.

(선지분석)
① 당연퇴직은 임용권자의 처분에 의한 것이 아니라 일정한 사유가 발생한 경우 법률의 규정에 의하여 공무원관계가 소멸되는 것으로, 사망, 정년, 임기제공무원의 임기만료, 정년 등이 있다.
② 직권면직은 공무원이 법에 정한 사유에 해당되었을 경우 본인의 의사와 관계없이 임용권자의 직권에 의해 면직시키는 것이다.
③ 직위해제는 임용권자가 공무원에게 직위를 부여하지 않고 일정한 기간 동안 직무에서 격리시키는 처분이지만 「국가공무원법」상 징계는 아니다.

답 ④

70 ☐☐☐　　　　　　　　　　2015년 지방직 7급 변형

「국가공무원법」상 공무원 인사에 대한 규정으로 옳지 않은 것은?

① 정직은 1개월 이상 3개월 이하의 기간으로 하고, 정직처분을 받은 자는 그 기간 중 공무원의 신분은 보유하나 직무에 종사하지 못하며 보수의 전액을 감한다.

② 강임은 1계급 아래로 직급을 내리고 공무원신분은 보유하나 3개월간 직무에 종사하지 못하며 그 기간 중 보수의 3분의 2를 감한다.

③ 징계로 해임처분을 받은 때부터 3년이 지나지 아니한 자는 공무원으로 임용될 수 없다.

④ 징계로 파면처분을 받은 때부터 5년이 지나지 아니한 자는 공무원으로 임용될 수 없다.

---

70 ｜ 공무원 인사

강임은 징계가 아니라 조직 사정에 의하여 상위 직급에서 하위 직급으로 이동하는 것인 반면, 강등은 징계에 해당하며 직급이 내려가는 것이므로 3개월 간 직무에 종사하지 못하며 그 기간 중 보수 전액을 감한다.

📋 **공무원 징계제도의 종류**

1. 경징계

구분	승급제한	보수(기간)	직무수행
견책	6개월	영향 없음	직무가능
감봉	12개월	1/3 감봉(1~3개월)	직무가능

2. 신분이 보유되는 중징계

구분	승급제한	보수(기간)	직무수행
정직	18개월	전액 감봉(1~3개월)	직무정지(1~3개월)
강등	18개월	전액 감봉(3개월)	직무정지(3개월)

3. 신분이 박탈되는 중징계

구분	공직취임제한	퇴직급여 및 퇴직수당
해임	3년 간 재임용 불가	• 원칙: 불이익 없음 • 공금횡령 및 유용의 경우 　- 재직기간 5년 이상: 퇴직급여 1/4 감액 　- 재직기간 5년 미만: 퇴직급여 1/8 감액 　- 퇴직수당 1/4 감액
파면	5년 간 재임용 불가	• 재직기간 5년 이상: 퇴직급여 1/2 감액 • 재직기간 5년 미만: 퇴직급여 1/4 감액 • 퇴직수당 1/2 감액

답 ②

71 □□□

「국가공무원법」상 징계에 대한 설명으로 옳은 것은?

① 징계는 파면 · 해임 · 정직 · 감봉 · 견책으로 구분한다.
② 정직은 1개월 이상 3개월 이하의 기간으로 하고, 정직처분을 받은 자는 그 기간 중 공무원의 신분은 보유하나 직무에 종사하지 못하며 보수의 3분의 2를 감한다.
③ 감봉은 1개월 이상 3개월 이하의 기간 동안 보수의 3분의 1을 감한다.
④ 감사원에서 조사 중인 사건에 대하여는 조사 개시 통보를 받은 후부터 징계의결의 요구나 그 밖의 징계절차를 진행할 수 있다.

72 □□□

「국가공무원법」상 징계의 내용과 효력을 바르게 설명한 것은?

① 강등은 1계급 아래로 직급을 내리고 공무원의 신분은 보유하나 3개월간 직무에 종사하지 못하며 그 기간 중 보수의 3분의 2를 감한다.
② 정직은 1개월 이상 3개월 이하의 기간으로 하고, 정직처분을 받은 자는 그 기간 중 공무원의 신분은 보유하나 직무에 종사하지 못하며 보수의 3분의 2를 감한다.
③ 감봉은 1개월 이상 3개월 이하의 기간 동안 보수의 3분의 2를 감한다.
④ 파면처분을 받은 때부터 5년이 지나지 아니하면 공무원으로 임용될 수 없다.

71	공무원 징계

감봉은 1개월 이상 3개월 이하의 기간 동안 보수의 3분의 1을 감한다(「국가공무원법」 제80조 제4항).

(선지분석)
① 징계는 파면·해임·강등·정직·감봉·견책으로 구분한다.
② 정직은 1개월 이상 3개월 이하의 기간으로 하고, 보수의 전액을 삭감한다.
④ 감사원에서 조사 중인 사건에 대하여는 조사 개시 통보를 받은 후부터는 징계의결의 요구나 그 밖의 징계절차를 진행할 수 없다(「국가공무원법」 제83조).

답 ③

72	공무원 징계

징계로 파면처분을 받은 자는 처분을 받은 때부터 5년이 지나지 아니하면 공무원으로 임용될 수 없다.

(선지분석)
① 강등은 1계급 아래로 직급을 내리고 공무원 신분은 보유하나 3개월간 직무에 종사하지 못하며 그 기간 중 보수의 전액을 감한다.
② 정직은 1개월 이상 3개월 이하의 기간으로 하고, 정직처분을 받은 자는 그 기간 중 공무원의 신분은 보유하나 직무에 종사하지 못하며 보수의 전액을 감한다.
③ 감봉은 1개월 이상 3개월 이하의 기간 동안 보수의 3분의 1을 감한다.

답 ④

공무원 징계에 대한 다음의 설명 중 옳지 않은 것을 모두 고르면?

> ㄱ. 강임은 1계급 아래로 직급을 내리고, 공무원 신분은 보유하나 3개월간 직무에 종사하지 못하며 그 기간 중 보수의 2/3를 감하는 것이다.
> ㄴ. 전직시험에서 3회 이상 불합격한 자로서 직무능력이 부족한 자는 직위해제 대상이다.
> ㄷ. 금품수수나 공금횡령 및 유용 등으로 인한 징계의결요구의 소멸시효는 3년이다.
> ㄹ. 징계에 대한 불복 시 소청심사위원회에 소청제기가 가능하나 근무성적평정 결과나 승진탈락 등은 소청대상이 아니다.

① ㄱ, ㄴ
② ㄴ, ㄷ
③ ㄷ, ㄹ
④ ㄱ, ㄴ, ㄷ
⑤ ㄱ, ㄴ, ㄷ, ㄹ

공무원의 징계에 대한 설명으로 옳지 않은 것은?

① 징계로 파면처분을 받은 때부터 5년이 지나지 아니한 자와, 징계로 해임처분을 받은 때부터 3년이 지나지 아니한 자는 공무원으로 임용될 수 없다.
② 금품 및 향응수수, 공금의 횡령·유용으로 징계 해임된 자의 퇴직급여는 감액하지 아니한다.
③ 탄핵 또는 징계에 의하여 파면된 경우, 재직기간이 5년 이상인 사람의 퇴직급여는 1/2을 감액하여 지급한다.
④ 탄핵 또는 징계에 의하여 파면된 경우, 재직기간이 5년 미만인 사람의 퇴직급여는 1/4을 감액하여 지급한다.

---

73 | 공무원 징계

ㄱ. 강임은 징계가 아니라 직제·정원의 변경, 예산감소 등을 이유로 직위가 폐직되거나 하위의 직위로 변경되어 과원이 된 경우, 같은 직렬이나 다른 직렬의 하위 직급으로 임명하는 것이다.
ㄴ. 전직시험에서 3회 이상 불합격한 자로서 직무능력이 부족한 자는 직위해제가 아니라 직권면직의 대상이다.
ㄷ. 징계의결요구의 경우 소멸시효는 3년이지만, 금품 및 향응수수, 공금의 횡령·유용의 경우에는 5년이다.

답 ④

---

74 | 공무원 징계

금품 및 향응수수, 공금의 횡령·유용으로 징계 해임된 자의 경우 재직기간이 5년 미만이라면 퇴직금액의 1/8을 감액하여 지급하고, 재직기간이 5년 이상인 경우에는 퇴직금액의 1/4을 감액하여 지급한다.

답 ②

우리나라의 공무원 인사제도에 대한 내용으로 옳지 않은 것은?

① 공무원이 인사에 관하여 자신의 의사에 반한 불리한 처분을 받았을 때에는 소청심사를 청구할 수 있다.

② 임용권자는 직무수행능력이 부족하거나 근무성적이 극히 나쁜 자에게 직위를 부여하지 아니할 수 있다.

③ 직권면직은 「국가공무원법」상 징계의 한 종류로서, 임용권자가 특정한 사유에 해당되는 공무원을 직권으로 면직시키는 것이다.

④ 해임처분을 받은 때부터 3년, 파면처분을 받은 때부터 5년이 지나지 아니한 자는 공무원으로 임용될 수 없다.

공무원 신분의 변경과 소멸에 대한 설명으로 옳은 것은?

① 면직처분에 대하여는 소청심사를 청구할 수 있으나, 승진탈락에 대하여는 청구할 수 없다.

② 직제와 정원규정이 바뀌어 현재의 공무원 수가 정원을 초과한 경우는 당연퇴직요건에 해당한다.

③ 권고사직은 의원면직의 형식을 취하므로 강제퇴직이라고 볼 수 없다.

④ 직위해제를 받게 되면 직무를 담당하지 못하게 되어 공무원의 신분을 유지할 수 없다.

⑤ 강임은 승진과 반대로 현 직급보다 낮은 하위 직급에 임용되는 것으로 징계에 해당한다.

75	우리나라의 공무원 인사제도

직권면직은 「국가공무원법」상 징계의 종류에 해당하지 않는다. 「국가공무원법」상 징계는 파면·해임·강등·정직·감봉·견책으로 구분한다.

(선지분석)

① 공무원은 징계처분, 기타 의사에 불리한 처분이나 부작위에 대해 소청심사를 청구할 수 있다.

② 직무수행능력 부족 및 근무성적 미흡은 직위해제의 사유이다.

④ 해임처분을 받으면 3년간, 파면처분을 받으면 5년간 공직취임에 제한을 받아 재임용이 불가하다.

답 ③

76	공무원 신분의 변경과 소멸

소청심사대상에는 징계처분, 기타 의사에 불리한 처분이나 부작위(강임, 휴직, 면직, 전보 등)가 해당된다. 따라서 근무성적평가 결과, 승진탈락, 변상명령 등 불만족사항에 대해서는 소청대상으로 인정하지 않는다.

(선지분석)

② 직제와 정원규정이 바뀌어 현재의 공무원 수가 정원을 초과한 경우는 직권면직사유에 해당한다. 당연퇴직은 임용권자의 처분에 의한 것이 아니라 일정한 사유가 발생한 경우 법률의 규정에 의하여 자연적으로 공무원관계가 소멸되는 것으로 사망, 정년, 임기제공무원의 임기만료 등이 있다.

③ 권고사직은 임용권자의 권고에 의해 공무원이 그 직을 떠나게 되는 것으로 사실상의 강제퇴직에 해당한다. 직권면직과 달리 「국가공무원법」상의 제도에는 해당하지 않는다.

④ 직위해제는 임용권자가 공무원에게 직위를 부여하지 않고 일정한 기간 동안 직무에서 격리시키는 처분이다. 이때 공무원의 신분은 보유할 수 있지만 출근의무가 없고 보수가 삭감된다.

⑤ 강임은 승진과 반대로 상위 직급에서 하위 직급으로 이동하는 것으로서 「국가공무원법」상 징계에 해당하지 않는다.

답 ①

4

공무원의 근무규율과 인사행정개혁

THEME 072　공무원의 정치적 중립과 공무원단체

01 ☐☐☐

공무원의 정치적 중립성과 관련이 없는 것은?

① 해치법(Hatch Act)
② 직업공무원제 확립
③ 국민 전체에 대한 봉사
④ 관료의 정책형성기능 확대

---

01 ⫶ 공무원의 정치적 중립성

행정의 가치판단기능이나 정책형성기능의 확대는 정치행정일원론과 연관된 것으로 정치적 중립을 오히려 저해할 수 있다.

(선지분석)
① 해치법(Hatch act)은 뉴딜정책 이후 문란해진 공무원의 정치적 중립 원칙을 강화하여 공무원의 정치 활동을 엄격히 규제한다.
② 직업공무원제는 정치부패로부터 공직이 오염되지 않도록 정치적 중립을 필요로하는 제도이다.
③ 공무원은 불편부당한 입장에서 국민 전체에 봉사하여야 한다.

답 ④

02 ☐☐☐

공무원 단체활동 제한론의 근거로 옳지 않은 것은?

① 실적주의 원칙을 침해할 우려가 있다.
② 공무원의 정치적 중립성이 훼손될 수 있다.
③ 공직 내 의사소통을 약화시킨다.
④ 보수 인상 등 복지 요구 확대는 국민 부담으로 이어진다.

---

02 ⫶ 공무원 단체활동

공무원의 단체활동은 공직 내 의사소통을 강화시키는 측면이 있다. 공무원 단체활동은 공무원들의 참여의식이나 귀속감, 일체감 등 사회적 욕구를 충족시킬 수 있으며, 조합원인 공무원과 관리계층 간의 원활한 의사소통을 통하여 공무원의 사기, 참여감, 소속감, 성취감 등을 제고할 수 있고, 의사소통의 기회를 확대하여 행정의 민주화 및 행정발전에 기여한다. 이는 공무원 단체활동 허용론의 근거가 된다.

(선지분석)
① 공무원의 노조활동 등 단체활동을 허용할 경우 실적주의 원칙을 침해할 우려가 있다.
② 공무원 단체활동을 허용할 경우 공무원 조직의 정치적 중립성이 훼손될 수 있다.
④ 공무원의 보수 및 복지의 재원은 세금이므로, 공무원 단체의 보수 인상 등 복지 요구의 확대는 국민 부담의 증가로 이어진다.

답 ③

2021 해커스공무원 11개년 기출문제집 쉬운 행정학

CHAPTER 4 공무원의 근무규율과 인사행정개혁 **515**

03 ☐☐☐

「국가공무원법」에서 제한하고 있는 공무원의 정치활동과 거리가 먼 것은?

① 정당이나 그 밖의 정치단체의 결성에 관여하거나 가입하는 것
② 투표권 행사 여부에 대하여 사적 견해를 제시하는 것
③ 특정 정당의 지지를 위해 서명운동을 주재하거나 권유하는 것
④ 타인에게 정당이나 그 밖의 정치단체에 가입하도록 권유운동을 하는 것

03	공무원의 정치활동

투표권 행사 여부에 대하여 사적 견해를 제시하는 것은 공무원의 정치적 중립의무에 위반되지 않는다.

> **「국가공무원법」 제65조 【정치 운동의 금지】** ① 공무원은 정당이나 그 밖의 정치단체의 결성에 관여하거나 이에 가입할 수 없다.
> ② 공무원은 선거에서 특정 정당 또는 특정인을 지지 또는 반대하기 위한 다음의 행위를 하여서는 아니 된다.
> 1. 투표를 하거나 하지 아니하도록 권유운동을 하는 것
> 2. 서명운동을 기도·주재하거나 권유하는 것
> 3. 문서나 도서를 공공시설 등에 게시하거나 게시하게 하는 것
> 4. 기부금을 모집 또는 모집하게 하거나, 공공자금을 이용 또는 이용하게 하는 것
> 5. 타인에게 정당이나 그 밖의 정치단체에 가입하게 하거나 가입하지 아니하도록 권유 운동을 하는 것

답 ②

04 ☐☐☐

「공무원의 노동조합 설립 및 운영 등에 관한 법률」상 단체교섭 대상은?

① 기관의 조직 및 정원에 관한 사항
② 조합원의 보수에 관한 사항
③ 예산·기금의 편성 및 집행에 관한 사항
④ 정책의 기획 등 정책결정에 관한 사항

04	단체교섭

조합원의 보수에 관한 사항은 「공무원의 노동조합 설립 및 운영 등에 관한 법률」상 단체교섭의 대상에 해당한다.

> **「공무원의 노동조합 설립 및 운영 등에 관한 법률」 제8조 【교섭 및 체결 권한 등】** ① 노동조합의 대표자는 그 노동조합에 관한 사항 또는 조합원의 보수·복지, 그 밖의 근무조건에 관하여 국회사무총장·법원행정처장·헌법재판소사무처장·중앙선거관리위원회사무총장·인사혁신처장(행정부를 대표한다)·특별시장·광역시장·특별자치시장·도지사·특별자치도지사·시장·군수·구청장(자치구의 구청장을 말한다) 또는 특별시·광역시·특별자치시·도·특별자치도의 교육감 중 어느 하나에 해당하는 사람(이하 '정부교섭대표'라 한다)과 각각 교섭하고 단체협약을 체결할 권한을 가진다. 다만, 법령 등에 따라 국가나 지방자치단체가 그 권한으로 행하는 정책결정에 관한 사항, 임용권의 행사 등 그 기관의 관리·운영에 관한 사항으로서 근무조건과 직접 관련되지 아니하는 사항은 교섭의 대상이 될 수 없다.

답 ②

05 ⬚⬚⬚

현행 「공무원의 노동조합 설립 및 운영 등에 관한 법률」상 공무원노동조합에 대한 설명으로 옳지 않은 것은?

① 6급 이하의 일반직공무원 및 이에 상당하는 별정직ㆍ계약직 공무원의 경우 법령에 의해 금지된 자를 제외하고는 노동조합에 가입할 수 있다.

② 정책결정에 관한 사항 등 근무조건과 직접 관련되지 아니하는 사항은 단체교섭을 할 수 없다.

③ 노동조합 전임자는 임용권자의 동의를 받아 노동조합 업무에만 종사할 수 있다.

④ 단체교섭이 결렬된 경우에 지방공무원노동조합은 해당 지방노동위원회에 조정을 신청할 수 있다.

06 ⬚⬚⬚

「공무원직장협의회의 설립ㆍ운영에 관한 법률」상 공무원직장협의회에 가입할 수 있는 공무원은?

① 5급 일반직공무원

② 특정직공무원 중 재직 경력 10년 미만의 외무영사직렬공무원

③ 5급에 상당하는 별정직공무원

④ 「국가공무원법」 제66조 제1항 단서에 따라 노동운동이 허용되는 공무원

05	공무원노동조합

「공무원의 노동조합 설립 및 운영 등에 관한 법률」에 따라 단체교섭이 결렬된 경우에는 당사자 어느 한쪽 또는 양쪽은 중앙노동위원회에 조정을 신청할 수 있다.

> **「공무원의 노동조합 설립 및 운영 등에 관한 법률」 제12조 【조정신청 등】** ① 제8조에 따른 단체교섭이 결렬(決裂)된 경우에는 당사자 어느 한쪽 또는 양쪽은 중앙노동위원회에 조정(調停)을 신청할 수 있다.
> ② 중앙노동위원회는 제1항에 따라 당사자 어느 한쪽 또는 양쪽이 조정을 신청하면 지체 없이 조정을 시작하여야 한다. 이 경우 당사자 양쪽은 조정에 성실하게 임하여야 한다.
> ③ 중앙노동위원회는 조정안을 작성하여 관계 당사자에게 제시하고 수락을 권고하는 동시에 그 조정안에 이유를 붙여 공표할 수 있다. 이 경우 필요하면 신문 또는 방송에 보도 등 협조를 요청할 수 있다.
> ④ 조정은 제1항에 따른 조정신청을 받은 날부터 30일 이내에 마쳐야 한다. 다만, 당사자들이 합의한 경우에는 30일 이내의 범위에서 조정기간을 연장할 수 있다.

답 ④

06	공무원직장협의회

특정직공무원 중 재직 경력 10년 미만의 외무영사직렬ㆍ외교정보기술직렬 외무공무원은 공무원직장협의회에 가입할 수 있다.

> **「공무원직장협의회의 설립ㆍ운영에 관한 법률」 제3조 【가입범위】** ① 협의회에 가입할 수 있는 공무원의 범위는 다음과 같다.
> 1. 6급 이하의 일반직공무원 및 이에 준하는 일반직공무원
> 2. 특정직공무원 중 재직 경력 10년 미만의 외무영사직렬ㆍ외교정보기술직렬 외무공무원
> 3. 6급 이하의 일반직공무원 및 이에 준하는 일반직공무원에 상당하는 별정직공무원
> ② 제1항에도 불구하고 다음의 어느 하나에 해당하는 공무원은 협의회에 가입할 수 없다.
> 1. 「국가공무원법」 및 「지방공무원」 단서에 따라 노동운동이 허용되는 공무원
> 2. 지휘ㆍ감독의 직책에 있는 공무원
> 3. 인사, 예산, 경리, 물품출납, 비서, 기밀, 보안, 경비, 자동차운전 및 그 밖에 이와 유사한 업무에 종사하는 공무원

답 ②

공무원의 근무방식과 형태에 대한 설명으로 옳지 않은 것은?

① 유연근무제는 공무원의 근무방식과 형태를 개인 · 업무 · 기관특성에 따라 선택할 수 있는 제도이다.

② 시간선택제 근무는 통상적인 전일제 근무시간(주 40시간)보다 길거나 짧은 시간을 근무하는 제도이다.

③ 탄력근무제는 전일제 근무시간을 지키되 근무시간, 근무일수를 자율 조정할 수 있는 제도이다.

④ 원격근무제는 직장 이외의 장소에서 정보통신망을 이용하여 근무하는 제도이다.

유연근무제도에 대한 설명으로 옳지 않은 것은?

① 유연근무제도에는 시간선택제 전환근무제, 탄력근무제, 원격근무제가 포함된다.

② 원격근무제는 재택근무형과 스마트워크 근무형으로 구분된다.

③ 심각한 보안위험이 예상되는 업무는 온라인 원격근무를 할 수 없다.

④ 재택근무자의 재택근무일에도 시간외근무수당 실적분과 정액분을 모두 지급하여야 한다.

07　　공무원의 근무방식과 형태

시간선택제 근무는 통상적인 전일제 근무시간(주 40시간)보다 짧은 시간을 근무하는 제도이다. 현행 규정은 시간선택제 근무의 주당 근무시간을 20시간을 기준으로 하며, 5시간 범위 내에서 조정할 수 있다.

(선지분석)
① 유연근무제는 공무원의 근무방식과 형태를 개인·업무·기관특성에 따라 선택할 수 있는 제도로, 탄력근무제, 시간근무제, 압축근무제, 원격근무제 등이 있다.
③ 탄력근무제는 구성원들이 기준근무시간은 지키되, 각자의 근무시간계획을 정할 수 있도록 하는 제도이다.
④ 현재 원격근무제로는 재택근무 및 스마트워크센터 근무의 방식이 있다.

답 ②

08　　유연근무제도

재택근무자의 초과근무일에도 시간외근무수당의 정액분은 지급이 가능하지만, 실적분은 지급할 수 없도록 되어 있다(「공무원 보수 등의 업무지침」 - 인사혁신처 예규).

📄 **유연근무제도**

1. 자율근무제와 시간근무제(부분근무제)

자율근무제	시간근무제(부분근무제)
• 구성원들이 기준근무시간은 지키되, 각자의 근무시간계획을 정할 수 있도록 하는 제도 • 주 40시간 근무 • 출퇴근 시간 조정	• 기준근무시간의 일부만 근무하게 하는 제도 • 주 15~35시간 근무 • 단축근무

2. 압축근무제: 근무일의 근무시간을 늘리고 그 대신 주당 근무일을 줄이는 방식을 말한다.
3. 원격근무제: 원거리근무와 전자결재 즉, 사무실에 출근하지 않고 가정 또는 출장지에서 정보통신망을 이용하여 전자결재하게 하는 방식으로 재택근무 등이 이에 해당한다.
4. 호출근무제: 대기인력 집단을 확보한 후 그들이 조직에서 요구하는 때만 나와 일하게 하는 제도이다.
5. 업무할당제: 개인에게 부과된 하루의 업무량을 근무시간 8시간 이내에 마친 사람에게 조기퇴근을 허용하여 시간을 인센티브로 제공하는 방식이다.

답 ④

09 ☐☐☐

우리나라의 시간선택제 공무원제도에 대한 설명으로 옳은 것은?

① 2013년에 국가공무원, 2015년에 지방공무원을 대상으로 시간선택제채용공무원시험이 최초로 실시되었다.

② 시간선택제채용공무원의 주당 근무시간은 40시간으로 한다.

③ 유연근무제도의 일환으로 도입되었으며, 기관 사정이나 정부의 일자리 나누기 정책 구현 등을 위해서는 활용되지 않는다.

④ 시간선택제채용공무원을 통상적인 근무시간 동안 근무하는 공무원으로 임용하는 경우 어떠한 우선권도 인정하지 않는다.

THEME 073 공무원의 행정윤리와 공직부패

10 ☐☐☐

행정윤리에 대한 설명으로 옳지 않은 것은?

① 제도적 책임성이란 공무원이 전문가로서의 직업윤리와 책임감에 기초해서 자발적인 재량을 발휘해 확보되는 행정책임을 의미한다.

② 행정윤리는 사익보다는 공익과 밀접한 관계가 있다.

③ 결과주의에 근거한 윤리평가는 사후적인 것이며 문제의 해결보다는 행위 혹은 그 결과에 대한 처벌에 중점을 둔다.

④ 공무원 부패의 원인을 사회문화적 접근으로 보는 관점에서는 특정한 지배적 관습이나 경험적 습성이 부패를 조장한다는 입장이다.

---

09 │ 시간선택제 공무원제도

「공무원임용령」제3조의3에 따라 시간선택제채용공무원을 통상적인 근무시간 동안 근무하는 공무원으로 임용하는 경우 어떠한 우선권도 인정하지 않는다.

선지분석

① 시간선택제 공무원제도는 2013년에 법적 근거를 마련하고, 2014년부터 본격적으로 실시하였다.

② 시간선택제채용공무원의 주당 근무시간은 20시간으로 한다.

③ 유연근무제의 일환으로 도입되었으며, 기관 사정이나 정부의 일자리 나누기 정책 구현 등을 위해 활용되었다.

답 ④

---

10 │ 행정윤리

제도적 책임성이 아니라 자율적 책임성에 대한 설명이다. 제도적 책임성이란 객관적인 법규나 기준에 기초하여 확보되는 책임을 의미한다.

🗒 행정윤리의 의의

개념	• 공무원이 국민 전체의 봉사자로서 공무를 수행하는 과정이나 공직이라는 신분 면에서 준수해야 할 행동규범 또는 가치기준 • 민주사회 공직윤리의 규범적 기준
특성	• 높은 수준의 엄격성 • 공익추구성 • 안정적 가치체계 • 역사성, 맥락성, 생태성
행정윤리의 두 가지 차원	• 소극적 의미: '하지 말아야 할 것'을 규정하는 것으로, 부패 방지 및 부정 행위 금지 등 지켜야 할 최소한의 기준 • 적극적 의미: '해야 할 것'을 적극적으로 규정하는 것으로, 바람직한 행동 규범 및 전문성 함양, 공무원 윤리 헌장과 공무원 신조 등

답 ①

행정윤리의 특징에 대한 설명으로 옳지 않은 것은?

① 공직자 윤리나 책임성을 평가하기 위해서는 결과주의와 의무론이 균형 있게 결합되어야 한다.

② 공무원들은 국민생활에 심대한 영향을 미칠 수 있는 독점적 권력을 행사하기 때문에 높은 직업윤리를 요구받게 된다.

③ OECD는 정부의 '신뢰적자(confidence deficit)' 문제를 해결하기 위한 방안으로 윤리의 확보를 제시하고 있다.

④ 행정윤리는 특정 시점이나 사실과 관계없이 규범성과 당위성을 가지고 작동되어야 한다.

「국가공무원법」에서 규정하고 있는 공무원의 의무에 해당하지 않는 것은?

① 공무원은 재직 중은 물론 퇴직 후에도 직무상 알게 된 비밀을 엄수하여야 한다.

② 공무원은 건강하고 쾌적한 환경을 보전하기 위하여 노력하여야 한다.

③ 공무원은 공무 외에 영리를 목적으로 하는 업무에 종사하지 못하며 소속 기관장의 허가 없이 다른 직무를 겸할 수 없다.

④ 공무원은 국민 전체의 봉사자로서 친절하고 공정하게 직무를 수행하여야 한다.

11	행정윤리

행정윤리는 특정 시점이나 사실, 즉 그 국가의 관습, 규범, 문화 등의 제약을 가지고 있다.

(선지분석)

① 공직자 윤리나 책임성을 평가하기 위해서는 행정활동의 결과(성과)에 대한 평가와 행정을 수행하는 과정에서 의무를 다 하였는지 여부를 균형 있게 판단하여야 한다.

② 정부 관료의 행정수행은 국민생활에 심각하고 지대한 영향을 미칠 수 있는 독점적인 권력을 행사하기 때문에 관료들에게는 높은 직업윤리가 요구된다.

③ 신뢰적자(confidence deficit)란 국민이 정부를 신뢰하지 않아서 생기는 정부의 손실을 의미하며, 후쿠야마(Fukuyama)는 재정적자보다 신뢰적자가 더욱 심각한 문제라고 지적하였다.

답 ④

12	공무원의 의무

건강하고 쾌적한 환경을 보전하기 위하여 노력해야 한다는 것은 「국가공무원법」에서 규정하고 있는 공무원의 의무에 해당하지 않는다.

> **「국가공무원법」상 공무원의 의무**
>
> 1. 선서 의무
> 2. 성실 의무
> 3. 복종 의무
> 4. 직장 이탈 금지 의무
> 5. 친절·공정 의무
> 6. 종교중립 의무
> 7. 비밀 엄수 의무
> 8. 청렴 의무
> 9. 영예나 증여의 허가 의무
> 10. 품위 유지 의무
> 11. 영리행위 및 겸직 금지
> 12. 집단 행위 금지
> 13. 정치 운동 금지

답 ②

13 ☐☐☐

「국가공무원법」상 공직윤리에 위배되는 행위는?

① 공무원 갑은 소속 상관에게 직무상 관계가 없는 증여를 하였다.
② 공무원 을은 소속 기관장의 허가를 받아 다른 직무를 겸하였다.
③ 수사기관이 현행범인 공무원 병을 소속 기관의 장에게 미리 통보하지 않고 구속하였다.
④ 공무원 정은 대통령의 허가를 받고 외국 정부로부터 증여를 받았다.

14 ☐☐☐

다음 중 현행 「국가공무원법」상 공무원의 의무에 대한 내용으로 옳지 않은 것은?

① 공무원은 직무와 관련하여 직접적이든 간접적이든 사례·증여 또는 향응을 주거나 받을 수 없다.
② 공무원은 재직 중은 물론 퇴직 후에도 직무상 알게 된 비밀을 엄수하여야 한다.
③ 공무원은 직무상의 관계가 있든 없든 그 소속 상관에게 증여하거나 소속 공무원으로부터 증여를 받아서는 아니 된다.
④ 수사기관이 현행범인 공무원을 구속하려면 그 소속 기관의 장에게 미리 통보하여야 한다.
⑤ 공무원은 소속 상관의 허가 또는 정당한 사유가 없으면 직장을 이탈하지 못한다.

---

13 | 공직윤리

공무원은 직무상의 관계가 있든 없든 그 소속 상관에게 증여하거나 소속 공무원으로부터 증여를 받아서는 아니 된다(「국가공무원법」 제61조 제2항).

선지분석
② 공무원은 소속 기관장의 허가 없이 다른 직무를 겸할 수 없지만 허가를 받아 겸직이 가능하다(「국가공무원법」 제64조).
③ 수사기관이 공무원을 구속하려면 그 소속 기관의 장에게 미리 통보하여야 한다. 다만, 현행범은 그러하지 아니하다(「국가공무원법」 제58조 제2항).
④ 공무원이 외국 정부로부터 영예나 증여를 받을 경우에는 대통령의 허가를 받아야 한다(「국가공무원법」 제62조).

답 ①

---

14 | 공무원의 의무

수사기관이 공무원을 구속하려면 그 소속 기관의 장에게 미리 통보하여야 한다. 단, 현행범인 경우에는 그러지 아니하다.

선지분석
①, ③ 공무원은 청렴 의무가 있어, '직무와 관련'하여 사례·증여 또는 향응을 수수할 수 없으며 직무상의 관계 여하를 불문하고 그 소속상관에 증여하거나 소속공무원으로부터 증여를 받아서는 안 된다.
② 공무원은 비밀 엄수의 의무가 있어, 재직 중은 물론 퇴직 후에도 직무상 알게 된 비밀을 엄수하여야 한다.
⑤ 공무원은 직장 이탈 금지의 의무가 있어, 소속상관의 허가 또는 정당한 이유 없이 직장을 이탈하지 못한다.

답 ④

15 ☐☐☐

우리나라의 행정윤리에 대한 설명으로 옳은 것만을 모두 고르면?

> ㄱ. 「공직자윤리법」상 지방의회 의원은 외국 정부 등으로부
> 터 받은 선물의 신고 의무가 없다.
> ㄴ. 우리나라에서는 내부고발자보호제도를 법률로 규정하
> 고 있다.
> ㄷ. 「공직자윤리법」에 따르면 총경 이상의 경찰공무원과 소
> 방정 이상의 소방공무원은 재산을 등록해야 한다.
> ㄹ. 공무원의 주식백지신탁 의무는 「부패방지 및 국민권익
> 위원회의 설치와 운영에 관한 법률」에 규정되어 있다.

① ㄱ, ㄴ
② ㄱ, ㄷ
③ ㄴ, ㄷ
④ ㄷ, ㄹ

16 ☐☐☐

다음 중 「공직자윤리법」에 근거하여 재산공개 의무가 있는 공직자에 해당하지 않는 것은?

① 소방감 이상의 소방공무원
② 중장 이상의 장관급 장교
③ 치안감 이상의 경찰공무원
④ 고등법원 부장판사급 이상의 법관
⑤ 국가정보원의 기획조정실장

15	행정윤리

ㄴ. 우리나라에서는 내부고발자보호제도를 「부패방지 및 국민권익위원회의 설치와 운영에 관한 법률」에서 규정하고 있다.
ㄷ. 「공직자윤리법」에 따르면 총경(4급) 이상의 경찰공무원과 소방정(4급) 이상의 소방공무원은 재산을 등록하도록 규정하고 있다. 다만, 동시행령에서 경사(7급) 이상의 경찰공무원과 소방장(7급) 이상의 소방공무원으로 등록대상자를 확대하고 있다.

(선지분석)
ㄱ. 「공직자윤리법」 제15조 제1항에 따르면 공무원, 지방의회 의원, 공직유관단체의 임직원은 외국으로부터 선물을 받거나 그 직무와 관련하여 외국인에게 선물을 받으면 지체 없이 소속 기관·단체의 장에게 신고하고 그 선물을 인도하여야 한다. 또한 이들 가족의 경우도 동일하다.
ㄹ. 공무원의 주식백지신탁 의무는 「공직자윤리법」에 규정되어 있다.

답 ③

16	재산공개 의무

소방공무원은 소방감이 아니라 소방정감 이상이 재산공개대상에 해당한다.

(선지분석)
③ 치안감은 2급 상당 공무원이지만 경찰공무원의 경우 치안감 이상이 재산공개 대상에 해당한다.

📄 **재산등록 의무를 갖는 5~7급 일반직 공무원(「공직자윤리법 시행령」)**

1. 감사원 소속 공무원
2. 부패방지국, 심사보호국 소속 공무원
3. 국세청 및 관세청 소속 공무원
4. 검찰직, 마약수사직 공무원
5. 감사 업무를 주된 기능으로 하는 부서에 근무하는 공무원
6. 회계업무를 담당하는 부서에 근무하는 공무원
7. 건축·토목·환경·식품위생분야의 대민 관련 인·허가, 승인, 검사·감독, 지도단속업무를 담당하는 부서에 근무하는 공무원
8. 식품의약품안전처 소속 공무원 중 위해사범 수사업무를 담당하는 부서에 근무하는 공무원
9. 조세의 부과·징수·조사 및 심사에 관계되는 업무를 담당하는 부서에 근무하는 지방공무원

답 ①

17 □□□

「공직자윤리법」과 그 시행령에 근거하여 재산등록 의무를 갖는 공무원이 아닌 것은?

① 건축 · 토목 · 환경 · 식품위생 분야의 대민 관련 인 · 허가 담당 지방자치단체 소속 7급 일반직공무원

② 예산의 편성 및 심사를 담당하는 지방자치단체 소속 7급 일반직공무원

③ 조세의 부과 · 징수 · 조사 및 심사를 담당하는 지방자치단체 소속 7급 일반직공무원

④ 감사원 소속의 7급 일반직공무원

18 □□□

공직윤리와 관련한 설명으로 가장 옳지 않은 것은?

① 정무직공무원과 일반직 4급 이상 공무원은 재산등록의무가 있다.

② 공무원이 직무와 관련하여 외국인으로부터 10만 원 또는 100달러 이상의 선물을 받은 때에는 소속 기관 · 단체의 장에게 신고하고 그 선물을 인도하여야 한다.

③ 세무 · 감사 · 건축 · 토목 · 환경 · 식품위생분야의 대민업무 담당부서에 근무하는 일반직 7급 이상의 경우 재산등록대상에 해당한다.

④ 4급 이상 공무원과 공직유관단체 임직원은 퇴직일로부터 2년간, 퇴직 전 5년간 소속 부서 또는 기관 업무와 밀접한 관련이 있는 사기업체에 취업할 수 없다.

---

17 | 재산등록 의무

예산의 편성 및 심사를 담당하는 7급 공무원은 재산등록 의무를 갖지 않는다. 「공직자윤리법」상 재산등록 의무를 갖는 공무원은 4급 이상의 공무원, 정무직공무원, 법관, 검사, 공공기관 중 종래 정부투자기관으로 지정되었던 기관의 장과 부기관장 및 상임이사, 공직유관단체의 상근임원 등이다.

선지분석

①, ③, ④ 「공직자윤리법 시행령」상 대민관련 인 · 허가 담당 지방자치단체 7급 이상 공무원, 조세 담당 지방자치단체 7급 이상 공무원, 검찰직 7급 이상 공무원, 경사 이상 경찰은 재산등록 의무자이다.

답 ②

---

18 | 공직윤리

「공직자윤리법」상 재산등록대상자의 경우 퇴직 전 5년 이내에 소속하였던 부서의 업무와 밀접한 관련이 있는 영리목적의 사기업체 등에 퇴직일로부터 3년간 취업할 수 없다.

선지분석

① 대통령, 지방자치단체장 등 정무직공무원과, 4급 이상의 국가공무원은 재산등록의무가 있다.

② 선물수령신고제도에 의하여 공무원이 선물을 수령한 경우 지체 없이 소속기관 · 단체의 장에게 신고하고 선물을 인도하여야 한다.

③ 세무 · 감사 · 건축 · 토목 · 환경 · 식품위생분야의 대민업무 담당부서에 근무하는 일반직 7급 이상의 경우 재산등록대상에 해당한다.

답 ④

19 □□□

2017년 국가직 9급(4월 시행)

다음 ㄱ와 ㄴ에 들어갈 내용으로 옳은 것은?

> 「공직자윤리법」에서는 퇴직공직자의 취업제한 및 행위제한 등을 규정하고 있는데, 취업심사대상자는 퇴직일부터 (ㄱ) 간 퇴직 전 (ㄴ) 동안 소속하였던 부서 또는 기관의 업무와 밀접한 관련성이 있는 취업제한기관에 취업할 수 없다.

	ㄱ	ㄴ
①	3년	5년
②	5년	3년
③	2년	3년
④	2년	5년

20 □□□

2015년 서울시 7급

다음 중 「공직자윤리법」의 내용으로 가장 옳지 않은 것은?

① 이해충돌 방지 의무
② 정무직공무원 등의 재산등록 의무
③ 외국 정부 등으로부터 받은 선물의 신고
④ 비위면직자의 취업제한

19	「공직자윤리법」

「공직자윤리법」 제17조에서는 퇴직공직자의 취업제한 및 행위제한 등을 규정하고 있는데, 취업심사대상자는 퇴직일부터 3년간 퇴직 전 5년 동안 소속하였던 부서 또는 기관의 업무와 밀접한 관련성이 있는 취업제한기관에 취업할 수 없다.

답 ①

20	「공직자윤리법」

비위면직자의 취업제한은 「부패방지 및 국민권익위원회의 설치와 운영에 관한 법률」에 규정되어 있다.

> 📄 **공무원의 「공직자윤리법」상의 의무**
> 1. 재산등록 및 공개제도
> 2. 선물수령신고제도
> 3. 퇴직공직자의 취업제한제도
> 4. 주식백지 신탁제도
> 5. 이해충돌 방지의무

답 ④

21 □□□

공직자윤리법령의 내용으로 옳은 것은?

① 국립대학교의 학장은 재산을 등록할 의무가 없다.

② 공무원은 그 직무와 관련하여 외국인으로부터 수령 당시 국내 시가 10만 원 이상의 선물을 받으면 지체 없이 신고하고 인도하여야 한다.

③ 재산공개 대상자가 직무 관련성이 있는 경우 매각 혹은 백지신탁 해야 하는 주식의 하한가액은 5천만 원이다.

④ 퇴직한 재산등록의무자는 퇴직 시점까지의 재산변동을 퇴직일부터 6개월 이내에 신고하여야 한다.

22 □□□

다음 중 공직윤리 확보를 위해 우리나라에서 시행하고 있는 제도에 관한 설명으로 가장 옳지 않은 것은?

① 공직자 재산등록 및 공개제도는 공직자, 공직후보자의 재산정보를 등록 및 공개하는 제도로 우리나라 「공직자윤리법」에 시행근거를 두고 있다.

② 고위공직자의 직무 관련 주식 보유에 따른 공·사적 이해 충돌 방지를 위해 주식백지신탁제도를 도입·운용하고 있다.

③ 현행 「부정청탁 및 금품등 수수의 금지에 관한 법률」에 의하면 공직자는 직무관련 여부와 관계없이 동일인으로부터 1회에 100만 원 또는 매 회계연도에 300만 원을 초과하는 금품 등을 받을 수 없다.

④ 퇴직공직자 취업제한제도는 적용대상 공직자의 퇴직 후 5년 간 그가 퇴직 이전에 3년 간 속해있던 소속 부서나 기관과 밀접한 업무관련성이 있는 기관으로의 취업을 제한한다.

---

21 | 「공직자윤리법」

공무원 또는 공직유관단체의 임직원은 외국으로부터 선물을 받거나 그 직무와 관련하여 외국인에게 선물을 받으면 지체 없이 소속 기관·단체의 장에게 신고하고 그 선물을 인도하여야 한다.

(선지분석)

① 국립대학교 총장, 부총장, 대학원장, 학장은 재산등록의무대상자이다.

③ 재산공개 대상자가 직무 관련성이 있는 경우 매각 혹은 백지신탁해야 하는 주식의 하한가액은 대통령령으로 3천만 원으로 정하고 있다.

④ 퇴직한 재산등록의무자는 퇴직일로부터 2개월이 되는 날이 속하는 달의 말일 까지 그 해 1월 1일부터 퇴직일까지의 재산변동사항을 퇴직 당시의 등록기관에 신고하여야 한다.

답 ②

22 | 공직윤리

퇴직공무원 취업제한제도의 적용대상 공직자는 퇴직일부터 3년간 퇴직 전 5년 동안 소속하였던 부서 또는 기관의 업무와 밀접한 관련성이 있는 기관(취업제한기관)에 취업할 수 없다(「공직자윤리법」제17조 제1항).

(선지분석)

② 고위공직자의 직무 관련 주식 보유에 따른 공·사적 이해 충돌을 방지하기 위해, 공직자의 보유주식에 대하여 직무관련성이 인정될 경우 보유주식을 매각하거나 수탁기관에 신탁계약을 체결하게 하는 주식백지신탁제도를 운용하고 있다.

답 ④

23 ☐☐☐

다음은 판례의 일부이다. 괄호 안에 들어갈 말로 옳은 것은?

> 주식백지신탁제도라 함은 공직자의 재산과 그가 담당하는 직무 사이에 발생하는 (　　)을 사전에 회피하고, 공직자가 직위 또는 직무상 알게 된 정보를 이용하여 주식거래를 하거나 주가에 영향을 미쳐 부정하게 재산을 증식하는 것을 방지하며, 국민에 대한 봉사자로서 직무전념의무를 다하도록 하기 위해 일정금액을 초과하는 주식을 보유하고 있는 경우에는 그 주식을 매각하거나 그 주식의 관리 · 운용 · 처분 권한 일체를 수탁기관에 위임하여 자신의 재산이 어떠한 형태로 존속하는지 알 수 없도록 신탁계약을 체결하도록 하는 제도를 말한다.

① 이념갈등
② 이해충돌
③ 민간위탁
④ 부정청탁

---

23 | 이해충돌방지의무

주식백지신탁제도는 넓게 보면 이해충돌방지제도의 일부이다. 이해충돌방지의무란 「공직자윤리법」 제2조의2에서 공직자가 수행하는 직무가 공직자의 재산상 이해와 관련되어 공정한 직무수행이 어려운 상황이 일어나지 아니하도록 노력하여야 한다고 규정하고 있다.

답 ②

---

24 ☐☐☐

행정윤리 및 행정통제 제도에 대한 설명으로 옳지 않은 것은?

① 행정절차법 - 국민의 권익을 제한하는 처분을 할 경우에는 당사자에게 사전 통지해야 한다.
② 내부고발자보호제도 - 조직의 불법행위를 언론이나 국회 등 외부에 알린 조직 구성원을 보호한다.
③ 옴부즈만(ombudsman) - 행정이 잘못된 경우 해당 공무원에게 설명을 요구하고 필요한 사항을 조사하여 그 결과를 민원인에게 알려 준다.
④ 백지신탁 - 4급 이상 공무원은 이해의 충돌을 막기 위해 보유한 부동산을 수탁기관에 신탁해야 한다.

---

24 | 행정윤리 및 행정통제 제도

현행 「공직자윤리법」에 따르면 국회의원과 장·차관을 포함한 1급 이상 고위공직자, 기획재정부와 금융감독원의 4급 이상 공직자들은 의무적으로 직무와 관련된 주식을 매각하거나 수탁기관에 위탁해야 한다.

(선지분석)
② 우리나라의 내부고발보호제도는 「부패방지 및 국민권익위원회의 설치와 운영에 관한 법률」에 규정되어 있다.
③ 우리나라의 옴부즈만은 국민권익위원회이다.

답 ④

25 □□□

공무원의 복무와 관련하여 「지방공무원법」에서 규정하고 있지 않은 것은?

① 공무원은 소속 상사의 허가 없이 또는 정당한 이유 없이 직장을 이탈하지 못한다.

② 공무원은 외국정부로부터 영예 또는 증여를 받을 경우에는 대통령의 허가를 받아야 한다.

③ 퇴직한 모든 공무원은 본인 또는 제3자의 이익을 위하여 퇴직 전 소속 기관의 임직원에게 법령을 위반하게 하거나 지위 또는 권한을 남용하게 하는 등 공정한 직무수행을 저해하는 부정한 청탁 또는 알선을 하여서는 아니 된다.

④ 공무원은 공무 외에 영리를 목적으로 하는 업무에 종사하지 못하며, 소속 기관의 장의 허가 없이 다른 직무를 겸할 수 없다.

26 □□□

다음 중 공무원의 행동규범에 대한 설명으로 옳지 않은 것은?

① 공직자가 공익을 현저히 침해하는 경우 국민 300명 이상의 연서로 감사원에 감사를 청구할 수 있다.

② 우리나라의 공무원은 정치적 중립을 지키도록 법률로 명문화되어 있다.

③ 「공직자윤리법」에서는 부정부패를 방지하기 위해 공직자의 재산등록 및 공개, 퇴직공무원의 취업제한 등을 규정하고 있다.

④ 공직자는 부패 사실을 알게 되었을 경우 부패행위를 신고하도록 의무화되어 있다.

⑤ 모든 공무원은 형의 선고·징계처분 또는 「국가공무원법」에서 정하는 사유에 의하지 아니하고는 그 의사에 반해 휴직·강임 또는 면직을 당하지 아니한다.

25	공무원의 복무

'퇴직한 모든 공무원과 공직유관단체의 임직원은 본인 또는 제3자의 이익을 위하여 퇴진 전 소속 기관의 임직원에게 법령을 위반하게 하거나 지위 또는 권한을 남용하게 하는 등 공정한 직무수행을 저해하는 부정한 청탁 또는 알선을 하여서는 아니 된다'는 내용은 「공직자윤리법」 제18조의4 제1항에 규정되어 있다.

답 ③

26	공무원의 행동규범

공무원은 형의 선고, 징계처분 또는 「국가공무원법」에서 정하는 사유에 따르지 아니하고는 본인의 의사에 반하여 휴직·강임 또는 면직을 당하지 아니한다. 다만, 1급 공무원과 직무등급이 가장 높은 등급의 직위에 임용된 고위공무원단에 속하는 공무원은 그러하지 아니하다(「국가공무원법」 제68조).

(선지분석)

① 19세 이상의 국민은 공공기관의 사무처리가 법령위반 또는 부패행위로 인하여 공익을 현저히 해하는 경우 대통령령으로 정하는 일정한 수 이상의 국민의 연서로 감사원에 감사를 청구할 수 있다. 다만, 국회·법원·헌법재판소·선거관리위원회 또는 감사원의 사무에 대하여는 국회의장·대법원장·헌법재판소장·중앙선거관리위원회 위원장 또는 감사원장에게 감사를 청구하여야 한다(「부패방지 및 국민권익위원회의 설치와 운영에 관한 법률」 제72조).

② 「국가공무원법」과 「지방공무원법」에서 공무원의 정치적 중립의 의무를 규정하고 있다.

③ 「공직자윤리법」 제4조와 제10조는 공직자의 재산등록 및 공개 규정을 두고 있으며, 동법 제17조는 퇴직공무원의 취업제한 등을 규정하고 있다.

④ 누구든지 부패 사실을 알게 된 경우 신고할 수 있으며, 공직자는 부패 사실을 알게 되었을 경우 신고하여야 한다.

답 ⑤

27 ☐☐☐

행정윤리에 대한 설명으로 옳은 것을 모두 고르면?

> ㄱ. 정치와 행정의 상호작용이 활발해지면 행정윤리의 확보
>   가 어려워질 가능성이 높아진다.
> ㄴ. 「국가공무원법」, 「공직자윤리법」은 부정부패 방지 등을
>   위한 구체적이고 적극적인 행정윤리를 강조한다.
> ㄷ. 정무직공무원, 4급 이상 일반직 고위공무원은 재산등록
>   대상이지만 정부출연기관의 임원은 제외된다.
> ㄹ. 공무원의 개인적 윤리기준은 공공의 신탁(public trust)
>   과 관련된다.
> ㅁ. 행정윤리는 공무원이 수행하는 행정업무와 관련된 윤리
>   를 의미한다.

① ㄱ, ㄴ, ㄷ
② ㄱ, ㄹ, ㅁ
③ ㄴ, ㄹ, ㅁ
④ ㄷ, ㄹ, ㅁ

28 ☐☐☐

우리나라 지방자치단체의 공무원이 준수해야 할 행동규범에 관한 기술로 틀린 것은?

① 공무원은 공무 외에 영리를 목적으로 하는 업무에 종사하지 못한다.
② 공무원은 직무와 관련하여 직접적이든 간접적이든 사례(謝禮)·증여를 주거나 받을 수 없다.
③ 공무원은 종교에 따른 차별 없이 직무를 수행해야 하며 이에 위배되는 상관의 직무상 명령을 따르지 않을 수 있다.
④ 공무원의 직무와 재산상 이해 간 충돌을 방지하기 위해 노력할 의무는 지방자치단체에 있지 않고 공무원 자신에게 있다.

27	행정윤리

ㄱ. 정치와 행정의 상호작용이 활발해지면 행정의 정치적 중립성이 저하되어 행정윤리의 확보가 어려워질 수 있다.
ㄹ. 공무원의 개인적 윤리기준이 일반인보다 엄격한 이유는 공공이 신탁한 공직자이기 때문이다.
ㅁ. 행정윤리란 공무원이 수행하는 행정업무가 윤리적으로 수행되어야 하는 것과, 그 내용이 윤리적일 것을 의미한다.

(선지분석)
ㄴ. 「국가공무원법」과 「공직자윤리법」은 공무원들이 하지 말아야 할 사항들을 규정한 소극적 규정에 해당한다.
ㄷ. 정부출연기관 임원진도 재산등록대상에 포함된다.

답 ②

28	행정윤리

공무원의 직무와 재산상 이해 간 충돌을 방지하기 위해 노력할 의무는 공무원 자신에게도 있고, 국가나 지방자치단체에게도 있다.

> **「공직자윤리법」 제2조의2 【이해충돌 방지 의무】** ① 국가 또는 지방자치단체는 공직자가 수행하는 직무가 공직자의 재산상 이해와 관련되어 공정한 직무수행이 어려운 상황이 일어나지 아니하도록 노력하여야 한다.
> ② 공직자는 자신이 수행하는 직무가 자신의 재산상 이해와 관련되어 공정한 직무수행이 어려운 상황이 일어나지 아니하도록 직무수행의 적정성을 확보하여 공익을 우선으로 성실하게 직무를 수행하여야 한다.

답 ④

29 ☐☐☐

행정윤리를 벗어나는 행정권 오용행위에 대한 설명으로 옳은 것은?

① 비윤리적 행위란 공무원들이 고속도로 통행료를 착복하고 영수증을 허위 작성한다든가 또는 공공기금을 횡령하고 계약의 대가로 지불금의 일부를 가로채는 등의 행위를 말한다.

② 부정행위란 공무원들이 친구 또는 특정 정파에 호의를 베풀거나 자신의 경제적 이익을 위해 어떤 결정을 내리는 행위를 말한다.

③ 입법의도의 편향된 해석이란 정부가 환경보호 의견을 무시한 채 관련 법규에서 개발업자나 목재회사 측의 편을 들어 벌목을 허용하는 등의 행위를 말한다.

④ 실책의 은폐는 공무원들이 부여된 재량권을 행사하지 않고 적극적인 조치를 취하기를 꺼리는 현상을 말한다.

30 ☐☐☐

다음 공무원 부패의 원인에 대한 접근방법을 설명한 것 중 가장 옳지 않은 것은?

① 도덕적 접근은 부패의 원인을 부패를 저지르는 관료 개인의 윤리 의식과 자질의 탓으로 돌린다.

② 제도적 접근은 법과 제도상의 결함이나 운영의 미숙 등이 부정부패의 원인으로 작용한다고 본다.

③ 사회문화적 접근은 관료 부패를 사회문화적 환경의 독립변수로 본다.

④ 체제론적 접근은 관료 부패현상을 관료 개인의 속성과 제도, 사회문화 환경 등 여러 요인이 복합적으로 상호작용한 결과로 이해한다.

29	행정권 오용행위

입법의도의 편향된 해석은 합법적 범위 내에서 특정 이익을 옹호하는 행위를 말한다.

(선지분석)

① 부정부패행위는 정부의 수입과 지출의 과정에서 개인적으로 착복하는 것, 즉 공금을 횡령하고 공사나 물품납품의 계약 과정에서 그 대가로 지불금의 일부를 가로채는 행위를 말한다.

② 비윤리적 행위는 특혜의 대가로 금전을 수수하지 않더라도, 친구 또는 특정 집단에게 호의를 베풀거나 자신의 경제적 이익을 위해 결정을 내림으로써 공익을 침해하는 행위를 말한다.

④ 무사안일은 공무원들이 부여된 재량권을 행사하지 않고 적극적인 조치를 취하는 것을 꺼려하는 것을 말한다.

답 ③

30	공무원 부패

사회문화적 접근은 관료 부패를 사회문화적 환경의 종속변수로 본다.

(선지분석)

① 도덕적 접근은 부패를 개인행동의 결과로 보고 부패의 원인을 개인의 윤리·자질의 탓으로 돌리는 입장이다.

② 제도적 접근은 사회의 법과 제도적 장치의 결함 또는 운영상의 문제들로 부패가 발생한다고 보는 입장이다.

④ 체제론적 접근은 부패가 어느 하나의 변수에 의하여 발생하는 것이 아니라, 복합적인 요인에 의하여 발생한다고 보는 입장이다.

답 ③

31

공무원 부패에 대한 체제론적 접근방법을 설명한 것으로 옳은 것은?

① 공무원 부패는 개인들의 윤리의식과 자질 때문에 발생한다.
② 부패는 하나의 변수가 아니라 다양한 요인에 의해 복합적으로 나타난다.
③ 사회의 법과 제도상의 결함 때문에 부패가 발생한다.
④ 특정한 지배적 관습이나 경험적 습성과 같은 것이 부패를 조장한다.

공무원 부패에 대한 다양한 접근방법 중 체제론적 접근방법을 설명하고 있는 것은?

① 특정한 지배적 관습이나 경험적 습성과 같은 요인이 공무원 부패를 조장한다고 보는 접근방법이다.
② 사회의 법과 제도상의 결함, 부패관리기구와 그 운영상의 문제점 또는 예기치 않았던 부작용들이 공무원 부패를 조장한다고 보는 접근방법이다.
③ 문화적 특성, 제도상 결함, 구조상 모순 그리고 공무원의 부정적 행태 등 다양한 요인에 의해 공무원 부패가 발생한다고 보는 접근방법이다.
④ 개인의 성격 및 독특한 습성과 윤리문제를 공무원 부패의 원인으로 접근하는 방법이다.

---

31   공무원 부패

부패에 대한 체제론적 접근방법은 부패는 하나의 변수에 의하여 발생하는 것이 아니라 그 나라의 문화적 특성, 제도상 결함, 구조상의 모순, 공무원의 부정적 행태 등의 복합적인 요인에 의하여 발생한다고 보는 것을 의미한다.

(선지분석)

① 도덕적 접근방법은 부패의 원인을 개인의 윤리의식이나 자질의 탓으로 본다.
③ 제도적 접근방법은 행정통제장치, 법과 제도의 미비를 부패의 발생원인으로 본다.
④ 사회문화적 접근방법은 특정한 지배적 관습이나 경험적 습성이 부패를 조장한다고 본다.

답 ②

---

32   공무원 부패

체제론적 접근방법은 어느 하나의 변수에 의하여 부패가 발생하는 것이 아니라 복합적인 요인에 의해서 발생한다고 한다.

(선지분석)

① 사회문화적 접근방법에 대한 설명이다.
② 제도적 접근방법에 대한 설명이다.
④ 도덕적 접근방법에 대한 설명이다.

답 ③

33 □□□

공무원의 부패 방지 대책으로 가장 옳지 않은 것은?

① 행정정보 공개
② 내부고발자 보호
③ 행정절차의 간소화
④ 사회적 규제 강화

34 □□□

공무원 부패에 관한 설명으로 가장 옳지 않은 것은?

① 인·허가와 관련된 업무를 처리할 때 소위 '급행료'를 지불하는 것을 당연시하는 관행은 제도화된 부패에 해당한다.
② 금융위기가 심각함에도 불구하고 국민들의 동요나 기업활동의 위축을 막기 위해 공직자가 거짓말을 하는 것은 회색부패에 해당한다.
③ 무허가 업소를 단속하던 단속원이 정상적인 단속활동을 수행하다가 금품을 제공하는 특정 업소에 대해서 단속을 하지 않는 것은 일탈형 부패에 해당한다.
④ 공금 횡령, 개인적인 이익의 편취, 회계 부정 등은 비거래형 부패에 해당한다.

33	공무원의 부패 방지 대책

사회적 규제란 행정규제의 일종으로 환경오염 규제 등 민간기업의 사회적 책임을 위하여 정부가 행하는 규제이다. 따라서 공무원의 부패방지 대책으로 볼 수 없다.

(선지분석)
① 행정정보를 공개할 경우 공무원의 투명성을 제고하여 부패를 방지할 수 있다.
② 소극적인 방법이지만 내부고발자 보호장치를 통해 간접적으로 투명성을 확보할 수 있다.
③ 행정절차의 간소화는 번문욕례(Red tape)현상을 억제하고, 동조과잉에 따른 목적전치현상을 예방함으로써 공무원의 부패를 방지할 수 있다.

답 ④

34	공무원 부패

금융위기가 심각함에도 불구하고 국민들의 동요나 기업활동의 위축을 막기 위해 공직자가 거짓말을 하는 것은 백색부패에 해당한다. 백색부패란 사회적으로 용인될 수 있는 수준의 부패로서 사회에 심각한 해가 없거나 사익을 추구하려는 의도가 없는 선의의 목적으로 행해지는 부패이다. 회색부패는 과도한 선물수수와 같이 사회적으로 파괴적인 영향을 미칠 수 있는 잠재성을 지닌 부패이다.

(선지분석)
① 인·허가 관련 업무를 처리할 때 급행료를 지불하는 것을 당연시하는 관행, 사업을 진행하는 과정에서 공직자와의 관계가 중요시되는 것이 하나의 문화인 경우 등은 제도 자체가 부패한 제도화된 부패에 해당한다.
③ 무허가 업소를 단속하던 단속원이 여타 업소에 대해서는 정상적인 단속활동을 수행하다가 금품을 제공하는 특정 업소에 대해서만 단속을 하지 않는 것을 일탈형 부패에 해당한다.
④ 공금 횡령, 개인적인 이익의 편취, 회계 부정은 개인부패 중 일방향의 부패인 비거래형 부패에 해당한다.

답 ②

35 □□□

2018년 국가직 9급

공무원 부패의 사례와 그 유형을 바르게 연결한 것은?

> ㄱ. 무허가 업소를 단속하던 공무원이 정상적인 단속활동을
>   수행하다가 금품을 제공하는 특정 업소에 대해서는 단속
>   을 하지 않는다.
> ㄴ. 금융위기가 심각함에도 불구하고 국민들의 동요나 기업
>   활동의 위축을 방지하기 위해 금융위기가 전혀 없다고
>   관련 공무원이 거짓말을 한다.
> ㄷ. 인ㆍ허가와 관련된 업무를 담당하는 공무원의 대부분은
>   업무를 처리하면서 민원인으로부터 의례적으로 급행료
>   를 받는다.
> ㄹ. 거래당사자 없이 공금횡령, 개인적 이익편취, 회계부정
>   등이 공무원에 의해 일방적으로 발생한다.

	ㄱ	ㄴ	ㄷ	ㄹ
①	제도화된 부패	회색부패	일탈형 부패	생계형 부패
②	일탈형 부패	생계형 부패	조직부패	회색부패
③	일탈형 부패	백색부패	제도화된 부패	비거래형 부패
④	조직부패	백색부패	생계형 부패	비거래형 부패

36 □□□

2013년 국가직 7급

제도화된 부패(institutionalized corruption)의 특징이 아닌 것은?

① 부패저항자에 대한 제재와 보복
② 부패행위자에 대한 보호와 관대한 처분
③ 실제로 지켜지지 않는 반부패 행동규범의 대외적 표방
④ 공식적 행동규범을 준수하려는 성향의 일상화

35	공무원 부패

ㄱ은 일탈형 부패, ㄴ은 백색부패, ㄷ은 제도화된 부패, ㄹ은 비거래형 부패의 사례이다.

ㄱ. 일탈형 부패: 돈을 받고 단속을 눈감아주는 등 개인의 윤리적 일탈에 의하여 발생하게 되는 부패로서 연속성이 없고 구조화되지 않은 일시적인 부패이다.

ㄴ. 백색부패: 관료가 사적인 이익을 추구하지 않고, 공적인 이익을 위하여 선의의 목적으로 행해지는 부패이다.

ㄷ. 제도화된 부패: 부패가 일상화되고 제도화되어 급행료, 커미션 등이 당연시되는 것이다.

ㄹ. 비거래형 부패: 상대방과 직접적인 이익 교환이 없이 개인을 위하여 이루어지는 개인적이고 내부적인 부패로서, 공금횡령이나 회계부패가 이에 해당한다.

답 ③

36	제도화된 부패

제도화된 부패란 부패가 일상화되고 제도화되어 급행료, 커미션 등이 당연시되는 것으로 조직 전체 차원에서 연속적으로 이루어지는 부패를 말한다. 제도화된 부패의 상황에서는 부패를 저지르는 사람이 조직의 보호를 받고, 공식적인 행동규범을 준수하려는 사람은 오히려 제재를 받을 수 있다.

(선지분석)

①, ② 제도화된 부패는 부패행위자에 대해서는 보호와 관대한 처분을 내리고 오히려 부패저항자에 대해 제재나 보복을 가하는 부패를 말한다.

③ 제도화된 부패가 이루어진 조직은 반부패 행동규범을 대외적으로 표방하지만 실제로 그 행동규범이 준수되지는 않는다.

답 ④

532 해커스공무원 학원ㆍ인강 gosi.Hackers.com

37 □□□

부패와 행정통제에 대한 설명으로 옳지 않은 것은?

① 계층제는 공식적 행정통제방법이다.
② 공금횡령은 거래형 부패에 해당된다.
③ 우리나라는 공공기관의 부패행위에 대해 국민감사청구제를 시행하고 있다.
④ 우리나라는 '모든 국민의 공공기관 부패방지 시책에 대한 협력의무'를 법률로 규정하고 있다.

38 □□□

공무원 개인의 가치와 태도를 토대로 공직사회 전체의 부패 정도를 설명하려는 경우에 발생되기 쉬운 오류는?

① 환원주의(reductionism) 오류
② 표본추출(sampling) 오류
③ 통계적 회귀(statistical regression) 오류
④ 생태적 오류(ecological fallacy)

37	부패와 행정통제

공금횡령의 경우는 회계부정, 개인적 이익의 편취 등과 같이 상대방을 전제로 하지 않는 사기형 부패에 해당한다.

(선지분석)
① 계층제 및 인사관리제도에 의한 통제는 공식적·내부통제이다.
③ 우리나라는 공공기관의 부패행위에 대해 감사원에 청구할 수 있는 국민감사청구제가 시행되고 있다.
④ 「부패방지 및 국민권익위원회의 설치와 운영에 관한 법률」 제55조에 따르면 누구든지 부패행위를 알게 된 때에는 이를 위원회에 신고할 수 있다.

답 ②

38	환원주의(reductionism) 오류

지문은 환원주의(reductionism) 오류에 대한 내용이다. 환원주의 오류는 부분에 대하여 참인 것을 전체에 대하여 참이라고 단정하는 오류로서, 구성의 오류라고도 한다.

(선지분석)
② 표본추출(sampling) 오류는 모집단을 대표할 수 있는 표집을 선정하지 못함으로써 발생하는 오류이다.
③ 통계적 회귀(statistical regression) 오류는 피험자들이 특정 검사에서 매우 높은 점수를 받거나 매우 낮은 점수를 얻었다는 사실을 근거로 하여 선발되었을 때 두 번째 검사에서 그들의 점수가 평균을 향해 옮겨가는 오류이다.
④ 생태적 오류(ecologicla fallacy)는 분석단위를 연구하여 얻은 결론을 다른 수준의 분석단위에 적용시키는 오류이다.

답 ①

행정윤리에 대한 설명으로 옳지 않은 것은?

① 「공직자윤리법」상 취업심사대상자는 퇴직일부터 3년 간 퇴직 전 5년 동안 소속하였던 부서 또는 기관의 업무와 밀접한 관련성이 있는 취업제한기관에 취업할 수 없다.

② 각급 학교의 입학 · 성적 · 수행평가 등의 업무에 관하여 법령을 위반하여 처리 · 조작하도록 하는 행위는 「부정청탁 및 금품등 수수의 금지에 관한 법률」상 부정청탁에 해당한다.

③ 「부패방지 및 국민권익위원회의 설치와 운영에 관한 법률」에서는 내부고발자 보호제도를 규정하고 있다.

④ 공직자 행동강령은 공무원이 준수하여야 할 행동기준으로 「국가공무원법」에 규정되어 있다.

「부정청탁 및 금품 등 수수의 금지에 관한 법률」상 금지하는 부정청탁에 해당하지 않는 것은?

① 각급 학교의 입학 · 성적 · 수행평가 등의 업무에 관하여 법령을 위반하여 처리 · 조작하도록 하는 행위

② 공개적으로 공직자 등에게 특정한 행위를 요구하는 행위

③ 공공기관이 주관하는 각종 수상, 포상, 우수기관 선정 또는 우수자 선발에 관하여 법령을 위반하여 특정 개인 · 단체 · 법인이 선정 또는 탈락되도록 하는 행위

④ 채용 · 승진 · 전보 등 공직자 등의 인사에 관하여 법령을 위반하여 개입하거나 영향을 미치도록 하는 행위

39	행정윤리

「공직자 행동강령」은 공무원이 준수하여야 할 구체적인 행동기준으로서 대통령령으로 제정되었다.

(선지분석)

① 재산등록대상자의 경우 퇴직 전 5년 이내에 소속하였던 부서의 업무와 밀접한 관련이 있는 영리목적의 사기업체 등에 퇴직일로부터 3년 간 취업할 수 없다.

② 각급 학교의 입학 · 성적 · 수행평가 등의 업무에 관하여 법령을 위반하여 처리 · 조작하도록 하는 행위는 「부정청탁 및 금품등 수수의 금지에 관한 법률」 제5조에 부정청탁으로 규정되어 있다.

③ 내부고발자 보호제도는 「부패방지 및 국민권익위원회의 설치와 운영에 관한 법률」에 규정되어 있다.

답 ④

40	부정청탁

공개적으로 공직자 등에게 특정한 행위를 요구하는 행위는 「부정청탁 및 금품 등 수수의 금지에 관한 법률」에서 금지하는 부정청탁에 해당하지 않는다.

답 ②

41 ☐☐☐

「공무원 행동강령」에 따르면, 공무원은 직무 관련 여부 및 기부·후원·증여 등 그 명목에 관계없이 동일인으로부터 1회에 100만원 또는 매 회계연도에 300만 원을 초과하는 금품 등을 받거나 요구 또는 약속해서는 아니 된다. 그 예외에 해당하지 않는 것은?

① 특정인에게 배포하기 위한 기념품 또는 홍보용품 등이나 경연·추첨을 통하여 받는 보상 또는 상품 등
② 공무원의 친족(「민법」 제777조에 따른 친족)이 제공하는 금품 등
③ 원활한 직무수행 또는 사교·의례 또는 부조의 목적으로 제공되는 음식물·경조사비·선물 등으로서 중앙행정기관의 장 등이 정하는 가액 범위 안의 금품 등
④ 공무원과 관련된 직원상조회·동호인회·동창회·향우회·친목회·종교단체·사회단체 등이 정하는 기준에 따라 구성원에게 제공하는 금품 등 및 그 소속 구성원 등 공무원과 특별히 장기적·지속적인 친분관계를 맺고 있는 자가 질병·재난 등으로 어려운 처지에 있는 공무원에게 제공하는 금품 등

---

41 「공무원 행동강령」

특정인이 아니라 '불특정' 다수인에게 배포하기 위한 기념품 또는 홍보용품 등이나 경연·추첨을 통하여 받는 보상 또는 상품 등은 예외에 해당한다.

> 「공무원 행동강령」 제14조 【금품 등의 수수 금지】 ① 공무원은 직무 관련 여부 및 기부·후원·증여 등 그 명목에 관계없이 동일인으로부터 1회에 100만 원 또는 매 회계연도에 300만 원을 초과하는 금품 등을 받거나 요구 또는 약속해서는 아니 된다.
> ② 공무원은 직무와 관련하여 대가성 여부를 불문하고 제1항에서 정한 금액 이하의 금품 등을 받거나 요구 또는 약속해서는 아니 된다.
> ③ 제15조의 외부강의 등에 관한 사례금 또는 다음 각 호의 어느 하나에 해당하는 금품 등은 제1항 또는 제2항에서 수수(受受)를 금지하는 금품 등에 해당하지 아니한다.
> 1. 중앙행정기관의 장 등이 소속 공무원이나 파견 공무원에게 지급하거나 상급자가 위로·격려·포상 등의 목적으로 하급자에게 제공하는 금품 등
> 2. 원활한 직무수행 또는 사교·의례 또는 부조의 목적으로 제공되는 음식물·경조사비·선물 등으로서 중앙행정기관의 장 등이 정하는 가액 범위 안의 금품 등
> 3. 사적 거래(증여는 제외한다)로 인한 채무의 이행 등 정당한 권원(權原)에 의하여 제공되는 금품 등
> 4. 공무원의 친족이 제공하는 금품 등

> 5. 공무원과 관련된 직원상조회·동호인회·동창회·향우회·친목회·종교단체·사회단체 등이 정하는 기준에 따라 구성원에게 제공하는 금품 등 및 그 소속 구성원 등 공무원과 특별히 장기적·지속적인 친분관계를 맺고 있는 자가 질병·재난 등으로 어려운 처지에 있는 공무원에게 제공하는 금품 등
> 6. 공무원의 직무와 관련된 공식적인 행사에서 주최자가 참석자에게 통상적인 범위에서 일률적으로 제공하는 교통, 숙박, 음식물 등의 금품 등
> 7. 불특정 다수인에게 배포하기 위한 기념품 또는 홍보용품 등이나 경연·추첨을 통하여 받는 보상 또는 상품 등
> 8. 그 밖에 사회상규(社會常規)에 따라 허용되는 금품 등
> ④ 공무원은 제3항 제5호에도 불구하고 같은 호에 따라 특별히 장기적·지속적인 친분관계를 맺고 있는 자가 직무관련자 또는 직무관련 공무원으로서 금품 등을 제공한 경우에는 그 수수 사실을 소속 기관의 장에게 신고하여야 한다.

답 ①

---

42 ☐☐☐

공직윤리 확보를 위한 행동강령(code of conduct)에 대한 설명으로 옳지 않은 것은?

① 행동강령은 공무원에게 기대되는 바람직한 가치판단이나 의사결정을 담고 있으며, 공무원이 준수하여야 할 행동기준으로 작용한다.
② 「공무원 행동강령」은 「부패방지 및 국민권익위원회의 설치와 운영에 관한 법률」 제8조에 근거해 대통령령으로 제정되었다.
③ 「공무원 행동강령」은 중앙행정기관의 장 등에게 「공무원 행동강령」의 시행에 필요한 범위에서 해당 기관의 특성에 적합한 세부적인 기관별 공무원 행동강령을 제정하도록 규정하고 있다.
④ OECD 국가들의 행동강령은 1970년대부터 집중적으로 제정되었으며, 주로 법률 형식으로 규정하고 있다.

---

42 「공무원 행동강령」

공직윤리 확보를 위한 행동강령은 주로 법률이 아니라 대통령령 형식으로 규정하고 있다.

답 ④

PART
5

재무행정론

국가재정의 기초이론

THEME 074 예산의 본질과 기능

01 □□□
2016년 국가직 7급

우리나라 정부재정에 대한 설명으로 옳지 않은 것은?

① 일반회계예산의 세입은 원칙적으로 조세수입을 재원으로 하고 세출은 국가사업을 위한 기본적 경비지출로 구성된다.
② 실질적인 정부의 총예산 규모를 파악하는 데에는 예산순계 기준보다 예산총계 기준이 더 유용하다.
③ 중앙관서의 장은 특별회계를 신설하고자 하는 때에는 해당 법률안을 입법예고하기 전에 특별회계 신설에 관한 계획서를 기획재정부장관에게 제출하며 그 신설의 타당성에 관한 심사를 요청하여야 한다.
④ 중앙정부의 통합재정 규모는 일반회계, 특별회계, 기금, 세입세출 외 항목을 포함하지만 내부거래와 보전거래는 제외한다.

02 □□□
2014년 국가직 9급

기획재정부에서 국가재정규모를 파악할 때 사용하는 '중앙정부 총지출' 산출방식으로 옳은 것은?

① 일반회계 + 특별회계 + 기금
② 일반회계 + 특별회계 + 기금 - 내부거래
③ 경상지출 + 자본지출 + 융자지출
④ 경상지출 + 자본지출 + 융자지출 - 융자회수

01	우리나라 정부재정

예산총계는 일반회계와 특별회계의 합이고, 예산순계는 일반회계와 특별회계의 합에서 중복분을 뺀 것이다. 따라서 실질적인 정부의 총예산 규모를 파악하는 데에는 예산총계 기준보다 예산순계 기준이 더 유용하다.

(선지분석)
① 일반회계는 예산 통일성의 원칙이 가장 잘 지켜지는 영역으로, 세입은 주로 조세수입을 재원으로 하고 세출은 국가의 기본적 경비지출로 구성된다.
③ 특별회계의 남설을 방지하고 재정의 건전성과 통합성 유지를 위하여, 중앙관서의 장은 특별회계를 신설하고자 하는 때에는 해당 법률안을 입법예고하기 전에 특별회계 신설에 관한 계획서를 기획재정부장관에게 제출하며 그 신설의 타당성에 관한 심사를 요청하여야 한다.
④ 통합재정은 국가 예산의 세입세출을 총계가 아닌 내부거래와 보전거래의 중복부분을 제외한 순계로 파악하는 일종의 재정통계이다.

답 ②

02	중앙정부 총지출

중앙정부의 총지출은 '경상지출 + 자본지출 + 융자지출'이다.

주요 재정지표

예산순계	일반회계 + 특별회계 - 중복분	
예산총계	일반회계 + 특별회계	
총지출 규모	수입측면	일반회계 + 특별회계 + 기금 - 내부거래 - 보전거래
	지출측면	경상지출 + 자본지출 + 융자지출

답 ③

머스그레이브(Musgrave)가 제시한 재정의 기본 원칙에 해당하지 않는 것은?

① 자원 배분 기능
② 소득 분배의 공평화 기능
③ 경제 안정 기능
④ 행정관리적 기능

머스그레이브(Musgrave)의 정부재정 기능의 기본 원칙에 대한 설명으로 옳지 않은 것은?

① 시장실패를 교정하고 사회적 최적 생산과 소비수준이 이루어지도록 해야 한다.
② 세입 면에서는 차별 과세를 하고, 세출 면에서는 사회보장적 지출을 통해 소외계층을 지원해야 한다.
③ 고용, 물가 등과 같은 거시경제 지표들을 안정적으로 조절해야 한다.
④ 정부에 부여된 목적과 자원을 연계하여 소기의 성과를 거둘 수 있도록 관료를 통제해야 한다.

---

03   머스그레이브(Musgrave)의 재정의 기본 원칙

머스그레이브(Musgrave)의 재정의 기본 원칙으로는 자원 배분 기능, 소득 분배의 공평화 기능(재분배), 경제 안정 기능이 있다.

📄 머스그레이브(Musgrave)의 재정의 기본 원칙	
경제 안정 기능	거시경제의 운영에서 총수요를 조절함으로써 경기를 안정화하는 기능
소득 재분배 기능	정부가 재정 또는 예산을 통해 소득분배상태를 바람직한 방향으로 개선하는 기능
자원 배분 기능	재정을 통해 시장실패를 교정하고 서비스의 사회적 최적 생산과 최적 소비가 이루어지도록 하는 기능

답 ④

---

04   정부재정 기능의 기본 원칙

정부에 부여된 목적과 자원을 연계하여 소기의 성과를 거둘 수 있도록 관료를 통제해야 한다는 설명은 머스그레이브(Musgrave)의 정부재정 기능의 기본 원칙에 해당하지 않는다. 머스그레이브는 예산의 경제적 기능을 강조하여 재정의 3대 기능으로 자원 배분 기능, 소득 재분배 기능, 경제 안정 기능을 들고 있다.

(선지분석)
① 자원 배분 기능에 대한 설명이다.
② 소득 재분배 기능에 대한 설명이다.
③ 경제 안정 기능에 대한 설명이다.

답 ④

우리나라의 예산안과 법률안의 의결방식에 대한 설명으로 가장 옳지 않은 것은?

① 법률에 대해서는 대통령의 거부권 행사가 가능하지만 예산은 거부권을 행사할 수 없다.

② 예산으로 법률의 개폐가 불가능하지만, 법률로는 예산을 변경할 수 있다.

③ 법률과 달리 예산안은 정부만이 편성하여 제출할 수 있다.

④ 예산안을 심의할 때 국회는 정부가 제출한 예산안의 범위 내에서 삭감할 수 있고, 정부의 동의 없이 지출예산의 각 항의 금액을 증가하거나 새 비목을 설치할 수 없다.

우리나라에서 예산과 법률의 차이에 대한 설명으로 옳은 것은?

① 국회는 발의·제출된 법률안을 수정·보완할 수 있지만, 제출된 예산안은 정부의 동의 없이는 수정할 수 없다.

② 국회에 제출된 법률안은 의결기한에 제한이 없으나, 예산안은 매년 12월 2일까지 예산결산특별위원회의 심사를 마쳐야 한다.

③ 대통령은 국회가 의결한 법률안에 대해 거부권이 있지만, 국회의결 예산에 대해서는 사안별로만 재의요구권이 있다.

④ 일반적으로 법률은 국가기관과 국민에 대해 구속력을 갖지만, 예산은 국가기관에 대해서만 구속력을 갖는다.

05	예산과 법률

우리나라에서는 예산과 법률의 성립요건과 형식이 본질적으로 달라 상호 간의 수정이나 개폐·변경이 불가능하다.

📄 **예산과 법률의 비교**

구분	예산	법률
제출권자	정부	국회, 정부
제출기간	회계연도 개시 120일 전	제한 없음
국회심의권	정부의 동의 없이 증액 및 새 비목의 설치 불가	자유로운 수정 가능
대통령거부권	거부권 행사 불가	거부권 행사 가능
공포	공포 불요, 국회 의결로서 확정	대통령의 공포로써 효력 발생
대인적 효력	국가기관 구속	국민·국가기관 모두를 구속
시간적 효력	회계연도에 국한	계속적인 효력
형식적 효력	예산으로 법률 개폐 불가	법률로 예산 변경 불가

답 ②

06	예산과 법률

법률은 국가와 국민 모두를 구속하나 세출예산은 국가기관에 대해서만 구속력을 가진다.

(선지분석)

① 국회는 발의·제출된 법률안을 수정·보완할 수 있지만, 제출된 예산안은 정부의 동의 없이는 증액하거나 새 비목을 설치할 수 없다. 다만 삭감하거나 비목을 폐지할 수는 있다.

② 국회에 제출된 법률안은 의결기한에 제한이 없으나, 예산안은 매년 12월 2일(회계연도 개시 30일 전)까지 본회의의 심사를 마쳐야 한다.

③ 대통령은 국회가 의결한 법률안에 대해 거부권이 있지만, 국회의결 예산에 대해서는 거부권 및 재의요구권이 없다.

답 ④

07 ☐☐☐

다음 중 정부운영에서 예산이 가지는 특성에 대한 설명으로 옳지 않은 것은?

① 예산 과정을 통해 정부정책의 산출을 평가하고 측정할 수 있다.

② 예산은 정부정책 중 보수적인 영역에 속한다.

③ 예산이 결정되는 과정에는 다양한 주체들의 상호작용이 끊임없이 발생한다.

④ 희소한 공공재원의 배분에서 기회비용이 우선 고려된다.

⑤ 정보를 제공하는 양식에 따라 예산제도는 품목별예산, 프로그램예산, 기획예산, 성과주의예산, 영기준예산 등의 순으로 발전해 왔다.

08 ☐☐☐

우리나라 행정환경의 주요 행위자들 간의 관계에 대한 설명으로 옳지 않은 것은?

① 국회는 국민의 대표기관으로 민주주의원칙에 합당하게 행정이 이루어지고 있는지를 감시하고 통제하는 권한을 가진다.

② 정부는 국회에 법률안을 제출할 수 있고, 대통령은 법률에서 구체적으로 범위를 정하여 위임받은 사항과 법률을 집행하기 위해 필요한 사항에 관하여 대통령령을 발할 수 있다.

③ 헌법재판소의 위헌결정은 행정부의 활동에 지대한 영향을 미칠 수 있다.

④ 대통령은 국회가 확정한 본예산에 대하여 재의를 요구할 수 있다.

07	예산제도

예산제도는 품목별예산(1920년대), 성과주의예산(1950년대), 기획예산(1960년대), 영기준예산(1970년대), 신성과주의예산(1990년대) 등의 순으로 발전해왔다.

(선지분석)
① 예산은 정책을 계량화하고 수치화 한 표현이므로 예산 과정을 통해 정부정책의 산출 평가와 측정이 가능하다.
② 예산은 전년도 예산을 기준으로 편성되므로 기본적으로 보수적인 영역에 속한다.
③ 예산은 다양한 사회주체들의 흥정, 협상, 타협의 결과물이다.

답 ⑤

08	우리나라 행정환경의 주요 행위자

국회가 의결한 법률에 대해 대통령은 재의요구권을 행사할 수 있지만, 예산에 대해서는 재의를 요구할 수 없다.

(선지분석)
① 국회는 국민의 대표기관으로, 행정부의 행정을 감시하고 통제함으로써 민주주의의 원칙을 실현할 수 있다.
③ 헌법재판소 등 사법부의 결정은 그 자체가 하나의 정책형성 기능을 할 수 있다.

답 ④

09 ▢▢▢

다음은 우리나라의 예산에 관한 설명이다. 옳지 않은 설명은?

① 예산은 정부만이 제안권을 갖고 있고 국회는 제안권을 갖고 있지 않다.

② 예산안을 심의할 때 국회는 정부가 제출한 예산안의 범위 내에서 삭감할 수 있으나, 정부의 동의 없이 지출예산 각 항의 금액을 증액할 수 없다.

③ 예산은 국가기관만을 구속한다.

④ 예산은 국회의 의결로 성립하지만 정부의 수입 지출의 권한과 의무는 별도의 법률로 규정된다.

⑤ 국회에서 의결된 예산에 대해서 대통령이 거부권을 행사할 수 있다.

09	우리나라의 예산

우리나라는 예산이 국회에서 '의결'의 형식을 가진다. 법률과 달리 의결된 예산은 대통령의 거부권 행사가 불가능하다.

선지분석

① 법률은 정부와 국회 모두 제안권을 가지고 있으나, 예산은 정부만이 제안권을 가지고 있다.

② 예산안을 심의할 때 국회는 정부의 동의가 없더라도 정부가 제출한 예산안의 범위 내에서 삭감할 수 있으나, 정부의 동의 없이 지출예산 각 항의 금액을 증액하거나 새 비목을 설치할 수 없다.

③ 법률은 국가기관과 국민 모두를 구속하나, (세출)예산은 국가기관만을 구속한다.

④ 우리나라는 조세법률주의를 택하고 있는 영구세주의의 국가로, 예산은 국회의 의결로 성립하지만 정부의 수입 지출의 권한과 의무는 별도의 법률로 규정된다.

답 ⑤

THEME 075 예산회계의 법적 기초

10 ▢▢▢

「국가재정법」상 국가재정 운용에 대한 설명으로 가장 옳지 않은 것은?

① 정부는 필요한 경우 회계·기금 간 여유재원의 전입·전출을 할 수 있는데, 국민연금기금과 공무원연금기금은 제외하고 있다.

② 외국차관을 도입하여 전대하는 경우는 예산총계주의 원칙의 예외에 해당한다.

③ 공무원 보수 인상을 위한 인건비 충당을 위해서는 예비비의 사용목적을 지정할 수 없다.

④ 정부는 대통령의 승인을 얻은 예산안을 회계연도 개시 150일 전까지 국회에 제출하여야 한다.

10	국가재정 운용

정부는 대통령의 승인을 얻은 예산안을 회계연도 개시 120일 전까지 국회에 제출하여야 한다(「국가재정법」제33조).

선지분석

① 정부는 국가재정의 효율적 운용을 위하여 필요한 경우에는 다른 법률의 규정에 불구하고 회계 및 기금의 목적 수행에 지장을 초래하지 아니하는 범위 안에서 회계·기금 간 여유재원의 전입·전출을 할 수 있지만, 국민연금기금, 공무원연금기금은 제외하고 있다(「국가재정법」제13조 제1항).

② 국가가 현물로 출자하는 경우와 외국차관을 도입하여 전대(轉貸)하는 경우에는 이를 세입세출예산 외로 처리할 수 있다(「국가재정법」제53조 제2항).

③ 공무원의 보수 인상을 위한 인건비 충당을 위하여는 예비비의 사용목적을 지정할 수 없다(「국가재정법」제22조 제2항).

> **「국가재정법」제13조【회계·기금 간 여유재원의 전입·전출】**① 정부는 국가재정의 효율적 운용을 위하여 필요한 경우에는 다른 법률의 규정에 불구하고 회계 및 기금의 목적 수행에 지장을 초래하지 아니하는 범위 안에서 회계와 기금 간 또는 회계 및 기금 상호 간에 여유재원을 전입 또는 전출하여 통합적으로 활용할 수 있다. 다만, 다음 각 호의 특별회계 및 기금은 제외한다.
> 1. 우체국보험특별회계
> 2. 국민연금기금
> 3. 공무원연금기금
> 4. 사립학교교직원연금기금
> 5. 군인연금기금
> 6. 고용보험기금
> 7. 산업재해보상보험및예방기금
> 8. 임금채권보장기금
> 9. 방사성폐기물관리기금
> 10. 그 밖에 차입금이나 「부담금관리기본법」제2조의 규정에 따른 부담금 등을 주요 재원으로 하는 특별회계와 기금 중 대통령령으로 정하는 특별회계와 기금

답 ④

542   해커스공무원 학원·인강 gosi.Hackers.com

11 □□□

「국가재정법」 제1조에 규정된 재정운영 목적과 그에 대한 설명으로 옳지 않은 것은?

① 재정운영의 형평성은 구성원 사이의 재화와 서비스를 공평하게 나누는 것을 의미하며, 이를 위하여 성인지예산제도를 규정하고 있다.

② 재정의 투명성이란 재정의 편성부터 심의 · 집행에 이르는 과정에서의 제반 사항 및 경과를 일반 국민들이 확인할 수 있는 정도를 의미한다.

③ 재정 건전성은 지출이 수입의 범위 내에서 충당되어 국채 발행이나 차입이 없는 재정운용 또는 다소 적자가 발생하더라도 장기적으로 상환 가능할 정도로 크지 않은 재정운용을 의미한다.

④ 성과지향성이란 투입을 중심으로 하는 전통적인 재정운용방식에서 벗어나 성과를 중심으로 재정사업을 평가 · 관리하는 것을 의미하며, 재정지출뿐만 아니라 조세지출에도 적용된다.

12 □□□

「국가재정법」 및 「지방자치법」상 정부와 지방자치단체의 장은 국회와 지방의회에 회계연도 개시 며칠 전까지 예산안을 제출해야 하는가?

	정부	광역지방자치단체	기초지방자치단체
①	90일	40일	30일
②	90일	50일	30일
③	120일	50일	40일
④	120일	50일	30일

11	재정운영 목적

「국가재정법」에서 재정운영의 형평성은 직접적으로 규정하고 있지 않다.

> **「국가재정법」 제1조【목적】** 이 법은 국가의 예산·기금·결산·성과관리 및 국가채무 등 재정에 관한 사항을 정함으로써 효율적이고 성과지향적이며 투명한 재정운용과 건전재정의 기틀을 확립하고 재정운용의 공공성을 증진하는 것을 목적으로 한다.

답 ①

12	「국가재정법」상 예산

「국가재정법」상 예산은 회계연도 개시 120일 전까지, 「지방자치법」상 지방정부의 예산은 광역자치단체의 경우 50일 전까지, 기초자치단체의 경우 40일 전까지 제출하여야 한다.

📄 중앙정부와 지방정부의 예산제도 비교

구분	중앙정부	지방정부
제출시한	회계연도 개시 120일 전	• 광역: 50일 전 • 기초: 40일 전
의결시한	회계연도 개시 30일 전	• 광역: 15일 전 • 기초: 10일 전
예산결정의 확실성	높음	낮음
추경예산 편성빈도	보통 연 1~2회	보통 연 3~4회
상임위원회 예비심사	필수	일부 기초의회는 생략
예산결산특별위원회	상설	비상설
국정·행정감사	30일 (정기국회 개시 전 실시)	• 광역: 14일 • 기초: 9일(정례회의에서 실시)

답 ③

13 □□□

우리나라의 성인지예산제도에 대한 설명으로 옳지 않은 것은?

① 정부는 예산이 여성과 남성에게 미치는 효과를 평가하고, 그 결과를 정부의 예산편성에 반영하기 위하여 노력하여야 한다.

② 성인지예산서는 기획재정부장관이 각 중앙관서의 장과 협의하여 제시한 작성기준 및 방식 등에 따라 여성가족부장관이 작성한다.

③ 성인지예산서에는 성인지예산의 개요, 규모, 성평등 기대효과, 성과목표 및 성별 수혜 분석 등의 내용이 포함되어야 한다.

④ 성인지결산서에는 집행실적, 성평등 효과분석 및 평가 등이 포함되어야 한다.

14 □□□

성인지예산(gender budgeting)에 대한 설명으로 옳지 않은 것은?

① 예산 과정에 성 주류화(gender mainstreaming)의 적용을 의미한다.

② 성 중립적(gender neutral) 관점에서 출발한다.

③ 우리나라는 「국가재정법」에서 성인지 예산서와 결산서 작성을 의무화하였다.

④ 성인지적 관점의 예산운영은 새로운 재정운영의 규범이 되고 있다.

13	우리나라의 성인지예산제도

성인지예산서는 기획재정부장관이 여성가족부장관과 협의하여 제시한 작성기준 및 방식 등에 따라 각 중앙관서의 장이 작성하도록 되어 있다(「국가재정법」 제73조).

> 📄 **성인지예·결산(gender budget)제도**
>
> 1. 성인지예산제도는 국가예산이 남녀 평등하게 배분될 수 있도록 배분하는 제도이다.
> 2. 예산이 여성과 남성에게 미치는 효과를 평가하고, 예산편성에 반영하기 위하여 성인지예·결산제도를 예산의 원칙에 명문화하고, 이에 따른 성인지예산서와 예산이 성차별을 개선하는 방향으로 집행되었는지 평가하는 성인지결산서를 첨부서류로 국회에 제출해야 한다.

답 ②

14	성인지예산

성 중립적 관점과 성인지적 관점은 서로 다르다. 성 중립적 관점이 남녀 간의 획일적인 평등을 강조하는 소극적·기회의 공평이라면, 성인지적 관점은 남녀 간의 적극적인 공평을 구현하려는 결과의 공평을 의미한다.

(선지분석)

③ 「국가재정법」 제26조와 제57조에서 성인지 예산서와 결산서 작성을 각각 의무화하고 있다.

> **「국가재정법」 제26조 【성인지 예산서의 작성】** ① 정부는 예산이 여성과 남성에게 미칠 영향을 미리 분석한 보고서를 작성하여야 한다.
> **제57조 【성인지 결산서의 작성】** ① 정부는 여성과 남성이 동등하게 예산의 수혜를 받고 예산이 성차별을 개선하는 방향으로 집행되었는지를 평가하는 보고서를 작성하여야 한다.

답 ②

15 □□□

예산성과금에 대한 설명으로 옳지 않은 것은?

① 각 중앙관서의 장은 예산낭비신고센터를 설치·운영하여야 한다.

② 각 중앙관서의 장은 예산의 집행방법 또는 제도의 개선 등으로 인하여 수입이 증대되거나 지출이 절약된 때에는 이에 기여한 자에게 성과금을 지급할 수 있다.

③ 각 중앙관서의 장은 직권으로 성과금을 지급하거나 절약된 예산을 다른 사업에 사용할 수 있다.

④ 예산낭비신고, 예산절감과 관련된 제안을 받은 중앙관서의 장 또는 기금관리주체는 그 처리 결과를 신고 또는 제안을 한 자에게 통지하여야 한다.

⑤ 예산낭비를 신고하거나 예산낭비 방지 방안을 제안한 일반 국민도 성과금을 받을 수 있다.

16 □□□

우리나라의 국가채무에 대한 설명으로 가장 옳지 않은 것은?

① 국가채무의 범위는 「국가회계법」 제91조 제2항에 따라 결정된다.

② 정부의 대지급 이행이 확정된 채무의 경우 국공채 및 차입금이 아니더라도 국가채무에 포함시킨다.

③ 국가의 회계 또는 기금이 인수하여 보유하고 있는 채권과 차입금은 국가채무 대상에서 제외시킨다.

④ 보증채무는 재정통계에 포함시키지 않는다.

---

15 │ 예산성과금

각 중앙관서의 장은 성과금을 지급하거나 절약된 예산을 다른 사업에 사용하고자 하는 때에는 '예산 성과금 심사위원회'의 심사를 거쳐야 한다(「국가재정법」 제49조 제2항).

선지분석

① 각 중앙관서의 장 또는 기금관리주체는 법 제100조 제1항에 따른 예산·기금의 불법지출에 대한 국민의 시정요구, 예산낭비신고, 예산절감과 관련된 제안 등을 접수·처리하기 위해 예산낭비신고센터를 설치·운영하여야 한다(「국가재정법 시행령」 제51조 제1항).

② 각 중앙관서의 장은 예산의 집행방법 또는 제도의 개선 등으로 인하여 수입이 증대되거나 지출이 절약된 때에는 이에 기여한 자에게 성과금을 지급할 수 있으며, 절약된 예산을 다른 사업에 사용할 수 있다(「국가재정법」 제49조 제1항).

④ 예산낭비신고, 예산절감과 관련된 제안을 받은 중앙관서의 장 또는 기금관리주체는 그 처리 결과를 신고 또는 제안을 한 자에게 통지하여야 한다(「국가재정법 시행령」 제51조 제2항).

⑤ 「예산성과금 규정」 제15조 제1항 제3호에 규정되어 있다.

답 ③

---

16 │ 우리나라의 국가채무

우리나라의 국가채무의 범위는 「국가회계법」이 아니라 「국가재정법」 제91조 제2항에 따라 결정된다.

> **「국가재정법」 제91조 【국가채무의 관리】** ① 기획재정부장관은 국가의 회계 또는 기금이 부담하는 금전채무에 대하여 매년 다음 각 호의 사항이 포함된 국가채무관리계획을 수립하여야 한다.
> 1. 전전년도 및 전년도 국채 또는 차입금의 차입 및 상환실적
> 2. 당해 회계연도의 국채 발행 또는 차입금 등에 대한 추정액
> 3. 해당 회계연도부터 5회계연도 이상의 기간에 대한 국채 발행 계획 또는 차입 계획과 그에 따른 국채 또는 차입금의 상환 계획
> 4. 해당 회계연도부터 5회계연도 이상의 기간에 대한 채무의 증감 전망과 근거 및 관리 계획
> 5. 그 밖에 대통령령이 정하는 사항
> ② 제1항의 규정에 따른 금전채무는 다음 각 호의 어느 하나에 해당하는 채무를 말한다.
> 1. 국가의 회계 또는 기금(재원의 조성 및 운용방식 등에 따라 실질적으로 국가의 회계 또는 기금으로 보기 어려운 회계 또는 기금으로서 대통령령이 정하는 회계 또는 기금을 제외한다. 이하 이 항에서 같다)이 발행한 채권
> 2. 국가의 회계 또는 기금의 차입금
> 3. 국가의 회계 또는 기금의 국고채무부담행위
> 4. 그 밖에 제1호 및 제2호에 준하는 채무로서 대통령령이 정하는 채무
> ③ 제2항의 규정에 불구하고 다음 각 호의 어느 하나에 해당하는 채무는 국가채무에 포함하지 아니한다.
> 1. 「국고금관리법」 제32조 제1항의 규정에 따른 재정증권 또는 한국은행으로부터의 일시차입금
> 2. 제2항 제1호에 해당하는 채권 중 국가의 회계 또는 기금이 인수 또는 매입하여 보유하고 있는 채권
> 3. 제2항 제2호에 해당하는 차입금 중 국가의 다른 회계 또는 기금으로부터의 차입금
> ④ 기획재정부장관은 제1항의 규정에 따른 국가채무관리계획을 수립하기 위하여 필요한 때에는 관계 중앙관서의 장에게 자료제출을 요청할 수 있다.

답 ①

17 ☐☐☐

국가채무에 대한 설명으로 옳지 않은 것은?

① 기획재정부장관은 국가채무관리계획을 수립하여야 한다.
② 국채를 발행하고자 할 때에는 국회의 의결을 얻어야 한다.
③ 우리나라가 발행하는 국채의 종류에 국고채와 재정증권은 포함되지 않는다.
④ 우리나라의 GDP 대비 국가채무비율은 일본과 미국보다 낮은 상태이다.

18 ☐☐☐

「국가재정법」상 재정건전화에 대한 설명으로 옳지 않은 것은?

① 국세감면율이란 당해 연도 국세 수입총액 대비 국세감면액 총액의 비율을 말한다.
② 국가의 회계 또는 기금의 국고채무부담행위는 국가채무에 해당한다.
③ 국가가 보증 채무를 부담하고자 하는 때에는 미리 국회의 동의를 얻어야 한다.
④ 정부는 국회에서 추가경정예산안이 확정되기 전에 이를 미리 배정하거나 집행할 수 없다.

17	국가채무

우리나라 국채의 종류에는 국고채, 국민주택채권, 재정증권이 있다. 국고채는 세금 부족 시 발행하는 채권이고, 국민주택채권은 국민주택건설 자금 마련을 위해 발행하는 채권이며, 재정증권은 일시적 자금 조달을 목적으로 1년을 만기로 발행하는 채권이다.

[선지분석]

①, ② 국가채무에 대한 체계적인 관리를 위해 기획재정부장관은 매년 국채·차입금의 상환실적 및 상환계획, 증감에 대한 전망 등을 포함하는 국가채무관리계획을 수립하여 회계연도 개시 120일 전까지 국회에 제출하여야 한다.
④ 우리나라의 GDP 대비 국가채무비율은 약 38% 정도로 일본(약 230%)이나 미국(약 140%)에 비해 낮은 편이다.

답 ③

18	재정건전화

국세감면율이란 당해 연도 국세 수입총액과 국세감면액 총액을 합한 금액에서 국세감면액 총액이 차지하는 비율을 의미한다.

> 국세감면율 = 국세감면액 / (국세 수입총액 + 국세감면액)

답 ①

19 ☐☐☐

우편사업, 우체국예금사업, 양곡관리사업, 조달사업을 수행하기 위한 특별회계예산의 운용에 관한 사항을 규정하고 있는 현행법은?

① 「공공기관의 운영에 관한 법률」
② 「정부기업예산법」
③ 「예산회계법」
④ 「정부산하기관관리기본법」

THEME 076 정부회계제도

20 ☐☐☐

정부회계의 기장방식에 대한 설명으로 옳지 않은 것은?

① 단식부기는 발생주의 회계와, 복식부기는 현금주의 회계와 서로 밀접한 연계성을 갖는다.
② 단식부기는 현금의 수지와 같이 단일 항목의 증감을 중심으로 기록하는 방식이다.
③ 복식부기에서는 계정 과목 간에 유기적 관련성이 있기 때문에 상호 검증을 통한 부정이나 오류의 발견이 쉽다.
④ 복식부기는 하나의 거래를 대차 평균의 원리에 따라 차변과 대변에 동시에 기록하는 방식이다.

19	4대 정부기업

우편사업, 우체국예금사업, 양곡관리사업, 조달사업은 4대 정부기업에 해당하며 이에 「정부기업예산법」이 적용된다.

답 ②

20	정부회계의 기장방식

단식부기는 현금주의 회계와, 복식부기는 발생주의 회계와 서로 밀접한 관계를 갖는다.

(선지분석)
② 단식부기는 현금주의에서 주로 채택하는 회계처리방식으로, 차변과 대변의 구분 없이 현금 등의 증감으로 발생된 거래의 한 쪽 면만을 기재한다.
③ 복식부기는 단식부기와는 달리 어떠한 거래가 발생하더라도 차변과 대변 양변에 동일한 금액이 이중으로 기재되므로 대차평균의 원리에 의해서 자기검증이 가능하다.
④ 복식부기는 하나의 거래를 대차평균의 원리에 따라 차변(왼쪽)과 대변(오른쪽)에 이중 기록하는 방식이다.

답 ①

21 □□□

정부회계제도의 기장방식에 대한 〈보기〉의 설명과 바르게 짝지어진 것은?

〈보기〉
ㄱ. 현금의 수불과는 관계없이 경제적 자원에 변동을 주는 사건이 발생된 시점에 거래를 인식하는 방식이다.
ㄴ. 하나의 거래를 대차평균의 원리에 따라 차변과 대변에 이중 기록하는 방식이다.

	ㄱ	ㄴ
①	현금주의	복식부기
②	발생주의	복식부기
③	발생주의	단식부기
④	현금주의	단식부기

21	정부회계제도의 기장방식

ㄱ은 발생주의, ㄴ은 복식부기에 해당하는 설명이다.

📄 회계방식의 분류

1. 현금주의와 발생주의 비교(거래인식 시점에 따른 분류)

구분	현금주의	발생주의
장점	• 이해가 쉽고 절차와 운용이 간편 • 현금흐름의 파악이 용이 • 회계처리의 객관성	• 비용과 편익 등 재정성과 파악이 용이 • 자기검증기능 및 회계상 오류 방지 기능 • 회계 간 연계 파악이 용이
단점	• 기록의 정확성 확인 곤란 • 단식부기에 의한 조작 가능성 • 자산 증감이나 재정성과 파악 곤란 • 감가상각 등 거래의 실질 및 원가 미반영 • 회계 간 연계 파악 곤란	• 자산평가 및 감가상각 시 회계담당자의 주관성 작용 • 현금흐름의 파악 곤란 • 자산가치의 정확한 판단 곤란 • 수익의 과대평가가 이루어져 재무정보상 왜곡 발생 우려

2. 단식부기와 복식부기 비교(기장방식에 따른 분류)

구분	단식부기	복식부기
장점	단순하고 작성 및 관리가 용이	오류 발견이 용이, 자기검증기능
단점	• 기록의 정확성 검증이 어려움 • 이익과 손실원인의 명확한 파악이 곤란 • 오류의 자기검증이 곤란	• 회계처리비용이 과다 발생 • 전문적 회계지식의 요구
적용	소규모 기업 및 비영리 기업	채무 및 대규모 기업

답 ②

---

22 □□□

최근 정부회계제도 개혁의 일환으로 도입되고 있는 복식부기의 장점이 아닌 것은?

① 정부재정 활동의 효율성, 투명성, 책임성을 제고할 수 있다.
② 정부재정에 있어 미래 지향적 재정관리의 기반을 조성할 수 있다.
③ 공공부문의 생산성 향상을 위한 유용한 회계정보의 활용을 기대할 수 있다.
④ 상당액의 부채가 존재해도 현금으로 지출되지 않은 경우 재정건전 상태로 결산이 가능하다.

22	복식부기

복식부기는 발생주의에서 주로 채택하는 회계처리방식으로, 하나의 거래를 대차평균의 원리에 따라 차변(왼쪽)과 대변(오른쪽)에 이중 기록하고, 차변의 합계와 대변의 합계를 반드시 일치시켜 자기검증기능을 가지는 기장방식이다. ④는 현금주의에서 나타나는 단점으로 자산 증감이나 재정성과를 파악하기 어렵고, 현금주의하에서는 이미 발생했지만 아직 지불되지 않은 채무에 관한 정보를 제공하지 않기 때문에 가용재원에 대한 과대평가가 이루어지기 쉽다.

선지분석
①, ③ 복식부기를 도입하면 수입과 지출의 검증을 통하여 정부재정활동의 효율성, 투명성, 책임성을 제고할 수 있다.
② 복식부기는 자산과 부채를 인식할 수 있으므로 미래 지향적 재정관리의 기반을 조성할 수 있다.

답 ④

23 ☐☐☐

정부회계 기장방식에 있어서 복식부기의 특징이라고 볼 수 없는 것은?

① 거래의 이중성에 따라 거래의 인과관계를 기록한다.
② 감가상각과 대손상각은 발생주의에서 비용으로 인식된다.
③ 기장 내용에 대한 자기검증 기능을 확보할 수 있다.
④ 종합적 재정 상태를 알 수 없으나 자동 이월기능이 있다.

23	복식부기

한 회계연도의 세출예산을 자동 이월할 수 있어 시기적인 신축성을 유지할 수 있고, 종합적인 재정 상태의 파악이 가능하다.

선지분석

①, ③ 복식부기는 차변과 대변에 거래의 오류를 검증하는 기록을 한다.
② 감가상각은 토지를 제외한 고정 자산에 생기는 가치의 소모를 각 결산기마다 계산하여 그 자산의 가격을 감해 가는 회계상의 절차이고, 대손상각은 정부가 보유한 채권 중 채무자의 상환능력이 없거나 사실상 회수가 불가능한 채권을 회계기준에 따라 대손충당금과 상계하여 채권 등의 자산을 손비로 처리하는 것이다. 단식부기는 감가상각과 대손상각을 인식할 수 없지만, 발생주의에서는 비용으로 인식된다.

답 ④

24 ☐☐☐

정부회계를 복식부기의 원리에 따라 기록할 경우 차변에 위치할 항목은?

① 차입금의 감소
② 순자산의 증가
③ 현금의 감소
④ 수익의 발생

24	복식부기

차입금(부채)의 감소는 차변에 기입한다. 나머지 순자산의 증가, 수익의 증가, 현금의 감소는 모두 대변에 기입한다.

📋 복식부기의 이해

구분	차변	대변
자산 부채 자본(순자산)	+ (자산의 증가) − (부채의 감소) − (자본의 감소)	− (자산의 감소) + (부채의 증가) + (자본의 증가)
비용 수익	+ (비용의 증가) − (수익의 감소)	− (비용의 감소) + (수익의 증가)
재무상태표	자산	부채, 자본(순자산)
손익계산서	비용	수익

답 ①

25 □□□

발생주의 회계에 대한 설명으로 옳은 것은?

① 자의적 회계처리가 불가능하여 통제가 용이하다.
② 기관별 성과의 비교가 가능하다.
③ 감가상각과 미지급금 등의 인식이 어렵다.
④ 자산, 부채, 자본(순자산) 등을 인식하지 못하는 단점이 있다.

26 □□□

다음 괄호 안에 들어갈 내용으로 바르게 짝지어진 것은?

> 정부회계의 '발생주의'는 정부의 수입을 (ㄱ) 시점으로,
> 정부의 지출을 (ㄴ) 시점으로 계산하는 방식을 의미한다.

	ㄱ	ㄴ
①	현금수취	현금지불
②	현금수취	지출원인행위
③	납세고지	현금지불
④	납세고지	지출원인행위

25	발생주의

발생주의는 통합(연결)재무제표 작성으로 회계 간 연계파악이 용이하기 때문에 기관별 성과의 비교가 가능하다는 장점이 있다.

선지분석

① 회계처리가 객관적이어서 관리 및 집행의 통제가 유용한 것은 현금주의의 특징이다.
③ 감가상각 등 거래의 실질 및 원가를 반영하지 않는 것은 현금주의의 특징이다.
④ 자산, 부채, 자본 등을 인식하지 못하는 것은 현금주의의 특징이다.

답 ②

26	발생주의

발생주의는 수입과 지출의 실질적인 원인행위가 발생하는 시점을 기준으로 회계계리를 한다. 따라서 발생주의는 정부의 수입을 '납세고지' 시점으로, 정부의 지출을 '지출원인행위' 시점으로 계산하는 방식을 의미한다.

답 ④

발생주의 회계제도에 대한 설명으로 옳지 않은 것은?

① 거래나 사건이 발생하는 시점에서 인식하는 것으로 자산·부채·수입·지출을 정확하게 측정하기 위한 회계기법이다.

② 미지급금·부채성충당금 등을 포함하여 부채를 정확하게 측정한다.

③ 산출에 대한 원가 산정이 가능하기 때문에 분권화된 조직의 자율과 책임을 구현할 수 있는 중요한 수단이다.

④ 이 제도를 사용하더라도 현금흐름보고서를 통해 현금흐름을 파악할 수 있으며, 부채를 과소평가하는 현금주의 회계제도의 단점을 극복할 수 있다.

발생주의·복식부기 회계방식에 대한 설명으로 옳지 않은 것은?

① 기본적으로는 현금의 출납에 근거한 회계방식이다.

② 원가 개념을 제고하고 성과측정능력을 향상시킬 수 있다.

③ 재정의 투명성을 높이고 회계의 자기검증기능을 통해 예산집행의 오류 및 비리와 부정을 줄일 수 있다.

④ 회수 불가능한 부실채권에 대한 정보 왜곡의 우려가 있다.

---

27 ┃ 발생주의

발생주의 회계란 현금의 유입과 유출에 관계없이 현금이동을 발생시키는 경제적 사건이 발생한 시점에서 거래를 인식하는 방식으로 미지급비용이나 미수수익은 현금주의에서는 인식되지 않지만 발생주의에서는 각각 부채와 자산으로 인식된다. 자산과 부채 파악으로 재정의 실질적 건전성을 확보하기 용이하다는 장점이 있지만 회계담당자의 주관성이 작용할 우려가 있고 수입의 과대평가가 이루어져 재무정보상 왜곡이 발생할 가능성 등 자산가치의 정확한 파악이 곤란하다는 단점이 있다. 발생주의 회계제도는 자산과 부채의 인식을 중시하지만, 수입과 지출은 현금주의에서 더 정확하게 측정된다.

(선지분석)

② 발생주의 회계제도는 자산과 부채를 인식할 수 있다는 장점이 있다.

③ 발생주의 회계제도를 도입할 경우 산출에 대한 원가 산정이 가능하기 때문에, 조직의 하부에 권한을 부여하여 하부 조직이 재량적으로 산출량을 제고하도록 함으로써 자율과 책임을 구현할 수 있다.

④ 발생주의 회계제도를 사용하더라도 현금흐름보고서를 사용할 경우 현금주의 회계제도처럼 현금흐름을 파악할 수 있으며, 부채에 대한 인식이 미진한 현금주의 회계제도의 단점을 극복할 수 있다.

답 ①

28 ┃ 발생주의·복식부기

현금의 출납에 근거한 회계방식은 현금주의이다.

📄 **복식부기와 발생주의**

1. 복식부기와 발생주의는 반드시 논리 필연적인 것은 아니며, 복식부기하에서 현금주의 운용도 가능하다.

2. 단식부기에서는 자산·부채·자본을 별도로 인식하지 않아 발생주의에 의한 기장은 불가능하므로, 발생주의의 도입은 복식부기 제도의 도입을 전제로 한다.

3. 발생주의에 따른 복식부기 도입 시 문제점
   · 회계처리절차가 복잡하고 전문성을 가진 공무원이 부족하다.
   · 감가상각이나 원가계산 등 추정과 판단을 필요로 하는 항목이 존재하므로 객관성과 신뢰성이 미흡하다.

답 ①

29 □□□

발생주의·복식부기에 기초한 재무회계방식을 도입하여 적용하고 있는 우리나라 중앙정부 재무제표의 구성요소가 아닌 것은?

① 재정상태표
② 재정운영표
③ 현금흐름표
④ 순자산변동표

30 □□□

우리나라 정부회계에 대한 설명으로 옳지 않은 것은?

① 기획재정부장관은 회계연도마다 중앙관서 결산보고서를 통합하여 국가의 결산보고서를 작성한 후 국무총리의 승인을 받아야 한다.
② 재무제표는 재정상태표, 재정운영표, 순자산변동표로 구성되며, 재무제표에 대한 주석을 포함한다.
③ 재정운영표의 모든 수익과 비용은 발생주의 원칙에 따라 거래나 사실이 발생한 기간에 표시한다.
④ 재정상태표는 재정상태표일 현재의 자산과 부채의 명세 및 상호관계 등 재정상태를 나타내는 재무제표로서 자산, 부채 및 순자산으로 구성된다.

29	발생주의·복식부기

우리나라 중앙정부의 재무제표는 재정상태표, 재정운영표, 순자산변동표로 구성되어 있다.

📄 정부 재무제표의 구성

재정상태표	• 자산, 부채, 순자산 • '일정시점'의 자산과 부채의 명세 및 상호관계 등의 재정상태를 나타내는 표
재정운영표	• 수익, 비용, 순이익 • '일정기간'의 재정운영성과를 나타내는 표
순자산변동표	• 자산, 부채, 순자산 • '일정기간(회계연도)'의 순자산 증감내역을 보여주는 표

답 ③

30	우리나라 정부회계

기획재정부장관은 「국가회계법」에서 정하는 바에 따라 회계연도마다 중앙관서 결산보고서를 통합하여 국가의 결산보고서를 작성한 후 대통령의 승인을 받은 국가결산보고서를 다음 연도 4월 10일까지 감사원에 제출하여야 한다(「국가재정법」 제59조).

선지분석
② 우리나라 정부의 재무제표에는 현금흐름표가 포함되지 않는다.
④ 재정상태표는 자산, 부채, 순자산으로 구성되며 '일정시점'의 자산과 부채의 명세 및 상호관계 등의 재정상태를 나타내는 표이다.

답 ①

THEME 077 재무행정조직

31 ☐☐☐

다음 중 재무행정조직의 삼원체제(三元體制)가 지니는 장점이 아닌 것은?

① 분파주의 방지
② 세입과 세출의 유기적 관련성 확보
③ 강력한 행정력 발휘
④ 효과적인 행정관리 수단

---

31   재무행정조직의 삼원체제

세입과 세출의 유기적 관련성을 확보할 수 있는 것은 이원체제의 장점이다. 재무행정조직의 삼원체제는 중앙예산기관(세출예산담당)과 국고수지총괄기관(재정, 회계, 징세, 금융 등 관장), 중앙은행이 분리되어 있는 체제이다. 따라서 세입과 세출의 유기적 연계가 어렵다.

📑 재무행정조직의 체제

구분	삼원체제(분리형)	이원체제(통합형)
개념	• 대통령중심제형(예산기구 행정수반 직속형) • 중앙예산기관(세출예산담당)과 국고수지총괄기관(재정·회계·징세·금융 등을 관장)이 분리 예 미국의 재무부, 관리예산처(OMB), 연방준비은행, 우리나라 2008년 이전 기획예산처, 재정경제부, 한국은행 등	• 내각책임제형(예산기관이 국고수지를 총괄하는 재무성 소속형) • 중앙예산기관(세출예산담당)과 국고수지총괄기관(재정·회계·징세·금융 등을 관장)이 통합 예 영국의 재무성, 일본의 재무성, 과거 우리나라의 재정경제원, 현재 우리나라의 기획재정부 등
장점	• 중앙예산관리기능의 효과적인 행정관리수단 제공 • 강력한 행정력 • 각 부처로부터의 초월적 입장으로서 분파주의 방지	세입과 세출 간 유기적 관련성 증대
단점	세입과 세출의 관장기관이 달라 양자 간의 유기적 관련성 저하	• 분파주의 발생 가능 • 강력한 행정력 발휘 곤란

답 ②

THEME 078 예산의 원칙

32 ☐☐☐
2019년 서울시 9급(2월 추가)

예산의 원칙과 내용을 가장 옳게 짝지은 것은?

① 예산 단일성의 원칙 – 예산은 모든 국민이 알기 쉽게 분류, 정리되어야 한다는 원칙
② 예산 완전성의 원칙 – 모든 수입과 지출은 예산에 계상되어야 한다는 원칙
③ 예산 엄밀성의 원칙 – 정해진 목표를 위해서 정해진 금액을 정해진 기간 내에 사용해야 한다는 원칙
④ 예산 한정성의 원칙 – 국가의 예산은 하나로 존재해야 한다는 원칙

---

32   예산의 원칙

예산 완전성의 원칙은 모든 세입과 세출은 빠짐없이 예산에 계상되어야 한다는 원칙으로, 예산총계주의라고도 한다. 예산 완전성 원칙의 예외로는 전대차관, 순계예산, 수입대체경비, 기금, 현물출자 등이 있다.

(선지분석)
① 예산 단일성의 원칙은 국가의 예산이 하나로 존재해야 한다는 원칙이다.
③ 예산 엄밀성의 원칙은 예산이 결산과 일치해야 한다는 원칙으로, 정확성의 원칙이라고도 불린다.
④ 예산 한정성의 원칙은 예산은 정해진 목표를 위해서 정해진 금액을 정해진 기간 내에 사용해야 한다는 원칙이다.

답 ②

PART 5

2021 해커스공무원 11개년 기출문제집 이준 행정학

CHAPTER 1 국가재정의 기초이론 **553**

33 ☐☐☐
2019년 지방직 7급

다음 중 예산원칙의 예외를 옳게 짝지은 것은?

	한정성 원칙	단일성 원칙
①	목적세	특별회계
②	예비비	목적세
③	이용과 전용	수입대체경비
④	계속비	기금

34 ☐☐☐
2013년 지방직 9급

예산원칙의 예외에 대한 설명으로 옳지 않은 것은?

① 특별회계는 단일성의 원칙에 대한 예외이다.
② 준예산제도는 사전의결의 원칙에 대한 예외이다.
③ 예산의 이용(移用)은 한계성의 원칙에 대한 예외이다.
④ 목적세는 공개성의 원칙에 대한 예외이다.

33	예산원칙의 예외

한정성의 원칙은 예산의 사용목적, 사용금액, 사용시간에 명확한 한계가 있어야 한다는 원칙으로, 계속비는 시간 한정성 원칙에 예외에 해당한다. 단일성의 원칙은 예산이 가능한 한 하나의 단일한 예산으로 편성되어야 한다는 원칙이며, 예외로는 추가경정예산, 특별회계, 기금이 있다.

답 ④

34	예산원칙의 예외

목적세는 통일성의 원칙에 대한 예외이다. 통일성 원칙의 예외로는 목적세, 수입대체경비, 특별회계, 기금 등이 있다.

선지분석
① 특별회계는 예산이 가능한 한 하나의 단일예산으로 편성되어야 한다는 단일성의 원칙에 대한 예외이다.
② 준예산제도는 행정부가 예산을 집행하기 전에 미리 국회의 심의·의결이 이루어져야 한다는 사전의결의 원칙에 대한 예외이다.
③ 예산의 이용은 예산의 사용목적, 사용금액, 사용시간에 명확한 한계가 있어야 한다는 한계성의 원칙에 대한 예외이다.

답 ④

35 ☐☐☐

예산 통일성의 원칙에 대한 예외가 아닌 것은?

① 특별회계
② 목적세
③ 계속비
④ 수입대체경비

36 ☐☐☐

정부의 예산편성·집행 시 지켜야 할 규범이 되는 예산의 원칙에도 예외가 인정되고 있다. 전통적인 예산의 원칙과 그 예외의 연결이 옳지 않은 것은?

① 한계성 원칙 – 앞당기어 충당·사용
② 명확성 원칙 – 총괄예산
③ 단일성 원칙 – 기금
④ 사전의결 원칙 – 목적세

---

35 ⋮ 예산 통일성의 원칙

예산 통일성의 원칙이란 특정한 수입과 특정한 지출이 연계되어서는 안 된다는 것으로 국고통일의 원칙이라고도 한다. 예산 통일성의 원칙에 대한 예외로는 목적세, 특별회계, 수입대체경비, 기금이 있으며 계속비는 예산 한정성 원칙의 예외에 해당한다.

답 ③

---

36 ⋮ 전통적인 예산의 원칙과 그 예외

사전의결 원칙의 예외로는 준예산, 대통령의 긴급재정경제처분 등이 있다. 목적세, 특별회계 등은 예산 통일성 원칙의 예외로서, 예산 통일성의 원칙은 특정한 세입과 세출을 직접 연계해서는 안 된다는 원칙이다.

(선지분석)
① 한계성 원칙의 예외로는 예비비, 추가경정예산, 이용과 전용, 이월, 계속비, 앞당기어 충당·사용 등이 있다.
② 명확성 원칙의 예외로는 총괄예산이 있다.
③ 단일성 원칙의 예외로는 추가경정예산, 특별회계, 기금이 있다.

답 ④

예산의 원칙에 대한 설명으로 옳지 않은 것은?

① 입법부가 사전에 의결한 사항만 집행이 가능하다는 사전의결의 원칙의 예외로는 긴급명령과 준예산 등이 있다.
② 예산총계주의는 모든 세입과 세출이 예산에 계상되어야 한다는 것을 의미한다.
③ 정부가 특정 수입과 특정 지출을 직접 연계해서는 안 된다는 한계성 원칙의 예외로는 예비비, 계속비 등이 있다.
④ 예산은 결산과 일치해야 한다는 예산 엄밀성의 원칙은 정확성의 원칙이라고도 불린다.

예산 한정성 원칙의 예외로 볼 수 없는 것은?

① 예비비 편성
② 추가경정예산
③ 특별회계 운용
④ 예산의 이용 및 전용

37	예산의 원칙

예산의 한정성 원칙은 예산에는 사용목적·사용금액 및 사용시간에 명확한 한계가 있어야 한다는 원칙이다. 정부가 특정 수입과 특정 지출을 직접 연계해서는 안 된다는 원칙은 통일성의 원칙이다. 통일성의 원칙의 예외로는 특별회계, 기금, 목적세, 수입대체경비가 있다.

(선지분석)
① 사전의결의 원칙은 행정부가 예산을 집행하기 전에 국회의 심의와 의결이 이루어져야 한다는 원칙으로, 예외로는 사고이월, 준예산, 예비비의 지출, 전용, 대통령의 긴급재정경제처분 등이 있다.
② 예산총계주의는 모든 세입과 세출이 예산에 빠짐없이 계상되어야 한다는 총계이다.
④ 예산 엄밀성의 원칙은 정확성의 원칙이라고도 불리며, 예산과 결산이 가능한 한 일치하여야 한다는 원칙이다.

답 ③

38	예산 한정성 원칙의 예외

예산 한정성의 원칙이란 예산에는 사용목적과 사용금액 및 사용시간에 명확한 한계가 있어야 한다는 원칙이다. 특별회계는 단일성의 원칙과 통일성의 원칙의 예외에 해당한다.

📄 예산 한정성 원칙의 예외	
양적 한정성(초과지출금지)의 예외	예비비, 추가경정예산
질적 한정성(목적외 사용금지)의 예외	이용(利用), 전용(轉用)
시간 한정성(회계연도 경과지출 금지)의 예외	이월, 계속비, 과거의 앞당겨 충당 사용(조상충용)

답 ③

39 ☐☐☐

예산의 원칙의 예외에 대한 설명 중 옳지 않은 것은?

① 국가정보원 예산의 비공개는 예산 공개의 원칙에 대한 예외이다.

② 수입대체경비, 차관물자대 등은 예산총계주의 원칙에 대한 예외이다.

③ 특별회계와 추가경정예산은 예산 단일성의 원칙에 대한 예외이다.

④ 예산 한정성의 원칙 중 예산 목적 외 사용금지인 질적 한정의 원칙은 엄격히 지켜지고 있다.

40 ☐☐☐

예산의 이용, 예비비, 계속비는 공통적으로 어떤 예산원칙에 대한 예외인가?

① 포괄성의 원칙

② 단일성의 원칙

③ 한정성의 원칙

④ 통일성의 원칙

39	예산의 원칙의 예외

목적 외 사용금지(질적 한정성)의 원칙이란 입법부가 정해준 비목 외 다른 용도로는 예산을 사용할 수 없다는 원칙으로, 현실적으로 엄격하게 지켜지기 어려우며 이용(利用), 전용(轉用)이 목적 외 사용금지 원칙의 예외에 해당한다.

(선지분석)

① 국가정보원의 예산이나 일부 국방비 등 국가 안보를 위한 예산을 공개하지 않는 것은 예산 공개의 원칙의 예외에 해당한다.

② 수입대체경비, 차관물자대, 순계예산, 기금, 현물출자 등은 모든 세입과 세출이 빠짐없이 예산에 계상되어야 한다는 예산총계주의 원칙의 예외에 해당한다.

③ 특별회계, 추가경정예산, 기금은 예산이 가능한 한 하나의 단일예산으로 편성되어야 한다는 예산 단일성의 원칙의 예외에 해당한다.

답 ④

40	한정성의 원칙

예산 한정성의 원칙이란 예산은 사용목적·사용금액 및 사용시간에 있어 명확한 한계를 지켜야 한다는 원칙으로 예산의 이용은 질적 한정성(목적 외 사용금지), 예비비는 양적 한정성(초과지출금지), 계속비는 시간 한정성(회계연도 경과지출의 금지)의 예외에 해당한다.

(선지분석)

① 예산 포괄성(완전성)의 원칙이란 모든 세입과 세출은 빠짐없이 예산에 계상되어야 한다는 원칙으로, 예산총계주의를 의미한다.

② 예산 단일성의 원칙이란 단일(하나)의 회계장부를 사용하여야 한다는 원칙이다.

④ 예산 통일성의 원칙이란 모든 수입은 국고에 귀속되고 국고로부터 지출이 이루어져야 한다는 국고통일의 원칙으로, 특정 수입과 특정 지출이 연계되어서는 안 된다는 원칙이다.

답 ③

다음 〈보기〉에서 ㄱ과 ㄴ에 해당하는 내용을 바르게 연결한 것은?

〈보기〉

(ㄱ)은(는) 국가가 특별한 용역 또는 시설을 제공하고 그 제공을 받은 자로부터 비용을 징수하는 경우의 당해 경비로서 기획재정부장관이 정하는 경비를 의미하며, 「국가재정법」상 (ㄴ)의 예외로 규정되어 있다.

	ㄱ	ㄴ
①	수입대체경비	예산 총계주의 원칙
②	전대차관	예산 총계주의 원칙
③	전대차관	예산 공개의 원칙
④	수입대체경비	예산 공개의 원칙

예산의 원칙에 대한 설명 중 옳지 않은 것은?

① 공개성의 원칙에는 예외가 있다.
② 사전의결의 원칙에는 예외가 있다.
③ 통일성의 원칙은 회계장부가 하나여야 한다는 원칙이다.
④ 목적세는 예산원칙의 예외이다.
⑤ 총괄예산제도는 명확성의 원칙과 관련이 있다.

41	예산 총계주의 원칙

각 중앙관서의 장은 용역 또는 시설을 제공하여 발생하는 수입과 관련되는 경비로서 대통령령이 정하는 경비(이하 '수입대체경비'라 한다)에 있어 수입이 예산을 초과하거나 초과할 것이 예상되는 때에는 그 초과수입을 대통령령이 정하는 바에 따라 그 초과수입에 직접 관련되는 경비 및 이에 수반되는 경비에 초과지출할 수 있고, 수입대체경비 등 예산 총계주의 원칙의 예외에 관하여 필요한 사항은 대통령령으로 정한다(「국가재정법」 제53조).

선지분석
②, ③ 전대차관은 외국환은행이 국내거주자에게 수입결제자금으로 전대할 것을 조건으로 외국의 금융기관에서 도입하는 외화자금이다.

답 ①

42	예산의 원칙

회계장부가 하나여야 한다는 원칙은 '단일성의 원칙'이다. 통일성의 원칙은 특정한 세입과 세출이 바로 연계되지 않고 국고가 하나로 통일되어야 한다는 원칙으로 목적세, 수입대체경비, 특별회계, 기금 등이 예외에 해당한다.

선지분석
① 공개성 원칙의 예외로 국방비, 국가정보원의 예산 등이 있다.
② 사전의결 원칙의 예외로 사고이월, 준예산, 예비비 지출, 긴급명령, 선결처분 등이 있다.
④ 목적세는 통일성 원칙의 예외이다.
⑤ 총괄예산제도는 명확성 원칙의 예외이다.

답 ③

43 □□□

예산의 원칙과 그 예외사항에 대한 설명으로 옳은 것은?

① 특정 수입과 특정 지출이 연계되어서는 안 된다는 것은 단일성의 원칙이다.
② 예산은 주어진 목적, 규모 그리고 시간에 따라 집행되어야 한다는 원칙은 예산 총계주의 원칙이다.
③ 예산구조나 과목은 이해하기 쉽도록 단순해야 한다는 것은 통일성의 원칙이다.
④ 특별회계는 통일성의 원칙과 단일성의 원칙의 예외적인 장치에 해당된다.

44 □□□

「국가재정법」상 다음 원칙의 예외에 대한 규정으로 옳지 않은 것은?

> • 한 회계연도의 모든 수입을 세입으로 하고, 모든 지출을 세출로 한다.
> • 한 회계연도의 세입과 세출은 모두 예산에 계상하여야 한다.

① 수입대체경비에 있어 수입이 예산을 초과하거나 초과할 것이 예상되는 때에는 그 초과수입을 대통령령이 정하는 바에 따라 그 초과수입에 직접 관련되는 경비 및 이에 수반되는 경비에 초과지출할 수 있다.
② 국가가 현물로 출자하는 경우에는 이를 세입세출예산 외로 처리할 수 있다.
③ 국가가 외국차관을 도입하여 전대하는 경우에는 이를 세입세출예산 외로 처리할 수 있다.
④ 출연금이 지원된 국가연구개발사업의 개발 성과물 사용에 따른 대가를 사용하는 경우에는 이를 세입세출예산 외로 처리할 수 있다.

43	예산의 원칙

특별회계는 특정한 세입으로 특정한 세출에 충당하기 위하여 일반회계와 별도로 구분·경리하는 예산이다. 특별회계는 예산 통일성의 원칙과 예산 단일성 원칙의 예외에 해당한다.

(선지분석)
① 특정 수입과 특정 지출이 연계되어서는 안 된다는 것은 통일성의 원칙이다.
② 예산은 주어진 목적, 규모 그리고 시간에 따라 집행되어야 한다는 원칙은 한정성의 원칙이다.
③ 예산구조나 과목은 이해하기 쉽도록 단순해야 한다는 것은 명료성의 원칙이다.

답 ④

44	완전성의 원칙

제시문은 완전성의 원칙에 대한 설명이다. 완전성의 원칙이란 모든 세입과 세출은 빠짐없이 예산에 계상되어야 한다는 원칙으로 예산 총계주의를 의미하며, 예외로는 수입대체경비(①), 현물출자(②), 전대차관(③)이 있다. 연구개발사업의 대가(④)는 「국가재정법」 제정 시(2007년)에는 예외로 인정이 되었으나 2014년 「국가재정법」 개정으로 예외에서 제외되었다.

답 ④

45 ☐☐☐
2010년 서울시 9급

국가가 현물로 출자하는 경우와 외국차관을 도입하여 전대(轉貸)하는 경우에 이를 세입세출예산 외로 처리할 수 있도록 한 것은 어떤 원칙의 예외인가?

① 예산 완전성의 원칙
② 예산 공개의 원칙
③ 예산 통일의 원칙
④ 예산 단일의 원칙
⑤ 예산 엄밀성의 원칙

46 ☐☐☐
2015년 서울시 9급

다음은 예산의 원칙에 대한 설명이다. 바르게 짝지어진 것은?

> • A: 한 회계연도의 세입과 세출은 모두 예산에 계상하여야 한다.
> • B: 모든 수입은 국고에 편입되고 여기에서부터 지출이 이루어져야 한다.

	A	B
①	예산 단일의 원칙	예산 총계주의 원칙
②	예산 총계주의 원칙	예산 단일의 원칙
③	예산 통일의 원칙	예산 총계주의 원칙
④	예산 총계주의 원칙	예산 통일의 원칙

45	예산 완전성의 원칙

예산 완전성의 원칙은 한 회계연도의 모든 수입을 세입으로 하고, 모든 지출은 세출로 하며 세입과 세출은 모두 예산에 계상되어야 한다는 예산 총계주의 원칙이다. 현물출자나 전대차관은 모두 예산 완전성의 원칙에 대한 예외이다.

(선지분석)
② 예산 공개의 원칙은 모든 예산이 공개되어야 한다는 원칙이며, 우리나라는 매년 「예산개요」를 발간하고 인터넷에 예산을 공개하고 있다.
③ 예산 통일의 원칙은 특정 수입과 특정 지출이 연계되어서는 안 된다는 원칙으로, 국가의 모든 수입은 일단 국고에 편입되고 여기서 지출이 이루어져야 한다는 원칙이다.
④ 예산 단일의 원칙은 예산이 가능한 한 하나의 단일예산으로 편성되어야 한다는 원칙이다.
⑤ 예산 엄밀성의 원칙은 예산과 결산이 가능한 한 일치하여야 한다는 원칙이다.

답 ①

46	예산의 원칙

A는 예산 총계주의 원칙에 대한 설명이고, B는 예산 통일의 원칙에 대한 설명이다.

(선지분석)
• 예산 단일의 원칙: 예산은 가능한 하나의 단일예산으로 편성되어야 한다는 원칙이다.
• 예산 통일의 원칙: 특정한 수입과 특정한 지출이 연계되어서는 안 된다는 원칙으로 전체 세입을 전체 세출에 충당해야 한다는 국고통일의 원칙이다.

답 ④

예산의 원칙과 그 내용, 예외사항을 순서대로 나열한 것으로 옳지 않은 것은?

① 사전의결의 원칙 – 회계연도 개시 전 예산 확정 – 준예산
② 통일성의 원칙 – 특정 수입과 특정 지출의 연계 금지 – 특별회계
③ 단일성의 원칙 – 세입과 세출 내역의 명시적 나열 – 이용과 전용
④ 완전성의 원칙 – 예산총계주의 – 전대차관

자원관리의 효율성과 계획성을 강조하는 현대적 예산제도의 원칙에 해당하지 않는 것은?

① 행정부에 의한 책임부담의 원칙
② 예산관리수단 확보의 원칙
③ 공개의 원칙
④ 다원적 절차채택의 원칙

---

47 ┊ 예산의 원칙

세입과 세출 내역의 명시적 나열은 명료성의 원칙과 관련이 있고, 명료성의 원칙에 대한 예외로는 총괄예산 등이 있다. 이용과 전용은 한정성의 원칙, 특히 양적 한정성에 대한 예외이다.

(선지분석)
① 사전의결의 원칙은 행정부의 예산 집행 전 국회의 심의·의결이 이루어져야 한다는 내용이며, 예외로는 준예산, 사고이월, 예비비의 지출, 전용 등이 있다.
② 통일성의 원칙은 특정 수입과 특정 지출이 연계되어서는 안 된다는 내용이며, 예외로는 특별회계, 목적세, 수입대체경비, 기금이 있다.
④ 완전성의 원칙은 모든 세입과 세출은 예산에 빠짐없이 계상되어야 한다는 내용이며, 예외로는 전대차관, 순계예산, 수입대체경비, 기금 등이 있다.

답 ③

48 ┊ 현대적 예산제도의 원칙

공개의 원칙은 예산의 고전적 예산제도의 원칙에 해당한다.

📑 **고전적 예산제도의 원칙과 현대적 예산제도의 원칙**

고전적 예산제도의 원칙	• 공개의 원칙 • 단일성의 원칙 • 명료성의 원칙 • 사전의결의 원칙 • 엄밀성의 원칙 • 완전성의 원칙 • 통일성의 원칙 • 한정성의 원칙
현대적 예산제도의 원칙	• 행정부 계획의 원칙 • 행정부 책임의 원칙 • 행정부 재량의 원칙 • 수단구비의 원칙 • 보고의 원칙 • 다원적 절차의 원칙 • 시기 신축성의 원칙 • 예산기구 상호성의 원칙

답 ③

다음 예산의 원칙 중 스미스(Smith)가 주장한 현대적 예산의 원칙은?

① 예산은 미리 결정되어 회계연도가 시작되면 바로 집행할 수 있도록 해야 한다.
② 예산의 편성, 심의, 집행은 공식적인 형식을 가진 재정 보고 및 업무 보고에 기초를 두어야 한다.
③ 모든 예산은 공개되어야 한다.
④ 예산구조나 과목은 국민들이 이해하기 쉽게 단순하여야 한다.

49	현대적 예산의 원칙

보고의 원칙에 대한 설명이다. 보고의 원칙은 스미스(Smith)가 주장한 현대적 예산의 원칙에 해당한다.

(선지분석)
① 사전의결의 원칙에 대한 설명이다.
③ 공개성의 원칙에 대한 설명이다.
④ 명료성의 원칙에 대한 설명이다.

답 ②

다음 중 전통적 예산원칙에 해당하지 않는 것은?

① 예산은 국민에게 공개되고 누구나 알 수 있어야 한다.
② 예산집행 전 입법부의 의결을 거쳐야 한다.
③ 예산은 회계연도 내에 집행되어야 한다.
④ 사업계획과 예산편성이 연계되어야 한다.
⑤ 예산은 주어진 목적 범위 내에서 집행되어야 한다.

50	전통적 예산원칙

행정부 계획의 원칙으로서, 사업계획과 예산편성을 유기적으로 연계되어야 한다는 것은 현대적 예산원칙에 해당한다.

(선지분석)
① 전통적 예산원칙으로 공개성의 원칙에 대한 설명이다.
② 전통적 예산원칙으로 사전의결의 원칙에 대한 설명이다.
③, ⑤ 전통적 예산원칙으로 한정성의 원칙에 대한 설명이다.

답 ④

51 ☐☐☐

2013년 서울시 7급 변형

예산 및 조세에 대한 내용으로 옳은 것은?

① 원가절감에 관한 정보를 제공하는 데에는 현금주의 회계가 발생주의 회계보다 유리하다.
② 부가가치세와 같은 간접세는 비례세(proportional rate tax)라는 점에서 조세형평상 직접세에 비해 불공평하다.
③ 이로운 외부효과가 발생하는 서비스에 정부보조금을 제공하는 것은 정부예산의 정치적 기능에 속한다.
④ 출연금이 지원된 국가개발연구사업의 개발 성과물의 사용은 예산 완전성 원칙의 적용을 받는다.
⑤ 예산이 하나만 존재해야 한다는 예산 한정성의 원칙은 입법부 우위의 예산원칙이다.

THEME 079 예산의 분류

52 ☐☐☐

우리나라 정부예산의 과목구조에 대한 설명으로 옳은 것은?

① 우리나라 예산은 소관별로 구분된 후 목별로 분류되고 마지막으로 기능을 중심으로 분류된다.
② 성질별로 분류할 때 물건비는 목(성질)에 해당하고, 운영비는 세목에 해당한다.
③ 기능을 중심으로 장은 부문, 관은 분야, 항은 프로그램, 세항은 단위사업을 의미한다.
④ 장 사이의 상호 융통(전용)은 국회의 통제를 받는다.
⑤ 세항의 경우 입법과목이고, 목은 행정과목이다.

51	예산 및 조세

예산 완전성 원칙이란 모든 세입과 세출은 빠짐없이 예산에 계상되어야 한다는 것으로 예산총계주의라고도 한다. 출연금이 지원된 국가개발연구사업의 개발 성과물의 사용은 예산 완전성 원칙의 예외에 해당하지 않는다.

선지분석

① 원가절감에 관한 정보 등의 재정정보 제공은 현금주의 회계보다 발생주의 회계가 더 유리하다.
② 부가가치세는 단일세율 구조와 역진세적 성격을 띤다는 점에서 조세형평상 직접세에 비해 불공평하다.
③ 이로운 외부효과가 발생하는 서비스에 정부보조금을 제공하는 것은 정부예산의 경제적 기능에 속한다.
⑤ 예산이 하나만 존재해야 한다는 예산 단일성의 원칙은 입법부 우위의 예산원칙이다.

답 ④

52	우리나라 정부예산의 과목구조

성질별 분류는 예산의 대상·성질에 따라 지출대상을 품목별로 분류하는 방식으로, 물건비는 목(성질)에 해당하고 운영비는 세목에 해당한다.

선지분석

① 우리나라 예산은 소관별로 구분된 후 기능별로 분류되고 마지막으로 품목을 중심으로 분류된다.
③ 기능을 중심으로 장은 분야, 관은 부문, 항은 프로그램, 세항은 단위사업을 의미한다.
④ 장 사이의 상호 융통(이용)은 국회의 통제를 받는다.
⑤ 세항과 목은 모두 행정과목이다.

📄 세출예산의 구조

구분	입법과목			행정과목	
소관	장(章)	관(款)	항(項)	세항(細項)	목(目)
중앙관서	분야	부문	프로그램 (정책사업)	단위사업	편성품목
조직별 분류	기능별 분류		사업별·활동별 분류		품목별 분류
변경과 제한	이용대상 (융통 시 국회의결 필요)			전용대상 (융통 시 국회의결 불요)	

답 ②

53 ☐☐☐

예산분류방식의 특징에 대한 다음 설명 중 옳은 것은?

① 기능별 분류는 시민을 위한 분류라고도 하며 행정수반의 사업계획 수립에 도움이 되지 않는다.
② 조직별 분류는 부처 예산의 전모를 파악할 수 있어 지출의 목적이나 예산의 성과 파악이 용이하다.
③ 품목별 분류는 사업의 지출 성과와 결과에 대한 측정이 곤란하다.
④ 경제성질별 분류는 국민소득, 자본형성 등에 관한 정부활동의 효과를 파악하는 데 한계가 있다.
⑤ 품목별 분류는 예산집행기관의 재량을 확대하는 데 유용하다.

54 ☐☐☐

정부활동의 일반적이며 총체적인 내용을 보여 주어 일반 납세자가 정부의 예산내용을 쉽게 이해할 수 있도록 설계된 예산의 분류방법은?

① 품목별 분류
② 기능별 분류
③ 경제성질별 분류
④ 조직별 분류

53	예산분류방식

품목별 분류는 사업 중심의 예산분류방법이 아니기 때문에 사업의 지출 성과와 결과에 대한 측정이 곤란하다.

(선지분석)
① 기능별 분류는 시민을 위한 분류라고도 하며, 행정수반의 재정정책·사업계획 수립에 도움을 준다.
② 조직별 분류는 부처 예산의 전모를 파악할 수 있으나, 사업의 우선순위 파악이나 예산의 성과를 파악하기 어렵다.
④ 경제성질별 분류는 국민소득이나 자본형성 등에 관한 정부활동의 효과를 파악하는 데 용이하다.
⑤ 품목별 분류는 예산집행기관의 재량을 확보하기 어려운 분류법이다.

답 ③

54	기능별 분류

기능별 분류는 예산을 국가의 주요기능 또는 사업활동별로 분류하는 방식으로 정부활동의 일반적이며 총체적인 내용을 보여 주어 일반 납세자가 정부의 예산내용을 쉽게 이해할 수 있도록 설계된 예산의 분류방법이다. 정부 업무에 관한 총괄적인 정보를 시민에게 제공한다는 의미에서 시민들이 정부예산구조를 이해하기 쉽기 때문에 시민을 위한 분류라고도 한다.

(선지분석)
① 품목별 분류란 예산의 대상과 성질에 따라 지출대상 품목별로 분류하는 방식으로 통제 중심의 분류이다.
③ 경제성질별 분류란 국가의 예산편성이나 재정정책이 국민경제의 구조에 어떠한 영향을 미치는가를 파악하는 예산분류방법이다.
④ 조직별(소관별) 분류란 예산을 조직단위를 중심으로 분류하는 방식으로 가장 오래되고 기본적인 분류로서, 조직단위는 독립적인 예산편성 및 집행의 단위가 된다.

답 ②

55 □□□

다음 중 국민경제활동의 구성과 수준에 미치는 영향을 파악하고, 고위정책결정자들에게 유용한 정보를 제공해주는 예산의 분류로 옳은 것은?

① 기능별 분류
② 품목별 분류
③ 경제성질별 분류
④ 활동별 분류
⑤ 사업계획별 분류

56 □□□

예산집행 시 회계책임을 명확히 하기 위한 분류로 옳지 않은 것은?

① 조직별 분류
② 기능별 분류
③ 활동별 분류
④ 품목별 분류

---

55 | 예산의 분류

예산이 국민경제에 미치는 영향을 파악하고, 고위정책결정자들에게 유용한 정보를 제공해주는 예산의 분류방식은 경제성질별 분류이다.

📄 예산의 분류별 초점

품목별 분류	정부가 무엇을 구입하는 데 얼마나 쓰느냐?
기능별 분류	정부가 무슨 일을 하는데 얼마나 쓰느냐?
조직별 분류	누가 얼마나 쓰느냐?
경제성질별 분류	국민경제에 미치는 영향이나 효과가 어떠한가?

답 ③

56 | 기능별 분류

기능별 분류는 정부가 수행하는 기능을 중심으로 예산을 분류하는 방식이다. 행정수반의 재정정책 수립에 용이한 분류방식이지만, 회계책임의 확보가 곤란하고 예산에 대한 입법부의 효율적인 통제가 어렵다는 단점이 있다.

(선지분석)
① 조직별 분류는 예산집행을 수행한 조직(부처)별로 예산을 분류하므로 회계책임을 명확히 하기 용이하다.
④ 품목별 분류는 예산집행의 분류 기준을 가장 세부적인 품목단위로 분류하였기 때문에 행정부에 대한 입법부의 통제가 용이하고, 품목별로 예산집행이 합법적으로 이루어졌는지에 대한 책임을 명확히 할 수 있다.

답 ②

57 ☐☐☐

특별회계예산에 대한 설명으로 옳지 않은 것은?

① 임시적 성격이 강하기 때문에 국회의 심의를 받지 않는다.
② 특별회계예산은 세입과 세출을 별도로 계리한다.
③ 특별회계의 경우 각각의 개별법이 마련되어 운영되는 것이 일반적이다.
④ 재정운영 주체의 자율성 증대를 통해 운영의 효율성을 높일 수 있을 때 필요하다.

58 ☐☐☐

「국가재정법」상 특별회계를 설치할 수 있는 근거법률이 아닌 것은?

① 「국가균형발전 특별법」
② 「정부기업예산법」
③ 「군인연금특별회계법」
④ 「책임운영기관의 설치 · 운영에 관한 법률」

---

57 | **특별회계**

특별회계는 임시적인 성격이 강한 것도 있지만 상설된 특별회계도 존재한다. 또한 특별회계는 국회의 심의 및 의결의 대상이 된다.

> **「국가재정법」 제4조 【회계구분】** ③ 특별회계는 국가에서 특정한 사업을 운영하고자 할 때, 특정한 자금을 보유하여 운영하고자 할 때, 특정한 세입으로 특정한 세출에 충당함으로써 일반회계와 구분하여 계리할 필요가 있을 때에 법률로써 설치한다.

답 ①

---

58 | **특별회계**

「군인연금법」이 기금을 설치할 수 있는 근거법률이다. 군인연금사업의 재정이 특별회계와 기금으로 이원화되어 있는 문제를 해소하기 위하여 「군인연금특별회계법」을 폐지하고, 군인연금재정을 군인연금기금으로 통합하는 내용 등으로 「군인연금법」이 시행되었다.

(선지분석)

① 국가균형발전계획과 관련 사업을 효율적으로 추진하기 위하여 국가균형발전특별회계를 설치한다(「국가균형발전 특별법」 제30조).
② 정부기업을 운영하기 위하여 특별회계를 설치하고 그 세입으로써 그 세출에 충당한다(「정부기업예산법」 제3조).
④ 자체수입 확보를 할 수 있는 소속책임운영기관의 사업을 효율적으로 운영하기 위하여 책임운영기관특별회계를 둔다(「책임운영기관의 설치 · 운영에 관한 법률」 제27조 제1항).

답 ③

다음 중 특별회계예산의 특징으로 가장 옳지 않은 것은?

① 특별회계예산은 세입과 세출의 수지가 명백하다.
② 특별회계예산에서는 행정부의 재량이 확대된다.
③ 특별회계예산은 국가재정의 전체적인 관련성을 파악하기 곤란하다.
④ 특별회계예산에서는 입법부의 예산통제가 용이해진다.

다음 중 특별회계에 대한 설명으로 옳지 않은 것은?

① 「국가재정법」에 따르면 특별회계는 국가에서 특정한 사업을 운영하고자 할 때나 특정한 자금을 보유하여 운용하고자 할 때 대통령령으로 설치할 수 있다.
② 「국가재정법」에 따르면 기획재정부장관은 특별회계 신설에 대한 타당성을 심사한다.
③ 일반회계는 특정 수입과 지출의 연계를 배제하지만, 특별회계는 특정 수입과 지출을 연계하는 것이 원칙이다.
④ 특별회계는 일반회계와 기금의 혼용방식으로 운용할 수 있다.
⑤ 특별회계는 예산 단일성 및 통일성의 원칙에 대한 예외가 된다.

---

59 | 특별회계

특별회계는 특정한 세입을 특정한 세출에 충당하기 위하여 일반회계와 별도로 구분하여 경리하는 예산으로서 국민적인 관심이 덜하고 입법부의 예산통제가 어렵다.

📑 **특별회계의 장·단점**

장점	• 일반회계와 별도로 운영되기 때문에 정부기업의 수지가 명확화됨 • 행정기관의 재량범위 확대 • 안정된 자금을 확보하여 안정적인 사업운영 기대 • 행정기능의 전문화·다양화에 기여
단점	• 예산구조의 체계와 구조의 복잡화 • 국가재정의 전체적인 관련성이 불명확해지고 통합성이 저해됨 • 입법부의 예산통제와 국민의 행정통제의 약화

답 ④

---

60 | 특별회계

특별회계는 국가에서 특정한 사업을 운영하고자 할 때나 특정한 자금을 보유하여 운용하고자 할 때, 특정한 세입을 특정한 세출에 충당함으로써 일반회계와 구분하여 회계처리할 필요가 있을 때에 '법률'로써 설치한다.

(선지분석)

② 중앙관서의 장은 소관 사무와 관련하여 특별회계 또는 기금을 신설하고자 하는 때에는 해당 법률안을 입법예고하기 전에 특별회계 또는 기금의 신설에 관한 계획서를 기획재정부장관에게 제출하여 그 신설의 타당성에 관한 심사를 요청하여야 한다(「국가재정법」 제14조 제1항).
③, ⑤ 일반회계는 특정 수입과 지출의 연계를 배제하지만, 특별회계는 특정 수입과 지출을 연계하는 것으로 예산 통일성 원칙의 예외이며, 일반회계와 별도로 계리하므로 예산 단일성 원칙의 예외이다.
④ 일반회계는 소비성의 성격을 가지고 기금은 적립성(회전성)의 성격을 가지며, 특별회계는 일반회계와 기금의 혼용방식으로 운용할 수 있다.

답 ①

61 ☐☐☐

우리나라 특별회계에 대한 설명으로 옳지 않은 것은?

① 특별회계 설립 주체에 따라 중앙정부 특별회계와 지방자치단체 특별회계로 구분한다.

② 특정한 사업을 운영하기 위한 중앙정부 특별회계의 일례로 교육비특별회계가 있다.

③ 「지방공기업법」에 따라 설립된 모든 지방직영기업은 지방자치단체 공기업특별회계의 대상이다.

④ 중앙정부의 기업특별회계에는 책임운영기관특별회계와 「정부기업예산법」의 적용을 받는 우편사업·우체국예금·양곡관리·조달특별회계가 있다.

62 ☐☐☐

우리나라 책임운영기관의 예산 및 회계에 관한 설명으로 옳지 않은 것은?

① 책임운영기관의 장에게 행정 및 재정상의 자율성을 부여하고 그 성과에 대하여 책임을 지도록 하고 있다.

② 책임운영기관 특별회계의 예산 및 결산은 소속책임운영기관의 조직별로 구분할 수 있다.

③ 책임운영기관 특별회계는 계정별로 책임운영기관의 장이 운용하고, 기획재정부장관이 이를 통합하여 관리한다.

④ 자체의 수입만으로는 운영이 곤란한 책임운영기관에 대하여는 심의회의 평가를 거쳐 대통령령으로 정하는 경상적 성격의 경비를 일반회계 등에 계상하여 책임운영기관 특별회계에 전입할 수 있다.

| 61 | 우리나라 특별회계 |

교육비특별회계는 중앙정부의 특별회계가 아니라 지방정부의 특별회계 중 하나이다.

> 📑 **특별회계의 설치요건**
>
> 1. 국가에서 특정한 사업을 운영하고자 할 때: 우편사업, 우체국예금, 양곡관리, 조달 등 4개 기업특별회계와 특별회계가 적용되는 책임운영기관
> 2. 국가가 특정한 자금을 보유하여 운용하고자 할 때: 자금관리특별회계 등
> 3. 기타 특정한 세입으로 특정한 세출에 충당함으로써 일반회계와 구분하여 경리할 필요가 있을 때: 교도자금특별회계, 국가균형발전, 국유재산관리, 농어촌구조개선, 등기특별회계 등

답 ②

| 62 | 우리나라 책임운영기관의 예산 및 회계 |

책임운영기관 특별회계는 계정별로 중앙행정기관의 장이 운용하고, 기획재정부장관이 이를 통합하여 관리한다. 특별회계가 적용되는 기관은 정부기업으로 보며, 「책임운영기관의 설치·운영 관한 법률」에 규정된 것을 제외하고는 「정부기업예산법」의 규정을 적용한다.

답 ③

63 □□□

우리나라 기금운영에 대한 설명으로 옳지 않은 것은?

① 기금이란 국가가 특정한 목적을 위하여 특정한 자금을 신축적으로 운용할 필요가 있을 때에 한하여 법률로써 설치한다.

② 기금운용계획안은 국회의 심의와 의결을 거쳐 확정된다.

③ 군인연금, 공무원연금, 국민연금은 기금으로 운영된다.

④ 주한 미군기지 이전, 행정중심 복합도시 건설 등 기존의 일반회계에서 처리하기 곤란한 대규모 국책사업을 실행하기 위해 운영된다.

64 □□□

예산 외 공공재원으로서의 기금에 대한 설명으로 옳지 않은 것은?

① 정부는 매년 기금운용계획안을 마련하여 국무회의의 의결을 받아야 하며, 국회에 제출할 필요는 없다.

② 출연금, 부담금 등의 다양한 재원으로 융자사업 등을 수행한다.

③ 특정 수입과 지출을 연계한다는 점에서 특별회계와 공통점이 있다.

④ 합목적성 차원에서 예산에 비하여 운영의 자율성과 탄력성이 높다.

---

63 | 우리나라 기금운영

기존의 일반회계에서 처리하기 곤란한 대규모 국책사업을 실행하거나 기타 특정한 세입으로 특정한 세출을 충당함으로써 일반회계와 구분하여 경리할 필요가 있을 때에는 기금이 아니라 특별회계를 설치하여 운영한다.

(선지분석)
① 기금은 명령으로 설치할 수 없고 법률로써 설치하여야 한다.
② 기금은 세입세출예산이 아니지만, 기금운용계획안도 국회의 통제를 받는다.
③ 공적연금은 기금을 마련하여 운용한 수익으로 재원을 조달한다.

답 ④

---

64 | 기금

기금은 국가가 특정한 목적을 위하여 특정한 자금을 신축적으로 운용할 필요가 있을 때 법률로써 특별히 설치하여 운용하는 자금이다. 기획재정부장관은 제출된 기금운용계획안에 대해 기금관리주체와 협의 및 조정을 하여 기금운용계획안을 마련한 후에 국무회의의 심의를 거쳐 대통령의 승인을 받아야 한다. 더불어 정부는 주요항목 단위로 마련되어진 기금운용계획안을 회계연도 개시 120일 전까지 국회에 제출하여야 한다.

(선지분석)
②, ③ 기금은 출연금, 부담금 등의 다양한 재원을 수입으로 하여 융자사업 등을 수행하는데 지출하므로 예산 통일성의 원칙의 예외이다.
④ 합법성 차원에서 추경에 의하여 완전히 통제되는 예산에 비하여 기금은 합목성정 차원에서 신축성과 자율성, 탄력성이 높다.

답 ①

---

65 □□□

우리나라 기금에 대한 설명으로 옳지 않은 것은?

① 기금관리 주체는 안정성, 유동성, 수익성 및 공공성을 고려하여 기금자산을 투명하고 효율적으로 운용하여야 한다.

② 기금관리 주체는 매년 1월 31일까지 당해 회계연도부터 5회계연도 이상의 기간 동안의 신규사업 및 기획재정부장관이 정하는 주요 계속사업에 대한 중기사업계획서를 기획재정부장관에게 제출하여야 한다.

③ 국회는 정부가 제출한 기금운용계획안의 주요항목 지출금액을 증액하거나 새로운 과목을 설치하고자 할 때에는 미리 정부의 동의를 얻어야 한다.

④ 정부는 주요항목 단위로 마련된 기금운용계획안을 회계연도 개시 60일 전까지 국회에 제출하여야 한다.

---

66 □□□

우리나라 정부의 예산구조에 관한 기술로 틀린 것은?

① 특별회계와 기금은 법률로써 설치한다.

② 기금운용계획의 확정 및 기금의 결산은 국회의 심의 · 의결을 거친다.

③ 일반회계는 조세수입 등을 주요 세입으로 하여 국가의 일반적인 세출에 충당하기 위하여 설치한다.

④ 특별회계는 국가가 특정한 목적을 위하여 특정한 자금을 신축적으로 운용할 필요가 있을 때 설치한다.

65	우리나라 기금

정부는 예산안과 마찬가지로 주요항목 단위로 마련된 기금운용계획안을 회계연도 개시 120일 전까지 제출하여야 하고, 국회는 30일 전까지 이를 의결하여야 한다. 예산과 기금의 운용일정은 기본적으로 동일하다.

(선지분석)

③ 국회는 정부가 제출한 기금운용계획안의 지출금액을 정부의 동의 없이 감액하거나 과목을 폐지할 수는 있지만, 지출금액을 증액하거나 새로운 과목을 설치하고자 할 때에는 미리 정부의 동의를 얻어야 한다.

답 ④

66	우리나라 정부의 예산구조

국가가 특정한 목적을 위하여 특정한 자금을 신축적으로 운용할 필요가 있을 때 설치하는 것은 기금이다. 특별회계는 국가가 특정한 사업을 운영하거나 특정한 자금을 운용하거나, 기타 특정한 세입으로 특정한 세출에 충당할 필요가 있을 때 법률로써 설치한다.

(선지분석)

① 특별회계와 기금은 명령으로 설치할 수 없고 법률로써 설치하여야 한다.

② 기금은 세입세출예산 외로 운영되지만 기금운영계획의 확정 및 기금의 결산은 국회의 통제를 받는다.

③ 일반회계는 조세수입 등을 주요 세입으로 하여 국가의 일반적인 세출에 충당하기 위하여 설치하므로 예산 통일성의 원칙이 잘 지켜지는 영역이다.

답 ④

---

67 □□□

예산의 종류에 관한 설명으로 옳지 않은 것은?

① 일반회계예산의 세입은 조세수입에 의존한다.

② 기금은 세입·세출예산에 의하지 않고 예산 외로 운용할 수 있다.

③ 특정한 세입으로 특정한 세출에 충당함으로써 일반회계와 별도로 구분해서 경리할 필요가 있을 때 특별회계예산을 설치한다.

④ 특별회계예산의 세입은 자체 세입이나 일반회계로부터의 전입금으로 구성된다.

⑤ 특별회계예산은 국가에서 특정사업을 운영할 때 대통령령으로 설치한다.

68 □□□

기금, 일반회계, 특별회계에 대한 다음 설명 중 가장 적절하지 않은 것은?

① 일반회계는 국가고유의 일반적 재정활동을, 기금은 특정한 세입으로 특정한 사업을 운용하기 위해 설치된다.

② 특별회계는 일반회계와 기금운용 형태가 혼재되어 있다.

③ 기금과 예산 모두 국회 심의 및 의결·확정 절차를 따른다.

④ 기금과 특별회계는 특정 수입과 지출이 연계되어 있다.

⑤ 기금은 주요 항목 지출금액의 20% 이상 변경 운용 시 국회의 의결이 필요하다.

67	예산의 종류

특별회계나 기금은 법률에 의하지 아니하고는 설치할 수 없다.

(선지분석)

① 일반회계는 통일성의 원칙이 적용되는 영역이다.
② 기금은 법률상 세입·세출예산이 아니다.
③ 특별회계는 통일성의 원칙의 예외이다.

답 ⑤

68	기금, 일반회계, 특별회계

일반회계는 국가고유의 일반적 재정활동을, 기금은 특정한 자금을 신축적으로 운용할 필요가 있을 때 설치하는 것이다. 특정한 세입으로 특정한 사업을 운용하기 위해 설치하는 것은 특별회계이다.

📄 **예산의 적용범위와 소관 책임**

구분	적용법규	관리책임	국회승인 여부	감사원의 회계감사
일반회계 (일반예산)	「국가재정법」	기획재정부 장관	필요	필요
특별회계 (기업, 기타)	「정부기업예산법」	중앙관서장	필요	필요
기금	「국가재정법」	중앙관서장 (기획재정부 협의)	필요 (의회의 심의·의결)	필요
공공기관 (공기업)	「공공기관의 운영에 관한 법률」	공공기관 사장 (기획재정부 지침)	불요 (이사회 승인)	필요
지방재정	「지방재정법」	지방자치단체 (행정안전부 지침)	불요 (지방의회 승인)	필요

답 ①

정부지출에 대한 설명으로 옳지 않은 것은?

① 정부의 총지출규모는 일반회계 > 기금 > 특별회계의 순으로 크다.

② 기금은 특별회계처럼 국회의 심의·의결로 확정되며, 집행부의 재량이 상대적으로 큰 편이다.

③ 「국가재정법」상 금융성 기금의 주요 항목 지출금액의 변경범위가 20%를 초과하면 국회의 의결이 필요하다.

④ 「국가재정법」상 기금관리장치로 국정감사, 자산운용위원회, 기금운용심의회 등이 있다.

통합재정에 대한 설명으로 옳은 것은?

① 일반회계, 특별회계, 기금을 포함한다.

② 통합재정의 기관 범위에 공공기관은 포함되지만, 지방자치단체는 포함되지 않는다.

③ 국민의 입장에서 느끼는 정부의 지출 규모이며 내부거래를 포함한다.

④ 2005년부터 정부의 재정규모 통계로 사용하고 있으며 세입과 세출을 총계 개념으로 파악한다.

69	정부지출

「국가재정법」상 주요 항목 지출금액의 20%(금융성 기금의 경우 30%)를 초과하는 때에는 국회의 의결이 필요하다.

선지분석

① 기금의 지출규모가 특별회계보다 크다.

② 기금도 국회의 통제를 받지만, 기금 중 20%(금융성 기금의 경우 30%)까지는 국회의 통제 없이 행정부가 변경할 수 있으므로 특별회계에 비하여 재량이 상대적으로 큰 편이다.

④ 「국가재정법」의 적용을 받는 기금을 운용하는 기금관리주체는 「국정감사 및 조사에 관한 법률」 제7조의 규정에 따른 감사의 대상기관으로 한다(「국가재정법」 제83조). 기금관리주체는 자산운용에 관한 중요한 사항을 심의하기 위하여 다른 법률에서 따로 정하는 경우를 제외하고는 기금운용심의회에 자산운용위원회를 설치하여야 한다(「국가재정법」 제76조). 기금관리주체는 기금의 관리·운용에 관한 중요한 사항을 심의하기 위하여 기금별로 기금운용심의회를 설치하여야 한다(「국가재정법」 제74조 제1항).

답 ③

70	통합재정

통합재정은 정부의 재정활동(일반회계, 특별회계, 기금)을 모두 포함하여 정부부문에서 1년 동안 지출하는 재원의 총체적인 예산규모이다.

선지분석

② 통합재정의 기관 범위에 지방자치단체는 포함되지만 독립된 법인인 공공기관은 포함되지 않는다.

③, ④ 통합재정은 총계 개념이 아닌 회계 간의 중복분인 내부거래를 공제한 예산순계의 개념으로 파악한다.

답 ①

71 ☐☐☐

통합재정 또는 통합예산에 대한 설명으로 가장 옳지 않은 것은?

① 국가예산의 세입·세출을 총계 개념으로 파악하여 재정 건전성을 판단한다.

② 중앙재정을 일반회계와 특별회계 외에 기금 및 세입세출 외 자금을 포함해 파악한다.

③ 통합재정은 중앙재정, 지방재정, 지방교육재정(교육비특별회계)을 포함한다.

④ 재정이 국민경제에 미치는 효과를 효과적으로 파악하게 한다.

72 ☐☐☐

통합예산(혹은 통합재정)의 특징에 대한 설명으로 옳지 않은 것은?

① 신축성

② 포괄성

③ 대출순계의 구분

④ 보전재원의 명시

---

71 | 통합재정

통합재정은 국가예산의 세입·세출을 총계가 아닌 순계(중복분 제외)로 파악하여 재정 건전성을 판단한다. 따라서 통합재정의 작성 목적은 총체적인 정부예산의 정확한 규모를 파악하고, 보전재원상황을 명백히 함으로써 재정이 경제안정이나 통화에 미치는 영향을 분석하는 데에 있다.

선지분석

③ 통합재정의 중앙재정은 일반회계, 특별회계, 기금 및 현물출자 등 세입세출 외 자금을 포함하여 파악한다.

④ 통합재정은 예산 및 기금 외의 국가 재정을 실질적으로 파악하여 재정이 국민경제에 미치는 효과를 효과적으로 파악하게 하는 재정통계이다.

답 ①

---

72 | 통합예산

통합예산은 정부의 재정활동을 모두 포함하여 정부부문에서 1년 동안 지출하는 재원의 총체적인 예산규모를 의미한다. 통합예산을 통해 공공활동을 수행하는 국가의 모든 예산과 기금을 망라하여 이를 적절하게 구분하고 명확하게 표시함으로써 재정이 국민에게 미치는 효과를 파악할 수 있다. 전체 예산이 국민경제에 미치는 영향을 체계적으로 파악하는 것이 통합예산이므로 재정통제의 범주를 확대한 것이지만, 신축성의 수단이라고 보기는 어렵다.

답 ①

예산 유형에 대한 〈보기〉의 설명 중 옳은 것을 모두 고르면?

〈보기〉

ㄱ. 준예산은 회계연도 개시 전까지 예산이 의결되지 않을 경우 편성하는 예산이다.

ㄴ. 본예산은 매 회계연도 개시 전에 국회의 심의·의결을 거쳐 성립되는 예산이다.

ㄷ. 추가경정예산은 본예산과 별개로 성립하며 결산 심의 역시 별도로 이루어진다.

ㄹ. 우리나라는 1960년도 이후부터 잠정예산제도를 채택하고 있다.

① ㄱ, ㄴ

② ㄱ, ㄹ

③ ㄴ, ㄷ

④ ㄷ, ㄹ

73	예산 유형

ㄱ. 준예산은 새로운 회계연도가 개시될 때까지 본예산이 국회에서 의결되지 못한 때에는 정부가 국회에서 예산안이 의결될 때까지 전년도 예산에 준하여 특정한 경비를 지출할 수 있도록 하는 제도이다.

ㄴ. 본예산은 정부가 회계연도 개시 120일 전까지 국회로 제출한 당초 예산으로서 정기국회에서 정상적으로 통과된 예산으로, 최초로 성립된 예산이다.

(선지분석)

ㄷ. 추가경정예산은 본예산과 별개로 성립하지만 결산 심의는 함께 이루어진다.

ㄹ. 우리나라는 1960년도 이후부터 준예산제도를 채택하고 있다.

답 ①

예산을 성립시기에 따라 분류한 것으로 옳은 것은?

① 일반회계, 특별회계

② 본예산, 수정예산, 추가경정예산

③ 정부출자기관예산, 정부투자기관예산

④ 잠정예산, 가예산, 준예산

74	예산의 분류

예산을 성립시기에 따라 분류하면 본예산(회계연도 개시 120일 전까지 제출하여 국회에서 승인된 당초예산), 수정예산(제출 후 의결 전에 정부가 수정하여 제출하는 예산), 추가경정예산(예산 성립 후 내용이 추가·변경된 예산)이 있다.

(선지분석)

① 세입·세출의 성질에 따른 분류이다.

③ 「공공기관의 운영에 관한 법률」 시행 전 국가공기업은 정부기업, 정부투자기관, 정부출자기관, 정부투자기관 출자회사로 구분되었다.

④ 예산불성립 시 예산집행을 위한 제도에 해당한다.

답 ②

---

75 ☐☐☐

예산과 재정관리에 대한 설명으로 옳지 않은 것은?

① 우리나라의 예산은 행정부가 제출하고 국회가 심의·확정하지만, 미국과 같은 세출예산법률의 형식은 아니다.

② 조세는 현 세대의 의사결정에 대한 재정부담을 미래세대로 전가하지 않는다는 장점이 있다.

③ 성과주의 예산제도의 도입에도 불구하고 품목별예산제도는 우리나라에서 여전히 활용되고 있다.

④ 추가경정예산은 예산의 신축성 확보를 위한 제도로서, 최소 1회의 추가경정예산을 편성하도록 「국가재정법」에 규정되어 있다.

76 ☐☐☐

추가경정예산에 대한 설명으로 옳지 않은 것은?

① 예산이 성립된 후에 생긴 사유로 이미 성립된 예산에 변경을 가할 필요가 있을 때 정부가 편성하는 예산이다.

② 예산 팽창의 원인이 될 수 있으므로, 「국가재정법」에서 그 편성사유를 제한하고 있다.

③ 과거에 추가경정예산이 편성되지 않은 연도도 있었다.

④ 본예산과 별개로 성립되므로 당해 회계연도의 결산에는 포함되지 않는다.

75	예산과 재정관리

추가경정예산의 편성사유는 「국가재정법」에 규정되어 있지만, 그 편성시기와 횟수에는 제한이 없다. 한 해에 여러 차례 편성된 적도 있고, 한 번도 편성되지 않았던 해도 있다.

선지분석

① 우리나라는 행정부가 편성한 예산을 매년 국회의 의결로 확정하는 예산주의를 따르며, 미국은 세입과 세출예산 모두 매년 의회가 법률로 확정하는 법률주의를 따른다.

② 현 세대의 결정에 대한 재원을 조세가 아닌 국공채를 발행하여 충당하면 미래세대에게 재정부담을 전가하게 된다.

③ 품목별예산제도는 현재 세계적으로 가장 많이 활용되는 기초적인 예산제도이며, 우리나라에서도 활용되고 있다.

답 ④

76	추가경정예산

추가경정예산은 본예산과 별개로 성립되지만 성립 후에는 본예산과 함께 운영되기 때문에 당해 회계연도의 결산에 당연히 포함된다.

> 📄 **추가경정예산의 특징**
>
> 1. 추가경정예산은 본예산과 별개로 성립되지만 일단 성립되면 하나로 통합·운영된다.
> 2. 정부는 국회에서 추경 예산안이 확정되기 전에 미리 배정·집행이 불가능하다.
> 3. 수정예산은 예산이 국회에서 의결되기 전에 변경하지만 추가경정예산은 예산이 의결된 후에 변경하는 것이라는 점에서 차이가 있다.

답 ④

77 ☐☐☐

추가경정예산을 통한 재정의 방만한 운영가능성을 줄이기 위해 「국가재정법」 제89조에서는 추가경정예산안을 편성할 수 있는 경우를 제한하고 있다. 다음 중 위 법 조항에 명시된 추가경정예산안을 편성할 수 있는 경우가 아닌 것은?

① 부동산 경기 등 경기부양을 위하여 기획재정부장관이 필요하다고 판단하는 경우
② 전쟁이나 대규모 자연재해가 발생한 경우
③ 경기침체, 대량실업, 남북관계의 변화, 경제협력과 같은 대내외 여건에 중대한 변화가 발생하였거나 발생할 우려가 있는 경우
④ 법령에 따라 국가가 지급하여야 하는 지출이 발생하거나 증가하는 경우

78 ☐☐☐

다음 내용의 괄호 안에 해당하는 것은?

> 최근 미국은 의회의 연방예산처리 지연으로 예산편성 및 집행에 큰 어려움을 겪으면서 행정업무가 마비되는 사태를 겪은 바 있다. 우리나라는 새로운 회계연도가 개시될 때까지 예산안이 국회에서 의결되지 못한 경우에 대비하여 (   ) 제도를 시행하고 있다.

① 준예산
② 가예산
③ 수정예산
④ 잠정예산

77	추가경정예산

부동산 경기 등 경기부양을 위하여 기획재정장관이 필요하다고 판단하는 경우는 추가경정예산안의 편성사유에 해당하지 않는다.

> 📑 **「국가재정법」상 추가경정예산의 편성사유**
> 1. 전쟁이나 대규모 재해가 발생한 경우
> 2. 경기침체, 대량실업, 남북관계의 변화, 경제협력과 같은 대내외 여건에 중대한 변화가 발생하였거나 발생할 우려가 있는 경우
> 3. 법령에 따라 국가가 지급하여야 하는 지출이 발생하거나 증가하는 경우

답 ①

78	준예산

제시문은 준예산에 대한 설명이다. 준예산은 예산이 새로운 회계연도 개시일까지 의결되지 않으면 전년도에 준하여 일정 경비를 지출할 수 있도록 하는 제도이다.

선지분석
② 가예산은 예산 불성립 시 대처방안 중 하나로 1개월 이내의 예산만 국회의 의결을 거쳐 집행할 수 있도록 하는 예산이다.
③ 수정예산은 예산안을 국회에 제출한 후 의결 전에 정부가 수정하여 제출한 예산이다.
④ 잠정예산은 예산 불성립 시 대처방안 중 하나로 일정 금액의 예산을 잠정적으로 허가하는 제도이다.

답 ①

THEME 081 예산결정이론의 배경

01 □□□
2012년 서울시 9급

배분기구로서의 정부 예산에 대한 설명으로 옳지 않은 것은?

① 예산의 본질적 모습은 예산을 통해 추진하고자 하는 정책과 사업이라고 할 수 있다.

② 예산에는 정책결정자의 사실판단에 근거하며 가치판단은 배제되어 있다.

③ 공공부문의 희소성은 공공자원을 사용할 수 있는 제약 상태를 반영한 개념이다.

④ 거시적 배분은 민간부문과 공공부문 간의 자원 배분에 관한 결정이다.

⑤ 미시적 배분은 주어진 예산의 총액 범위 내에서 각 대안 간에 자금을 배분하는 것이다.

THEME 082 예산결정의 접근방법

02 □□□
2017년 사회복지직 9급

총체주의예산이론에 대한 설명 중 옳지 않은 것은?

① 계획예산제도(PPBS)와 영기준예산제도(ZBB)는 대표적인 총체주의예산제도이다.

② 정치적 타협과 상호 조절을 통해 최적의 예산을 추구한다.

③ 예산의 목표와 목표 간 우선순위를 명확하게 설정한다.

④ 합리적 분석을 통해 비효율적 예산 배분을 지양한다.

---

01 | 정부 예산

예산이란 본질적으로 정부사업이나 정책을 재정적인 용어나 금액으로 표시한 것으로, 본질적으로 배분에 관한 결정문제로서 희소한 자원의 배분에 관한 가치판단 과정에 해당한다.

(선지분석)

① 예산은 예산을 통해 추진하고자 하는 정책과 사업을 수치로 표현한 것이다.

③ 공공부문의 희소성은 공공자원을 사용할 수 있는가에 대한 제약 상태이다.

답 ②

02 | 총체주의예산

정치적 타협과 상호 조절을 통해 최적의 예산을 추구하는 것은 총체주의예산이 아니라 점증주의예산이다. 총체주의예산은 분석을 통하여 자원을 효율적으로 배분하고 경제적 합리성을 추구하는 것이다.

> 📑 **합리주의(총체주의)예산의 특징**
>
> 1. 경제적 합리성: 인간의 완전한 합리성을 전제로 한다.
> 2. 총체적: 결정에 관련이 있는 모든 요소를 종합적으로 검토한다.
> 3. 분석적: 비용편익분석 등 다양한 기법을 통해서 가장 최적의 예산을 결정한다.
> 4. 목표-수단접근법: 조직이나 사회적 목표의 명확한 정의가 가능하다.

답 ②

점증주의적 예산결정에 대한 설명으로 옳지 않은 것은?

① 현상유지(status quo)적 결정에 치우칠 수 있다.
② 자원이 부족한 경우 소수기득권층의 이해를 먼저 반영하게 되어 사회적 불평등을 야기할 우려가 있다.
③ 다수의 참여자들 간 고리형의 상호작용을 통한 합의를 중시하는 합리주의와는 달리 선형적 과정을 중시한다.
④ 긴축재정 시의 예산행태를 잘 설명해주지 못한다.

예산상의 점증주의를 유발하는 요인에 해당되지 않는 것은?

① 관계의 규칙성
② 외부적 요인의 영향 결여
③ '예산 통일의 원칙'의 예외
④ 좁은 역할 범위를 지닌 참여자 간의 협상

---

03   점증주의적 예산결정

다수의 참여자들 간 고리형의 상호작용을 통한 합의를 중시하는 모형은 합리주의가 아니라 점증주의에 해당한다. 여기서 선형적 과정은 예산결정의 과정에서 정부와 의회 간에 일정한 규칙성이 있다는 것을 의미한다. 즉, 정부가 요구한 예산액과 의회가 승인한 예산액 사이에 일정한 경향이나 규칙성이 있다는 것이다.

(선지분석)
① 점증주의는 현실성은 높지만 현상유지적이며 보수적이다.
② 점증주의는 자원이 부족한 경우, 모든 이해당사자들의 욕구를 충족시켜 주기는 어렵기 때문에 소수기득권층의 이해를 먼저 반영하는 문제가 발생할 수 있다.

📑 **합리주의와 점증주의 비교**

구분	합리주의	점증주의
합리성	경제적 합리성	정치적 합리성
미시적 과정	총체적·체계적 분석	연속적·제한적 비교
거시적 과정	집권적·제도화된 프로그램 예산 편성	당파적 상호 조정
분석 결과	신규사업과 대폭적이고 체계적인 변화	전년도 예산의 소폭적인 변화
특징	• 이상적, 규범적, 개혁적, 경제적 • 목표–수단분석 실시 (주어진 목표) • 모든 대안과 요소를 총체적으로 고려	• 현실적, 기술적, 부분적, 정치적 • 목표–수단분석의 미실시 (목표 변경 가능) • 한정된 수의 대안만을 고려
예산제도	PPBS, ZBB	LIBS, PBS

답 ③

---

04   점증주의

예산 통일의 원칙이 지켜지지 않을 때에는 해당 사업에만 대폭 증가된 예산을 사용할 수도 있으므로 점증주의가 타당성을 지니기 어렵다.

(선지분석)
① 기존 형성된 관계의 규칙성은 예산의 대폭적인 변화를 어렵게 하고 점증주의를 유발한다.
② 외부적 요인이 예산에 영향을 많이 끼칠 경우 총체주의적 입장에서 혁신적이고 쇄신적인 판단을 하여야 하므로 외부적 요인은 예산상의 합리주의를 유발하는 요인이며, 외부적 요인의 영향이 결여된 것은 점증주의를 유발하는 요인이다.
④ 예산결정 시 참여자들이 좁은 역할 범위를 지니고 있다면, 전년도 예산을 참고하여 예산의 소폭적 변화만을 결정하게 되어 점증주의를 유발하게 된다.

답 ③

05 □□□

다중합리성 예산모형의 근간이 되는 두 모형에 대한 설명으로 옳지 않은 것은?

① 루빈(Rubin)의 실시간 예산운영 모형은 세입, 세출, 균형, 집행, 과정 등과 관련한 의사결정 흐름 개념을 활용하고 있다.

② 킹던(Kingdon)의 의제설정 모형은 정책과정의 복잡하고 불확실한 역동성을 부각시킨다는 점에서 다중합리성 모형의 중요한 모태라고 할 수 있다.

③ 루빈의 실시간 예산운영 모형에서 다섯 가지의 의사결정 흐름은 느슨하게 연계된 상호의존성을 가지고 있다.

④ 루빈의 실시간 예산운영 모형에서 예산균형 흐름에서의 의사결정은 기술적 성격이 강하며, 책임성의 정치적 특징을 갖는다.

06 □□□

예산결정이론에 대한 설명으로 옳은 것은?

① 합리모형은 예산상의 편익을 극대화하기 위한 결정방식이지만 규범적 성격은 약하다.

② 예산 결정에서 기존 사업에 대한 당위적 예산 배분을 제어할 수 있다는 점은 점증모형의 유용성이다.

③ 단절균형모형을 따르는 예산결정자는 사후후생을 고려하지 않고 최악을 피하는 전략을 사용한다.

④ 다중합리성모형은 정부 예산의 성공을 위해서는 예산 과정 각 단계에서 예산 활동 및 행태를 구분해야 함을 강조한다.

---

05 다중합리성 예산모형

루빈(Rubin)의 실시간 예산운영 모형에서 예산균형 흐름에서의 의사결정은 정부의 범위와 역할에 대한 결정으로, 제약조건의 정치적 특징을 갖는다. 기술적 성격이 강한 흐름은 세입 흐름이며, 책임성의 정치적 특징을 갖는 흐름은 예산집행의 흐름이다.

(선지분석)

① 루빈(Rubin)의 실시간 예산운영 모형은 세입, 세출, 예산균형, 예산집행, 예산과정 등과 관련한 의사결정 흐름 개념을 활용하고 있다.

② 킹던(Kingdon)의 의제설정 모형은 예산과정에서 다양한 예산결정의 흐름, 수많은 결정자들, 정책의제들, 예측 가능한 또는 불가능한 결정기회들이 존재한다고 주장함으로써 정책과정의 복잡하고 불확실한 역동성을 부각시킨다는 점에서 다중합리성 모형의 중요한 모태이다.

③ 루빈(Rubin)의 실시간 예산운영 모형에서 다섯 가지의 의사결정 흐름은 서로 성질이 다르지만, 느슨하게 연결되어 상호의존성을 가진다.

답 ④

---

06 예산결정이론

다중합리성모형은 서메이어와 윌로비(Thumaier & Willoughby)에 의해 제시된 모형으로 정부예산의 성공을 위해서는 예산과정 각 세입 단계, 세출 단계, 집행 단계에서 예산활동 및 행태를 구분해야 함을 강조한다. 세입 단계에서는 누가 부담할 것인가에 대한 설득의 정치가, 세출 단계에서는 누구에게 배분할 것인가 하는 선택의 정치가, 집행 단계에서는 계획에 따른 집행과 수정 및 일탈의 허용에 관한 책임성의 정치가 필요하다.

(선지분석)

① 합리모형은 예산상의 편익을 극대화하기 위한 결정방식으로 규범적 성격의 모형이다.

② 예산 결정에서 기존 사업에 대한 당위적 예산 배분을 제어할 수 있다는 점은 합리모형의 일종인 영기준예산제도(ZBB)의 유용성이다.

③ 사후후생을 고려하지 않고 최악을 피하는 전략을 사용하는 방식은 점증모형적 방식이다. 단절균형모형은 합리모형의 일종으로 예산은 전년도 예산과 단절되었다가 다시 균형을 이루는 형태를 말한다.

답 ④

서메이어(Thumaier)와 윌로비(Willoughby)의 예산 운영의 다중합리성모형에 대한 설명으로 가장 옳은 것은?

① 정부예산의 결과론적 접근방법에 근거한다.
② 미시적 수준의 예산상의 의사결정을 설명하고 탐구한다.
③ 정부 예산의 성공을 위해서는 예산과정 각 단계에서 예산 활동과 행태를 구분해서는 안된다고 주장하였다.
④ 예산과정과 정책과정 간의 연계점의 인식틀을 제시하기 위해 킹던(Kingdon)의 정책결정모형과 그린과 톰슨(Green & Thompson)의 조직과정 모형을 통합하고자 하였다.

루빈(Rubin)의 '실시간 예산운영(Real Time Budgeting)'모형에 대한 설명으로 옳지 않은 것은?

① 세입 흐름에서 의사결정 - '누가, 얼마만큼 부담할 것인가'에 관한 의사결정으로 의사결정의 흐름 속에는 설득의 정치가 내재해 있다.
② 세출 흐름에서 의사결정 - '누구에게 배분할 것인가'에 관한 의사결정으로 선택의 정치로 특징지어지며, 참여자들은 지출의 우선순위가 재조정되기를 바라거나 현재의 우선순위를 고수하려고 노력한다.
③ 예산 균형 흐름에서 의사결정 - '예산 균형을 어떻게 정의할 것인가'에 관한 의사결정으로 제약조건의 정치라는 성격을 지니며, 예산균형의 결정은 근본적으로 정부의 범위 및 역할에 대한 결정과 연계되어 있다.
④ 예산 과정 흐름에서 의사결정 - '계획된 대로 수행할 수 있는가'에 대한 의사결정으로 기술적 성격이 강하고 책임성의 정치라는 특성을 지니며, 예산계획에 따른 집행과 수정 및 일탈의 허용 범위에 대한 문제가 중요하다.

---

07   예산 운영의 다중합리성모형

예산 운영의 다중합리성모형은 다중의 합리성을 기준으로 하여 예산결정기관의 예산상의 의사결정을 미시적인 수준에서 설명하는 모형이다.

(선지분석)
① 정부예산의 결과론적 접근보다 예산결정의 과정에 대한 분석적 접근에 근거한다.
③ 정부 예산의 성공을 위해서는 예산 과정의 각 단계에서 예산활동과 그에 따라 나타나는 행태를 구분하여야 한다고 주장하였다.
④ 예산과정과 정책과정 간의 연계점의 인식틀을 제시하기 위해 킹던(Kingdon)의 정책결정모형과 루빈(Rubin)의 실시간 예산운영모형을 통합하고자 하였다.

답 ②

08   루빈(Rubin)의 실시간 예산운영모형

루빈(Rubin)은 성질은 다르지만 서로 연결된 세입, 세출, 균형, 집행, 과정의 5가지 의사결정의 흐름이 통합되어 의사결정이 이루어진다는 실시간 예산운영모형을 주장하였다. 예산 과정 흐름에서의 의사결정은 '누가 예산을 결정하는가'에 관한 의사결정으로, 결정권한의 균형에 관심이 있다. '계획된 대로 수행할 수 있는가'에 대한 의사결정은 예산 집행에서의 의사결정이다.

답 ④

THEME 083 자원의 희소성과 예산결정이론

09 □□□

공공부문에서의 희소성의 법칙에 관한 설명으로 옳지 않은 것은?

① 급성 희소성(acute scarcity)은 가용자원이 정부의 계속사업을 지속할 만큼 충분하지 못한 경우에 발생한다.
② 완화된 희소성(relaxed scarcity)의 상태는 정부가 현존 사업을 계속하고 새로운 예산 공약을 떠맡을 수 있는 충분한 자원을 가지고 있는 상황이다.
③ 만성적 희소성(chronic scarcity)하에서 예산은 주로 지출통제보다는 관리의 개선에 역점을 두게 된다.
④ 희소성은 '정부가 얼마나 원하는가'에 대해서 '정부가 얼마나 보유하고 있는가'의 양면적 조건으로 이루어져 있다.
⑤ 공공부문에서의 희소성의 법칙은 항상 절대적으로 받아들여지는 것은 아니다.

10 □□□

윌다브스키(Wildavsky)의 예산행태 유형 중 국가의 경제력은 낮지만 재정 예측력이 높은 경우에 나타나는 행태는?

① 점증적 예산(incremental budgeting)
② 반복적 예산(repetitive budgeting)
③ 세입 예산(revenue budgeting)
④ 보충적 예산(supplemental budgeting)

---

09 | 희소성의 법칙

가용자원이 정부의 계속사업을 지속할 만큼 충분하지 못한 경우에 발생하는 것은 총체적 희소성이다. 급성 희소성은 이용 가능한 자원이 계속사업의 점증적 증가분을 충당하지 못하는 상황이다.

선지분석
③ 만성적 희소성(chronic scarcity)은 정부의 계속사업 자금은 충분하나 신규사업 추진은 곤란한 상황을 말한다.
⑤ 공공부문은 정치적 결정에 따라 희소성의 법칙이 무시되는 경우도 있다.

답 ①

10 | 윌다브스키(Wildavsky)의 예산행태 유형

윌다브스키(Wildavsky)의 예산행태 유형 중 국가의 경제력은 낮지만 재정 예측력이 높은 경우에 나타나는 행태는 세입 예산이다.

📑 **윌다브스키(Wildavsky)의 예산행태 유형**

구분		경제력	
		높음	낮음
재정 예측력	높음	점증적(incremental) 예 선진국	양입제출적(revenue)·세입 예산 예 미국 도시정부
	낮음	보충적(supplement) 예 행정능력이 낮은 경우	반복적(repetitie) 예 후진국

답 ③

THEME 084 예산제도의 발달

01 □□□

예산제도에 대한 설명으로 옳지 않은 것은?

① 품목별 예산제도는 일에 대한 정보를 제공하며, 세입과 세출의 유기적 연계를 고려한다.

② 성과주의예산제도는 업무량과 단위당 원가를 곱하여 예산액을 산정한다.

③ 계획예산제도는 비용편익분석 등을 활용함으로써 자원 배분의 합리화를 추구한다.

④ 영기준예산제도는 예산편성에서 의사결정단위(decision unit)설정, 의사결정 패키지 작성 등이 필요하다.

---

02 □□□

품목별예산제도에 대한 설명으로 옳은 것은?

① 지출을 통제하고 공무원들로 하여금 회계적 책임을 쉽게 확보 할 수 있는 데 용이하다.

② 미국 케네디 행정부의 국방장관인 맥나마라(McNamara)가 국방부에 최초로 도입하였다.

③ 거리 청소, 노면 보수 등과 같이 활동 단위를 중심으로 예산재원을 배분한다.

④ 능률적인 관리를 위하여 구성원의 참여를 촉진한다는 점에서는 목표에 의한 관리(MBO)와 비슷하다.

---

01 | 예산제도

품목별 예산제도는 지출의 대상과 성질에 따라 품목별로 분류하여 그 지출 대상과 한계를 규정하고 예산을 편성하는 방법이다. 품목별 예산제도는 지출항목을 엄격하게 분류하여 전반적인 정부의 업무에 대한 정보를 제공하지 못하며 목표의식이 결여되어 세입과 세출의 유기적 연계를 고려하지 못한다.

(선지분석)

② 성과주의예산제도는 업무량과 단위당 원가를 곱하여 해당 기능이나 활동에 필요한 예산액을 산정한다.

③ 계획예산제도는 체제분석, 비용편익분석 등 과학적 기법을 활용함으로써 자원 배분의 합리화를 추구한다.

④ 영기준예산제도는 예산편성에서 예산의 결정을 시행할 의사결정단위(decision unit)의 설정 및 사업 및 증액에 관한 의사결정 패키기 작성 등이 필요하다.

답 ①

---

02 | 품목별예산제도

품목별예산제도는 관료의 권한과 재량 통제 및 회계책임이 명확하므로 행정부의 통제가 용이하다.

(선지분석)

② 계획예산제도(PPBS)에 대한 설명이다.

③ 성과주의예산제도(PBS)에 대한 설명이다.

④ 영기준예산제도(ZBB)에 대한 설명이다.

답 ①

03 ☐☐☐

미국 행정의 발달과정과 행정학의 태동에 대한 설명으로 옳은 것은?

① 잭슨(Jackson)이 도입한 엽관주의는 정치지도자의 행정통솔력을 약화함으로써 국민의 요구에 대한 관료적 대응성의 후퇴 및 정책수행과정에서의 비효율성을 초래하였다.

② 건국 직후 미국 정치체제는 행정의 효율성을 지향하는 해밀턴주의(Hamiltonianism)가 지배했다.

③ 1906년에 설립된 뉴욕시정조사연구소(The New York Bureau of Municipal Research)는 좋은 정부를 구현하기 위한 능률과 절약의 실천방안을 제시하고 시정에 대한 과학적 연구를 수행했다.

④ 미국 행정학의 학문적 초석을 다진 애플비(Appleby)는 행정에 대한 지나친 정당정치의 개입이 정책의 능률적 집행을 저해한다고 보았다.

03	미국 행정의 발달과정

1906년 뉴욕시에서 예산 낭비를 막고 예산에 대한 정부의 통제력을 확보하려는 방안들을 마련하면서 1907년 뉴욕시 보건국 예산을 품목별로 편성하기 시작하였다. 품목별예산은 1912년 '절약과 능률을 위한 대통령 위원회(Taft 위원회)'의 권고에 의해 1920년대에 대부분의 연방부처에서 도입되었다.

선지분석

① 잭슨(Jackson)이 도입한 엽관주의는 정치지도자의 행정통솔력을 강화함으로써 국민의 요구에 대한 관료적 대응성을 향상시켰다.

② 건국 직후 미국 정치체제는 주정부의 권한 중심의 행정이 운영되었으며, 이에 반대하여 해밀턴(Hamilton)은 강력한 연방정부와 효율성을 강조하였다.

④ 애플비(Appleby)는 『정책과 행정』(1949)에서 정치와 행정의 과정은 연속적·순환적이므로 결합적 관계를 형성해야 한다고 주장하였다.

답 ③

04 ☐☐☐

품목별예산제도에 대한 설명으로 옳지 않은 것은?

① 비교적 운영하기 쉬우나 회계책임이 분명하지 않은 단점이 있다.

② 지출품목마다 그 비용이 얼마인가에 따라 예산을 배정하는 제도이다.

③ 예산담당 공무원들에게 필요한 핵심적 기술은 회계기술이다.

④ 예산집행자들의 재량권을 제한함으로써 행정의 정직성을 확보하려는 제도이다.

04	품목별예산제도

품목별예산제도는 지출의 대상과 성질에 따라 품목별로 분류하여 그 지출대상과 한계를 규정하고 예산을 편성하는 통제지향적 예산제도이다. 품목별예산제도는 예산집행에 대한 회계책임이 명확하고 회계검사가 용이하다는 장점이 있다.

선지분석

② 품목별예산제도는 지출품목의 비용에 따라 예산을 품목별로 배정하는 제도이다.

③ 예산담당 공무원들은 품목별예산제도에서는 회계학적 지식과 기술이 필요하고, 성과주의예산제도에서는 행정학 및 경영학의 지식이 필요하며, 계획예산제도에서는 경제학적 지식이 필요하다.

④ 품목별예산제도는 예산집행자의 재량을 제한하는 통제지향적 예산제도이다.

답 ①

품목별예산제도에 대한 설명으로 옳지 않은 것은?

① 재정민주주의 구현에 유리한 통제지향 예산제도이다.

② 정부활동의 중복 방지와 통합 · 조정에 유리한 예산제도이다.

③ 지출 대상에 따라 자세히 예산이 표시되어 있으므로 예산심의가 용이하다.

④ 정부가 수행하는 사업과 그 효과에 대한 명확한 정보를 제공하지 못한다.

다음 중 성과주의예산제도에 대한 설명으로 옳지 않은 것은?

① 정부가 무슨 일을 하느냐에 중점을 두는 제도이다.

② 기능별예산제도 또는 활동별예산제도라고 부르기도 한다.

③ 관리지향성을 지니며 예산관리를 포함하는 행정관리작용의 능률화를 지향한다.

④ 예산관리기능의 집권화를 추구한다.

⑤ 정부사업에 대한 회계책임을 묻는 데 유용하다.

---

05   품목별예산제도

품목별예산제도는 예산을 품목별로 구분하기 때문에 전체 사업에 대한 정보를 확인할 수 없어 정부활동의 중복을 방지하기 어렵고 통합 · 조정이 어려운 예산제도이다.

(선지분석)

① 통제지향적인 입법부 우위의 예산원칙을 특징으로 하며, 재정민주주의 구현에 유리한 예산제도이다.

③ 지출의 대상과 성질에 따라 품목별로 분류하여 그 지출대상과 한계를 규정하고 예산을 편성하기 때문에 예산심의가 용이하다.

④ 예산의 경제적 효과를 파악하기 어렵다는 단점이 있다.

답 ②

06   성과주의예산제도

성과주의예산제도는 기능별 · 활동별 예산제도이기 때문에 의회의 예산통제가 곤란하고, 정부사업에 대한 회계책임을 묻기가 곤란하다. 정부사업에 대한 회계책임을 묻는 데 유용한 예산제도는 품목별예산제도이다.

(선지분석)

①, ② 성과주의예산제도는 정부가 수행하는 기능과 활동에 중점을 두는 제도이다.

③ 성과주의예산제도는 행정관리작용의 능률화를, 품목별예산제도는 통제성을, 기획예산제도는 계획성을, 영기준예산제도는 감축을 지향한다.

④ 성과주의예산제도를 광의로 파악할 경우 성과주의예산제도(PBS)와 신성과주의예산제도(NPB)가 모두 포괄된다. 이 중 신성과주의예산제도(NPB)는 예산관리기능의 집권화를 추구한다.

답 ⑤

목표관리제(MBO)와 성과관리제를 비교한 〈보기〉의 설명 중 옳은 것을 모두 고르면?

〈보기〉

ㄱ. 목표관리제는 개인이나 부서의 목표를 조직의 관리자가 제시한다는 측면에서 조직목표 달성을 위한 하향식 접근이다.

ㄴ. 목표관리제와 성과관리제 모두 성과지표별로 목표달성 수준을 설정하고 사후의 목표달성도에 따라 보상과 재정지원의 차등을 약속하는 계약을 체결한다.

ㄷ. 성과평가에서는 평가의 타당성, 신뢰성, 객관성을 확보하는 것이 중요하다.

ㄹ. 성과관리는 조직의 비전과 목표로부터 이를 달성하기 위한 부서단위의 목표와 성과지표, 개인단위의 목표와 지표를 제시한다는 점에서 상향식 접근이다.

① ㄷ

② ㄴ, ㄷ

③ ㄱ, ㄴ, ㄷ

④ ㄴ, ㄷ, ㄹ

성과주의예산제도에 대한 설명으로 옳은 것은?

① 운영관리를 위한 지침으로 효과적이다.

② 기획기능을 상대적으로 강조한다.

③ 회계책임을 명확하게 한다.

④ 예산비목의 증가를 통제하기 쉽다.

⑤ 입법부에 의한 예산통제에 효과적이다.

---

07   목표관리제(MBO)와 성과관리제

ㄴ. 목표관리제(MBO)는 가시적이고 단기적인 목표를 설정하고, 목표달성 수준에 따른 보상을 줄 것에 대한 계약을 체결하는 한편, 성과관리제는 고위직에게 성과지표달성 수준에 따른 계약을 체결한다.

ㄷ. 성과평가 시 평가의 타당성, 신뢰성, 객관성을 확보하여야 피평가자의 순응을 기대할 수 있다.

⟮선지분석⟯

ㄱ. 목표관리제(MBO)는 개인이나 부서의 목표를 조직의 최말단 구성원까지 참여하여 제시한다는 측면에서 조직목표달성을 위한 상향식 접근이다.

ㄹ. 성과관리는 조직의 비전과 목표를 기준으로 이를 달성하기 위한 부서단위의 목표와 성과지표를 제시하고, 다시 이를 기준으로 개인단위의 목표와 지표를 제시한다는 점에서 하향식 접근이다.

답 ②

08   성과주의예산제도

성과주의예산제도는 정부활동을 기능·활동·사업계획에 기초를 두고 편성하되, 업무단위의 원가와 양을 계산하여 편성하는 예산제도이다. 성과주의예산은 사업을 중심으로 예산을 편성함으로써 예산액의 절약과 능률보다 사업 또는 정책의 성과에 더 관심을 가지고, 업무단위의 비용과 업무량을 측정함으로써 정보의 계량화를 시도하여 관리의 능률성을 향상시키는 데 효과적인 예산제도이다.

⟮선지분석⟯

② 계획예산제도의 특징이다.

③ 품목별예산제도의 특징이다.

④ 성과주의예산제도는 예산의 증가를 통제하기 어렵다.

⑤ 성과주의예산제도는 입법부의 예산통제가 곤란하다.

답 ①

09 □□□

성과주의예산제도(PBS; Performance Budgeting System)의 장점에 대한 설명으로 가장 옳지 않은 것은?

① 평가 대상 업무단위가 중간 산출물인 경우가 많아 예산성과의 질적인 측면까지 평가할 수 있다.

② 계량화된 정보를 통해 합리적인 의사결정과 관리 개선에 기여할 수 있다.

③ 입법부의 예산심의를 간편하게 만든다.

④ 사업 또는 활동별로 예산이 편성되기 때문에 국민들이 정부의 추진사업을 쉽게 이해할 수 있다.

10 □□□

성과주의예산제도에 대한 설명으로 옳지 않은 것은?

① 성과주의예산은 운영관리를 위한 지침으로서 효과적이지 않다.

② 제2차 세계대전 이후 미국의 제1차 후버 위원회에서 권고한 제도 중의 하나이다.

③ 성과주의예산에서 재원들은 거리 청소, 노면 보수 등과 같은 활동단위를 중심으로 배분된다.

④ 1990년대 이후 미국 클린턴 행정부에서 목표관리, 총체적 품질관리 등과 같은 혁신적인 방안이 추진되면서 부활된 제도이다.

---

09   성과주의예산제도

성과주의예산제도는 평가 대상의 업무단위가 최종적 산출물인 '결과'가 아니라 중간 산출물인 '산출'인 경우가 많아서 성과의 질적인 측면을 평가하기 어렵다.

📑 성과주의예산제도의 장·단점

장점	단점
• 사업 이해의 용이성	• 업무단위의 선정 곤란
• 효율적인 자원배분	• 단위원가의 계산 곤란
• 사업의 계획수립 용이	• 행정부의 재정통제 곤란
• 상향적·분권적 의사결정	• 성과파악 곤란
• 성과관리의 강화	• 대안의 합리적 검토 곤란

답 ①

---

10   성과주의예산제도

성과주의예산은 품목별예산제도를 보완하기 위하여 등장한 제도로서 효율적 관리 중심의 예산이고, 운영관리를 위한 지침으로서 효과적인 제도이다.

(선지분석)

② 후버(Hoover) 위원회에서 성과주의의 필요성을 역설하였다.

③ 성과주의예산의 기본단위는 업무단위(work unit)이며, 업무단위는 하나의 사업을 수행하는 과정에서의 활동과 최종산물로 구성된다.

④ 성과주의예산제도는 1990년대 이후 신성과주의예산제도(NPB)로 부활된 제도이다.

답 ①

성과주의예산제도가 성공적으로 도입·운영되기 위해 중시되어야 하는 것은?

① 행정부제출예산제도
② 합법성 위주의 예산심의
③ 회계검사기관의 기능 강화
④ 사업원가의 도출

제2차 세계대전 이후 미국은 경제발전, 효율성, 공공서비스 개선에 초점을 맞추고 경직적인 관료제의 병리와 국가부채 문제를 해소하기 위해 새로운 예산제도를 도입하였다. 정부에 대한 구조조정 작업을 추진하면서 제안된 성과주의예산제도에 대한 설명으로 옳은 것은?

① 결과보다 기획기능의 강조
② 회계 책임의 명확화
③ 모든 대안에 대한 검토
④ 사업과 예산의 연계

---

11   성과주의예산제도

사업원가의 도출은 성과주의예산제도에서 가장 중요한 요소이다.

(선지분석)
①, ②, ③ 행정부제출예산제도, 합법성 위주의 예산심의, 회계검사기관의 기능 강화 모두 품목별예산제도에서 중시되는 요소이다.

답 ④

---

12   성과주의예산제도

성과주의예산제도는 사업을 중심으로 예산을 편성함으로써 사업 또는 정책의 성과를 측정하는 데 목적이 있으므로, 사업과 예산의 연계를 가장 중시한다.

(선지분석)
① 결과보다 기획기능을 강조하는 것은 계획예산제도(PPBS)이다.
② 회계 책임의 명확화를 강조한 것은 품목별예산제도(LIBS)이다.
③ 모든 대안에 대한 예산을 검토하고 편성하는 제도는 영기준예산제도(ZBB)이다.

답 ④

2000년대 초반 도입된 한국의 프로그램예산제도에 대한 설명으로 옳지 않은 것은?

① 프로그램예산제도는 현재 운영되지 않는 제도이다.
② 프로그램예산분류(과목) 체계는 분야 - 부문 - 프로그램 - 단위사업 - 세부사업 등으로 구성된다.
③ 프로그램예산제도 도입 시 비목(품목)의 개수를 대폭 축소함으로써 비목 간 칸막이를 최대한 줄였다.
④ 프로그램예산제도는 정책과 성과 심의 예산운영을 위해 설계 · 도입된 제도이다.

우리나라의 프로그램예산제도에 대한 설명으로 옳지 않은 것은?

① 세부업무와 단가를 통해 예산금액을 산정하는 상향식 방식을 사용하고 단년도 중심의 예산이다.
② 프로그램은 동일한 정책을 수행하는 단위사업의 묶음이다.
③ 예산운용의 초점을 투입 중심보다는 성과 중심에 둔다.
④ '프로그램 - 단위사업 - 세부사업'은 품목별예산체계의 '항 - 세항 - 세세항'에 해당한다.

13	프로그램예산제도

프로그램예산제도는 2007년 중앙정부에, 2008년 지방정부에 도입되어서 운영되고 있다. 프로그램예산제도는 예산의 전 과정을 프로그램(정책사업) 중심으로 구조화하고 이것을 성과평가와 연계한 예산제도이다.

(선지분석)
② 프로그램예산분류 체계의 분야-부문-프로그램-단위사업-세부사업은 품목별분류 체계의 장-관-항-세항-세세항에 대응한다.
③ 프로그램예산제도 도입 시 비목의 개수를 대폭 축소함으로써 비목 간 칸막이가 줄어들어, 비목별로 예산을 과도하게 확보하려는 경향이 축소되었다.

답 ①

14	프로그램예산제도

세부업무와 단가를 통해 예산금액을 산정하는 상향식 방식을 사용하는 단년도 중심의 예산은 품목별예산이다. 프로그램예산제도는 기존의 투입이나 통제 중심의 품목별 분류체계에서 벗어나서 성과와 책임을 지향하는 하향식 방식을 사용한 다년도 중심의 예산제도이다.

(선지분석)
② 프로그램은 정책으로서 의미를 가지는 최소단위의 사업으로 단위사업의 묶음이다.
③ 프로그램예산제도를 통하여 정부가 수행하는 정책의 성과를 중시한다.

답 ①

15 ☐☐☐

프로그램예산제도에 대한 설명으로 옳지 않은 것은?

① 동일한 정책목표를 가진 단위사업들을 하나의 프로그램으로 묶어 예산 및 성과 관리의 기본 단위로 삼는다.

② 우리나라에서는 지방자치단체가 2004년부터, 중앙정부는 2008년부터 공식적으로 채택하였다.

③ 자원배분의 투명성을 높일 수 있고, 일반 국민이 예산사업을 쉽게 이해할 수 있게 한다.

④ 우리나라가 도입한 배경에는 투입 중심 예산운용의 한계를 극복하고자 하는 측면이 있었다.

16 ☐☐☐

A 예산제도에서 강조하는 기능은?

> A 예산제도는 당시 미국의 국방장관이었던 맥나마라(McNamara)에 의해 국방부에 처음 도입되었고, 국방부의 성공적인 예산개혁에 공감한 존슨(Johnson) 대통령이 1965년에 전 연방정부에 도입하였다.

① 통제
② 관리
③ 기획
④ 감축

15	프로그램예산제도

우리나라에서는 지방자치단체가 2008년부터, 중앙정부는 2007년부터 프로그램예산제도를 공식적으로 채택하였다.

(선지분석)

① 프로그램이란 동일한 정책목표를 달성하기 위한 단위사업의 묶음으로 정책적으로 독립성을 지닌 최소단위이다. 프로그램예산제도는 프로그램을 중심으로 예산을 분류하여 운영한다.

③ 일반 국민들이 예산사업을 쉽게 이해할 수 있으며, 사업관리 시스템이 함께 운용되기 때문에 재정집행의 투명성과 효율성 제고가 가능하다.

④ 기존의 투입이나 통제 중심의 품목별 분류체계에서 벗어나 성과와 책임을 지향하는 예산제도이다.

답 ②

16	예산제도

맥나마라(McNamara)에 의해 국방부에 시험적으로 도입된 것은 계획예산제도로, 존슨(Johnson) 대통령이 전 연방정부에 도입하였다. 계획예산제도는 중장기의 기획과 단기 예산의 연계를 통한 자원의 합리적인 배분을 중시한다.

(선지분석)

① 통제를 강조하는 예산제도는 품목별예산제도이다.

② 관리를 강조하는 예산제도는 성과주의예산제도이다.

④ 감축을 강조하는 예산제도는 영기준예산제도이다.

📄 예산제도의 종류

구분	품목별 예산제도	성과주의 예산제도	계획 예산제도	영기준 예산제도	주민참여 예산제도
예산 기능	통제	관리	기획	평가와 감축	참여
핵심 요소	투입	투입, 산출	투입, 산출, 목표	우선순위	참여, 분권
행정 이념	민주성	능률성	효과성	생산성	민주성

답 ③

17 □□□

2020년 서울시 9급

예산제도 중 다음 〈보기〉의 내용에 해당하는 것은?

〈보기〉
기획(Planning), 사업구조화(Programming), 예산(Budgeting)을 연계시킨 시스템적 예산제도로, 시간적으로 장기적 사업의 효과가 나올 수 있도록 예산을 뒷받침한 것으로 볼 수 있다. 조직목표달성 차원에서 성과를 설정하는 것이 가능하며, 자원배분의 효율성을 높일 수 있는 장점이 있다. 그러나 의사결정의 지나친 집권화와 실현가능성이 낮은 문제가 단점으로 지적된다.

① 성과예산제도
② 계획예산제도
③ 목표관리예산제도
④ 영기준예산제도

---

17 | 예산제도

〈보기〉는 계획예산제도(PPBS)에 대한 설명이다.

선지분석
① 성과예산제도(PBS)는 정부활동을 기능·활동·사업계획에 기초를 두고 편성하되, 업무단위의 원가와 양을 계산하여 편성하는 예산제도이다.
③ 목표관리예산제도(MBO)는 닉슨(Nixon) 행정부가 등장하면서 도입된 예산제도로 부서별 목표와 예산지출을 연계시키려고 시도하였으며, 기획이 아니라 집행에 예산의 최대 주안점을 두는 제도이다.
④ 영기준예산제도(ZBB)는 과거의 관행을 전혀 참고하지 않고 점증주의를 완전히 탈피하여 모든 사업이나 활동(계속사업과 신규사업)을 근본적·총체적으로 검토하여 우선순위를 결정한 뒤 이에 따라 예산을 합리적·근원적으로 편성하는 제도이다.

답 ②

18 □□□

2013년 국가직 9급

계획예산제도(PPBS)에 대한 설명으로 옳지 않은 것은?

① 품목별예산은 하향식 예산 과정을 수반하나, PPBS는 상향식 접근이 원칙이다.
② 품목별예산과는 달리 부서별로 예산을 배정하지 않고 정책별로 예산을 배분한다.
③ PPBS는 집권화를 강화시킨다.
④ 계량적인 기법인 체제분석, 비용편익분석 등을 사용한다.

---

18 | 계획예산제도

품목별예산제도는 상향식 예산의 대표적인 예이다. 계획예산제도(PPBS)는 반대로 하향식 접근이 원칙이다.

선지분석
② 계획예산제도는 부서를 초월하여 예산을 편성한다.
③ 계획예산제도는 행정수반과 재정당국의 집권화를 강화한다.
④ 계획예산제도는 과학적이고 계량적인 기법을 활용한다.

답 ①

19 ☐☐☐

영기준예산제도에 대한 설명으로 가장 옳지 않은 것은?

① 자원의 효율적인 배분 및 예산절감의 효과를 얻을 수 있다.
② 예산과정에서 상향적 의사결정이 이루어지므로 실무자의 참여가 확대된다.
③ 예산과정에서 정치적 고려 및 관리자의 가치관이 반영될 가능성이 높다.
④ 현 시점 위주로 분석하므로 장기적인 목표가 경시될 수 있다.

20 ☐☐☐

다음 중 ZBB에 대한 설명으로 가장 옳지 않은 것은?

① 과거연도의 예산지출이 참고자료로 고려되지 않는다.
② 예산의 과대추정을 억제할 수 있다.
③ 비용편익분석과 시스템분석을 주요 수단으로 활용한다.
④ 각 부처에서 지출규모에 대한 결정을 한다.

19	영기준예산제도

예산과정에서 정치적 고려 및 관리자의 가치관이 반영될 가능성이 높은 제도는 정치관리형 예산제도(BPM)이다.

(선지분석)

① 영기준예산제도는 예산을 영기준에서 검토하므로 자원의 비효율적 배분을 방지하고 예산절감의 효과를 얻을 수 있다.

> 📑 **영기준예산제도의 특징**
>
> 1. 전년도 예산 불인정하고 계속사업과 신규사업 모두를 검토 한 후 편성한다.
> 2. 자원배분에 관한 합리적이고 체계적인 의사결정을 강조한다.
> 3. 관심 대상은 사업 대안 및 활동대안의 우선순위이며, 지출 대안의 우선순위에 따른 선택에 초점을 둔다.
> 4. 예산결정의 접근방법은 원칙적으로 합리적이고 포괄적이되 상향적인 참여를 중시한다.
> 5. 예산기관의 주된 역할은 정책과 사업의 우선순위를 결정하는 것이다.
> 6. 분권적인 계획책임이다.
> 7. 실제 운영에 있어서 영기준예산은 모든 사업계획이 아닌 선정된 사업계획에 대해 꼭 영기준일 필요 없이 예산기준영역의 한 지점으로부터 검토하는 것이다.

답 ③

20	영기준예산제도

비용편익분석과 시스템분석을 주요 수단으로 활용한 것은 계획예산제도(PPBS)이다. 영기준예산제도(ZBB)는 과거의 관행을 전혀 참고하지 않고 점증주의를 완전히 탈피하여 모든 사업이나 활동을 근본적이고 총체적으로 검토하여 우선순위를 결정한 뒤 이에 따라 예산을 합리적·근원적으로 편성하는 제도이다.

(선지분석)

① 영기준예산제도(ZBB)는 과거연도의 예산지출을 참고하지 않고, 예산을 편성할 때 영기준(Zero Base)에서 편성한다.
② 영기준예산제도(ZBB)는 기존의 예산지출의 관성을 극복하는 예산제도로, 예산의 과대추정을 억제하고 감축지향성을 특징으로 한다.
④ 프로그램예산제도는 상향식 예산제도로 각 부처에서 지출규모에 대한 결정을 한다.

답 ③

21 □□□

영기준예산제도(ZBB)의 장점으로 옳지 않은 것은?

① 국방비, 공무원의 보수, 교육비와 같은 경직성 경비가 많으면 영기준예산제도의 효용이 커진다.
② 최고관리자는 각 기관의 업무수행에 대한 보다 상세한 자료를 입수할 수 있다.
③ 예산 과정에 대한 관리자 및 실무자의 참여를 촉진한다.
④ 전년도 답습주의로 인한 재정의 경직성을 완화할 수 있다.

22 □□□

영기준예산제도의 단점으로 옳은 것만을 모두 고른 것은?

> ㄱ. 계산전략의 한계
> ㄴ. 정보획득의 애로
> ㄷ. 예산통제의 애로
> ㄹ. 경직성 경비로 인한 한계
> ㅁ. 재정구조의 경직화
> ㅂ. 비경제적 요인의 간과

① ㄱ, ㄴ, ㄹ, ㅂ
② ㄱ, ㄷ, ㄹ, ㅁ
③ ㄱ, ㄷ, ㄹ, ㅂ
④ ㄴ, ㄷ, ㅁ, ㅂ

21	영기준예산제도

공공부문에 국방비, 공무원의 보수, 교육비 같은 경직성 경비가 많아지면 영기준예산제도의 적용상의 어려움이 있다. 월다브스키(Wildavsky)는 영기준예산제도가 경직성 경비로 인해 점증적 예산 행태를 극복하지 못하였으며, 실제로는 영기준예산이 아니라 90% 기준예산이라고 혹평하였다.

📄 영기준예산제도의 장·단점	
장점	단점
• 합리적 의사결정과 자원의 배분 • 예산 낭비 및 팽창 극복 • 조직 구성원의 참여 • 감축관리를 통한 자원난 극복 • 재정운영의 경직성 타파 • 관리자의 조직운영에 효과적으로 작용 • 예산운영의 다양성과 신축성 • 예산의 실질적 합리성 모색	• 과다한 노력과 시간 소요 • 시간적 제약으로 우선순위 결정의 어려움 • 목표설정의 곤란성 • 경직성 경비의 간과

답 ①

22	영기준예산제도

계산전략의 한계, 정보획득의 애로, 경직성 경비로 인한 한계, 비경제적 요인의 간과는 영기준예산제도의 단점이다.

선지분석

ㄷ. 영기준예산제도는 모든 사업을 원점에서부터 검토하도록 함으로써 예산·계획·통제기능의 연계를 강조하게 된다.
ㅁ. 영기준예산제도는 모든 사업을 재검토한다는 점에서 재정운영의 경직성을 타파하고 탄력성을 확보할 수 있다.

답 ①

다음 설명에 해당하는 예산제도는?

> • 합리적 선택을 강조하는 총체주의 방식의 예산제도이다.
> • 조직 구성원의 참여가 상대적으로 높은 분권화된 관리체계를 갖는다.
> • 예산편성에 비용·노력의 과다한 투입을 요구한다는 비판을 받는다.

① 성과주의예산제도
② 계획예산제도
③ 영기준예산제도
④ 품목별예산제도

다음 특징에 해당하는 예산관리제도는?

> • 사업 시행 후 기존 사업과 지출에 대해 입법기관이 재검토한다.
> • 정부의 불필요한 행위나 활동을 폐지하고 효율적인 정부를 추구하려는 노력이다.
> • 특정 조직이나 사업에 대해 존속시킬 타당성이 없다고 판명되면 자동적으로 폐지하는 제도이다.
> • 매 회계연도마다 반복되는 예산 과정에서 비교적 독립적으로 진행할 수 있다.

① 영기준예산제
② 일몰제
③ 계획예산제
④ 성과주의예산제

---

23 | 영기준예산제도

영기준예산제도는 합리주의(총체주의)에 입각하여 과거의 관행을 전혀 참조하지 않고 모든 사업이나 활동을 근본적으로 검토하여 우선순위를 결정한 뒤 예산을 편성하는 제도이다. 조직 구성원의 참여가 이루어지는 분권화된 관리 체계를 가진 상향적 예산제도이지만, 과다한 노력과 시간이 소요된다는 비판을 받는다.

답 ③

24 | 예산관리제도

제시문은 일몰제에 대한 설명이다. 일몰제는 3~7년을 주기로 정책을 재심사하고 타당성이 없다고 판단되는 사업을 자동적으로 폐지하여 효율적인 정부를 추구하는 예산감축제도이다.

답 ②

25 □□□

1990년대에 새롭게 주목받게 된 성과관리예산제도에 대한 설명으로 옳지 않은 것은?

① 투입보다는 산출 또는 성과를 중심으로 삼고 있다.

② 거리청소사업으로 예를 들면, 거리의 청결도와 주민의 만족도 등을 다음 연도 예산배분에 반영하는 것이다.

③ 장기적인 기획과 단기적인 예산편성을 유기적으로 연결하여 합리적인 자원배분을 이루려는 제도이다.

④ 모든 조직에 공통적으로 적용할 수 있는 표준적 성과측정지표를 개발하기 어렵다는 점은 성과관리예산제도의 단점으로 지적된다.

---

26 □□□

균형성과표(BSC, Balanced Score Card)에 대한 설명으로 가장 옳지 않은 것은?

① BSC는 관리자의 성과정보가 재무적 정보에 국한된 약점을 극복하고자 다양한 측면의 정보를 제공하며, 재무적 정보 외에 고객, 내부 절차, 학습과 성장 등 조직운영에 필요한 관점을 추가한 것이다.

② BSC의 장점은 거시적이고 추상적인 조직목표와 실천적 행동지표 간 인과관계를 확보함으로써 조직의 전략과 기획을 실행에 옮길 수 있게 한다는 것이다.

③ BSC는 조직 구성원 학습, 내부절차 및 성장과 함께, 정책 관련 고객의 중요성을 강조하지만, 고객이 아닌 이해당사자들에 대한 의사소통 채널에 대해서는 관심의 정도가 낮아 한계로 지적되고 있다.

④ BSC의 기본 틀은 성과관리 체계로 이전의 관리 방식인 TQM이나 MBO와 크게 다르지 않고, 다만 거기에서 진화된 종합모형이라 평가 받고 있다.

25	성과관리예산제도

장기적인 기획과 단기적인 예산편성을 유기적으로 연결하여 합리적인 자원배분을 이루려는 것은 계획예산제도(PPBS)의 특징이다.

선지분석

① 성과관리예산제도는 신성과주의예산제도로, 예산의 투입보다는 실질적인 산출 또는 성과를 중심으로 삼고 있다.

② 거리청소사업으로 예를 들면, 거리청소의 횟수를 다음 연도 예산배분에 반영하는 제도가 (구)성과주의예산제도라면, 거리의 청결도와 주민의 만족도 등을 다음 연도 예산배분에 반영하는 것이 1990년대에 새롭게 주목받게 된 성과관리예산제도이다.

④ 정부의 업무 영역은 매우 상이하고 다양하기 때문에 모든 정부 조직에 공통적으로 적용할 수 있는 표준적 성과측정지표를 개발하기 어렵다는 점은 성과관례예산제도의 단점으로 지적된다.

답 ③

26	균형성과표

균형성과표(BSC)는 조직에 영향을 주는 다양한 동인을 4가지 관점으로 균형화시켜, 비전을 달성할 수 있는 바람직한 관리평가지표를 도출하는 방법으로, 재무와 비재무, 결과와 과정, 과거와 현재 및 미래, 내부와 외부 등을 균형 있게 고려한 성과평가시스템이다. BSC는 고객의 중요성을 강조하는 한편, 이해당사자들에 대한 의사소통 채널에 대해서도 관심의 정도가 높다고 평가된다. 예를 들어 학습과 성장을 가능하게 하는 세 가지 원천을 종업원, 시스템, 조직으로 보는데 종업원은 BSC의 이해당사자이다.

선지분석

④ BSC는 기존의 관리 방식인 TQM이나 MBO와 본질적으로는 차이가 없고, 이러한 관리 방식에서 진화된 종합적인 모형이라는 평가를 받는다.

답 ③

---

27 □□□

균형성과표(BSC)에 대한 설명으로 옳지 않은 것은?

① 학습 · 성장 관점은 구성원의 능력개발이나 직무만족과 같이 주로 인적자원에 대한 성과를 포함한다.
② 무형자산에 대한 강조는 성과평가의 시간에 대한 관점을 단기에서 장기로 전환시킨다.
③ 고객 관점의 성과지표에는 고객만족도, 신규고객 증가 수 등이 있다.
④ 내부 프로세스 관점에서는 통합적인 일처리 절차보다 개별 부서별로 따로따로 이루어지는 일처리 방식에 초점을 맞춘다.

28 □□□

균형성과표(BSC; Balanced Score Card)의 관점과 측정지표가 바르게 연결된 것은?

① 학습과 성장 관점 – 직무만족도
② 내부 프로세스 관점 – 민원인의 불만율
③ 재무적 관점 – 신규 고객의 증감
④ 고객 관점 – 조직 내 커뮤니케이션 구조

27	균형성과표

내부 프로세스 관점은 구성원 간, 개별 부서 간 소통의 도구로 기능하는 데 도움을 주는 관점이다. 따라서 개별적인 일처리 방식보다는 통합적인 일처리를 중시한다.

📄 균형성과표(BSC)의 네 가지 관점

재무적 관점	• 이해관계자의 위험 · 성장 · 수익에 대한 전략 • 기업에서 강조 • 후행지표
고객 관점	• 차별화와 가치를 창출하는 전략 • 공행정에서 중시되는 관점
내부 프로세스 관점	다양한 프로세스에 대한 전략적 우선순위 결정
학습과 성장 관점	• 조직의 변화 · 혁신 · 성장을 지원하는 분위기 창출에 대한 우선순위 • 나머지 세 가지 관점의 토대로서 장기적인 성장과 발전 강조

답 ④

28	균형성과표

학습과 성장 관점은 조직의 장기적인 성장과 발전을 지향하는 관점으로 구성원의 역량, 직무만족도, 정보시스템의 구축 등을 성과지표로 하는 미래적 관점의 선행지표이다.

(선지분석)

② 내부 프로세스 관점은 고객관계를 제고하고, 조직의 재무성과를 성취하는 데 가장 큰 영향을 미칠 내부 프로세스에 대한 성과척도를 강조하는 관점이다. 성과지표로는 적법절차, 커뮤니케이션의 구조, 정보의 공개 등 업무처리 관점의 과정중심지표가 있다.
③ 재무적 관점은 궁극적으로 기업이 추구하는 최종 목표로서 사업단위에 투자된 자본에 대해 한층 더 높은 이익률을 얻으려는 조직의 장기적인 목표에 해당하며 매출, 자본수익률 등 전통적인 후행지표가 이에 해당한다.
④ 고객 관점은 관리자들이 고객의 관점에서 기업이 경쟁할 목표시장과 고객을 확인하고 목표시장에서의 성과척도를 인식하는 것으로 정책순응도, 고객만족도 등 공공부문이 중시하는 대외적 지표가 이에 해당한다.

답 ①

29 ☐☐☐

다음 중 BSC에 대한 설명으로 가장 옳지 않은 것은?

① BSC는 고객 관점에서 고객만족도, 정책순응도, 민원인의 불만율, 신규 고객의 증감 등의 성과지표를 중요시한다.
② BSC는 추상성이 높은 비전에서부터 구체적인 성과지표로 이어지는 위계적인 체제를 가진다.
③ BSC는 조직의 목표를 달성하기 위하여 조직 구성원 간 의사소통의 도구로 기능한다.
④ BSC는 정부실패와 시장실패 등의 위기를 극복하기 위하여 비재무적 지표보다는 재무적 지표관리의 중요성을 강조한다.

30 ☐☐☐

균형성과표(BSC)에 대한 설명으로 옳은 것만을 모두 고른 것은?

ㄱ. 조직의 비전과 목표, 전략으로부터 도출된 성과지표의 집합체이다.
ㄴ. 재무지표 중심의 기존 성과관리의 한계를 극복하기 위한 것이다.
ㄷ. 조직의 내부요소보다는 외부요소를 중시한다.
ㄹ. 재무, 고객, 내부 프로세스, 학습과 성장이라는 네 가지 관점 간의 균형을 중시한다.
ㅁ. 성과관리의 과정보다는 결과를 중시한다.

① ㄱ, ㄴ, ㅁ
② ㄴ, ㄷ, ㄹ
③ ㄱ, ㄴ, ㄹ
④ ㄷ, ㄹ, ㅁ

29	균형성과표

BSC는 조직에 영향을 주는 다양한 동인을 4가지 관점으로 균형화시켜 비전을 달성할 수 있는 바람직한 관리평가지표를 도출하는 방법으로 재무와 비재무, 결과와 과정, 과거와 현재 및 미래, 내부와 외부 등을 균형 있게 고려한 성과평가시스템이다.

(선지분석)
① BSC의 고객 관점은 공행정에서 가장 중시되는 관점으로 고객만족도, 국민의 정책에 대한 순응도, 민원인의 불만율, 신규 고객의 증감 등을 성과지표로 한다.
② BSC는 추상성이 높은 비전이 최상부에 존재하며 성과지표를 차차 구체화하여 구체적인 성과지표로 이어지는 위계적인 체제를 가진다.
③ BSC는 조직의 목표를 달성하기 위하여 다양한 관점을 통해 구성원을 협력하게 하는 방식으로, 구성원 간의 의사소통의 도구로 기능한다.

답 ④

30	균형성과표

ㄱ. 조직에 영향을 주는 다양한 동인을 네 가지 관점으로 균형화 시켜, 비전을 달성할 수 있는 바람직한 관리평가지표를 도출하는 방법이다.
ㄴ. 기존의 재무적 성과위주의 지표관리는 기업의 역량이나 무형자산의 개선으로부터 오는 성과향상을 제대로 반영하지 못하기 때문에 미래를 고려하여 조직전체의 역량을 나타내 주는 성과지표가 요구되었고, 균형성과표는 이러한 필요에 의해 등장하였다.
ㄹ. 재무와 비재무, 결과와 과정, 과거와 현재 및 미래, 내부와 외부 등을 균형 있게 고려한 성과평가시스템이다.

(선지분석)
ㄷ. 조직의 내·외부요소의 균형을 중시한다.
ㅁ. 성과관리의 과정과 결과의 균형을 중시한다.

답 ③

31 □□□

균형성과표(BSC)의 성과지표에 대한 설명 중 옳지 않은 것은?

① 고객 관점에서의 성과지표에는 고객만족도, 정책순응도, 민원인의 불만율, 신규 고객의 증감 등이 있다.
② 내부 프로세스 관점의 성과지표에는 의사결정 과정의 시민참여, 적법적 절차, 커뮤니케이션 구조 등이 있다.
③ 재무적 관점의 성과지표는 전통적인 선행지표로서 매출, 자본수익률, 예산 대비 차이 등이 있다.
④ 학습과 성장 관점의 성과지표에는 학습동아리 수, 내부 제안 건수, 직무만족도 등이 있다.

32 □□□

다음 중 균형성과표(Balanced Score Card: BSC)에 대한 설명으로 옳지 않은 것은?

① 균형성과표는 재무적 관점과 비재무적 관점의 균형을 강조한다.
② 균형성과표는 정부부문에 적용시키는 경우 가장 중요한 변화는 재무적 관점보다 학습과 성장의 관점이 강조되어야 한다는 점이다.
③ 균형성과표를 조직에 적용시키는 경우 4대 관점뿐만 아니라 조직의 특성에 따라서 5대 관점이나 6대 관점으로 구분하는 것도 가능하다.
④ 균형성과표는 단기적 목표와 장기적 목표 간의 균형을 강조한다.
⑤ 균형성과표는 과정과 결과 중 어느 하나를 강조하는 것이 아니라 이들 간의 인과성을 바탕으로 통합적 균형을 추구한다.

---

31 │ 균형성과표

재무적 관점의 성과지표는 매출, 자본수익률 등이 있으며 이는 전통적인 후행지표이다.

📄 **균형성과표(BSC) 네 가지 관점의 성과지표**

재무적 관점	• 전통적인 후행지표 • 매출, 자본 수익률, 예산 대비 차이 등
고객 관점	• 공공부문이 중시하는 대외적 지표 • 고객만족도, 정책순응도, 민원인의 불만율, 신규 고객의 증감 등
내부 프로세스 관점	• 업무처리 관점의 과정중심지표 • 의사결정과정의 시민참여, 정보공개, 적법절차, 커뮤니케이션 구조 등
학습과 성장 관점	• 미래적 관점의 선행지표 • 학습동아리 수, 정보시스템의 구축도, 제안건수, 직무만족도 등

답 ③

32 │ 균형성과표

균형성과표가 정부부문에 적용되었을 경우 가장 중요한 변화는 재무적 관점보다 고객의 관점이 강조되어야 한다는 점이다.

(선지분석)

①, ④, ⑤ 균형성과표는 재무적 관점과 비재무적 관점, 단기적 목표와 장기적 목표, 과정과 결과, 과거와 현재 및 미래 등을 균형 있게 고려한 성과평가 시스템이다.
③ 균형성과표의 관점은 조직의 특성에 따라 유동적일 수 있다.

답 ②

다음 중 성과평가시스템으로서의 균형성과표(Balanced Score Card: BSC)에 대한 설명으로 옳지 않은 것은?

① BSC는 추상성이 높은 비전에서부터 구체적인 성과지표로 이어지는 위계적인 체제를 가진다.

② 잘 개발된 BSC라 할지라도 조직 구성원들에게 조직의 전략과 목적달성에 필요한 성과가 무엇인지 알려주는 데 한계가 있기 때문에 조직전략의 해석지침으로는 적합하지 않다.

③ 내부 프로세스 관점의 대표적인 지표들로는 의사결정 과정에 시민참여, 적법절차, 조직 내 커뮤니케이션 구조 등이 있다.

④ BSC를 공공부문에 적용할 때 재무적 관점이라 함은 국민이 요구하는 수준의 공공서비스를 제공할 수 있는 재정자원을 확보하여야 한다는 측면을 포함하며 지원시스템의 예산부분이 여기에 해당한다.

⑤ BSC를 공공부문에 적용할 때는 고객, 즉 국민의 관점을 가장 중시한다.

다음 중 자본예산제도의 특징으로 가장 옳지 않은 것은?

① 재정안정화 효과 증진

② 중장기 예산운용 가능

③ 부채의 정당화

④ 예산의 적자재정 편성

---

33   균형성과표

BSC는 조직 구성원들에게 조직의 전략과 목표달성에 필요한 성과가 무엇인지 알려주기 때문에 조직전략의 해석지침으로 적합하다.

선지분석

① BSC는 추상성이 높은 비전이 최상부에 존재하며 성과지표를 차차 구체화하여 구체적인 성과지표로 이어지는 위계적인 체제를 가진다.

③ 내부 프로세스 관점은 다양한 과정(절차)에 대한 전략적 우선순위를 결정하는 관점으로 대표적인 지표들로는 의사결정 과정에의 시민참여, 적법절차, 조직 내 커뮤니케이션이 이루어지는 구조 등이 있다.

답 ②

---

34   자본예산제도

자본예산제도는 국공채 남발로 인한 인플레이션의 가속화 위험의 존재로 재정안정을 해칠 우려가 있다.

🗂 자본예산제도의 장·단점

장점	단점
• 국가 재정구조에 대해 명확하게 이해 가능	• 적자재정의 은폐수단
• 장기적 재정계획 수립에 도움	• 인플레이션 조장의 우려
• 수익자 부담 원칙에 기여	• 자본재의 축적 또는 공공사업에 치중 우려
• 예산운영의 합리화에 기여	• 경상계정과 자본계정의 불명확성
• 경기부양 역할	• 수익사업에 치중

답 ①

35 □□□

다음 중 자본예산제도의 장점으로 옳지 않은 것은?

① 자본예산제도는 자본적 지출에 대한 특별한 분석과 예산 사정을 가능하게 한다.

② 자본예산제도에 수반되는 장기적인 공공사업계획은 조직적인 자원의 개발 및 보존을 위한 수단이 될 수 있다.

③ 계획과 예산 간의 불일치를 해소하고 이들 간에 서로 밀접한 관련성을 갖게 한다.

④ 경제적 불황기 내지 공황기에 적자예산을 편성하여 유효수요와 고용을 증대시킴으로써 불황을 극복하는 유용한 수단이 될 수 있다.

⑤ 국가 또는 지방자치단체의 순자산 상황의 변동과 사회간접자본의 축적 · 유지의 추이를 나타내는 데 사용할 수 있다.

36 □□□

자본예산의 장점에 대한 설명으로 옳지 않은 것은?

① 자본적 지출의 경우 장기적 재정계획에 따라 일시적인 적자재정이 정당화된다.

② 경상적 지출과 자본적 지출을 분리 · 계리함으로써 재정의 기본구조를 이해하는 데 도움이 된다.

③ 세출규모의 변동을 장기적 관점에서 조정하는 데 기여한다.

④ 경상적 지출에 대한 심도 있는 분석에 유리하다.

35	자본예산제도

계획과 예산 간의 불일치를 해소하고 이들 간에 서로 밀접한 관련성을 갖게 하는 예산제도는 계획예산제도이다.

(선지분석)

① 자본예산제도는 자본적 지출과 경상적 지출을 구분하여, 자본적 지출에 대한 특별한 분석과 예산 사정을 한다.

② 자본예산제도에 수반되는 SOC건설 등의 장기적인 공공사업계획은 조직적인 자원의 개발 및 보존을 위한 유용한 도구로 기능할 수 있다.

④ 경제적 불황기에는 자본적 지출의 재원을 국공채로 충당하여 적자예산을 편성할 수 있다.

⑤ 자본예산제도는 정부의 순자산 상황의 변동과 사회간접자본의 축적 및 유지의 추이를 파악하는 데 사용할 수 있다.

답 ③

36	자본예산

자본예산제도는 반복적 · 단기적인 경상예산과 비반복적 · 장기적인 자본예산으로 구분하여 예산을 편성하는 복식예산제도이다. 자본적 지출에 대한 심도 있는 분석은 가능하지만 경상적 지출에 대한 명확한 구분이 없다는 단점이 있다.

(선지분석)

① 자본예산은 자본적 지출을 경상적 제출과 달리 파악하여 장기적인 재정계획에 따라 일시적인 적자재정은 후일 회수가 가능하므로 정당화된다.

② 자본예산은 성격이 상이한 경상적 지출과 자본적 지출을 분리 · 계리함으로써 정부 재정의 기본구조를 이해하는데 도움이 된다.

③ 자본예산은 자본적 지출을 통하여 경기조절 기능을 수행하는 한편, 장기적 관점에서 세출규모의 변동을 조정하는 데 기여한다.

답 ④

재정·예산제도에 대한 설명으로 옳은 것은?

① 조세지출예산제도는 조세지출의 투명성과 항구성·지속성을 제고하는 장점이 있다.

② 통합재정은 일반회계, 특별회계, 기금을 모두 포괄하며, 재정활동의 전모를 파악할 수 있도록 융자지출을 통합재정수지의 계산에 포함하고 있다.

③ 성인지 예산제도는 각 지출부처가 기획재정부와 여성가족부의 지휘 아래 대부분의 재정사업에 대해 성인지 예산서·결산서를 작성하도록 하고 있다.

④ 예비타당성조사는 대규모 건설사업, 정보화사업, 연구개발사업 등을 대상으로 하며, 교육·보건·환경 분야 등에는 아직 적용되지 않고 있다.

---

37 | 재정·예산제도

통합재정은 일반회계, 특별회계, 비금융성 기금을 모두 포괄하며, 융자지출도 통합재정 수지 계산 시 포함된다.

선지분석

① 조세지출예산제도는 조세지출의 항구성과 지속성을 억제하여 투명성을 제고한다.

③ 성인지 예산서는 기획재정부장관이 여성가족부장관과 협의하여 제시한 작성기준 및 방식 등에 따라 각 중앙관서의 장이 작성한다.

④ 예비타당성조사는 교육, 보건, 환경 분야 등에 적용되고 있다.

답 ②

조세지출 예산제도에 대한 설명으로 옳지 않은 것은?

① 세제 지원을 통해 제공한 혜택을 예산지출로 인정하는 것이다.

② 예산지출이 직접적 예산 집행이라면 조세지출은 세제상의 혜택을 통한 간접지출의 성격을 띤다.

③ 직접 보조금과 대비해 눈에 보이지 않는 숨겨진 보조금이라고 이해할 수 있다.

④ 세금 자체를 부과하지 않는 비과세는 조세지출의 방법으로 볼 수 없다.

---

38 | 조세지출 예산제도

조세지출은 정부가 받아야 할 세금을 받지 않고 간접적으로 지원하여 주는 조세감면을 의미하는 것으로, 세금을 부과하지 않는 비과세 또한 조세지출의 방법으로 볼 수 있다.

선지분석

① 조세지출 예산제도는 세제 지원을 통해 제공한 혜택을 예산지출로 인정하여 조세지출의 관리 및 통제를 용이하게 하는 제도이다.

② 예산지출은 직접지출, 조세지출은 간접지출의 성격을 띤다. 조세지출 예산제도는 예산지출(직접지출)을 통한 것과 마찬가지로 조세지출(간접지출)을 통해서도 민간 활동을 지원할 수 있기 때문에 정책의 효율적 수립이 가능하다.

③ 조세지출은 정부가 징수해야 할 조세를 받지 않고 그만큼 보조금으로 지불한 것과 같다는 의미로 '숨겨진 보조금'이라고도 한다.

답 ④

우리나라의 예산제도에 대한 설명으로 옳지 않은 것은?

① 통합재정은 일반회계, 특별회계, 기금 등을 포괄한 국가 전체 재정을 의미한다.

② 조세지출예산제도는 세금을 징수하기 위해 지출한 예산을 통합적으로 관리하기 위한 예산제도이다.

③ 성인지예산서는 예산이 남성과 여성에 미칠 영향을 미리 분석한 보고서로 정부가 예산안과 함께 국회에 제출해야 하는 첨부서류이다.

④ 각 중앙관서의 장은 예산요구서를 제출할 때에 다음 연도 예산의 성과계획서 및 전년도 예산의 성과보고서를 기획재정부장관에게 함께 제출하여야 한다.

우리나라 조세지출과 관련된 기술로 틀린 것은?

① 조세지출은 특정 부문에 대한 사실상의 보조금이다.

② 기획재정부는 주요 조세특례에 대한 평가를 할 수 있다.

③ 지방자치단체는 조세지출예산제도의 도입을 계획하고 있다.

④ 조세지출예산제도는 불공정한 조세지출의 방지를 목적으로 한다.

39	우리나라의 예산제도

조세지출예산제도는 조세감면의 구체적 내역을 예산구조를 통해 밝히는 것으로 예산형식으로 표현하여 주기적으로 공표함으로써 조세지출의 관리 및 통제를 용이하게 하는 제도이다. 세금을 징수하기 위해 지출한 예산을 통합적으로 관리하기 위한 예산제도와는 관련이 없다.

(선지분석)

① 통합재정이란 일반회계·특별회계·기금 등을 포괄하여 정부부문의 모든 재정활동을 포함시켜 재정이 국민소득과 통화·국제수지 등 국민경제에 미치는 효과를 파악하고자 하는 예산분류체계이다.

③ 성인지예산서는 예산이 여성과 남성에게 미치는 영향이 다르다는 전제하에 그 영향을 미리 분석한 보고서로, 예산안에 첨부하여 국회에 제출하는 첨부서류이다.

④ 「국가재정법」은 중앙관서의 장이 기획재정부장관에게 예산요구서를 제출할 때 차년도 예산의 성과계획서 및 전년도 예산의 성과보고서를 함께 제출하도록 의무화 하고 있다.

답 ②

40	우리나라 조세지출

지방자치단체는 「지방세특례제한법」으로, 중앙정부는 「조세특례제한법」으로 조세지출예산제도를 시행하고 있다.

> 📄 **조세지출(tax expenditure)**
>
> 1. 정부가 받아야 할 세금을 받지 않고, 간접적으로 지원하여 주는 조세감면을 의미한다.
> 2. 정부가 조세로 확보한 재원을 바탕으로 직접 지원하는 직접지출과 대비되는 개념이다.
> 3. 조세지출은 정부가 징수해야 할 조세를 받지 않고 그만큼 보조금으로 지불한 것과 같다는 의미를 가지고 있으며 '숨겨진 보조금'이라고도 한다.
> 4. 실정법상 세목이 규정된 조세에 한하여 파악되며, 탈세 등 불법적인 방법에 의한 세수손실은 포함되지 않는다.

답 ③

조세지출예산제도(tax expenditure budget)의 특징으로 옳지 않은 것은?

① 조세지출은 법률에 따라 집행되기 때문에 경직성이 강하다.

② 조세지출의 주된 분류방법은 세목별 분류로서 의회의 예산심의를 완화하기 위한 제도이다.

③ 조세지출은 세출예산상의 보조금과 같은 경제적 효과를 초래한다.

④ 과세의 수직적·수평적 형평을 파악할 수 있기 때문에 세수 인상을 위한 정책판단의 자료가 된다.

우리나라의 재정정책 관련 예산제도에 대한 설명으로 옳은 것은?

① 지출통제예산은 구체적 항목별 지출에 대한 집행부의 재량행위를 통제하기 위한 예산이다.

② 우리나라의 통합재정수지에 지방정부예산은 포함되지 않는다.

③ 우리나라의 통합재정수지에서는 융자지출을 재정수지의 흑자요인으로 간주한다.

④ 조세지출예산제도는 국회 차원에서 조세감면의 내역을 통제하고 정책효과를 판단하기 위한 제도이다.

41	조세지출예산제도

조세지출이란 정부가 받아야 할 세금을 받지 않고, 간접적으로 지원하여 주는 조세감면을 의미한다. 조세지출예산제도(tax expenditure budget)는 이러한 조세지출, 즉 조세감면의 구체적 내역을 기능별·세목별로 구분하여 예산구조를 통해 밝히며, 예산형식으로 표현하여 의회의 예산심의를 강화하고 주기적으로 공표함으로써 조세지출의 관리 및 통제를 용이하게 하는 제도이다.

(선지분석)

① 조세지출예산제도를 도입함에 따라 조세지출이 법률에 따라 집행되므로 조세지출의 경직성이 강화된다.

③ 조세지출은 정부가 받아야할 조세를 받지 않음으로써 지출과 같은 결과를 야기하므로 세출예산상의 보조금과 같은 경제적 효과를 초래한다.

④ 조세지출예산제도를 통하여 조세지출을 통한 특혜를 배제하고 과세의 형평을 파악할 수 있기 때문에 정부의 세수 인상을 위한 정책판단의 자료가 된다.

답 ②

42	우리나라의 재정정책 관련 예산제도

조세지출예산제도는 조세감면의 구체적인 내역을 예산구조를 통해 밝히고, 예산형식으로 표현하여 주기적으로 공표함으로써 조세지출의 관리 및 통제를 용이하게 하는 제도이다.

(선지분석)

① 지출통제예산은 항목별 구분을 없애고, 총액으로 지출을 통제하여 집행부에 재량을 주기 위한 예산이다.

② 우리나라 통합재정수지에는 지방정부예산도 포함된다.

③ 우리나라의 통합재정수지에서 융자지출은 재정수지의 적자요인으로 간주한다.

답 ④

43 □□□

예산제도 종류에 대한 설명으로 가장 옳은 것은?

① 품목별예산제도(LIBS)는 각 항목에 의한 예산배분으로 조직 목표 파악이 쉽다.
② 성과주의예산제도(PBS)는 투입요소 중심으로 단위원가에 업무량을 곱하여 예산액을 측정한다.
③ 목표관리예산제도(MBO)는 부처별 기본목표에 따라 하향식 방식으로 중장기 계획을 수립한다.
④ 영기준예산제도(ZBB)는 기존 사업예산은 인정하되 새로운 사업에 대해서만 엄밀한 사정을 한다.

---

43 ┊ 예산제도

성과주의예산제도(PBS)는 정부활동을 기능·활동·사업계획에 기초를 두고 편성하는 예산제도로, 단위원가에 업무량을 곱하여 예산액을 측정한다.

(선지분석)

① 품목별예산제도(LIBS)는 투입 중심 예산제도로 조직의 목표 파악이 곤란하다.
③ 목표관리예산제도(MBO)는 조직의 하부 구성원이 목표설정에 참여하는 상향식 방식으로 조직의 목표를 수립한다.
④ 영기준예산제도(ZBB)는 기존 사업예산을 인정하지 않고, 모든 예산을 영기준(Zero Base)에서 검토하는 예산제도이다.

답 ②

---

44 □□□

예산제도의 유형에 대한 설명으로 옳지 않은 것은?

① 품목별예산제도(LIBS)는 예산집행에 대한 회계책임을 명백히 하고 경비사용을 엄격하게 통제한다.
② 계획예산제도(PPBS)의 주요한 관심 대상은 사업의 목표이나, 투입과 산출에도 관심을 둔다.
③ 목표관리예산제도(MBO)의 도입 취지는 불요불급한 지출을 억제하고 감축관리를 지향하는 데 있다.
④ 성과주의예산제도(PBS)에서는 국민과 의회가 정부의 사업내용과 목적을 이해하는 데 편리하다.

---

44 ┊ 예산제도

불필요한 지출을 억제하고 감축관리를 지향하는 예산제도는 영기준예산제도(ZBB)이다. 목표관리예산제도(MBO)는 상향적 예산제도로서 재정팽창을 야기할 수 있다.

(선지분석)

① 품목별예산제도(LIBS)는 품목단위로 예산을 분류하고 지출되는 예산의 투입 요소를 중점적으로 파악함으로써 행정부의 예산집행에 대한 회계책임을 명백히 하고 경비사용을 엄격하게 통제하는 통제지향적 예산제도이다.
② 계획예산제도(PPBS)는 예산을 정부의 중장기 계획과 연계하여 파악함으로써 정부 사업의 목표달성에 예산이 기여하는 데 관심을 가지며, 그러한 사업에 예산의 투입과 그로 인한 산출에도 관심을 가진다.
④ 성과주의예산제도(PBS)는 정부가 수행하는 활동이나 기능을 중심으로 예산을 분류하는 방식을 채택함으로써 국민과 의회가 정부의 수행 사업의 내용과 목적을 이해하는 데 도움을 준다.

답 ③

45 ☐☐☐

다음 중 예산제도에 대한 설명으로 가장 옳지 않은 것은?

① 품목별예산(LIBS)의 정책결정방식은 분권적 · 참여적이다.
② 계획예산(PPBS)은 기획의 책임이 중앙에 집중되어 있다.
③ 영기준예산(ZBB)은 기획의 책임이 분권화되어 있다.
④ 성과주의예산(PBS)과 목표관리예산(MBO)은 모두 관리에
   초점이 맞추어져 있다.

46 ☐☐☐

예산제도와 그 특성의 연결이 가장 옳지 않은 것은?

① 품목별예산제도(LIBS) - 통제지향
② 성과주의예산제도(PBS) - 관리지향
③ 계획예산제도(PPBS) - 기획지향
④ 영기준예산제도(ZBB) - 목표지향

45	예산제도

품목별예산(LIBS)이 아니라 목표관리예산(MBO)에 대한 설명이다. 목표관리예산(MBO)는 구성원의 참여에 의한 분권적이고 상향적인 예산편성이 이루어진다. 품목별예산(LIBS)은 분권적 예산 흐름이 특징이지만, 참여적으로 보기는 어렵다.

(선지분석)
② 계획예산(PPBS)은 기획의 책임이 재정당국과 행정수반에게 집중되어 있다.
③ 영기준예산(ZBB)은 부처나 실제 사업 수행 단위에서 예산을 편성하므로 기획의 책임이 분권화되어 있다.
④ 성과주의예산(PBS)과 목표관리예산(MBO) 모두 예산의 기능은 관리에 초점이 맞추어져 있다.

답 ①

46	예산제도

영기준예산제도(ZBB)는 감축지향의 예산제도이다. 목표지향적인 예산제도는 목표관리예산제도(MBO)이다.

예산제도에 따른 예산기능의 변화

구분	품목별예산 (LIBS)	성과주의 예산 (PBS)	계획예산 (PPBS)	영기준예산 (ZBB)	주민참여 예산
예산 기능	통제	관리	계획	평가와 감축	참여
핵심 요소	투입	투입, 산출	투입, 산출, 목표	우선순위	참여, 분권
행정 이념	민주성	능률성	효과성	생산성	민주성

답 ④

다음 중 예산제도에 대한 설명으로 옳은 것을 〈보기〉에서 모두 고르면?

〈보기〉
ㄱ. 품목별예산제도(LIBS) - 지출의 세부적인 사항에만 중점을 두므로 정부활동의 전체적인 상황을 알 수 없다.
ㄴ. 성과주의예산제도(PBS) - 예산배정 과정에서 필요사업량이 제시되지 않아서 사업계획과 예산을 연계할 수 없다.
ㄷ. 계획예산제도(PPBS) - 모든 사업이 목표달성을 위해 유기적으로 연계되어 있어 부처 간의 경계를 뛰어넘는 자원배분의 합리화를 가져올 수 있다.
ㄹ. 영기준예산제도(ZBB) - 모든 사업이나 대안을 총체적으로 분석하므로 시간이 많이 걸리고 노력이 과중할 뿐만 아니라 과도한 문서자료가 요구된다.
ㅁ. 목표관리제도(MBO) - 예산결정 과정에 관리자의 참여가 어렵다는 점에서 집권적인 경향이 있다.

① ㄱ, ㄷ, ㄹ
② ㄱ, ㄷ, ㅁ
③ ㄴ, ㄷ, ㄹ
④ ㄱ, ㄴ, ㄹ, ㅁ
⑤ ㄴ, ㄷ, ㄹ, ㅁ

다음 중에서 예산개혁의 경향이 시대에 따라 변화해 온 것을 시기 순으로 가장 잘 나타낸 것은?

① 통제지향 - 관리지향 - 기획지향 - 감축지향 - 참여지향
② 통제지향 - 감축지향 - 기획지향 - 관리지향 - 참여지향
③ 관리지향 - 감축지향 - 통제지향 - 기획지향 - 참여지향
④ 관리지향 - 기획지향 - 통제지향 - 감축지향 - 참여지향
⑤ 기획지향 - 감축지향 - 통제지향 - 관리지향 - 참여지향

---

47 │ 예산제도

ㄱ. 품목별예산제도(LIBS)는 지출항목을 너무 엄격하게 분류하여 전반적인 정부기능 혹은 전체사업에 대한 정보를 확인할 수 없어 정부사업의 우선순위를 파악하는 것이 어렵다.
ㄷ. 계획예산제도(PPBS)는 목표나 사업의 대안, 비용과 효과 등을 고려할 수 있고, 분석적 기법을 활용하여 자원의 절약 및 예산운영의 합리성 증진에 기여한다.
ㄹ. 영기준예산제도(ZBB)는 매년 반복적으로 모든 예산을 전면적으로 재검토하는 데 많은 시간과 노력이 필요하다.

(선지분석)
ㄴ. 성과주의예산제도(PBS)는 예산배정 과정에서 필요사업량이 제시되므로 사업계획과 예산을 연계할 수 있다.
ㅁ. 목표관리제도(MBO)는 계획예산제도와 달리 예산결정 과정에서 관리자의 참여가 이루어진다. 따라서 분권적이고 상향적인 예산편성의 특징을 가지고 있다.

답 ①

48 │ 예산개혁

예산개혁의 경향은 '통제지향 → 관리지향 → 기획지향 → 감축지향 →참여지향'의 순으로 발달하였다.

답 ①

49 ☐☐☐ 2017년 사회복지직 9급

다음 중 참여와 분권을 본질적 특징으로 포함하는 제도와 거리가 먼 것은?

① 계획예산제도
② 목표관리제
③ 영기준예산제도
④ 다면평가제

50 ☐☐☐ 2015년 지방직 7급

예산제도에 대한 설명으로 옳지 않은 것은?

① 계획예산제도(PPBS)는 계획(plan) - 사업(program) - 예산(budget)의 체계적 연계를 강조한다.
② 영기준예산제도(ZBB)는 원칙적으로 정부사업과 예산항목을 원점(zero base)에서 재검토하는 예산제도이다.
③ 목표관리예산제도(MBO)는 참여를 통해 설정한 세부사업의 목표를 예산편성과 연계하는 제도이다.
④ 품목별예산제도(line - item budgeting)는 주어진 재원 수준에서 달성한 산출물 수준을 성과지표에 표시한다.

49	계획예산제도

계획예산제도는 하향적·집권적인 예산제도로, 최고관리자의 권한집중과 의사결정의 집권화로 인해 조직 갈등 및 경직화 현상이 발생할 우려가 있다.

(선지분석)
② 목표관리제는 목표를 설정하고 그 목표를 달성하는데 하급자의 참여를 중시하므로 참여와 분권을 본질적 특징으로 한다.
③ 영기준예산제도는 부처나 실제 사업 수행 단위에서 예산을 편성하므로 하급자의 참여를 중시하고 기획의 책임이 분산되어 있다.
④ 다면평가제는 상급자에 대한 평가에 하급자도 참여하는 인사제도로, 참여와 분권을 본질적 특징으로 하는 제도이다.

답 ①

50	예산제도

품목별예산제도가 아닌 (신)성과주의예산제도에 대한 설명이다. 품목별예산제도는 투입 중심의 통제기능을 수행하는 예산제도이다.

(선지분석)
① 계획예산제도(Planning Programing Budgeting System)는 장기적인 기획(Planning)과 단기적인 예산편성(Budgeting)을 프로그래밍(Programing)이라는 연결고리를 통하여 유기적으로 연결시키고 합리적인 자원배분을 달성하려는 예산제도이다.
② 영기준예산제도(ZBB)는 사업을 영기준(zero base)에서 재검토하여 점증주의적 예산편성방식을 극복하고 예산 낭비와 예산 팽창의 억제가 가능하다.
③ 목표관리예산제도(MBO)는 실제 예산을 집행하는 하급자의 참여를 통해 설정한 세부사업의 목표를 예산편성과 연계하는 제도이다.

답 ④

51 ☐☐☐

다음은 여러 예산제도의 장단점을 서술한 것이다. 옳지 않은 것은?

① 영기준예산제도는 점증주의적 예산편성의 폐단을 시정하고자 개발되었다.
② 계획예산제도는 목표·계획·사업의 연계성을 높일 수 있으나 과도한 정보를 필요로 한다는 단점이 있다.
③ 성과주의예산제도는 산출을 확인할 수 있는 장점이 있지만, 업무단위 선정 및 단위원가 계산이 어렵다.
④ 품목별예산제도는 지출항목을 엄격히 분류하므로 사업성과와 정부생산성을 정확하게 평가할 수 있다.

52 ☐☐☐

예산제도에 대한 다음 설명 중 틀린 것은?

① 성과주의예산은 효율성, 효과성을 고려하지만 자원의 최적배분, 사업의 필요성과 타당성 여부는 알 수 없다.
② 품목별예산은 지출항목을 엄격하게 분류하며, 산출 중심의 예산편성이지만 재정지출의 구체적인 목표의식은 결여되어 있다.
③ 계획예산은 프로그램 중심의 예산으로서 정책목표를 설정하는 계획수립을 거쳐 구체적인 연차별 프로그램화를 한 다음 예산을 편성하는 단계로 진행된다.
④ 자본예산제도는 경우에 따라서는 무리한 재정팽창을 유발하여 재정의 안정화 효과를 감소시켜 인플레이션이 조장될 우려가 있으며 재정적자의 은폐수단으로 악용될 우려가 있다.

51	예산제도

품목별예산제도는 사업 중심이 아니라 세부항목별로 예산을 분류하여 예산을 편성하는 방법이므로 사업의 목적이나 성과, 정부생산성을 파악할 수 없다는 단점이 있다.

(선지분석)

① 영기준예산제도는 과거의 관행을 전혀 참고하지 않고 점증주의를 완전히 탈피하여 모든 사업이나 활동(계속사업과 신규사업)을 근본적이고 총체적으로 검토하여 우선순위를 결정한 뒤, 이에 따라 예산을 합리적이고 근원적으로 편성하는 제도이다.
② 계획예산제도는 과도한 정보를 필요로 하므로 업무에 많은 시간과 비용이 든다는 단점이 있다.
③ 성과주의예산제도는 업무의 성격이 계량화가 곤란한 영역일 경우 적용이 어렵다.

답 ④

52	예산제도

품목별예산은 산출이 아닌 투입 중심의 예산으로서 구체적인 목표의식이 결여되어 있다는 비판이 있다.

(선지분석)

① 성과주의예산은 정부 활동과 기능을 중심으로 예산을 편성하는 제도로, 정부 활동 및 기능의 효과성을 고려하지만 정부 전체적 차원에서 자원이 최적상태로 배분되었는지, 그리고 그러한 활동과 기능이 본질적으로 타당한지 여부에 대해서는 알 수 없는 제도이다.
③ 계획예산은 정부의 중장기 계획을 1년 단위의 예산과 연계하는 제도로, 정책목표를 설정하는 계획을 먼저 수립하고 그 계획을 프로그램화를 통하여 구체화한 뒤, 구체화된 프로그램에 예산을 편성하는 단계로 진행된다.
④ 자본예산제도는 실제 투자효과가 작은 부분에 대한 예산 지출도 투자적 지출로 파악하여 무리한 재정팽창을 유발하여 인플레이션이 조장될 우려가 있고, 정부의 재정적자 상태를 정당화하여 은폐하는 수단으로 악용될 수 있다.

답 ②

예산제도에 대한 설명으로 옳지 않은 것은?

① 성과주의예산제도는 미국의 후버(Hoover) 위원회가 미국 대통령에게 건의한 제도이다.

② 품목별예산제도에서 정책당국자는 정책 및 사업의 우선순위를 등한시할 수 있다.

③ 영기준예산제도의 경우 예산의 운영단위를 어떻게 정하느냐에 따라 예산운영의 능률성과 효과성이 좌우된다.

④ 계획예산제도의 핵심은 목표와 계획에 따른 사업의 효율적 수행에 있으며, 정치적 협상을 중시한다.

각종 예산제도의 특성과 발달에 대한 설명으로 옳은 것은?

① 예산개혁의 정향은 주로 통제지향 → 기획지향 → 관리지향 → 참여지향 → 감축지향 순으로 진행되었다.

② 자본예산은 케인즈 경제학이나 후생경제학의 영향으로 성립된 예산제도로서 장기기획과 예산의 연계를 강조하게 된다. 그러나 행정부에 의한 기획 중심적 성향으로 인하여 의회의 예산심의기능의 약화를 초래할 수 있다.

③ 계획예산제도는 사업단위뿐만 아니라 조직단위도 의사결정단위가 될 수 있다는 점에서 영기준예산보다 더 융통성 있는 제도라 할 수 있다.

④ 성과주의예산은 단위원가를 근거로 신축적으로 예산을 수립하기 때문에 행정관리에 있어서 능률성을 추구한다. 따라서 장기적인 계획과의 연계보다는 구체적인 개별사업만을 중시하는 경향이 있다.

53	예산제도

계획예산제도는 장기적 계획수립과 단기적 예산결정을 프로그램 작성을 통해 유기적으로 연결하여, 자원배분에 관한 의사결정의 일관성과 합리성을 도모하는 제도이다. 이는 목표나 사업의 대안, 비용과 효과 등을 고려하고 분석적 기법을 활용하여 자원 절약 및 예산운영의 합리성 증진에 기여하는 제도이지만, 정치적 협상 등을 무시한다는 비판이 있다.

(선지분석)

① 성과주의예산제도는 후버(Hoover) 위원회가 대통령에게 건의하였고, 1934년 루즈벨트(Roosevelt) 대통령 시절 미국 농무성의 사업별 예산과 테네시강 유역 개발 공사(TVA) 사업에서 적용되었다. 이후 1950년 트루만(Truman) 대통령이 연방정부에 도입하였다.

② 품목별예산제도는 예산이 투입되는 품목과 합법성에만 관심을 가지므로 정책당국자는 실제 수행되는 정책 및 사업의 우선순위를 등한시할 수 있다.

③ 영기준예산제도의 경우 부처별, 또는 부처 내 독립된 단위별로 예산의 운영단위를 결정할 수 있으며, 이 운영단위를 어떻게 정하느냐에 따라 예산운영의 능률성과 효과성이 좌우된다.

답 ④

54	예산제도

성과주의예산은 능률성을 추구하기 때문에 단기간 내에 그 성과를 가시적으로 계량화할 수 있는 구체적인 개별사업을 중시한다.

(선지분석)

① 예산개혁의 정향은 주로 통제지향(LIBS) → 관리지향(PBS) → 기획지향(PPBS) → 감축지향(ZBB) → 참여지향(주민참여예산제도) 순으로 진행되었다.

② 자본예산이 아니라 계획예산제도(PPBS)의 특징이다.

③ 영기준예산제도(ZBB)는 사업·조직단위 모두 의사결정단위가 될 수 있기 때문에 계획예산제도보다 더 융통성 있는 제도이다.

답 ④

55 ☐☐☐

예산관리모형의 특징에 대한 설명으로 옳지 않은 것은?

① 통제지향적 예산관리를 위해 품목별예산제도가 도입되었다.
② 관리지향적 예산관리를 위해 성과주의예산제도를 제안하였다.
③ 통제지향적 예산관리로서 총액배분 자율편성예산제도 (target base / fixed - ceiling budgeting)는 상향식 예산제도의 효용이 한계에 도달했다는 문제인식에서 비롯되었다.
④ 감축지향적 예산관리로서 일몰법에 의한 심사는 행정부의 예산편성 과정에서 행해진다.

---

55 | 예산관리모형

감축지향적 예산관리로서 일몰법에 의한 심사는 입법부의 예산편성 과정에서 행해진다. 일몰법은 수행되고 있는 모든 사업을 일정기간(3~7년)이 경과되면 자동적으로 폐지되도록 하는 법률로서, 예산의 심의와 통제를 위한 입법적 과정을 의미한다.

(선지분석)
③ 총액배분 자율편성예산제도는 재정당국이 총액을 결정하여 부처별로 총액을 내려주면, 총액의 범위 내에서 부처별로 자율적으로 예산을 편성하는 하향식 예산제도이다.

답 ④

---

56 ☐☐☐

선진국의 최근 예산제도개혁에 대한 설명으로 옳지 않은 것은?

① 지출총액에 대한 통제를 강화하는 추세에 있으며, 이를 위하여 품목별예산과 단년도 예산제도를 도입하였다.
② 예산집행의 자율성과 재량권을 확대하는 대신 절약에 대한 통제도 강화하기 위하여 매년 일정 비율로 국고에 반납토록 하는 효율성 배당제도를 도입하고 있다.
③ 권한의 위임과 융통성을 부여하기 위하여 운영예산제도를 도입하고 총액으로 예산을 결정하며 항목 간 전용을 인정하고 있다.
④ 기존의 현금주의를 보완하기 위하여 발생주의를 도입하고 있다.

---

56 | 예산제도개혁

선진국은 성과제고를 위하여 품목별예산과 단년도 예산에서 지출총액에 대한 통제를 강화하는 지출통제예산제도나 다년도 예산제도를 도입하였다. 신성과주의예산이나 총괄예산은 구체적인 항목별 지출에 대한 통제 대신 지출총액에 대한 통제를 강화하고 조직운영상의 신축성과 자율성을 부여하면서도 조직운영 결과에 대한 책임을 함께 강화하는 것이 핵심이다.

(선지분석)
② 최근 선진국의 예산제도개혁은 예산집행의 자율성과 재량권을 확대하는 한편, 그에 대한 반대급부로 절약에 대한 통제를 강화하기 위하여 매년 일정 비율로 절약된 예산을 국고에 반납하도록 하는 효율성 배당제도를 운영하고 있다.
③ 선진국의 재정당국은 각 부처에 예산편성 권한을 위임하고, 예산운영의 융통성을 부여하기 위하여 운영예산제도를 도입하고 총액으로 예산을 결정하되 항목 간 전용권은 부처에게 위임하는 제도를 운영하고 있다.
④ 선진국들은 최근 성과를 추구하는 한편, 부채와 자산을 정확히 인식하기 위하여 발생주의 회계방식을 도입하고 있다.

답 ①

57 □□□

dBrain System에 대한 설명으로 옳지 않은 것은?

① 노무현 정부 당시 재정개혁의 일환으로 구축이 추진되었다.
② 예산편성, 집행, 결산, 사업관리 등 재정업무 전반을 종합적으로 연계 처리하도록 하는 통합재정정보시스템이다.
③ dBrain 구축이 완료됨에 따라 총액배분 자율편성예산제도의 도입이 가능해졌다.
④ UN 공공행정상을 수상하는 등 국제적으로 호평을 받고 있다.

58 □□□

다음 중 국가예산제도 개혁에 관한 설명으로 가장 옳지 않은 것은?

① 디지털예산회계시스템(BAR): 성과 중심형 예산시스템으로 발생주의·복식부기 회계제도를 기반으로 한 과학적 예산관리제도
② 조세지출예산: 예산지출을 절약하거나 조세를 통해 국고수입을 증대시킨 경우 그 성과의 일부를 기여자에게 인센티브로 지급하는 제도
③ 총액배분 자율편성(top-down)예산제도: 각 부처가 국가재정운용계획에 의해 설정된 1년 예산상한선 내에서 자율적으로 예산을 편성하는 제도
④ 주민참여예산제도: 예산편성권을 지역사회와 지역주민에게 분권화함으로써 예산편성 과정에 해당 지역주민들이 직접 참여하는 제도

---

57 | dBrain System

총액배분 자율편성예산제도는 2004년에 도입된 제도로서 2007년도에 구축된 dBrain System보다 먼저 도입되었다.

선지분석
① dBrain System은 참여 정부(노무현 정부) 시절 4대 재정혁신과제의 일환으로 도입 되었다.
②, ④ dBrain System 도입으로 재정업무 전반을 종합적으로 연계 처리하도록 하는 통합재정정보시스템으로 부처(기관) 간 수평적 조정은 물론, 재정결재라인 간 수직적 조정도 용이해졌다. 이에 국제적으로 호평을 받고 있으며, 외국 정부에서도 dBrain System을 벤치마킹 하고 있다.

답 ③

58 | 예산제도의 개혁

조세지출예산이 아니라 예산성과금제도에 대한 설명이다. 조세지출예산제도란 개인이나 기업에게 원칙적으로 부과해야 하는 세금을 정부가 비과세, 감면, 공제 등 세제상의 각종 유인장치를 통해 간접적으로 지원해주는 세금감면제도이다.

선지분석
① 디지털예산회계시스템(BAR)은 성과 중심형 예산시스템으로, 기존의 투입 중심의 현금주의·단식부기 회계제도의 문제점을 극복한 발생주의·복식부기 회계제도를 기반으로 한 과학적 예산관리제도이다.
③ 총액배분 자율편성(top-down)예산제도는 각 부처가 재정당국이 설정한 재정운용계획의 1년 예산상한선(총액) 내에서 자율적으로 예산을 편성하는 하향식 예산편성제도이다.
④ 주민참여예산제도는 예산편성권을 지역사회와 지역주민에게 분권화함으로써 예산편성 과정에 해당 지역주민들이 직접 참여하는 제도이다. 우리나라는 「지방재정법」상 의무화 되어 있으며, 국민참여예산제도도 2019년부터 도입되었다.

답 ②

CHAPTER 4 예산과정

THEME 086 예산의 편성과 심의

01 □□□

2014년 사회복지직 9급

우리나라 정부의 예산편성절차를 올바르게 나열한 것은?

> ㄱ. 예산편성지침 통보
> ㄴ. 예산의 사정
> ㄷ. 국무회의 심의와 대통령 승인
> ㄹ. 중기사업계획서 제출
> ㅁ. 예산요구서 작성 및 제출

① ㄱ - ㄹ - ㅁ - ㄴ - ㄷ
② ㄹ - ㄱ - ㅁ - ㄴ - ㄷ
③ ㄱ - ㅁ - ㄹ - ㄷ - ㄴ
④ ㄹ - ㄴ - ㄱ - ㅁ - ㄷ

02 □□□

2018년 서울시 7급(6월 시행)

현행 「국가재정법」에 의한 우리나라 예산편성절차에 관한 설명으로 가장 옳은 것은?

① 중앙관서의 장은 매년 3월 31일까지 다음 회계연도의 신규사업계획서를 기획재정부장관에게 제출한다.
② 기획재정부장관은 국무총리의 승인을 얻어 예산안편성지침을 4월 30일까지 중앙관서의 장에게 통보한다.
③ 중앙관서의 장은 6월 30일까지 예산요구서를 기획재정부장관과 국회예산결산특별위원회에 제출한다.
④ 행정부 예산안은 대통령의 승인을 거쳐 회계연도 개시 120일 전까지 국회에 제출한다.

---

01 | 예산편성절차

우리나라 정부의 예산편성절차를 옳게 나열하면 다음과 같다.
ㄹ. 중기사업계획서 제출(~1월 31일)
ㄱ. 예산편성지침 통보(~3월 31일)
ㅁ. 예산요구서 작성 및 제출(~5월 31일)
ㄴ. 예산의 사정
ㄷ. 국무회의 심의와 대통령 승인

답 ②

---

02 | 예산편성절차

「국가재정법」에 의해 행정부의 예산안은 국무회의의 심의와 대통령의 승인을 거쳐 회계연도 개시 120일 전까지 국회에 제출한다.

(선지분석)
① 중앙관서의 장은 매년 3월 31일이 아니라 매년 1월 31일까지 다음 회계연도의 신규사업 계획서를 기획재정부장관에게 제출한다.
② 기획재정부장관은 국무회의 심의 및 대통령의 승인을 얻어 예산안편성지침을 3월 31일까지 중앙관서의 장에게 통보한다.
③ 중앙관서의 장은 5월 31일까지 예산요구서를 기획재정부장관과 국회 예산결산특별위원회에 제출한다.

답 ④

「국가재정법」상 정부가 국회에 제출하는 예산안에 첨부하는 서류가 아닌 것은?

① 세입세출예산 총계표 및 순계표
② 세입세출예산사업별 설명서
③ 국고채무부담행위 설명서
④ 예산정원표와 예산안편성기준단가
⑤ 국가채무관리계획

우리나라의 예산 과정에 대한 설명으로 옳지 않은 것은?

① 각 중앙관서의 장은 매년 1월 31일까지 당해 회계연도부터 5회계연도 이상의 기간 동안의 신규사업 및 기획재정부장관이 정하는 주요 계속사업에 대한 중기사업계획서를 기획재정부장관에게 제출하여야 한다.
② 국가가 특정한 목적을 위하여 특정한 자금을 신축적으로 운용할 필요가 있을 때에 법률로써 설치하는 기금은 세입세출예산에 의하지 아니하고 운용할 수 있다.
③ 예산안편성지침은 부처의 예산편성을 위한 것이기 때문에 국무회의의 심의를 거쳐 대통령의 승인을 받아야 하지만 국회 예산결산특별위원회에 보고할 필요는 없다.
④ 정부는 회계연도마다 예산안을 편성하여 회계연도 개시 90일 전까지 국회에 제출하도록 헌법에 규정되어 있다.

03	예산안에 첨부하는 서류

국가채무관리계획은 「국가재정법」상 정부가 국회에 제출하는 예산안에 첨부하는 서류가 아니다.

> 📋 **「국가재정법」상 정부가 국회에 제출하는 예산안에 첨부하는 서류**
>
> 1. 세입세출예산 총계표 및 순계표
> 2. 세입세출예산사업별 설명서
> 3. 계속비에 관한 전년도 말까지의 지출액 및 당해 연도 이후의 지출예정액 등
> 4. 총사업비 관리대상 사업의 사업별 개요 등
> 5. 국고채무부담행위 설명서
> 6. 국고채무부담행위로서 전년도 말까지의 지출액 및 당해 연도 이후의 지출예정액 등
> 7. 완성에 2년 이상이 소요되는 사업으로서 대규모 사업의 국고채무부담행위 총규모
> 8. 예산정원표와 예산안편성기준단가
> 9. 국유재산의 전전년도 말, 전년도 말, 당해 연도 말에 있어서의 현재액 추정 명세서
> 10. 성과계획서
> 11. 성인지예산서
> 12. 조세지출예산서
> 13. 독립기관 등의 세출예산요구액 감액 시 그 규모 및 이유 등
> 14. 회계와 기금 간 또는 회계 상호 간 여유재원의 전입·전출명세서 등
> 15. 국유재산특례지출예산서
> 16. 예비타당성조사를 실시하지 아니한 사업의 내역 및 사유

답 ⑤

04	우리나라의 예산 과정

기획재정부장관은 국무회의의 심의를 거쳐 대통령의 승인을 얻은 다음 연도의 예산안편성지침을 매년 3월 31일까지 각 중앙관서의 장에게 통보하고 국회 예산결산특별위원회에 보고하여야 한다(「국가재정법」 제30조).

(선지분석)
② 기금은 세입세출 외로 운용할 수 있다.
④ 헌법은 회계연도 개시 90일 전까지 예산안을 국회에 제출하도록 규정하고 있으나, 「국가재정법」은 그 시기를 120일 전까지로 변경하였다.

답 ③

우리나라 예산 과정에 대한 설명으로 옳은 것은?

① 정부는 회계연도마다 예산안을 편성하여 회계연도 개시 60일 전까지 국회에 제출해야 한다.

② 예산총액배분 자율편성제도는 중앙예산기관과 정부부처 사이의 정보 비대칭성을 완화하려는 목적을 갖고 있다.

③ 예산집행의 신축성을 확보하기 위한 제도로서 이용, 총괄예산, 계속비, 배정과 재배정 제도가 있다.

④ 예산불성립 시 조치로서 가예산 제도를 채택하고 있다.

우리나라의 예산 과정에 대한 설명으로 옳은 것은?

① 국회에서는 본회의보다 상임위원회와 예산결산특별위원회를 중심으로 예산이 심의된다.

② 국회는 정부의 동의 없이 새 비목을 설치할 수 없지만, 정부가 제출한 지출예산 각 항의 금액을 증가할 수 있다.

③ 예산안은 세출예산법안의 형식으로 국회에서 의결된다.

④ 「국회법」에서는 국회가 회계연도 개시 30일 전까지 정부가 제출한 예산안을 의결하여야 한다고 규정하고 있다.

---

05   우리나라 예산 과정

예산총액배분 자율편성제도의 목적으로 옳은 설명이다. 예산총액배분 자율편성제도는 재정당국이 정해준 예산한도 내에서 부처별로 자유롭게 예산을 편성할 수 있도록 하여 부처의 자율성을 높이는 예산편성제도이다.

선지분석

① 정부는 회계연도 개시 120일 전까지 회계연도마다 예산안을 편성하여 국회에 제출해야 한다.

③ 예산집행의 신축성을 확보하기 위한 제도로서 이용, 총괄예산, 계속비, 예비비 등이 있다. 배정과 재배정 제도는 예산집행의 재정통제에 대한 제도이다.

④ 현재 우리나라는 예산불성립 시 조치로서 가예산 제도가 아닌 준예산 제도를 채택하고 있다.

답 ②

---

06   우리나라의 예산 과정

우리나라는 본회의보다는 위원회(예산결산특별위원회)의 역할이 중요하고, 위원회를 중심으로 예산이 심의된다는 특징이 있다.

선지분석

② 국회는 정부의 동의 없이 금액을 증가시키거나 새로운 비목을 설치할 수 없다.

③ 우리나라의 예산은 예산안의 형식으로 국회에서 의결된다.

④ 「국회법」이 아니라 헌법 제54조에서 정부는 회계연도마다 예산안을 편성하여 회계연도 개시 90일 전까지 국회에 제출하고, 국회는 회계연도 개시 30일 전까지 이를 의결하여야 한다고 규정하고 있다.

답 ①

정부 각 기관에 배정될 예산의 지출한도액은 중앙예산기관과 행정수반이 결정하고 각 기관의 장에게는 그러한 지출한도액의 범위 내에서 자율적으로 목표달성방법을 결정하는 자율권을 부여하는 예산관리모형은 무엇인가?

① 총액배분 자율편성예산제도
② 목표관리예산제도
③ 성과주의예산제도
④ 결과기준예산제도
⑤ 계획예산제도

총액배분 자율편성제도에 대한 설명으로 옳지 않은 것은?

① 전략기획과 분권 확대를 예산편성방식에 도입하기 위해 실시하고 있다.
② 각 중앙부처는 소관 정책과 우선순위에 입각해 연도별 재정규모, 분야별·부문별 지출한도를 제시한다.
③ 지출한도가 사전에 제시되기 때문에 부처의 재정사업에 대한 책임과 권한을 강화할 수 있다.
④ 부처의 재량을 확대하였지만 기획재정부는 사업별 예산통제기능을 유지하고 있다.

---

07   총액배분 자율편성예산제도

총액배분 자율편성예산제도는 중앙예산기관이 행정수반과 함께 정부 각 기관에 배정될 예산의 지출한도액을 하향식으로 설정해주면 각 부처는 배정받은 지출한도액의 범위 내에서 자율적으로 예산을 편성하는 제도이다.

답 ①

---

08   총액배분 자율편성예산제도

총액배분 자율편성예산제도는 재정당국이 국가재정운용계획과 전략적 배분계획에 입각하여 지출한도를 제시하면 그 한도 내에서 각 중앙부처가 자율적으로 예산을 편성하는 하향식(top-down) 예산편성제도이다.

선지분석
① 총액배분 자율편성예산제도는 재정당국인 기획재정부의 중장기 전략적 기획과 각 부처의 자율적이고 분권적인 예산편성방식이 결합된 제도이다.
③ 총액배분 자율편성예산제도는 지출한도가 사전에 제시되기 때문에 지출한도 내에서의 각 부처의 재정사업에 대한 자율권과 그에 따른 책임을 강화할 수 있다.
④ 총액배분 자율편성예산제도는 각 부처의 재량이 확대되었지만, 소관 정책과 우선순위에 입각해 분야별·부문별 지출한도를 제시하기 때문에 여전히 사업별 예산통제기능을 일부 유지하고 있다.

답 ②

09 ☐☐☐

총액배분 자율편성예산제도에 관한 설명으로 옳지 않은 것은?

① 주어진 지출한도 내에서 각 부처는 자율적으로 정책과 사업을 구상한다.

② 재원운용의 분권화를 강조하는 상향식 의사결정구조를 지닌다.

③ 국가 재원의 전략적 배분을 강조하고 그에 필요한 중앙통제를 인정한다.

④ 영국(Spending Review), 스웨덴(Spring Fiscal Plan), 네덜란드(Coalition Agreement) 등의 예산편성방식을 그 예로 들 수 있다.

10 ☐☐☐

총액배분 자율편성예산제도에 대한 설명으로 옳지 않은 것은?

① 사전에 결정된 예산의 지출한도 내에서 각 부처가 자율적으로 예산을 편성해 운영한다.

② 부처의 자율성이 높아지는 예산제도로 상향식(bottom-up) 방식이다.

③ 중기적 시각에서 정부 전체의 재정규모를 검토하기 때문에 전략적 계획의 발전을 촉진하고 재정의 경기조절기능을 강화할 수 있다.

④ 미래예측을 강조함으로써 점증주의적 예산편성 관행을 바꾸는 데 기여할 수 있다.

---

09 │ 총액배분 자율편성예산제도

총액배분 자율편성예산제도는 총액을 중앙예산기관이 설정하고 나면 각 부처에 예산총액이 할당되고, 이 할당된 예산에 대해서 관리자가 자율적으로 집행하기 때문에 하향식 의사결정구조를 지닌다고 볼 수 있다.

(선지분석)

③ 총액배분 자율편성예산제도는 재정당국인 기획재정부의 중장기 전략적 기획과 각 부처의 자율적이고 분권적인 예산편성방식이 결합된 제도이다. 재정당국이 지출한도를 제시하므로 그에 필요한 중앙통제는 인정한다.

④ 신공공관리론적 개혁의 일환으로 선진 각 국은 총액배분 자율편성방식의 예산제도를 도입하였다.

답 ②

---

10 │ 총액배분 자율편성예산제도

총액배분 자율편성예산제도는 재정당국이 국가재정운용계획에 따라 분야별·부처별·부문별 지출한도를 제시하면 각 부처가 자율적으로 지출한도 내에서 재원을 배분하는 하향식(top-down)의 예산편성제도이다.

(선지분석)

③ 총액배분 자율편성예산제도는 단년도 예산편성의 한계를 극복하고 국가재정운용계획에 따른 중기적 시각에서 정부 전체의 재정규모를 검토한다. 따라서 국가의 전략적 계획의 발전을 촉진하고 재정의 경기조절기능을 강화할 수 있다.

④ 총액배분 자율편성예산제도는 계획과 예산의 연계를 통하여 중장기 계획에 따른 미래예측을 강조함으로써, 전년도 예산편성만을 참고하는 점증주의적 예산편성 관행을 바꾸는 데 기여할 수 있다.

답 ②

11 ☐☐☐

우리나라 예산 과정과 관련된 기술로 맞는 것은?

① 기획재정부장관의 예산안편성지침 통보에 따라 각 중앙관서의 장은 중기사업계획서와 예산요구서를 작성하여 기획재정부에 제출한다.

② 국회의 예산안 심의는 정부 예산안 제출 → 국회 소관 상임위원회의 예비심사 → 국회 예산결산특별위원회의 종합심사 → 시정연설 → 본회의 의결 순으로 진행된다.

③ 기획재정부장관은 분기별 예산배정계획을 작성하여 국무회의 심의와 대통령 승인 후 각 중앙관서의 장에게 예산을 배정하며, 중앙관서의 장은 배정된 예산을 다시 하급기관에 재배정한다.

④ 국회는 결산에 대한 심의·의결을 정기회 폐회 전까지 완료해야 한다.

12 ☐☐☐

우리나라 예산심의의 특징으로 가장 옳지 않은 것은?

① 정치 체계의 성격상 예산심의 과정이 의원내각제에 비해 상대적으로 엄격하지 않다.

② 일반적으로 예산의 심의에서 본회의는 형식적인 경우가 많다.

③ 국회는 정부의 동의 없이 금액 증가나 새로운 비목을 설치하지 못한다.

④ 예산심의 과정에서 국회 상임위원회가 소관 부처의 이해관계를 대변하기 쉽다.

11	우리나라 예산 과정

배정과 재배정에 대한 내용으로 옳은 지문이다.

선지분석
① 중기사업계획서는 예산편성지침이 시달되기 전 매년 1월 말까지 중앙관서의 장이 기획재정부장관에게 먼저 제출하여야 한다.
② 국회의 예산안 심의는 정부 예산안 제출 → 본회의 시정연설 → 국회 소관 상임위원회의 예비심사 → 국회 예산결산특별위원회의 종합심사 → 본회의 의결 순으로 진행된다.
④ 정기회 폐회 전이 아니라 개회 전까지 완료해야 한다.

답 ③

12	예산심의

우리나라는 대통령중심제로 정치 체계의 성격상 예산심의의 과정이 의원내각제에 비해 상대적으로 엄격하다.

선지분석
② 우리나라 예산심의는 위원회 중심이므로, 본회의보다는 예산결산특별위원회의 역할이 중요하다.
③ 국회는 정부의 동의 없이 감액하거나 비목을 폐지할 수는 있으나, 금액 증가나 새로운 비목을 설치하지는 못한다.
④ 예산심의는 소관 상임위원회에서 가장 먼저 이루어지는데, 이때 소관 상임위원회는 소관 부처와 공동의 이해관계를 공유하는 경우가 많으므로 소관 부처 예산에 대하여 증액지향적 행태를 보인다.

답 ①

13 □□□

다음 중 예산심의와 관련된 법령에 대한 설명으로 옳은 것을 〈보기〉에서 모두 고르면?

〈보기〉

ㄱ. 세목 또는 세율과 관계있는 법률의 제정 또는 개정을 전제로 하여 미리 제출된 세입예산안은 소관상임위원회에서 심사한다.

ㄴ. 국회는 정부의 동의 없이 정부가 제출한 지출예산 각 항의 금액을 증가하거나 새 비목을 설치할 수 없다.

ㄷ. 예산결산특별위원회는 소관상임위원회에서 삭감한 세출예산 각 항의 금액을 증가하게 할 경우에는 소관상임위원회의 동의를 얻어야 한다.

ㄹ. 예산결산특별위원회는 그 활동기한을 1년으로 한다.

ㅁ. 의원이 예산 또는 기금상의 조치를 수반하는 의안을 발의하는 경우에는 그 의안의 시행에 수반될 것으로 예상되는 비용에 대한 재정소요를 추계하여야 한다.

① ㄱ, ㄴ, ㄷ
② ㄱ, ㄴ, ㄹ
③ ㄱ, ㄷ, ㅁ
④ ㄴ, ㄷ, ㅁ
⑤ ㄴ, ㄹ, ㅁ

14 □□□

국회의 예산심의에 대한 설명으로 옳지 않은 것은?

① 상임위원회의 예비심사를 거친 정부예산안은 예산결산특별위원회에 회부되고, 예산결산특별위원회에서 종합심사가 종결되면 본회의에 부의된다.

② 예산결산특별위원회는 소관 상임위원회의 동의 없이 상임위원회에서 삭감한 세출예산 각 항의 금액을 증액할 수 있다.

③ 국회는 정부의 동의 없이 정부가 제출한 지출 예산 각 항의 금액을 증가하거나 새 비목을 설치할 수 없다.

④ 국회의장은 예산안을 소관 상임위원회에 회부할 때에는 심사기간을 정할 수 있으며, 상임위원회가 이유 없이 그 기간 내에 심사를 마치지 아니한 때에는 이를 바로 예산결산특별위원회에 회부할 수 있다.

---

13 | 예산심의

ㄴ. 국회는 정부의 동의 없이 정부가 제출한 지출예산 각 항의 금액을 감액하거나 비목을 폐지할 수는 있으나, 그 금액을 증가하거나 새 비목을 설치할 수는 없다.

ㄷ. 예산결산특별위원회는 소관상임위원회에서 삭감한 세출예산 각 항의 금액을 소관상임위원회의 동의 없이 감액할 수는 있으나, 그 금액을 증가하게 할 경우에는 동의를 얻어야 한다.

(선지분석)

ㄱ. 소관상임위원회는 세목 또는 세율과 관계있는 법률의 제정 또는 개정을 전제로 하여 미리 제출된 세입예산안을 심사할 수 없다.

ㄹ. 예산결산특별위원회 위원의 임기는 1년으로 한다. 하지만 예산결산특별위원회는 다른 특별위원회와 달리 연중 가동되므로 활동기한이 따로 없다.

답 ④

---

14 | 예산심의

예산결산특별위원회는 소관 상임위원회의 동의 없이 상임위원회에서 삭감한 세출예산 각 항의 금액을 증액할 수 없다.

(선지분석)

① 우리나라 예산심의는 '국정감사 → 시정연설과 예산안 제안 설명 → 상임위원회의 예비심사 → 예산결산특별위원회의 종합심사 → 본회의 의결'의 절차를 거쳐 이루어진다.

③ 국회는 정부의 동의 없이 금액을 증가시키거나 새로운 비목을 설치할 수 없다.

답 ②

국회의 예산심의에 대한 설명으로 옳은 것만을 모두 고른 것은?

> ㄱ. 상임위원회의 예비심사를 거친 예산안은 예산결산특별위원회에 회부된다.
> ㄴ. 예산결산특별위원회의 심사를 거친 예산안은 본회의에 부의된다.
> ㄷ. 예산결산특별위원회를 구성할 때에는 그 활동기한을 정하여야 한다. 다만, 본회의의 의결로 그 기간을 연장할 수 있다.
> ㄹ. 예산결산특별위원회는 소관 상임위원회의 동의 없이 새 비목을 설치할 수 있다.

① ㄱ, ㄴ
② ㄱ, ㄴ, ㄷ
③ ㄱ, ㄷ, ㄹ
④ ㄴ, ㄹ

우리나라의 예산심의에 대한 설명으로 옳지 않은 것은?

① 예산은 본회의 중심이 아니라 상임위원회와 예산결산특별위원회 중심으로 심의된다.
② 우리나라는 미국과 같이 예산의 형식으로 통과되어 법률보다 하위의 효력을 갖는다.
③ 국회는 정부의 동의 없이 새로운 비목을 설치하지 못한다.
④ 예산결산특별위원회의 심의 과정은 예산조정의 정치적 성격이 강하게 반영되는 특징이 있다.

---

15   ｜   예산심의

ㄱ, ㄴ. 각 소관 상임위원회별로 예비심사를 거친 예산안은 예산결산특별위원회에 회부되고, 예산결산특별위원회의 심사를 거친 예산안은 본회의에 부의된다.

(선지분석)
ㄷ. 예산결산특별위원회는 상설특별위원회로서 그 활동기한을 따로 정하지 않는다.
ㄹ. 예산결산특별위원회는 소관 상임위원회가 삭감한 세출예산의 금액을 증액하거나 새 비목을 설치하려는 경우에는 소관 상임위원회의 동의를 얻어야 한다.

답 ①

16   ｜   예산심의

우리나라는 미국과 달리 예산이 의결의 형식으로 통과되어 법률보다 하위의 효력을 가지게 된다. 미국은 예산이 법률의 형식으로 통과되기 때문에 예산과 법률의 효력이 동등하다.

(선지분석)
① 우리나라 예산심의에서 본회의는 대부분 형식적인 역할을 하고, 상임위원회와 예산결산특별위원회를 중심으로 심의가 이루어진다.
③ 국회는 정부의 동의 없이 예산을 증액하거나 새로운 비목을 설치하지 못한다.
④ 예산결산특별위원회의 심의 과정에서는 여러 가지 정치적 변수와의 관계를 고려한다.

답 ②

THEME 087 예산의 집행

17 ☐☐☐

예산의 집행에 대한 설명으로 옳은 것은?

① 기획재정부장관은 각 중앙관서의 장에게 예산을 배정한 때에는 감사원에 통지하여야 한다.
② 기획재정부장관은 반기별 예산배정계획을 작성하여 국회의 심의를 받은 뒤에 예산을 배정한다.
③ 중앙관서의 장에게 자금을 사용할 수 있는 권한을 부여하는 것을 예산 재배정이라고 한다.
④ 기획재정부장관은 매년 2월 말까지 예산집행지침을 각 중앙관서의 장과 국회예산정책처에 통보하여야 한다.

18 ☐☐☐

우리나라의 경우 기획재정부장관이 회계연도 개시 전에 예산을 배정할 수 없는 경비는?

① 과년도지출
② 외국에서 지급하는 경비
③ 여비
④ 선박의 운영·수리 등에 소요되는 경비
⑤ 각 관서에서 필요한 부식물의 매입경비

---

17 | 예산의 집행

기획재정부장관은 각 중앙관서의 장에게 예산을 배정한 때에는 감사원에 통지하여야 한다(「국가재정법」 제43조 제2항).

선지분석
② 기획재정부장관은 예산배정 전 분기별 예산배정계획을 작성하여 국무회의의 심의를 거친 후 대통령의 승인을 얻어야 한다(「국가재정법」 제43조 제1항).
③ 중앙관서의 장에게 자금을 사용할 수 있는 권한을 부여하는 것을 예산 배정이라고 한다. 예산 재배정은 중앙관서의 장이 산하기관에게 자금을 사용할 수 있는 권한을 부여하는 것이다.
④ 기획재정부장관은 예산집행의 효율성을 높이기 위하여 매년 1월 말 예산집행에 관한 지침을 작성하여 각 중앙관서의 장에게 통보하여야 한다(「국가재정법」 제44조, 「국가재정법 시행령」 제18조).

답 ①

18 | 예산의 배정

과년도지출은 「국가재정법 시행령」 제16조 제5항에 규정된 회계연도 개시 전에 예산을 배정할 수 있는 경비에 해당하지 않는다.

> 「국가재정법 시행령」 제16조 【예산의 배정】⑤ 법 제43조 제3항에 따라 회계연도 개시 전에 예산을 배정할 수 있는 경비는 다음 각 호와 같다.
> 1. 외국에서 지급하는 경비
> 2. 선박의 운영·수리 등에 소요되는 경비
> 3. 교통이나 통신이 불편한 지역에서 지급하는 경비
> 4. 각 관서에서 필요한 부식물의 매입경비
> 5. 범죄수사 등 특수활동에 소요되는 경비
> 6. 여비
> 7. 경제정책상 조기집행을 필요로 하는 공공사업비
> 8. 재해복구사업에 소요되는 경비

답 ①

다음 중 회계연도 개시 전에 예산을 배정할 수 있는 경비에 해당하지 않는 것은?

① 수입대체경비
② 선박의 운영 · 수리 등에 소요되는 경비
③ 교통이나 통신이 불편한 지역에서 지급하는 경비
④ 범죄수사 등 특수활동에 소요되는 경비
⑤ 경제정책상 조기집행을 필요로 하는 공공사업비

19	예산의 배정

수입대체경비는 회계연도 개시 전에 예산을 배정할 수 없는 경비이다. 회계연도 개시 전 예산배정이 가능한 경비는 외국으로부터 지급받는 경비, 선박의 운영 · 수리에 소요되는 경비, 교통 · 통신이 불편한 지역에서의 경비, 부식물의 매입경비, 여비, 범죄수사 등 특수활동경비, 재해복구비가 있다.

답 ①

재정성과관리와 재정건전성에 대한 설명으로 옳지 않은 것은?

① 중기지방재정계획은 「지방재정법」에 근거한 사후예산제도로 지방재정 건전화를 추구한다.
② 통합재정수지는 재정건전성 분석, 재정의 실물경제 효과 분석, 재정운용의 통화부문에 대한 영향 분석 등에 활용될 수 있다.
③ 총사업비관리제도는 시작된 대형사업에 대한 총사업비를 관리해 재정지출의 생산성 제고를 도모한다.
④ 예비타당성조사는 대규모 신규사업에 대한 예산편성 및 기금운용계획을 수립하기 위하여 기획재정부장관 주관으로 실시하는 사전적인 타당성 검증 · 평가제도이다.

20	재정성과관리와 재정건전성

중기지방재정계획은 「지방재정법」에 근거한 사후예산제도가 아니라 사전예산관리제도로 지방재정 건전화를 추구한다. 중기지방재정계획은 「지방재정법」 제33조에 따라 회계연도 개시 30일 전까지 행정안전부장관에게 제출하여야 한다.

(선지분석)
② 통합재정수지는 정부부문의 모든 재정활동을 포함시켜 재정이 국민경제에 미치는 효과를 파악하고자 하는 예산분류체계이다. 재정건전성 분석, 재정의 실물경제 효과 분석, 재정운용의 통화부문에 대한 영향 분석 등에 활용될 수 있고, 경제성질별 분류로 표시된다.
③ 총사업비관리제도는 시작된 대형사업에 대한 총사업비를 관리해 재정지출의 생산성 제고를 도모한다. 「국가재정법」 제50조에 따라 각 중앙관서의 장은 완성에 2년 이상 소요되는 사업으로서 대통령령이 정하는 대규모사업에 대하여는 그 사업규모 · 총사업비 및 사업기간을 정하여 미리 기획재정부장관과 협의하여야 한다.
④ 예비타당성조사는 대규모 신규사업에 대한 예산편성 및 기금운영계획을 수립하기 위하여 기획재정부장관 주관으로 실시하는 사전적인 타당성 검증 · 평가제도이다. 「국가재정법」 제38조에 의하여 총사업비가 500억 원 이상이고 국가의 재정지원규모가 300억 원 이상인 신규사업이 그 조사대상이다.

답 ①

21 □□□

현행 「국가재정법」에서 규율하고 있는 제도들 중 재정운용의 건전성 강화 목적과 직접적 관련이 있는 사항을 <보기>에서 모두 고른 것은?

〈보기〉
ㄱ. 성인지예산서 및 결산서 도입
ㄴ. 예산·기금 지출에 대한 국민 감시와 예산성과금 지급
ㄷ. 추가경정예산안 편성의 제한
ㄹ. 세계잉여금 일정 비율의 공적 자금 등 상환 의무화
ㅁ. 국가채무관리계획 수립
ㅂ. 국가 보증채무 부담의 국회 사전 동의
ㅅ. 국세 감면의 제한
ㅇ. 재정정보의 연 1회 이상 공개 의무화
ㅈ. 법률안 재정 소요 추계제도
ㅊ. 예산, 기금 간 여유재원의 상호 전출·입

① ㄱ, ㄴ, ㄷ, ㄹ, ㅁ, ㅂ
② ㄴ, ㄹ, ㅂ, ㅅ, ㅇ, ㅊ
③ ㄴ, ㄷ, ㅁ, ㅅ, ㅇ, ㅊ
④ ㄷ, ㄹ, ㅁ, ㅂ, ㅅ, ㅈ

---

21 | 재정운용의 건전성

ㄷ, ㄹ, ㅁ, ㅂ, ㅅ, ㅈ이 재정운용의 건전성 강화와 직접적으로 관련이 있는 사항이다.

효율성	· 회계·기금 간 여유재원의 신축적 운용(ㅊ) · 성과계획서·보고서 작성 · 국가재정운용계획 · 총액계상예산제도
투명성	· 국가와 지방자치단체의 재정정보의 공개(ㅇ) · 재정지출에 대한 국민감시제(ㄴ)
건전성	· 추가경정예산 편성요건(ㄷ) · 세계잉여금 사용 순서(ㄹ) · 국가채무관리계획의 수립 및 국회 제출(ㅁ) · 조세지출예산제도 · 재정부담을 수반하는 법령의 제·개정 시 재원조달방안 첨부(ㅈ) · 총사업비관리제도 및 예비타당성 조사 · 국고채무부담행위 및 국가보증채무부담행위 시 국회의 사전 동의(ㅂ) · 국세감면의 제한(ㅅ) · 국가재정운용계획의 국회 제출

답 ④

22 □□□

예비타당성조사에 대한 설명으로 옳은 것은?

① 기존에 유지된 타당성조사의 문제점을 보완하기 위해 2013년부터 도입하였다.
② 신규 사업 중 총사업비가 300억 원 이상인 사업은 예비타당성 조사대상에 포함된다.
③ 중앙행정기관의 장은 예비타당성조사를 실시하고 기획재정부장관과 그 결과를 협의해야 한다.
④ 조사대상 사업의 경제성, 정책적 필요성 등을 종합적으로 검토하여 그 타당성 여부를 판단한다.

---

22 | 예비타당성조사

예비타당성조사제도는 대규모 개발사업 이전에 개괄적인 조사를 통하여 경제성 분석, 정책적 분석, 투자우선순위, 적정투자시기, 재원조달방법 등 사업의 타당성을 기획재정부장관이 미리 조사하고 검증하는 제도이다.

(선지분석)
① 예비타당성조사는 1999년 도입되었다.
② 신규 사업 중 총사업비가 500억 원 이상인 사업은 예비타당성조사 대상에 포함된다.
③ 예비타당성조사는 기획재정부장관이 실시한다.

> **「국가재정법」제38조【예비타당성조사】**① 기획재정부장관은 총사업비가 500억 원 이상이고 국가의 재정지원 규모가 300억 원 이상인 신규사업으로서 다음 각 호의 어느 하나에 해당하는 대규모사업에 대한 예산을 편성하기 위하여 미리 예비타당성조사를 실시하고, 그 결과를 요약하여 국회 소관 상임위원회와 예산결산특별위원회에 제출하여야 한다. 다만, 제4호의 사업은 제28조에 따라 제출된 중기사업계획서에 의한 재정지출이 500억 원 이상 수반되는 신규사업으로 한다.
> 1. 건설공사가 포함된 사업
> 2. 「국가정보화 기본법」 제15조 제1항에 따른 정보화 사업
> 3. 「과학기술기본법」 제11조에 따른 국가연구개발사업
> 4. 그 밖에 사회복지, 보건, 교육, 노동, 문화 및 관광, 환경보호, 농림해양수산, 사업·중소기업 분야의 사업

답 ④

우리나라의 예산·회계제도에 대한 설명으로 옳지 않은 것은?

① 총액배분 자율편성예산제도, 디지털예산회계시스템 등과 같은 예산개혁의 실효성을 확보하기 위한 제도적 기반으로서 프로그램예산제도가 도입되었다.

② 국가의 재정활동에서 발생하는 경제적 거래 등은 발생사실에 따라 복식부기방식으로 회계처리되어야 한다.

③ 예비타당성조사제도는 완성에 2년 이상 소요되는 사업으로서 대통령령이 정하는 대규모 사업에 대하여 각 중앙관서의 장이 그 사업규모 등을 정하여 미리 기획재정부장관과 협의하도록 하는 제도이다.

④ 기획재정부장관은 예비타당성조사를 실시하기로 결정한 경우에는 대상 사업의 경제성 및 정책적 필요성 등을 종합적으로 검토하여야 한다.

우리나라의 재정건전성 관련 제도에 대한 설명으로 가장 옳은 것은?

① 총사업비관리제도는 예비타당성조사제도와 같은 시기에 도입되었다.

② 예비타당성조사는 총사업비 500억 원 이상이면서 국가재정지원이 300억 원 이상인 신규사업 중에 일정한 절차를 거쳐 실시한다.

③ 토목사업은 400억 원 이상일 경우 총사업비 관리대상이다.

④ 재정사업자율평가제도는 2004년부터 실시되었다.

23	우리나라의 예산·회계제도

총사업비관리제도에 대한 설명으로, 각 중앙관서의 장은 완성에 2년 이상이 소요되는 사업으로서 대통령령이 정하는 대규모사업에 대하여는 그 사업규모·총사업비 및 사업기간을 정하여 미리 기획재정부장관과 협의하여야 한다(「국가재정법」 제50조 제1항).

답 ③

24	우리나라의 재정건전성 관련 제도

예비타당성조사는 대형 신규사업에 신중하게 착수하여 재정투자의 효율성을 높이기 위한 제도로서, 총사업비 500억 원 이상이면서 국가재정지원이 300억 원 이상인 신규사업 중에 일정한 절차를 거쳐 실시한다.

(선지분석)

① 총사업비관리제도(1994년)는 예비타당성조사(1999년)보다 먼저 도입되었다.

③ 토목사업은 500억 원 이상, 건축사업은 200억 원 이상인 경우에 총사업비 관리대상이 된다.

④ 재정사업자율평가제도는 2005년부터 실시되었다. 재정사업자율평가제도란 각 부처가 재정사업을 자율적으로 평가하고 기획재정부가 이를 점검하여 재정운용에 활용하는 제도이다.

답 ②

예비타당성조사의 분석 내용을 경제성 분석과 정책적 분석으로 구분할 때, 경제성 분석에 해당하는 것은?

① 상위 계획과의 연관성
② 지역경제에의 파급효과
③ 사업추진 의지
④ 민감도분석

예비타당성조사제도에 대한 설명으로 옳지 않은 것은?

① 경제적 타당성뿐만 아니라 정책적 타당성도 분석의 대상이 된다.
② 사업 주무 부처(기관)에서 수행하며, 기술적인 검토와 예비 설계 등에 초점을 맞춘다.
③ 경제적 타당성의 분석을 위해 수요, 편익, 비용을 추정하고 재무성 평가와 민감도분석을 시행한다.
④ 대형 신규사업에서 발생할 수 있는 예산 낭비를 방지하고 재정운용의 효율성을 제고하기 위해 도입되었다.

25	예비타당성조사

예비타당성조사는 경제성 분석과 정책적 분석으로 평가가 이루어진다. 이 중 민감도분석이 경제성 분석에 포함된다.

📄 **예비타당성조사의 구체적 내용**

경제성 분석	정책적 분석
• 비용편익분석 • 민감도분석 • 경제성 및 재무성 평가	• 계층화분석 • 지역경제 파급효과 • 지역균형개발 • 국고지원의 적합성 • 재원조달의 가능성 • 환경성

답 ④

26	예비타당성조사

사업 주무 부처에서 수행하며 기술적인 검토와 예비 설계 등에 초점을 맞추는 것은 타당성조사에 해당한다. 예비타당성조사제도는 대규모 개발사업 이전에 개괄적인 조사를 통하여 경제성 분석, 정책적 분석, 투자우선순위, 적정투자시기, 재원조달방법 등 사업의 타당성을 기획재정부가 미리 조사하고 검증하는 제도이다.

(선지분석)

① 예비타당성조사제도의 타당성조사 대상은 경제적 타당성과 정책적 타당성이며, 타당성조사제도의 타당성조사 대상은 그 사업 자체의 기술적 타당성이다.
③ 경제적 타당성 분석을 위하여 B/C분석, 민감도분석, 경제성 및 재무성 평가 등을 시행한다.
④ 예비타당성조사제도는 대형 신규사업에서 발생할 수 있는 예산 낭비를 방지하고 재정운용의 효율성을 제고하기 위하여 도입한 재정통제방안의 일환이다.

답 ②

27 □□□

예산집행의 신축성을 보장하기 위한 장치가 아닌 것은?

① 예산총계주의
② 예산의 이체와 이월
③ 예비비
④ 수입대체경비

28 □□□

「국가재정법」에 규정되어 있는 예산의 전용에 대한 설명으로 가장 옳은 것은?

① 각 중앙관서의 장이 예산을 전용한 경우에는 반기별로 그 전용내역을 감사원에 제출하여야 한다.
② 각 중앙관서의 장은 당초 예산에 계상되지 아니한 사업을 추진하는 경우에도 예산을 전용할 수 있다.
③ 각 중앙관서의 장은 회계연도마다 기획재정부장관이 위임하는 범위 안에서 각 세항 또는 목의 금액을 자체적으로 전용할 수 있다.
④ 각 중앙관서의 장은 예산의 목적범위 안에서 재원의 효율적 활용을 위하여 기획재정부장관의 승인을 얻어 각 관, 항, 세항의 금액을 전용할 수 있다.

27	예산집행의 신축성

예산총계주의는 신축성을 보장하기 위한 장치가 아니라 재정통제를 위한 고전적 원칙에 해당한다.

📄 예산집행의 신축성 유지방안

이용	입법과목 간의 상호 융통
전용	행정과목(세항, 목) 간의 상호 융통
이체	「정부조직법」 등에 관한 법령의 제정·개정·폐지로 인하여 그 직무와 권한에 변동이 있을 때 책임소관을 변동시키는 것
사고이월	연도 내에 지출원인행위를 하고 불가피한 사유로 연도 내에 지출하지 못한 경비를 다음 연도로 넘겨서 사용하는 것
명시이월	연도 내에 지출불가가 예측되는 경우 사전에 국회의 의결을 거쳐 이월하는 것
예비비	예산 외의 지출 또는 예산의 초과지출에 충당하기 위하여 마련된 것으로 일반예비비의 경우 세출예산의 100분의 1 이내의 금액을 계상하도록 법정상한선이 설정되어 있음
계속비	최대 5년 이내의 기간 동안 수년도에 걸쳐 비용을 지불하도록 경비의 총액과 연부액에 대해 미리 국회의 의결을 얻어두는 것
국고채무부담행위	법률에 의한 것과 세출예산금액 또는 계속비 총액 범위 안의 것 그 이외에 채무를 부담하는 행위를 할 때에는 미리 예산으로서 국회의 의결을 얻어두는 것

28	예산의 전용

각 중앙관서의 장은 원칙적으로 기획재정부장관의 승인을 얻어 예산을 각 세항 또는 목 간 전용할 수 있으나, 예외적으로 기획재정부장관이 위임하는 범위 안에서 자체적으로 전용할 수 있다.

(선지분석)
① 예산을 전용한 경우에는 그 전용내역을 기획재정부장관 및 감사원에 즉시 제출하여야 한다.
② 당초 예산에 계상되지 아니한 사업을 추진하는 경우에는 예산을 전용할 수 없다.
④ 각 중앙관서의 장은 예산의 목적 범위 안에서 기획재정부장관의 승인을 얻어 세항, 목의 금액을 전용할 수 있다. 장, 관, 항은 국회의 승인이 필요한 이용 대상이다.

답 ③

답 ①

29 □□□

예산집행의 신축성을 유지하여 예산집행자로 하여금 보다 예산 목적에 부합하는 집행 성과를 올릴 수 있도록 하는 우리나라 예산집행의 장치로 보기 어려운 것은?

① 계속비
② 예산의 배정과 재배정
③ 예산의 이용(利用)과 전용(轉用)
④ 예산의 이체(移替)와 이월(移越)

30 □□□

다음은 예산의 이용과 전용에 대한 설명이다. ㄱ과 ㄴ에 해당하는 것은?

> 이용은 국회에서 승인된 예산 중 (ㄱ) 간 울타리를 뛰어넘어 자금을 이전하는 것을 말하며 이를 위해서는 국회의 승인을 받아야 한다. 반면, 전용은 (ㄴ) 간 울타리를 뛰어넘어 자금을 이전하는 것을 말하며 이를 위해서는 국회의 승인을 받을 필요가 없다.

	ㄱ	ㄴ
①	장	관, 항, 세항, 목
②	장, 관	항, 세항, 목
③	장, 관, 항	세항, 목
④	장, 관, 항, 세항	목

29	예산집행의 신축성

계속비, 예산의 이용과 전용, 예산의 이체와 이월은 모두 예산집행의 신축성을 유지하는 수단이며, 예산의 배정과 재배정은 예산집행의 통제수단이다.

답 ②

30	예산의 이용과 전용

이용은 국회에서 승인된 예산 중 입법과목(장·관·항) 간 울타리를 뛰어넘어 자금을 이전하는 것을 말하며 이를 위해서는 국회의 승인을 받아야 한다. 반면, 전용은 행정과목(세항·목) 간 울타리를 뛰어넘어 자금을 이전하는 것을 말하며 이를 위해서는 국회의 승인을 받을 필요가 없다.

답 ③

예산 관련 제도들 중 나머지 셋과 성격이 다른 것은?

① 예비비와 총액계상예산
② 이월과 계속비
③ 이용과 전용
④ 배정과 재배정

예산의 신축성 유지방법 중 '정부조직개편'과 가장 관련이 있는 것은?

① 전용(轉用)
② 이용(利用)
③ 이체(移替)
④ 이월(移越)

31	예산 관련 제도

예산의 배정과 재배정은 예산집행의 통제 장치이고, 나머지는 모두 예산집행의 신축성 유지방안이다.

(선지분석)

① 예비비는 예측할 수 없는 예산 외의 지출 또는 초과지출을 충당하기 위한 것으로 예산집행의 신축성 유지방안에 해당하며, 총액계상예산은 세부 사업을 정하지 않고 총액규모만을 정하여 예산에 반영하는 것으로 예산집행에 탄력성을 부여한다.

② 이월은 일반적으로 1회계연도 내에서 모두 지출되어야 하는 예산을 다음 회계연도로 넘겨서 사용하는 것이고, 계속비는 수년에 걸쳐 완공을 요하는 공사나 제조 및 연구개발 사업에 대해 경비의 총액과 연부액을 정하여 미리 국회의 의결을 얻어 수년에 걸쳐 지출할 수 있는 경비로, 이월과 계속비 모두 예산집행의 신축성 유지방안에 해당한다.

③ 이용은 입법과목 간의 상호 융통, 전용은 행정과목 간의 상호 융통으로 이용과 전용 모두 예산집행의 신축성 유지방안에 해당한다.

답 ④

32	예산의 신축성 유지방법

예산의 이체란 정부조직에 관한 법령의 제정·개정·폐지 등으로 그 직무의 권한과 책임의 변동에 따라 예산집행의 책임소관이 변경되는 것이다.

(선지분석)

① 전용은 행정과목 간의 상호 융통하는 것이다.
② 이용은 입법과목 간의 상호 융통하는 것이다.
④ 이월은 일반적으로 1회계연도 내에서 모두 지출되어야 하는 예산을 다음 회계연도로 넘겨서 사용하는 것이다.

답 ③

예산집행의 신축성을 유지하기 위한 방안에 대한 설명 중 가장 옳지 않은 것은?

① 이체란 정부조직 등에 관한 법령의 제정 · 개정 또는 폐지로 인하여 중앙관서의 직무와 권한에 변동이 있을 때 관련 예산을 이동하는 것이다.

② 전용이란 입법과목 간 상호 융통으로, 각 중앙관서의 장은 예산의 목적범위 안에서 재원의 효율적 활용을 위하여 기획재정부장관의 승인을 얻어 각 세항 또는 목의 금액을 전용할 수 있다.

③ 이월이란 당해 연도 예산액의 일정 부분을 다음 연도로 넘겨서 사용할 수 있는 제도이다.

④ 계속비란 완성에 수년도를 요하는 사업에 대해 그 경비의 총액과 연도별 지출액을 정하여 미리 국회의 의결을 얻은 범위 안에서 수년도에 걸쳐 지출하는 경비이다.

---

33   **예산집행의 신축성**

입법과목(장·관·항) 간 상호 융통은 이용(利用)이다. 전용(轉用)이란 행정과목(세항·목) 간 상호 융통하는 것이다.

답 ②

예산집행에 대한 설명으로 옳지 않은 것은?

① 예산의 재배정은 행정부처의 장이 실무부서에게 지출을 할 수 있는 권한을 부여하는 것을 말한다.

② 예산의 전용을 위해서 정부 부처는 미리 국회의 승인을 받아야 한다.

③ 예비비는 공무원 인건비 인상을 위한 인건비 충당을 목적으로 사용할 수 없다.

④ 사고이월은 집행과정에서 재해 등의 이유로 불가피하게 다음 연도로 이월된 경비를 말한다.

---

34   **예산집행**

예산의 행정과목(세항·목) 간 융통인 전용을 위해서는 국회의 승인 없이 기획재정부의 승인을 얻으면 된다. 예산의 입법과목(장·관·항) 간 융통인 이용을 위해서는 미리 국회의 승인을 받아야 한다.

(선지분석)

① 예산의 배정은 기획재정부장관이 각 부처에게 예산을 지출할 수 있는 권한을 부여하는 것이며, 예산의 재배정은 각 부처의 장관이 실무부서나 하급기관에게 지출할 수 있는 권한을 부여하는 것을 말한다.

④ 사고이월은 집행과정에서 예상치 못한 재해 등의 이유로 불가피하게 다음 연도로 이월된 경비를 말하며, 재이월이 불가능하다.

답 ②

35 □□□

예산과정에 대한 설명으로 옳은 것은?

① 예산과정은 예산편성 – 예산집행 – 예산심의 – 예산결산의 순으로 이루어진다.
② 예산집행의 신축성을 확보하기 위해 예비비, 총액계상 제도 등을 활용하고 있다.
③ 예산제도 개선 등으로 절약된 예산 일부를 예산성과금으로 지급할 수 있지만 다른 사업에 사용할 수는 없다.
④ 각 중앙부처가 총액 한도를 지정한 후에 사업별 예산을 편성하고 있어 기획재정부의 사업별 예산통제 기능은 미약하다.

36 □□□

다음 중 예산에 대한 설명으로 옳지 않은 것은?

① 예산의 전용은 예산의 세항·목 간에 금액을 상호 융통하는 것이다.
② 예산의 이체는 법령의 제정, 개정 또는 폐지로 인하여 그 직무와 권한에 변동이 있을 때 예산의 귀속을 변경시키는 것이다.
③ 계속비는 세출예산 중 미지출액을 당해 연도를 넘겨 다음 연도에 계속적으로 사용하는 것을 말한다.
④ 예비비는 예측할 수 없는 예산 외의 지출에 충당하기 위하여 예산에 계상되는 것을 말한다.
⑤ 추가경정예산은 예산성립 후에 생긴 사유로 편성하는 것이다.

---

35 예산과정

예측하지 못한 지출에 대비한 비용인 예비비와 예산을 세부사업이 아닌 총액으로 계상하는 제도인 총액계상 제도는 예산집행의 신축성을 확보하기 위한 제도이다.

[선지분석]
① 예산과정은 예산편성 – 예산심의 – 예산집행 – 예산결산의 순으로 이루어진다.
③ 예산제도 개선 등으로 절약된 예산 일부를 예산성과금으로 지급하거나 다른 사업에 사용할 수 있다.
④ 각 중앙부처가 사업별 예산은 편성하고 있지만, 기획재정부가 총액한도를 지정하기 때문에 기획재정부의 예산통제 기능은 유지되고 있다.

답 ②

36 예산

세출예산 중 미지출액을 당해 연도를 넘겨 다음 연도에 계속적으로 사용하는 것은 이월이다. 계속비는 경비의 총액과 연부액을 정하고 미리 국회의 의결을 얻어 수년도에 걸쳐 공사나 제조 및 연구개발사업에 지출하는 경비이다.

[선지분석]
① 예산의 이용은 예산의 장·관·항 간에 금액을 상호 융통하는 것이며, 예산의 전용은 세항·목 간에 금액을 상호 융통하는 것이다.
② 예산의 이체는 행정안전부장관이 법령의 제정, 개정 또는 폐지로 인하여 그 직무와 권한을 수행하는 부처의 변동이 있을 때 예산의 귀속부처를 변경시키는 것이다.
④ 예비비는 예측할 수 없는 예산 외의 지출에 충당하기 위하여 예산에 계상되는 것을 말하며, 일반회계 예산총액의 1% 이내로 편성한다.

답 ③

37 □□□

다음 중 우리나라의 예산에 대한 설명으로 옳지 않은 것은?

① 정부는 예측할 수 없는 예산 외의 지출 또는 예산초과지출에 충당하기 위하여 일반회계 예산총액의 100분의 1 이내의 금액을 예비비로 세입세출예산에 계상할 수 있다.

② 완성에 수년도를 요하는 공사나 제조 및 연구개발사업은 그 경비의 총액과 연부액을 정하여 미리 국회의 의결을 얻는 범위 안에서 그 회계연도부터 10년 이내로 정하여 수년도에 걸쳐서 지출할 수 있다고 보는 것이 원칙이다.

③ 매 회계연도의 세출예산은 다음 연도에 이월하여 사용할 수 없는 것이 원칙이다.

④ 각 중앙관서의 장은 세출예산이 정한 목적 외에 경비를 사용할 수 없는 것이 원칙이다.

⑤ 각 중앙관서의 장은 예산의 목적범위 안에서 재원의 효율적 활용을 위하여 대통령령이 정하는 바에 따라 기획재정부장관의 승인을 얻어 각 세항 또는 목의 금액을 전용할 수 있다.

38 □□□

예산집행과 관련된 기술로 옳지 않은 것은?

① 예산집행은 재정통제와 재정신축성이라는 상반된 목표를 동시에 추구한다.

② 중앙관서의 장은 대통령령이 정하는 바에 따라 기획재정부장관의 승인을 얻어 세항 또는 목의 금액을 전용할 수 있다.

③ 예비비로 공무원의 보수 인상을 위한 인건비를 충당하기 위해서는 예산총칙 등에 따라 미리 사용목적을 지정하여야 한다.

④ 중앙관서의 장은 완성에 2년 이상 소요되고 총사업비가 일정 규모 이상인 사업에 대해서는 사전에 기획재정부장관과 협의하여야 한다.

---

37 | 우리나라의 예산

국가가 계속비를 지출할 수 있는 연한은 그 회계연도로부터 5년 이내로 한다. 다만, 사업규모 및 국가재원 여건상 필요한 경우에는 예외적으로 10년 이내로 할 수 있다.

(선지분석)
③ 예산의 시간적 한계성의 원칙에 따라, 매 회계연도의 세출예산은 다음 연도에 이월하여 사용할 수 없는 것이 원칙이다.
④ 예산의 질적 한계성의 원칙에 따라, 각 중앙관서의 장은 세출예산이 정한 목적 외에 경비를 사용할 수 없는 것이 원칙이다.
⑤ 세항·목 간의 전용을 위해서는 기획재정부장관의 승인이 필요하고 장·관·항 간의 이용을 위해서는 국회의 의결이 필요하다.

답 ②

---

38 | 예산집행

공무원의 보수 인상을 위한 인건비 충당을 위해서는 예비비의 사용목적을 지정할 수 없다.

(선지분석)
① 예산집행의 궁극적 목적은 재정통제와 재정신축성이라는 상반된 목적이 조화가 되도록 동시에 추구하는 것이다.
② 세항·목 간의 전용을 위해서는 기획재정부장관의 승인이 필요하고 장·관·항 간의 이용을 위해서는 국회의 의결이 필요하다.
④ 각 중앙관서의 장은 완성에 2년 이상이 소요되는 사업으로서 총사업비가 500억 원 이상이고 국가의 재정지원 규모가 300억 원 이상인 건설공사가 포함된 사업, 정보화 사업, 사회복지, 보건, 교육, 노동, 문화 및 관광, 환경 보호, 농림해양수산, 산업·중소기업 분야의 사업에 대하여는 그 사업규모·총사업비 및 사업기간을 정하여 미리 기획재정부장관과 협의하여야 한다. 협의를 거친 사업규모·총사업비 또는 사업기간을 변경하고자 하는 때에도 또한 같다.

답 ③

「국가재정법」상 예산집행에 있어서 신축성을 보장하는 규정으로 옳지 않은 것은?

① 각 중앙관서의 장은 예산이 정한 각 기관 간 또는 각 장·관·항 간에 상호 이용(移用)할 수 없다. 다만, 예산집행상 필요에 따라 미리 예산으로써 국회의 의결을 얻은 때에는 기획재정부장관의 승인을 얻어 이용하거나 기획재정부장관이 위임하는 범위 안에서 자체적으로 이용할 수 있다.

② 각 중앙관서의 장은 예산의 목적범위 안에서 재원의 효율적 활용을 위하여 대통령령이 정하는 바에 따라 기획재정부장관의 승인을 얻어 각 세항 또는 목의 금액을 전용(轉用)할 수 있다.

③ 행정안전부장관은 정부조직 등에 관한 법령의 제정·개정 또는 폐지로 인하여 중앙관서의 직무와 권한에 변동이 있는 때에는 기획재정부장관의 요구에 따라 그 예산을 상호 이용하거나 이체(移替)할 수 있다.

④ 세출예산 중 경비의 성질상 연도 내에 지출을 끝내지 못할 것이 예측되는 때에는 그 취지를 세입세출예산에 명시하여 미리 국회의 승인을 얻은 후 다음 연도에 이월하여 사용할 수 있다.

예산집행의 신축성을 유지하는 방법에 대한 설명으로 옳지 않은 것은?

① 계속비의 지출기간은 5년 이내이며 필요한 경우 국회의 의결을 얻어 연장할 수 있는데, 매년 연부액은 국회의 의결을 받아야 한다.

② 사고이월은 지출원인행위를 하였으나 연도 내에 지출하지 못한 경비와 지출원인행위를 하지 않은 부대경비를 다음 연도에 지출하는 것을 말한다.

③ 예산의 전용(轉用)은 행정과목 간의 융통을 뜻하며, 이용(移用)은 입법과목 간의 융통을 뜻한다.

④ 이체(移替)는 정부조직 등에 관한 법령의 제정·개정 또는 폐지로 인하여 그 직무와 권한의 변동이 있을 때, 중앙관서장의 요구에 의하여 기획재정부장관이 허용하는 제도이다.

⑤ 국고채무부담행위는 법률에 의한 것, 세출예산금액, 그리고 계속비 범위 이외의 것에 한하여 사전에 국회의 의결을 얻어 지출할 수 있는 권한이다.

---

39   예산집행의 신축성

기획재정부장관은 정부조직 등에 관한 법령의 제정·개정 또는 폐지로 인하여 중앙관서의 직무와 권한에 변동이 있는 때에는 중앙관서장의 요구에 의하여 예산을 상호 이용하거나 이체(移替)할 수 있다.

(선지분석)
①, ② 세항·목 간의 전용을 위해서는 기획재정부장관의 승인이 필요하고 장·관·항 간의 이용을 위해서는 국회의 의결이 필요하다.
④ 세출예산 중 경비의 성질상 연도 내에 지출을 끝내지 못할 것이 예측되는 때에는 그 취지를 세입세출예산에 명시하여 미리 국회의 승인을 얻은 후 다음 연도에 이월하여 사용할 수 있다. 그리고 각 중앙관서의 장은 명시이월비에 대하여 예산집행상 부득이한 사유가 있는 때에는 사항마다 사유와 금액을 명백히 하여 기획재정부장관의 승인을 얻은 범위 안에서 다음 연도에 걸쳐서 지출하여야 할 지출원인행위를 할 수 있다.

답 ③

40   예산집행의 신축성

국고채무부담행위에 대한 국회의 의결은 국가로 하여금 다음 연도 이후에 지출할 수 있는 권한까지 부여하는 것은 아니며, 다만 채무를 부담할 권한만을 부여하는 것이다. 따라서 채무부담과 관련한 지출에 대해서는 다시 국회의 의결을 받아야 한다.

(선지분석)
① 계속비 지출기간은 원칙적으로 5년 이내이며 필요한 경우 국회의 의결을 얻어 연장할 수 있으며, 매년 연부액은 별도로 국회의 의결이 필요하다.
② 사고이월은 지출원인행위는 하였으나 예상치 못한 연유로 연도 내에 지출하지 못한 경비와 부대경비 중 지출원인행위를 하지 않은 경비를 다음 연도에 지출하는 것을 말한다. 사고이월은 재이월하지 못한다.
③ 예산의 전용은 행정과목인 세항·목 간의 융통을 뜻하며, 이용은 입법과목인 장·관·항 간의 융통을 뜻한다.

답 ⑤

41 □□□

예산집행의 신축성을 보장하기 위한 제도적 장치와 그것에 대한 설명으로 옳지 않은 것은?

① 총괄예산제도 - 구체적 용도를 제한하지 아니하고 포괄적인 지출을 허용하는 것

② 예산의 이용과 전용 - 예산의 목적 외 사용을 금지하는 한정성 원칙의 예외적 장치

③ 추가경정예산 - 국회의 의결에 의해 예산이 성립된 이후 상황 변화로 인해 사업을 변경하거나 새로운 사업을 추진해야 하는 경우 국회의결을 받아 예기치 못한 상태에 대처하는 예산

④ 예비비제도 - 완공에 수년이 소요되는 대규모 공사 · 제조 · 연구개발사업의 경우에 총액과 연부금을 정해 인정하는 제도

42 □□□

다음 중 예산의 신축성을 유지하기 위한 장치에 대한 설명으로 옳지 않은 것은?

① 총괄예산제도는 구체적인 용도를 제한하지 않고 신축적 집행을 인정하는 것이다.

② 계속비제도는 완공에 수년이 소요되는 대규모 공사 · 제조 · 연구개발사업의 경우에 총액과 연부금을 정해 집행을 인정하는 것이다.

③ 이월제도는 예산을 당해 회계연도에 집행하지 않고 다음 연도에 넘겨 차기 회계연도의 예산으로 사용하는 것이다.

④ 회계연도 개시 전 예산배정제도는 회계연도 개시 전에 대통령이 정하는 바에 의해 기획재정부장관이 예산을 배정하는 것이다.

⑤ 수입대체경비는 과년도 수입과 지출금을 반납하는 것이다.

41	예산집행의 신축성

예비비가 아니라 계속비에 대한 설명이다. 예비비는 예측할 수 없는 예산 외의 지출 또는 초과지출을 충당하기 위해서 세입세출예산 외에 일반회계 예산총액의 100분의 1 이내의 금액을 계상하는 것을 말한다.

(선지분석)
① 총괄예산제도는 세부사업을 정하지 않고 총액규모만을 정하여 예산에 반영시키는 것이다.
② 예산의 이용은 입법과목 간의 상호 융통, 전용은 행정과목 간의 상호 융통이다.
③ 추가경정예산은 예산이 성립된 후 추가로 편성된 예산이다.

답 ④

42	예산집행의 신축성

수입대체경비란 정부가 용역이나 시설을 제공하여 발생하는 수입과 관련해 초과수입이 발생할 경우, 이를 해당 초과수입과 관련된 경비로 초과지출을 할 수 있는 제도이다. 예산에 계상되지 않고 특정 수입과 특정 지출이 연계된다는 점에서 예산의 완전성의 원칙과 통일성의 원칙에 대한 예외가 된다.

(선지분석)
① 총괄예산제도는 예산 총액만 결정하고 예산의 구체적인 용도를 제한하지 않고 신축적인 집행을 인정하는 예산제도이다.
② 계속비제도는 완공에 수년이 소요되는 대규모 공사 등의 경우에 회계연도를 넘어 계속하여 지출할 수 있게 한 제도로, 계속비 지출기간은 원칙적으로 5년 이내이며 필요한 경우 국회의 의결을 얻어 연장할 수 있고, 매년 연부액은 별도로 국회의 의결이 필요하다.
③ 이월제도는 예산을 당해 회계연도에 집행하지 않고 다음 연도에 넘겨 차기 회계연도의 예산으로 사용하는 것으로, 사고이월과 명시이월이 있다.
④ 회계연도 개시 전 예산배정제도는 회계연도의 개시 전에 대통령이 정하는 바(외국으로부터 지급받는 경비, 선박의 운영수리에 소요되는 경비, 교통통신이 불편한 지역에서의 경비, 관사 등의 부식물 매입경비, 범죄수사 등 특수 활동에 소요되는 경비, 여비, 경제정책상 조기 집행을 필요로 하는 공공사업비, 재해복구비)에 의해 기획재정부장관이 예산을 배정하는 것이다.

답 ⑤

43 □□□

다음 중 예산집행 과정에 대한 설명으로 옳은 것은?

① 긴급배정은 계획의 변동이나 여건의 변화로 인하여 당초의 연간 정기배정계획보다 지출원인행위를 앞당길 필요가 있을 때, 해당 사업에 대한 예산을 분기별 정기배정계획에 관계없이 앞당겨 배정하는 제도이다.

② 예산의 이체는 법령의 제정, 개정, 폐지 등으로 그 직무와 권한에 변동이 있을 때 관련되는 예산의 귀속을 변경시키는 것을 말한다.

③ 예산의 전용은 예산구조상 장·관·항 간에 상호 융통하는 것을 말한다.

④ 국고채무부담행위에 대한 국회의 의결은 국가로 하여금 다음 연도 이후에 지출할 수 있는 권한을 부여하는 것이다.

⑤ 예비비는 「국고금관리법」에 의하여 기획재정부장관이 관리한다.

44 □□□

예산의 신축적 집행을 위한 제도에 대한 설명으로 옳지 않은 것은?

① 이체(移替) - 기구, 직제 또는 정원에 관한 법령이나 조례의 제정 또는 개폐로 인하여 그 직무와 권한의 변동이 있을 때 그 변동내용에 따라 예산을 이동하여 집행하는 것

② 이월(移越) - 회계연도 단년도주의의 단점을 극복하기 위하여 미집행예산을 다음 회계연도에 넘겨서 사용할 수 있도록 허용하는 것

③ 전용(轉用) - 예산의 입법과목에 대해서 그 집행용도를 조정하여 사용하는 권한을 부여하는 것

④ 사고이월(事故移越) - 지출원인행위를 하였으나 불가피한 사유로 회계연도 종료시까지 지출하지 못한 경비와 지출원인행위를 하지 아니한 부대경비를 다음 회계연도에 넘겨서 사용하는 것

43	예산집행

예산의 이체는 정부조직에 관한 법령의 제정, 개정, 폐지 등으로 그 직무의 권한과 책임의 변동에 따른 예산집행의 책임소관이 변경되는 것이다.

(선지분석)
① 긴급배정이 아니라 당겨배정에 대한 설명이다. 긴급배정은 회계연도 개시 전의 예산배정을 말한다.
③ 입법과목(장·관·항) 간의 융통은 예산의 이용이다. 예산의 전용은 행정과목 간의 융통이다.
④ 채무부담의 권한만 부여한 것이며, 지출권한까지 부여한 것은 아니다.
⑤ 예비비는 「국가재정법」에 의하여 기획재정부장관이 관리한다.

답 ②

44	예산의 신축적 집행

예산의 입법과목에 대해서 집행용도를 조정하여 사용하는 권한을 부여하는 것은 이용(移用)이다. 전용(轉用)은 예산의 행정과목에 대한 융통이다.

답 ③

45 ☐☐☐

우리나라에서 현재 시행되고 있는 예산제도에 대한 설명으로 옳지 않은 것은?

① 지방자치단체는 성과계획서 및 성과보고서의 작성이 의무사항이 아니다.

② 국가에 대해 조세지출예산서, 지방자치단체에 대해 지방세지출보고서의 작성을 의무화하고 있다.

③ 국가와 지방자치단체 모두에 대해 성인지예산서 및 성인지결산서의 작성을 의무화하고 있다.

④ 국가와 지방자치단체는 일반회계 예산총액의 100분의 1 이내의 금액을 예비비로 계상하여야 한다.

45	예산제도

「국가재정법」은 국가의, 「지방재정법」은 지방자치단체의 성과계획서 및 성과보고서의 작성을 의무화하고 있다.

선지분석

② 국가에 대해서는 조세지출예산서(「국가재정법」)의 작성을, 지방자치단체에 대해서는 지방세지출보고서(「지방세법」)의 작성을 의무화하고 있다.

③ 성인지결산제도는 2013년부터 지방자치단체에서도 시행되었다.

④ 국가와 지방자치단체 모두 예비비의 법정 상한이 일반회계 예산 총액 100분의 1 이내이다.

답 ①

46 ☐☐☐

집중구매제도의 장점에 대한 설명으로 옳지 않은 것은?

① 재정적 통제체계를 향상시킬 수 있다.

② 긴급수요나 예상 외의 수요에 신속히 대처할 수 있다.

③ 대량구매의 이점을 활용할 수 있다.

④ 일괄구매를 통해 구입절차를 단순화할 수 있다.

46	집중구매제도

조달행정이란 행정업무를 수행하는 데 필요한 비품이나 시설, 물자 등을 구입하는 행위이다. 집중구매는 필요한 재화와 서비스를 중앙구매기관에서 일괄구입하게 한 후 이를 각 수요기관에 공급하는 방식이다. 일괄구매를 통한 단가인하 등의 장점이 있지만 중앙구매기관을 경유하여 구매해야 하므로 구입절차가 복잡하고 적기에 물품을 공급하기 어렵다는 단점이 있다.

📄 집중조달과 분산조달의 장·단점

구분	집중조달	분산조달
장점	• 대량구매를 통한 예산절감 • 구매행정의 전문화 및 통제 용이(정실구매 방지) • 구매물품 및 절차의 표준화 • 장기적·종합적 구매정책 수립에 용이 • 신축성 유지(부처간 상호 융통) • 대규모 공급자(대기업)에게 유리 • 공통품목·저장품목 구입 용이	• 구매절차 간소화 • 구매의 적시성 확보(적기구매 및 부처의 실정 반영) • 중소공급자 보호에 유리 • 특수품목 구입에 유리
단점	• 구매절차의 복잡성 증대 • 적기공급 곤란 • 대기업에 편중되어 중소기업 불리 • 수요기관의 개별성 무시	• 예산의 규모의 경제 확보 곤란 • 구매업무의 전문화 확보 곤란 • 물품규격의 표준화 곤란 • 구매업무의 효율적 통제 곤란 • 공통품목·저장품목 구매 곤란

답 ④

47 ☐☐☐

우리나라의 결산에 대한 설명으로 옳지 않은 것은?

① 결산은 한 회계연도의 수입과 지출 실적을 확정적 계수로 표시하는 행위이다.

② 정부는 감사원의 검사를 거친 국가결산보고서를 국회에 제출하여야 한다.

③ 결산은 국회의 심의를 거쳐 국무회의의 의결과 대통령의 승인으로 종료된다.

④ 각 중앙관서의 장은 회계연도마다 소관 기금의 결산보고서를 중앙관서결산보고서에 통합하여 작성하여야 한다.

48 ☐☐☐

국회의 결산심사에 대한 설명으로 옳지 않은 것은?

① 예산집행 과정에서 위법 또는 부당한 지출이 있었는지의 여부를 확인하는 통제기능과, 예산운용에 대한 평가 결과를 다음 연도 예산심의에 반영하는 환류기능을 수행한다.

② 예산결산특별위원회의 결산심사는 제안설명과 전문위원의 검토보고를 듣고, 종합정책질의, 부별심사 또는 분과위원회심사 및 찬반토론을 거쳐 표결한다.

③ 결산의 심사 결과 위법 또는 부당한 사항이 있는 때에 국회는 본회의 의결 후 정부 또는 해당 기관에 변상 및 징계 조치 등 그 시정을 요구하고, 정부 또는 해당 기관은 시정 요구를 받은 사항을 지체 없이 처리하여 그 결과를 국회에 보고하여야 한다.

④ 예산결산특별위원회 위원장은 결산을 소관 상임위원회에 회부할 때에 심사기간을 정할 수 있으며, 상임위원회가 이유 없이 그 기간 내에 심사를 마치지 아니한 때에는 이를 바로 예산결산특별위원회에 회부할 수 있다.

47	우리나라의 결산

결산은 국무회의의 의결과 대통령의 승인을 거쳐 국회의 최종 심의로 종료된다. 국회에 정부의 결산보고서는 다음 연도 5월 31일까지 제출하여야 하고, 국회의 결산 심의·의결은 정기회 개회 전까지 완료하여야 한다.

(선지분석)
① 예산은 예정적 수치이고, 결산은 확정적 계수이다.
④ 결산은 세입세출예산 외로 운영되지만, 각 중앙관서의 장은 회계연도마다 소관 기금의 결산보고서를 중앙관서결산보고서에 통합하여 작성하여야 한다.

답 ③

48	국회의 결산심사

'의장'은 예산안과 결산을 소관 상임위원회에 회부할 때에는 심사기간을 정할 수 있으며, 상임위원회가 이유 없이 그 기간 내에 심사를 마치지 아니한 때에는 이를 바로 예산결산특별위원회에 회부할 수 있다(「국회법」 제84조 제6항).

답 ④

세계잉여금에 대한 설명으로 옳은 것만을 모두 고르면?

> ㄱ. 일반회계, 특별회계가 포함되고 기금은 제외된다.
> ㄴ. 적자 국채 발행 규모와 부(-)의 관계이며, 국가의 재정건전성을 파악하는데 효과적이다.
> ㄷ. 결산의 결과 발생한 세계잉여금은 전액 추가경정예산에 편성하여야 한다.

① ㄱ
② ㄷ
③ ㄱ, ㄴ
④ ㄴ, ㄷ

우리나라 세계잉여금에 관한 설명으로 옳지 않은 것은?

① 지방교부세 및 지방교육재정교부금의 정산에 사용할 수 있다.
② 추가경정예산안의 편성에 사용할 수 있다.
③ 사용하거나 출연한 금액을 공제한 잔액은 다음 연도의 세입에 이입하여야 한다.
④ 사용 또는 출연은 국회의 사전 동의를 받아야 한다.

---

49 │ 세계잉여금

ㄱ. 세계잉여금에는 일반회계, 특별회계는 포함되고 기금은 제외된다.

(선지분석)

ㄴ. 세계잉여금이 부족하여 적자 국채를 더 발행한다면 적자 국채 발행 규모와 부(-)의 관계에 있다고 볼 여지도 있으나, 본래 세계잉여금은 적자 국채 발행액을 포함한 전체 세입에서 세출과 이월액을 빼고 남은 금액이기 때문에 세계잉여금의 규모가 적자 국채 발행 규모와 항상 부의 관계라고 볼 수는 없다. 또한 세계잉여금만으로 국가의 재정건전성을 효과적으로 파악할 수 없다.

ㄷ. 결산의 결과 발생한 세계잉여금은 지방교부세 및 지방교육재정교부금 정산, 공적자금상환기금에의 출연, 국채 또는 차입금 등 국가 채무상환 후 추가경정예산에 편성할 수 있다.

답 ①

50 │ 세계잉여금

세계잉여금의 사용 또는 출연은 그 세계잉여금이 발생한 다음 연도까지 그 회계의 세출예산에 관계없이 이를 하되, 국무회의의 심의를 거쳐 대통령의 승인을 얻어야 한다(「국가재정법」 제90조 제6항). 따라서 국회의 사전 동의는 필요 없다. 세계잉여금은 세입·세출의 결산상 잉여금 중 법률에 따른 지출과 이월액을 공제한 금액으로, 결산상의 잉여금이라고도 한다.

(선지분석)

① 세계잉여금은 지방교부세의 정산 및 지방교육재정교부금의 정산에 사용할 수 있다.
② 지방교부세 및 국채 등을 상환하고 난 세계잉여금은 추가경정예산안의 편성에 사용할 수 있다
③ 세계잉여금 중 지방교부세 및 지방교육재정교부금의 정산, 공적자금 상환기금에 출연, 국채 등의 상환, 추가경정예산안의 편성에 사용한 금액을 공제한 잔액은 다음 연도의 세입에 이입하여야 한다.

답 ④

PART

6

행정환류론

1

행정책임과 행정통제

THEME 089 행정책임과 행정통제

01 □□□

제도적 책임성(accountability)과 대비되는 자율적 책임성(responsibility)에 대한 설명으로 가장 적합하지 않은 것은?

① 전문가로서의 직업윤리와 책임감에 기초해서 적극적·자발적 재량을 발휘하여 확보되는 책임
② 객관적으로 기준을 확정하기 곤란하므로, 내면의 가치와 기준에 따르는 것
③ 국민들의 요구와 기대를 정확하게 인식해서 이에 능동적으로 대응하는 것
④ 고객 만족을 위하여 성과보다는 절차에 대한 책임 강조

02 □□□

행정통제의 유형 중 외부통제가 아닌 것은?

① 감사원의 직무감찰
② 의회의 국정감사
③ 법원의 행정명령 위법 여부 심사
④ 헌법재판소의 권한쟁의심판

---

01 │ 자율적 책임성

성과보다 절차에 대한 책임을 강조하는 것은 법령이나 규정의 준수, 즉 객관적이고 제도적인 책임에 해당한다.

📄 객관적 책임과 주관적 책임의 비교

구분	객관적 책임 (외재적·제도적)	주관적 책임 (내재적·자율적)
학자	파이너(Finer) – 법적·공익적 책임	프리드리히(Friedrich) – 재량적·기능적 책임
문책자 (제재)의 존재	외재, 제재의 존재	내재 또는 부재, 제재의 부재
절차의 중요성	절차의 중시	절차의 준수와 책임완수는 별개
통제방법	공식적·제도적 통제	비공식적·자율적 통제
판단기준	객관적인 판단기준 있음	객관적인 판단기준 없음

답 ④

02 │ 행정통제의 유형

감사원은 대통령 소속의 행정기관으로, 감사원에 의한 통제는 내부통제에 해당한다.

(선지분석)

②, ③, ④ 의회의 국정감사, 법원의 행정명령 위법 여부 심사, 헌법재판소의 권한쟁의심판 등은 외부통제에 해당한다.

📄 행정통제의 유형(Gilbert)

구분	외부통제	내부통제
공식적 통제	• 입법부에 의한 통제 • 사법부에 의한 통제 • 옴부즈만에 의한 통제	• 행정수반 및 국무조정실 • 교차기능조직에 의한 통제 • 계층제 및 인사관리제도에 의한 통제 • 독립통제기관(감사원)에 의한 통제 • 국민권익위원회
비공식적 통제	• 이익집단 • 정당 • 언론 및 시민단체 • 여론, 인터넷	• 기능적 책임 • 비공식조직 • 공직윤리, 행정윤리 • 대표관료제 • 공익

답 ①

03 ☐☐☐

행정통제에 대한 설명으로 가장 옳지 않은 것은?

① 행정 권한의 강화 및 행정재량권의 확대가 두드러지면서 행정책임 확보의 수단으로서 행정통제의 중요성이 커지고 있다.

② 의회는 국가의 예산을 심의하고 승인하거나 혹은 지출을 금지하거나 제한하는 등의 조치를 통하여 행정부를 통제한다.

③ 행정이 전문성과 복잡성을 띠게 된 현대 행정국가 시대에는 내부통제보다 외부통제가 점차 강조되고 있다.

④ 일반 국민은 선거권이나 국민투표권의 행사를 통하여 행정을 간접적으로 통제한다.

---

03 │ 행정통제

행정이 전문성과 복잡성을 띠게 된 현대 행정국가 시대에는 의회에 의한 통제 등 외부통제보다 내부통제가 점차 강조되고 있다.

(선지분석)
① 행정통제는 행정부의 권한이 강화되고 재량권이 확대가 제고되면서 이에 대한 행정책임 확보의 수단으로서 중요성이 커지고 있다.
② 의회의 행정부에 대한 통제는 전통적인 외부통제 방식이다.
④ 일반 국민의 선거권이나 투표권 행사 등을 통한 통제도 외부통제 방식이다.

답 ③

04 ☐☐☐

행정통제의 과정을 순서대로 바르게 나열한 것은?

> ㄱ. 실제 행정 과정에 대한 정보의 수집
> ㄴ. 목표와 계획에 따른 통제기준의 확인
> ㄷ. 통제주체의 시정조치
> ㄹ. 과정평가, 효과평가 등의 실시

① ㄱ → ㄴ → ㄹ → ㄷ
② ㄴ → ㄱ → ㄹ → ㄷ
③ ㄴ → ㄷ → ㄱ → ㄹ
④ ㄷ → ㄴ → ㄱ → ㄹ

---

04 │ 행정통제의 과정

행정통제는 통제의 기준 확인(ㄴ) → 정보수집(ㄱ) → 평가(ㄹ) → 시정조치(ㄷ)의 절차로 이루어진다.

ㄴ. 목표와 계획에 따른 통제기준의 확인: 통제의 기준이 무엇이며 피통제자에게 제대로 전달되었는지에 대해 확인하는 과정이다.

ㄱ. 실제 행정 과정에 대한 정보의 수집: 통제기준에 대응한 실천상황에 대한 정보를 수집한다.

ㄹ. 과정평가, 효과평가 등의 실시: 통제기준과 실적의 차질 유무를 확인하고 시정조치의 여부를 결정한다.

ㄷ. 통제주체의 시정조치: 평가 결과에 따라 시정행동을 한다.

답 ②

05 ☐☐☐

행정통제의 유형 중 공식적·내부통제 유형에 포함되는 방식으로 가장 옳은 것은?

① 정당에 의한 통제
② 감사원에 의한 통제
③ 사법부에 의한 통제
④ 동료집단의 평판에 의한 통제

06 ☐☐☐

정부통제를 내부통제와 외부통제로 구분할 때, 내부통제가 아닌 것은?

① 감찰통제
② 예산통제
③ 인력의 정원통제
④ 정당에 의한 통제

05	행정통제의 유형

감사원에 의한 통제는 공식적·내부통제이다.

(선지분석)
① 정당에 의한 통제는 비공식적·외부통제이다.
③ 사법부에 의한 통제는 공식적·외부통제이다.
④ 동료집단의 평판에 의한 통제는 비공식적·내부통제이다.

답 ②

06	내부통제

정당에 의한 통제는 외부통제에 해당한다.

(선지분석)
①, ②, ③ 감찰통제, 예산통제, 인력의 정원통제는 내부통제에 해당한다.

답 ④

행정통제에 대한 설명으로 옳지 않은 것은?

① 감사원에 의한 통제는 회계검사, 직무감찰, 성과감사 등이 있다.

② 사법통제는 행정이 이미 이루어진 후의 소극적 사후조치라는 한계가 있다.

③ 입법통제는 행정명령·처분·규칙의 위법 여부를 심사하는 외부통제방법이다.

④ 언론은 행정부의 과오를 감시하고 비판하며 공개하는 역할을 수행함으로써 행정에 영향을 미친다.

행정통제에 대한 설명으로 옳지 않은 것은?

① 독립통제기관(separate monitoring agency)은 일반행정기관과 대통령 그리고 외부적 통제중추들의 중간 정도에 위치하며, 상당한 수준의 독자성과 자율성을 누린다.

② 헌법재판제도는 헌법을 수호하고 부당한 국가권력으로부터 국민의 권리와 자유를 보호하는 과정에서 행정에 대한 통제기능을 수행한다.

③ 교차기능조직(criss-cross organizations)은 행정체제 전반에 걸쳐 관리작용을 분담하여 수행하는 참모적 조직단위들로서 내부적 통제체제로부터 완전히 독립되어 있다.

④ 국무총리 소속 국민권익위원회는 옴부즈만적 성격을 가지며, 국민권익위원회의 위원장과 부위원장은 국무총리의 제청으로 대통령이 임명한다.

07　｜　행정통제

행정명령과 처분, 규칙의 위법 여부를 심사하는 것은 의회가 아니라 법원에 의해서 이루어지므로 사법통제에 해당한다.

(선지분석)
① 감사원은 회계검사, 직무감찰, 성과감사 등의 방법으로 행정통제를 수행하며, 사후적 통제의 성격을 갖는다.
② 사법통제는 사후적이고 소극적이며, 비용과 시간이 많이 든다.
④ 언론기관은 정부의 정책에 대한 건전한 비판자로서의 역할을 수행하며, 언론기관이 하는 보도의 내용이나 방향은 국민들의 여론 형성에 많은 영향을 미친다.

답 ③

08　｜　행정통제

교차기능조직은 행정체제 전반에 걸쳐 관리작용을 분담하여 수행하는 참모적 조직단위로서, 행정안전부, 인사혁신처, 기획재정부 등이 이에 해당한다. 교차기능조직들은 대통령 또는 국무총리 소속의 정부내부기구들로 내부의 통제조직이다.

(선지분석)
① 독립통제기관은 상당한 수준의 독자성과 자율성을 누리는 기관으로, 우리나라의 경우 중앙선거관리위원회, 감사원 등이 독립통제기관의 성격을 가지고 있다.
② 헌법재판소는 사법기관으로 행정에 대한 외부통제기능을 수행한다.
④ 국민권익위원회는 옴부즈만적 성격을 가진 조직으로 위원장 포함 15인의 위원(위원장 1인, 부위원장 3인, 상임위원 3인)으로 구성되어 있으며, 위원장과 위원의 임기는 3년이고 1차에 한하여 연임이 가능하다.

답 ③

다음 중 행정통제에 대한 설명으로 옳지 않은 것은?

① 사전적 통제는 어떤 행동이 통제기준에서 이탈되는 결과를 발생시킬 때까지 기다리지 않고 그러한 결과의 발생을 유발할 수 있는 행동이 나타날 때마다 교정해 나간다.

② 통제주체에 의한 통제 분류의 대표적인 예는 외부적 통제와 내부적 통제이다.

③ 외부적 통제의 대표적인 예는 국회, 법원, 국민 등에 의한 통제이다.

④ 사후적 통제는 목표수행 행동의 결과가 목표기준에 부합되는가를 평가하여 필요한 시정조치를 취하는 통제이다.

⑤ 부정적 환류통제는 실적이 목표에서 이탈된 것을 발견하고 후속되는 행동이 전철을 밟지 않도록 시정하는 통제이다.

행정통제 중 내부통제에 해당하는 것만을 모두 고른 것은?

ㄱ. 입법부에 의한 통제
ㄴ. 사법부에 의한 통제
ㄷ. 감사원에 의한 통제
ㄹ. 시민에 의한 통제
ㅁ. 공무원으로서 직업윤리

① ㄱ, ㄴ
② ㄴ, ㄷ
③ ㄷ, ㅁ
④ ㄹ, ㅁ

---

09 행정통제

사전적 통제가 아니라 동시적 통제에 대한 설명이다. 사전적 통제란 절차적 통제를 말하며, 어떤 행동이 목표에서 이탈될 수 있는 가능성을 미리 예측하고 제거하여 방지하는 것을 목적으로 한다면, 동시적 통제는 결과의 발생을 유발할 수 있는 행동이 나타날 때마다 교정해 나간다는 차이점이 있다.

선지분석

②, ③ 통제주체에 의한 통제 분류의 대표적 예는 행정부 내부의 통제인 내부적 통제(감사원, 권익위원회, 기획재정부, 행정안전부, 국무총리실 등)와 행정부 외부의 통제인 외부적 통제(국회, 법원, 헌법재판소, 언론, 여론 등)이다.

⑤ 긍정적 환류통제는 목표를 달성한 실적을 분석하여 더 높은 목표를 설정하고 추구하게 하는 통제이고, 부정적 환류통제는 실적이 목표에서 이탈된 것을 발견하고 후속되는 행동이 전철을 밟지 않도록 시정하는 통제이다.

답 ①

10 내부통제

ㄷ, ㅁ. 감사원에 의한 통제와 공무원으로서 직업윤리는 행정통제 중 내부통제에 해당한다.

선지분석

ㄱ, ㄴ, ㄹ. 입법부, 사법부, 시민에 의한 통제는 행정통제 중 외부통제에 해당한다.

답 ③

길버트(Gilbert)는 행정통제를 통제자의 위치와 제도화 여부에 따라 다음과 같이 네 가지 유형으로 구분하였다. 각 유형에 해당되는 우리나라의 행정통제방법으로 옳지 않은 것은?

통제자의 위치 제도화 여부	외부	내부
공식적	(가)	(나)
비공식적	(다)	(라)

① (가) - 청와대에 의한 통제
② (나) - 감사원에 의한 통제
③ (다) - 이익집단 및 언론에 의한 통제
④ (라) - 직업윤리에 의한 통제

공무원 개인이나 조직의 일탈에 대한 감시와 처벌을 통해 목표를 달성하려는 행정통제(administrative control)는 행정의 책임을 확보하려는 수단이다. 이러한 기능을 수행하는 외부통제기관으로만 구성된 것은?

> ㄱ. 국민권익위원회
> ㄴ. 기획재정부
> ㄷ. 법원
> ㄹ. 국회
> ㅁ. 시민단체
> ㅂ. 감사원

① ㄱ, ㄴ, ㄹ
② ㄱ, ㄴ, ㅂ
③ ㄷ, ㄹ, ㅁ
④ ㄷ, ㅁ, ㅂ

---

11   길버트(Gilbert)의 행정통제 유형

길버트(Gilbert)는 행정통제를 통제자의 위치가 정부 내부에 있는지 외부에 있는지에 따라 외부통제와 내부통제로 구분하고, 기구와 절차가 제도화되었는지 아닌지에 따라 공식적 통제와 비공식적 통제로 구분하였다. 청와대에 의한 통제는 내부·공식적인 통제(나)에 해당한다. 외부·공식적 통제(가)에는 입법부·사법부에 의한 통제 등이 있다.

답 ①

---

12   행정통제

ㄷ, ㄹ, ㅁ. 법원, 국회, 시민단체는 행정 외부에 통제자가 위치하여 행정활동을 통제하는 외부통제기관에 해당한다.

(선지분석)
ㄱ, ㄴ, ㅂ. 국민권익위원회, 기획재정부, 감사원은 행정활동을 내부에서 자체적으로 확인·시정하고 통제하는 내부통제기관에 해당한다.

답 ③

13 □□□

행정통제의 유형과 사례를 연결한 것으로 옳지 않은 것은?

① 외부 · 공식적 통제 – 국회의 국정감사
② 내부 · 비공식적 통제 – 국무조정실의 직무감찰
③ 외부 · 비공식적 통제 – 시민단체의 정보공개 요구 및 비판
④ 내부 · 공식적 통제 – 감사원의 정기 감사

14 □□□

행정통제체제에 대한 다음 〈보기〉의 설명 중 옳지 않은 것을 모두 고르면?

〈보기〉
ㄱ. 일반 계서(ordinary hierarchies)는 행정체제 내의 일차적 통제구조에 해당하며, 의사결정계층의 연쇄로 구성된다.
ㄴ. 감사원은 전형적인 외부적 독립통제기관이다.
ㄷ. 옴부즈만은 그가 요구하는 시정조치를 법적으로 강제하거나 이를 대행하는 권한을 함께 갖는 것이 원칙이다.
ㄹ. 외부적 통제체제에는 국회, 헌법재판소, 교차기능조직, 국민 등이 포함된다.

① ㄱ, ㄴ
② ㄱ, ㄷ
③ ㄴ, ㄷ
④ ㄴ, ㄷ, ㄹ
⑤ ㄱ, ㄴ, ㄷ, ㄹ

13	행정통제

직무감찰은 행정부 내부의 공식적 통제방식이며, 직무감찰 담당기관은 감사원이다.

선지분석
① 국회의 국정감사는 외부 · 공식적 통제이며, 입법통제 수단 중 하나이다.
③ 시민단체의 정보공개 요구 및 비판은 외부 · 비공식적 통제이며, 시민의 적극적인 참여를 통한 통제는 오늘날 행정통제의 중요한 주체이다.
④ 감사원의 정기 감사는 내부 · 공식적 통제이며, 직무감찰과 회계검사의 방법으로 행정통제를 수행한다.

답 ②

14	행정통제체제

ㄴ. 감사원은 내부적 독립통제기관으로 행정부 소속이다.
ㄷ. 옴부즈만은 행정행위를 무효로 하거나 취소할 수 있는 권한이 없고, 시정권고를 통한 간접통제에 그치기 때문에 법적인 제도라기보다는 사회적 · 정치적 성격이 강한 제도이다.
ㄹ. 교차기능조직은 내부적 통제체제에 해당한다.

답 ④

다음과 같은 행정 현실에서 가장 적합한 행정통제방안은?

> 현재 지방관서에서 하루속히 척결해야 할 것은 관급공사와 관련한 비리이다. 드물지만 간판도 없는 유령회사가 관급공사를 따내는 경우도 있다. 전관예우라고나 할까? 전직 기관장이 공사를 따내는 경우인데, 그들은 공사를 맡고 난 다음에 회사를 설립하기도 한다. 관급공사를 시의원이나 구의원이 맡는 것도 큰 문제이다. 행정을 감시해야 할 사람에게 시정을 맡기는 것은 어불성설이다. 이런 실태는 행정경험과 해당 분야에 대한 전문성을 갖고 합법성과 합목적성을 구별할 수 있는 전문가만이 발견해 낼 수 있다.

① 시민에 의한 통제
② 입법부에 의한 통제
③ 사법부에 의한 통제
④ 감사원에 의한 통제

---

15 | 감사원에 의한 통제

제시문은 행정을 감시해야 할 기관에게 시정을 맡기는 것은 어렵다는 것으로 행정부 내부 전문기관인 감사원에 의한 통제를 중시하는 내용이다.

📑 **감사원에 의한 통제**
1. 내부·공식적 통제에 해당한다.
2. 직무감찰과 회계검사의 방법으로 행정통제를 수행한다.
3. 우리나라 감사원은 제도상 헌법기관이며, 대통령 직속기구로 되어 있어 독립기관으로서의 법적 지위를 보장받는다.

답 ④

우리나라의 행정통제에 대한 설명으로 옳은 것은?

① 행정기관 및 공무원의 직무에 관한 감찰을 하기 위하여 대통령 소속하에 감사원을 두고 있다.
② 권위주의적 정치·행정문화 속에서 행정의 내·외부통제가 보다 효과적으로 이루어졌다.
③ 헌법재판소는 행정에 대한 통제기능은 수행하지 못한다.
④ 입법부의 구성이 여당 우위일 경우에 효과적인 행정통제 기능을 수행할 수 있다.

---

16 | 우리나라의 행정통제

감사원은 대통령 소속의 헌법기관으로서 행정기관 및 공무원의 직무에 관한 감찰을 담당한다.

(선지분석)
② 권위주의적인 정치·행정문화 속에서 행정의 내·외부통제가 효과적으로 이루어지지 못하였다.
③ 헌법재판소는 권한쟁의심판, 헌법소원심판, 탄핵심판 등으로 행정에 대한 통제기능을 수행한다.
④ 입법부의 구성이 여당이 아닌 야당이 우위일 경우에 효과적인 행정통제가 가능하다.

답 ①

우리나라의 통치체제에 대한 설명으로 옳지 않은 것은?

① 위임입법의 확대는 행정국가화 경향과 밀접한 관련이 있다.

② 사법부는 행정처분에 대한 행정재판권을 통하여 부당하게 권리를 침해받은 국민을 구제하는 역할을 한다.

③ 행정부는 감사원의 국정감사권을 통하여 행정행위에 대한 내부통제를 행한다.

④ 입법부는 국정에 관한 다양한 법률제정권을 활용하여 행정부를 견제한다.

17	우리나라의 통치체제

국정감사는 입법부의 고유한 권한이고, 외부통제 중 입법통제에 해당한다. 감사원은 회계감사, 결산검사 및 직무감찰을 수행하는 행정부 내부통제 기관(헌법상 대통령 직속기관)이다.

선지분석

① 위임입법은 행정이 복잡화, 전문화됨에 따라 입법부가 행정부에게 입법의 내용을 위임하는 것이다.

답 ③

행정통제를 향상시키기 위한 방안에 대한 설명으로 옳지 않은 것은?

① 행정정보공개제도는 행정책임의 확보와 통제비용 절감에 기여할 수 있다.

② 행정절차의 명확화는 열린 행정과 투명행정을 통해 행정기관과 시민 간의 분쟁을 방지할 수 있다.

③ 정책 과정에서 시민참여 확대 및 자체감사 기능의 활성화는 투명하고 열린 행정을 가능하게 할 수 있다.

④ 옴부즈만제도의 권한으로서 독립적 조사권, 시찰권, 소추권 등은 대부분의 나라에서 인정하고 있다.

18	행정통제

옴부즈만이란 공무원의 위법·부당한 행위로 인하여 권리의 침해를 받은 시민이 민원·불평을 제기하면 그 사항을 조사하여 관계기관에 시정을 권고함으로써 국민의 권리를 구제하는 제도이다. 옴부즈만의 권한으로서 조사·시찰·처벌권은 대부분의 나라에서 인정하지만, 소추권은 일반적으로 인정하고 있지 않다.

선지분석

① 행정정보공개제도는 행정부 내부의 정보를 외부에 공개하게 함으로써 행정책임의 확보와 통제비용 절감에 기여할 수 있다.

② 행정절차를 명확히 함으로써 행정의 투명성을 제고하고, 이를 통하여 행정기관과 시민 간의 분쟁을 사전에 방지할 수 있다.

③ 정책결정 및 집행 과정에서 시민들의 참여를 확대하는 한편 정부 자체의 감사 기능을 활성화 함으로써 행정의 투명성을 제고할 수 있다.

답 ④

19 ☐☐☐ 2013년 서울시 7급

행정에 대한 정치적 통제와 관료제의 자율성에 대한 설명으로 가장 적절한 것은?

① 직업공무원이 선출직공무원에게 책임을 지도록 조직화된 이유는 정부의 대응성을 제고하기 위함이다.
② 행정에 대한 정치적 통제의 강화는 행정의 안정성과 능률성을 제고할 수 있다.
③ 사회문제가 복잡해짐에 따라 직업공무원들의 행정적 재량 행위에 대한 더욱 엄격한 통제가 요구된다.
④ 정부의 대응성과 능률성은 상호 보완적 관계를 가진다.
⑤ 행정의 능률성 제고를 위해서는 관료제에 대한 적절한 통제가 필요하다.

20 ☐☐☐ 2011년 지방직 7급

우리나라 행정통제제도에 대한 설명으로 옳지 않은 것은?

① 감사원은 내부통제 기관이다.
② 재산등록 의무자는 본인의 직계존속·직계비속·혼인한 자녀의 재산을 등록해야 한다.
③ 국가의 회계 및 지방자치단체의 회계는 감사원의 필요적 검사사항에 해당한다.
④ 감사원은 회계검사의 결과에 따라 국가의 세입·세출의 결산을 확인한다.

19	행정통제

선출직공무원은 국민의 선택을 받아 대통령이나 의회의 의원이 된 자들이다. 따라서 이들에게 책임을 지도록 하는 것은 정부의 민주성과 대응성을 높이기 위한 것으로 볼 수 있다.

〔선지분석〕
② 행정에 대한 정치적 통제의 강화는 행정의 민주성과 대응성을 제고할 수 있다.
③ 사회문제가 복잡해짐에 따라 직업공무원들의 행정적 재량을 확대할 필요가 있다.
④ 정부의 대응성과 능률성은 상호 충돌관계를 갖는다.
⑤ 행정의 대응성 제고를 위해서는 관료제에 대한 적절한 통제가 필요하다.

답 ①

20	우리나라 행정통제제도

재산등록 의무자가 등록할 재산은 본인, 배우자(사실상 혼인관계에 있는 사람 포함), 본인의 직계존속·직계비속(혼인한 직계비속인 여성과 외증조부모, 외조부모, 외손자녀 및 외증손자녀 제외)의 어느 하나에 해당하는 사람의 재산(소유 명의와 관계없이 사실상 소유하는 재산, 비영리법인에 출연한 재산과 외국에 있는 재산 포함)으로 한다(「공직자윤리법」 제4조 제1항).

답 ②

행정책임과 행정통제에 대한 설명 중 옳지 않은 것은?

① 행정통제의 중심과제는 궁극적으로 민주주의와 관료제 간의 조화 문제로 귀결된다.

② 행정통제는 설정된 행정목표와 기준에 따라 성과를 측정하는 데 초점을 맞추면 별도의 시정 노력은 요구되지 않는 특징이 있다.

③ 행정책임은 행정관료가 도덕적 · 법률적 규범에 따라 행동해야 하는 국민에 대한 의무이다.

④ 행정통제란 어떤 측면에서는 관료로부터 재량권을 빼앗는 것이다.

⑤ 행정책임은 국가적 차원에서 국민에 대한 국가 역할의 정당성을 확인하는 것이다.

21	행정책임과 행정통제

행정통제는 행정의 일탈에 대한 감시와 평가를 통해서 행정활동이 올바르게 전개될 수 있도록 계속적인 시정 과정을 거치는 노력을 해야 한다.

(선지분석)

① 행정통제란 결국 행정부에 대한 민주적인 통제를 통하여 민주주의와 직업관료 집단인 관료제의 조화 문제로 귀결된다.

③, ⑤ 행정책임은 행정관료가 도덕적·법률적인 규범에 따라 행동해야 하는 국민에 대한 의무를 다하게 함으로써 국민에 대한 정부 역할의 정당성을 확인하는 것으로 볼 수 있다.

④ 행정통제란 행정부의 관료를 통제함으로써 그들의 재량권을 제한하는 것이다.

답 ②

행정책임과 행정통제에 대한 설명으로 옳지 않은 것은?

① 행정책임에는 시민의 요구에 대한 대응(responsiveness)이 포함된다.

② 행정행위의 절차에 대한 책임은 결과책임을 의미한다.

③ 행정통제는 행정 체제의 일탈에 대한 감시를 통해 행정성과를 달성하려는 활동이다.

④ 행정의 책임성을 확보하기 위한 구체적인 수단이 행정통제라고 볼 수 있다.

22	행정책임과 행정통제

행정행위의 절차에 대한 책임은 과정책임을 의미한다.

(선지분석)

① 행정책임 중 대응적 책임은 국민의 요구에 대한 대응이 핵심적인 책임의 본질이라고 본다.

③ 행정통제는 설정된 행정목표나 기준에 따라 행정활동이 수행되도록 평가하고 시정하는 과정 및 활동이다.

④ 행정통제는 행정책임을 확보하기 위한 수단이나 장치이며, 국민의 신뢰성 확보와도 밀접한 관련이 있고 주로 외재적인 성격을 가진다.

답 ②

---

23 ☐☐☐

행정통제와 행정책임에 대한 설명으로 옳은 것은?

① 대응적 책임(responsiveness)은 공복으로서의 관료의 직책과 관련된 광범위한 도의적·자율적 책임을 의미한다.

② 입법국가 시절에는 외부통제에 중점을 두었으나, 행정국가로 이행하면서 내부통제의 중요성이 부각되었다.

③ 도의적 책임(responsibility)은 국민이나 고객의 요구, 이념, 가치에 대한 대응성을 강조하는 책임이다.

④ 행정에 대한 외부통제수단으로 우리나라 국회는 국정조사, 국정감사, 직무감찰, 옴부즈만 등을 행사한다.

THEME 090 옴부즈만제도와 민원처리제도

24 ☐☐☐

옴부즈만(Ombudsman)제도에 대한 설명으로 옳지 않은 것은?

① 행정에 대한 통제 기능을 수행한다.

② 스웨덴에서는 19세기에 채택되었다.

③ 옴부즈만을 임명하는 주체는 입법기관, 행정수반 등 국가별로 상이하다.

④ 우리나라의 국민권익위원회는 헌법상 독립성을 보장하기 위해 대통령 소속으로 설치되었다.

23	행정통제와 행정책임

19세기 입법국가 시절에는 외부통제에 중점을 두었으나, 20세기 행정국가로 이행되면서 행정의 복잡화·전문화로 인한 외부통제의 한계로 인해 행정의 내부통제의 중요성이 부각되었다.

(선지분석)

① 도의적 책임은 공복으로서의 관료의 직책과 관련된 광범위한 자율적 책임을 의미한다.

③ 대응적 책임은 국민이나 고객의 요구, 이념, 가치에 대한 대응성을 강조하는 책임이다.

④ 행정에 대한 외부통제수단으로 우리나라 국회는 국정조사, 국정감사 등을 행사한다. 직무감찰은 감사원이, 옴부즈만은 국민권익위원회가 행사하는 것으로 내부통제수단에 해당한다.

답 ②

24	옴부즈만제도

우리나라의 국민권익위원회는 국무총리 소속 기관이며, 법률상 기관으로 독립성이 미약하다.

(선지분석)

① 옴부즈만은 행정에 대한 기존 입법부와 사법부 통제의 실효성 약화를 보완하기 위한 행정통제 기능의 일종이다.

② 옴부즈만은 1809년 스웨덴에서 최초로 도입되었다.

③ 일반적으로 옴부즈만은 입법부 소속이지만, 우리나라와 프랑스는 행정부의 소속이다.

답 ④

옴부즈만(ombudsman)제도의 일반적 특징에 대한 설명으로 옳지 않은 것은?

① 옴부즈만은 비교적 임기가 짧고 임기보장이 엄격하게 적용되지 않는다.

② 옴부즈만에게 민원을 신청할 수 있는 사안은 행정 관료의 불법행위와 부당행위를 포함한다.

③ 옴부즈만은 행정기관의 결정에 대해 직접 취소 · 변경할 수 있는 권한을 갖지 않는다.

④ 업무처리에 있어 절차상의 제약이 크지 않아 옴부즈만에 대한 시민들의 접근이 용이하다.

옴부즈만(Ombudsman)제도의 일반적 특징에 관한 설명으로 옳지 않은 것은?

① 행정결정을 취소 · 변경할 수 있는 권한은 없지만 법원 · 행정기관에 대한 직접적 감독권을 갖고 있다.

② 입법부에 속해 있지만 직무수행 시에는 정치적 독립성을 지닌다.

③ 국민으로부터 민원제기가 없어도 언론내용 등을 토대로 옴부즈만 자신의 발의에 의해 조사할 수 있다.

④ 옴부즈만이 조사할 수 있는 행위는 불법행위뿐만 아니라 공직의 요구에서 이탈된 모든 행위라고 할 수 있다.

25	옴부즈만제도

옴부즈만의 임기는 비교적 길고, 임기 중 임기보장이 엄격하게 적용된다.

(선지분석)

② 불법행위뿐만 아니라 부당행위도 조사의 대상이 된다.

③ 기존의 행정결정이나 법원의 결정 · 행위를 무효 또는 취소, 변경할 권한을 가지고 있지 않아 시정조치를 담당기관에 권고 할 수만 있으며, 이로 인해 이빨 없는 경비견(Watchdog without teeth)이라고 불린다.

④ 옴부즈만은 시간과 비용을 절약할 수 있는 장점이 있다.

답 ①

26	옴부즈만제도

옴부즈만은 행정결정을 취소 · 변경할 수 있는 권한과, 법원 · 행정기관에 대한 직접적 감독권 모두를 가지고 있지 않다. 대신 시정권고를 통한 간접적인 통제는 가능하다.

📋 **옴부즈만(Ombudsman)제도의 일반적 특징**

1. 옴부즈만은 대부분의 국가에서 의회 소속인 경우가 일반적이다.
2. 직무상 독립성을 가지는 헌법기관이다.
3. 합법성뿐만 아니라 합목적성의 문제도 조사의 대상이 된다.
4. 국민의 요구나 신청에 의해 조사를 하는 것이 일반적이지만, 직권에 의한 조사도 가능하다.
5. 기존의 행정 결정이나 법원의 결정 · 행위를 무효 또는 취소, 변경할 권한은 없으며 시정조치를 담당기관에 권고하는 것은 가능하다.
6. 조사 · 시찰권이 인정되며, 소추권은 인정되지 않는 것이 일반적이다.
7. 신속한 처리와 저렴한 비용이 장점이다.
8. 의회와 행정부 간의 완충 역할을 한다.

답 ①

27 □□□

옴부즈만제도(Ombudsman)에 대한 설명으로 옳지 않은 것은?

① 행정부가 입법부 통제로부터 자율권을 갖기 위한 수단이다.
② 정의롭지 못하거나 잘못된 행정에 대해 관련 공무원의 설명을 요구한다.
③ 옴부즈만은 법적으로 확립되고, 기능적으로 자율적이다.
④ 제도의 기본성격은 청원이나 진정과 비슷하다.
⑤ 독립적 조사권, 시찰권, 소추권 등의 권한을 갖고 있다.

28 □□□

옴부즈만제도에 대한 설명으로 옳지 않은 것은?

① 옴부즈만은 입법부 및 행정부로부터 정치적으로 독립되어 있다.
② 옴부즈만은 행정행위의 합법성뿐만 아니라 합목적성 여부도 다룰 수 있다.
③ 옴부즈만은 보통 국민의 불편 제기에 의해 활동을 개시하지만 직권으로 조사를 할 수도 있다.
④ 옴부즈만은 법원이나 행정기관의 결정이나 행위를 무효로 할 수는 없지만, 취소 또는 변경할 수는 있다.

27	옴부즈만제도

설명이 반대로 되어 있다. 옴부즈만은 입법부가 행정부를 통제·감시하기 위한 제도로서 넓은 의미의 입법통제 일환이다.

선지분석
② 공무원의 위법·부당한 행위로 인해 권리의 침해를 받은 시민이 제기하는 민원·불평을 조사하여 관계기관에 시정을 권고한다.
③ 직무상의 독립성을 가지는 헌법기관으로서, 의회로부터 직무와 관련하여 직접 지시나 명령을 받지 않는다.
④ 옴부즈만제도는 국민의 권리를 구제하는 제도로, 기본성격은 청원이나 진정과 비슷하다.
⑤ 옴부즈만의 소추권 인정 여부는 국가마다 상이하다.

답 ①

28	옴부즈만제도

옴부즈만은 간접적 통제에 그치는 제도로 법원이나 행정기관의 결정이나 행위를 무효로 할 수 없을 뿐 아니라 취소 또는 변경할 수도 없다.

선지분석
① 옴부즈만은 입법부나 행정부 소속이라도, 정치적으로는 독립되어 있다.
② 합법성뿐만 아니라 합목적성의 문제도 조사의 대상이 된다.
③ 국민의 요구나 신청에 의해서 조사를 하는 것이 일반적이지만, 직권에 의한 조사도 가능하다.

답 ④

29 □□□

옴부즈만(Ombudsman)제도에 대한 설명으로 옳지 않은 것은?

① 옴부즈만의 개인적 신망과 영향력에 의존하는 바가 크다.

② 비용이 적게 들고, 간편하게 문제해결이 가능하다.

③ 다른 통제기관들이 간과한 통제의 사각지대를 감시하는 데 유용하다.

④ 옴부즈만은 직권으로 조사활동을 개시하는 것이 일반적이지만, 예외적으로 국민의 요구나 신청에 의해 활동을 개시하기도 한다.

---

29 │ 옴부즈만제도

옴부즈만은 국민의 권리구제장치의 일종으로 국민의 요구나 신청에 의해 활동을 개시하는 것이 일반적이지만, 예외적으로 직권에 의해 조사활동을 개시하기도 한다.

(선지분석)

① 옴부즈만제도는 호민관이라고 불리는 옴부즈만 개개인의 신망과 덕망, 사회에 대한 영향력에 의존하는 바가 크다.

② 옴부즈만은 재판 등의 사법 통제보다 비용과 시간이 절약된다.

③ 옴부즈만은 입법부, 사법부 등이 간과한 통제의 사각지대를 감시하는 데 유용하다.

답 ④

30 □□□

옴부즈만(Ombudsman)에 대한 설명으로 가장 옳지 않은 것은?

① 옴부즈만은 스웨덴어로 대리자·대표자를 의미한다.

② 영국과 미국에서는 민정관 또는 호민관이라는 뜻으로 사용된다.

③ 우리나라의 경우 1998년에 출범한 공정거래위원회가 옴부즈만제도의 시초이다.

④ 통상적으로 옴부즈만은 의회나 정부에 의해 임명되며, 임명하는 기관으로부터 직무상 엄격히 독립되어 국정을 통제한다.

---

30 │ 옴부즈만제도

우리나라의 경우에는 1994년에 제정된 「행정규제 및 민원사무기본법」에 의해 출범한 국민고충처리위원회가 옴부즈만제도의 시초이다.

📋 일반적인 옴부즈만과 우리나라의 국민권익위원회 비교

구분	일반적인 옴부즈만(스웨덴)	국민권익위원회
차이점	• 헌법상 기관 • 공식적·외부통제장치 • 입법부 소속 • 신청에 의한 조사 외 직권조사권이 있음	• 법률상 기관 • 공식적·내부통제장치 • 행정부 소속 • 신청에 의한 조사만 가능하며 직권조사권 없음
공통점	• 합법성 외 합목적성 차원의 조사가 가능 • 직접적으로 무효로 하거나 취소할 수 있는 권한은 없음(간접적 권한 보유)	

답 ③

다음 중 옴부즈만제도에 대한 설명으로 옳지 않은 것은?

① 1800년대 초반 스웨덴에서 처음으로 채택되었다.

② 옴부즈만은 입법기관에서 임명하는 옴부즈만이었으나 국회의 제청에 의해 행정수반이 임명하는 옴부즈만도 등장하게 되었다.

③ 우리나라 지방자치단체는 시민고충처리위원회를 둘 수 있는데 이것은 지방자치단체의 옴부즈만이라고 할 수 있다.

④ 국무총리 소속으로 설치한 국민권익위원회는 행정체제 외의 독립통제기관이며, 대통령이 임명하는 옴부즈만의 일종이다.

⑤ 시정조치의 강제권이 없기 때문에 비행의 시정이 비행자의 재량에 달려 있는 경우가 많다.

옴부즈만(Ombudsman)제도에 대한 설명으로 옳은 것만을 모두 고른 것은?

> ㄱ. 옴부즈만제도는 설치 주체에 따라 크게 의회 소속형과 행정기관 소속형으로 구분된다.
>
> ㄴ. 옴부즈만제도는 정부 행정활동의 비약적인 증대에 따른 시민의 권리침해 가능성에 대해 충분한 구제제도를 두기 위하여 핀란드에서 최초로 도입되었다.
>
> ㄷ. 옴부즈만은 행정행위의 합법성뿐만 아니라 합목적성 여부도 다룰 수 있다.
>
> ㄹ. 우리나라의 경우 대통령 직속의 국민권익위원회가 옴부즈만에 해당한다.

① ㄱ, ㄴ

② ㄱ, ㄷ

③ ㄷ, ㄹ

④ ㄴ, ㄹ

---

31   옴부즈만제도

국무총리 소속으로 설치한 국민권익위원회는 '행정체제 내'의 독립통제기관이며, 대통령이 임명하는 옴부즈만의 일종이다.

선지분석

① 1809년 스웨덴에서 처음 발전된 제도로 입법부 소속의 공식적 외부통제 장치이며 '호민관' 또는 '행정감찰관'이라고도 불린다.

② 일반적으로 옴부즈만은 국회에서 임명하나, 프랑스의 경우 국회의 제청으로 대통령이 임명한다.

③ 지방자치단체의 시민고충처리위원회 설치는 의무사항은 아니다.

⑤ 옴부즈만의 결정, 시정조치 등은 강제권이 없기 때문에 '이빨없는 경비견'이라고 불리기도 한다.

답 ④

32   옴부즈만제도

ㄱ, ㄷ. 옴부즈만제도는 설치 주체에 따라 의회 소속형과 행정기관 소속형으로 구분할 수 있고, 합법성뿐만 아니라 합목적성의 문제도 조사의 대상이 되어 고발행위가 다양하다.

선지분석

ㄴ. 옴부즈만제도는 스웨덴에서 최초로 도입되었다.

ㄹ. 우리나라의 경우 국무총리 직속의 국민권익위원회가 옴부즈만에 해당한다.

답 ②

33 □□□

고충민원 처리 및 부패방지와 관련된 설명으로 옳지 않은 것은?

① 내부고발자를 보호하기 위한 제도가 시행되고 있다.

② 공공기관의 부패행위에 대해 국민권익위원회에 감사를 청구할 수 있는 국민감사청구제도가 시행되고 있다.

③ 국민권익위원회 위원장과 위원의 임기는 각각 3년으로 하되, 1차에 한하여 연임할 수 있다.

④ 지방자치단체는 고충민원을 처리하기 위해 시민고충처리위원회를 둘 수 있다.

33	고충민원 처리 및 부패방지

공공기관의 부패행위에 대해 '감사원'에 감사를 청구할 수 있는 국민감사청구제도가 시행되고 있다.

선지분석

① 내부고발자의 폭로행위를 보호하기 위해 내부고발자 보호제도가 시행되고 있다.

③ 국민권익위원회 위원장과 위원의 임기는 3년이며, 1차에 한해 연임이 가능하다.

④ 지방자치단체 및 그 소속기관 관련 고충민원의 처리와 행정제도의 개선을 위해 각 지방자치단체에 시민고충처리위원회를 설치할 수 있도록 하였다.

답 ②

34 □□□

민원행정의 성격에 대한 설명으로 옳은 것만을 모두 고르면?

> ㄱ. 규정에 따라 서비스를 제공하는 전달적 행정이다.
> ㄴ. 행정기관도 민원을 제기하는 주체가 될 수 있다.
> ㄷ. 행정구제수단으로 볼 수 없다.

① ㄱ

② ㄷ

③ ㄱ, ㄴ

④ ㄴ, ㄷ

34	민원행정

ㄱ. 민원행정은 규정에 따라 서비스를 제공하는 것으로, 전달적 행정에 해당한다.

ㄴ. 행정기관은 행정기관에 특정한 행위를 요구하는 민원을 제기하는 주체가 될 수 없지만, 사경제의 주체로서 민원을 제기하는 주체가 될 수 있다.

선지분석

ㄷ. 민원행정은 민원인이 행정기관에 대하여 처분 등 특정한 행위를 요구하는 것으로, 행정구제수단으로 볼 수 있다.

답 ③

35 ☐☐☐

민원행정에 대한 설명으로 옳지 않은 것은?

① 행정체제의 경계를 넘나드는 교호작용을 통하여 주로 규제와 급부에 관련된 행정산출을 전달한다.
② 행정기관의 장은 개인의 사생활에 관한 사항에 해당하는 경우 그 민원을 처리하지 않을 수 있다.
③ 행정구제수단으로서의 기능을 수행한다.
④ 행정기관은 사경제의 주체로서 민원을 제기할 수 없다.

36 ☐☐☐

민원에 대한 설명으로 옳지 않은 것은?

① 복합민원은 5세대 이상의 공동이해와 관련하여 5명 이상이 연명으로 제출하는 민원이다.
② 고충민원은 행정기관 등의 위법·부당하거나 소극적인 처분 및 불합리한 행정제도로 인하여 국민의 권리를 침해하거나 국민에게 불편 또는 부담을 주는 사항에 관한 민원이다.
③ 질의민원은 법령·제도·절차 등 행정업무에 관하여 행정기관의 설명이나 해석을 요구하는 민원이다.
④ 건의민원은 행정제도 및 운영의 개선을 요구하는 민원이다.

35	민원행정

「민원 처리에 관한 법률」에 의해 행정기관도 사경제의 주체로서 민원을 제기할 수 있다.

> **「민원 처리에 관한 법률」 제2조 【정의】** 이 법에서 사용하는 용어의 뜻은 다음과 같다.
> 2. '민원인'이란 행정기관에 민원을 제기하는 개인·법인 또는 단체를 말한다. 다만, 행정기관(사경제주체로서 제기하는 경우는 제외한다), 행정기관과 사법상 계약관계(민원과 직접 관련된 계약관계만 해당한다)에 있는 자, 성명·주소 등이 불명확한 자 등 대통령령으로 정하는 자는 제외한다.

답 ④

36	민원

복합민원이 아니라 다수인관련민원에 대한 설명이다. 복합민원은 하나의 민원 목적을 실현하기 위하여 관계 법령 등에 의해 여러 관계 기관 또는 관계 부서의 인가·허가·승인·추천·협의 또는 확인 등을 거쳐 처리되는 법정민원이다.

> **「민원 처리에 관한 법률」 제2조 【정의】** 이 법에서 사용하는 용어의 뜻은 다음과 같다.
> 1. '민원'이란 민원인이 행정기관에 대하여 처분 등 특정한 행위를 요구하는 것을 말하며, 그 종류는 다음과 같다.
>   가. 일반민원
>   1) 법정민원: 법령·훈령·예규·고시·자치법규 등(이하 '관계법령 등'이라 한다)에서 정한 일정 요건에 따라 인가·허가·승인·특허·면허 등을 신청하거나 장부·대장 등에 등록·등재를 신청 또는 신고하거나 특정한 사실 또는 법률관계에 관한 확인 또는 증명을 신청하는 민원
>   2) 질의민원: 법령·제도·절차 등 행정업무에 관하여 행정기관의 설명이나 해석을 요구하는 민원
>   3) 건의민원: 행정제도 및 운영의 개선을 요구하는 민원
>   4) 기타민원: 법정민원, 질의민원, 건의민원 및 고충민원 외에 행정기관에 단순한 행정절차 또는 형식요건 등에 대한 상담·설명을 요구하거나 일상생활에서 발생하는 불편사항에 대하여 알리는 등 행정기관에 특정한 행위를 요구하는 민원
>   나. 고충민원: 행정기관 등의 위법·부당하거나 소극적인 처분(사실행위 및 부작위를 포함한다) 및 불합리한 행정제도로 인하여 국민의 권리를 침해하거나 국민에게 불편 또는 부담을 주는 사항에 관한 민원(현역장병 및 군 관련 의무복무자의 고충민원을 포함한다)
> 5. '복합민원'이란 하나의 민원 목적을 실현하기 위하여 관계법령 등에 따라 여러 관계 기관(민원과 관련된 단체·협회 등을 포함한다. 이하 같다) 또는 관계 부서의 인가·허가·승인·추천·협의 또는 확인 등을 거쳐 처리되는 법정민원
> 6. '다수인관련민원'이란 5세대(世帶) 이상의 공동이해와 관련되어 5명 이상이 연명으로 제출하는 민원

답 ①

CHAPTER 2 행정개혁론

THEME 091 행정개혁의 본질

01 ☐☐☐
2012년 국가직 7급

정부혁신의 일반적 특징으로 옳지 않은 것은?

① 행정을 인위적·의식적·계획적으로 변화시키려는 것이므로 개혁 주도자들에 의해 계획적이고 전략적으로 추진되어야 한다.

② 조직관리의 기술적인 속성과 함께 권력투쟁, 타협, 설득이 병행되는 정치적·사회심리적 과정으로, 행정 내부에서만 이루어지는 것이 아니라 행정 외부의 정치세력들과 상호연결되어 있다.

③ 반드시 의도한 결과만을 초래하는 것이 아니라 의도하지 않는 결과를 초래할 수도 있으며, 부작용과 저항, 나아가 개혁의 실패까지도 나타날 수 있다.

④ 생태적 속성을 지닌 비연속적 과정으로, 새로운 개혁조치들이 개혁집단에 의해 주도되어 집행되는 제도로서 정착되기 위해서는 단기 집약적인 노력이 필요하다.

01	정부혁신

정부혁신은 사회 환경도 끊임없이 변화하고 행정체제도 변화하는 환경 속에서 생성·발전·소멸하는 생태적 속성을 지닌다. 따라서 행정개혁은 일시적이고 즉흥적인 개혁이 아니라 계속적인 과정으로서 이해되어야 한다.

(선지분석)

① 정부혁신은 자연적으로 추진되는 것이 아니라 개혁주도자들에게 의도적이고 계획적이며 전략적으로 추진되어야 한다.

② 정부혁신은 행정 내부에서만 이루어질 수 없고 행정부를 둘러싸고 있는 외부의 다양한 정치세력들과 상호연결된 관계 속에서 이루어진다.

③ 정부혁신은 의도하지 않은 결과나 부작용이 발생할 수 있고, 정부혁신이 진행되는 과정에서 저항이 발생하고 더 나아가 정부개혁이 실패할 수도 있다.

답 ④

02 ☐☐☐
2019년 국가직 7급

다음 행정이론에 대한 설명으로 옳지 않은 것은?

> 변화 시작의 시간적 전후관계나 동반관계, 변화과정의 시간적 장단(長短)관계를 사회현상 연구에 적용하는 접근방법이다. 정책이 실제로 실행되는 타이밍, 정책대상자들의 학습시간, 정책의 관련요인들 간 발생순서 등이 정책효과를 다르게 할 수 있다고 주장한다.

① 원인변수와 결과변수 간 인과관계가 원인변수들이 작용하는 순서에 따라 달라지지는 않는다고 본다.

② 정책이나 제도의 도입 이후 어느 시점에서 변경을 시도해야 바람직한 결과를 낳을 것인지에 주목한다.

③ 정책이나 제도의 효과는 어느 정도 숙성기간이 지난 후에 평가하는 것이 보다 합리적이라고 본다.

④ 시차적 요소에 대해 적절하게 고려하지 않아 정부개혁의 실패가 나타난다고 본다.

02	시차적 접근방법

변화 시작의 시간적 전후관계나 동반관계, 변화과정의 시간적 장단(長短)관계를 사회현상 연구에 적용하는 접근방법은 시차적 접근방법이다. 시차적 접근방법은 원인변수와 결과변수 간 인과관계가 원인변수들이 작용하는 순서에 따라 달라진다고 본다.

답 ①

행정개혁의 접근방법에 대한 설명으로 옳지 않은 것은?

① 사업(산출)중심적 접근방법은 행정활동의 목표를 개선하고 서비스의 양과 질을 개선하려는 접근방법으로 분권화의 확대, 권한 재조정, 명령계통 수정 등에 관심을 갖는다.

② 과정적 접근방법은 행정체제의 과정 또는 일의 흐름을 개선하려는 접근방법이다.

③ 행태적 접근방법의 하나인 조직발전(OD: Organization Development)은 의식적인 개입을 통해서 조직 전체의 임무수행을 효율화하려는 계획적이고 지속적인 개혁활동이다.

④ 문화론적 접근방법은 행정문화를 개혁함으로써 행정체제의 보다 근본적이고 장기적인 개혁을 성취하려는 접근방법이다.

행정개혁으로서의 리엔지니어링(BPR)에 대한 설명으로 옳은 것은?

① 조직의 점진적 변화가 필요할 때 사용되며, 조직문화는 개혁의 대상이 아니다.

② 조직 개선을 위한 논의는 구조, 기술, 형태 등과 같은 변수를 중심으로 이루어진다.

③ 공공부문과 민간부문의 리엔지니어링 환경은 차이가 없다.

④ 고객만족 가치를 창출하는 프로세스 개선에 초점을 둔다.

03　　행정개혁의 접근방법

분권화의 확대, 권한 재조정, 명령계통 수정 등에 관심을 갖는 접근방법은 구조적 접근방법이다. 사업중심적 접근방법은 정책분석과 평가, 생산성 측정, 직무검사 및 행정책임평가 등에 관심을 갖는다.

📋 행정개혁의 접근방법

구조적 접근방법	원리전략	• 조직의 건전원칙에 의거하여 최적구조가 업무의 최적수행을 초래한다는 전략 • 기능중복의 제거, 책임의 재조정, 조정 및 통제절차의 개선, 표준적 절차의 간소화 등
	분권화 전략	조직의 분권화를 통해 계층을 줄이고 명령과 책임의 계통을 분명하게 하는 것을 강조
관리기술적 접근방법		행정절차의 과정 또는 일하는 수단의 합리화와 관련된 접근방법
인간관계적 접근방법		• 개혁의 초점을 인간에 두는 인간중심적 접근방법 • 행정인의 가치나 행태를 의도적으로 변화시키려는 개혁방법

답 ①

04　　리엔지니어링

행정개혁으로서 리엔지니어링(BPR)은 구조·업무방식 등을 근본적으로 재설계하는 것으로 고객만족 가치를 창출하는 프로세스 개선에 초점을 둔다.

（선지분석）

① 조직의 급진적 변화가 필요할 때 사용되며, 조직문화 역시 개혁의 대상이 된다.

② 조직 개선을 위한 논의는 업무절차를 중심으로 이루어진다.

③ 공공부문은 서비스의 성격상 리엔지니어링이 적용되기 어렵다.

답 ④

정책혁신의 확산에 대한 설명으로 옳은 것은?

① 혁신 확산에 관한 연구는 주로 미시수준에 머물러 있고, 중위수준 및 거시수준에서의 연구는 여전히 미진한 실정이다.
② 혁신의 초기수용자는 소속집단의 신망을 받는 이들로서 그 사회에서 여론선도자일 가능성이 높다.
③ 확산은 선진산업국가로부터 저개발지역으로 확산되는 '공간적 확산(spatial diffusion)'과 이웃지역으로부터의 모방을 통한 '계층적 확산(hierarchical diffusion)'으로 구분할 수 있다.
④ 로저스(Rogers)에 따르면, 혁신수용시간에 따라 수용자 수의 분포는 S자 형태를 띠고, 이들 수용자의 누적도수는 정규분포를 이룬다.

05	정책혁신의 확산

혁신의 초기수용자는 소속집단의 신망을 받는 이들로서, 이들은 그 사회에서 여론선도자의 역할을 한다.

(선지분석)
① 혁신 확산에 관한 연구는 중위수준 및 거시수준의 연구가 주를 이룬다.
③ 확산은 선진산업국가로부터 저개발지역으로 확산되는 계층적 확산과 이웃지역으로부터의 모방을 통한 공간적 확산으로 구분할 수 있다.
④ 로저스(Rogers)에 따르면, 혁신수용시간에 따라 수용자 수의 분포는 정규분포를 이루고, 이들 수용자의 누적도수는 S자 형태를 띤다.

답 ②

행정개혁에 대한 저항을 극복하는 방법에 관한 설명으로 옳지 않은 것은?

① 강제적 방법은 저항을 근본적으로 해결하기보다는 단기적으로 또는 피상적으로 해결하는 방법으로서, 장래에 더 큰 저항을 야기할 위험이 있다.
② 공리적·기술적 방법에는 개혁의 시기조절, 경제적 손실에 대한 보상, 개혁이 가져오는 가치와 개인적 이득의 실증 등이 있다.
③ 규범적·사회적 방법에는 개혁지도자의 신망 개선, 의사전달과 참여의 원활화, 사명감 고취와 자존적 욕구의 충족 등이 있다.
④ 저항을 가장 근본적으로 해결하는 방법은 공리적·기술적 방법이다.

06	행정개혁에 대한 저항

저항을 가장 근본적으로 해결하는 방법은 규범적·사회적 방법이다. 규범적·사회적 방법은 적절한 상징조작과 사회·심리적 지지를 통해 규범의 정당성에 대한 인식을 높임으로써 자발적 협력과 개혁의 수용을 유도하는 전략이다.

📑 행정개혁에 대한 저항 극복전략

규범적·사회적 전략	• 참여의 확대 • 의사소통의 촉진 • 집단토론과 사전훈련 • 카리스마나 상징의 활용 • 충분한 시간 부여
공리적·기술적 전략	• 개혁의 점진적 추진 • 적절한 범위와 시기의 선택 • 개혁안의 명확화와 공공성 강조 • 개혁방법·기술의 수정 • 적절한 인사배치, 호혜적 전략 • 손실의 최소화와 보상의 명확화
강제적·물리적 전략	• 의식적인 긴장 조성 • 물리적 제재나 압력 사용 • 상급자의 권력 행사

답 ④

---

07 ▢▢▢

행정개혁의 저항을 줄이는 방법에 대한 다음 〈보기〉의 설명 중 옳은 것을 모두 고르면?

> 〈보기〉
> ㄱ. 참여기회 제공
> ㄴ. 포괄적 개혁추진
> ㄷ. 구성원의 부담 최소화
> ㄹ. 외부집단에 의한 개혁추진
> ㅁ. 피개혁자 교육 및 홍보
> ㅂ. 개혁안의 명료화

① ㄱ, ㄴ, ㄷ, ㅁ
② ㄱ, ㄷ, ㅁ, ㅂ
③ ㄱ, ㄴ, ㄷ, ㅁ, ㅂ
④ ㄱ, ㄷ, ㄹ, ㅁ, ㅂ
⑤ ㄱ, ㄴ, ㄷ, ㄹ, ㅁ, ㅂ

THEME 092 주요 국가의 행정개혁

08 ▢▢▢

〈보기〉에서 설명하고 있는 개념으로 가장 옳은 것은?

> 〈보기〉
> 행정기관이 제공하는 행정서비스의 기준과 내용, 이를 제공받을 수 있는 절차와 방법, 잘못된 서비스에 대한 시정 및 보상조치 등을 구체적으로 정하여 공표하고 이의 실현을 국민에게 약속하는 것

① 고객만족도
② 행정서비스헌장
③ 민원서비스
④ 행정의 투명성 강화

07	행정개혁에 대한 저항

행정개혁의 저항을 줄이는 방법으로는 참여기회의 제공, 구성원의 부담 최소화, 피개혁자 교육 및 홍보, 개혁안의 명료화 등이 있다.

선지분석

ㄴ. 개혁을 포괄적으로 추진하는 것보다 구체적이고 점진적으로 추진해야 저항이 적다.

ㄹ. 외부집단보다 내부집단에 의한 개혁추진이 저항이 적다.

답 ②

08	행정서비스헌장

〈보기〉는 행정서비스헌장에 대한 내용이다. 행정서비스헌장이란 각 공공기관의 의무와 시민의 권리를 명시하고 시민에게 제공하는 서비스의 기준을 설정함으로써 행정서비스의 질을 향상시키고 국민 편익을 높이기 위한 고객 중심적 서비스 관리제도로, 성과관리의 일종이며 서비스 기준 불이행 시 국민들은 시정조치와 보상을 요구할 수 있다.

답 ②

1980년대 이후 주요 국가들의 예산개혁에 대한 설명으로 옳은 것은?

① 성과주의 예산제도는 재정사업에 대한 투입보다는 그 결과에 대한 관심을 강조하고 있으나, 정작 성과측정, 사업원가 산정, 성과 – 예산의 연계 등에서 여전히 많은 난관이 있다.

② 중기재정계획은 단년도 예산의 장점인 안정성과 일관성보다는 재정건전성 등 중장기적 거시 재정목표의 효과적인 추구를 위해 도입되었다.

③ 하향식 예산편성제도는 추계한 예산총량을 전략적 우선순위에 따라 먼저 부문별·부처별로 배분하여 예산의 기술적 효율성(technical efficiency)의 제고를 우선적인 목적으로 한다.

④ 총액배분자율편성예산제도는 기획재정부가 부문별·부처별로 예산상한을 할당하는 집권화된 예산편성 방식으로, 부처의 사업별 재원배분에 대한 보다 세밀한 관리·통제 필요성에 따라 도입되었다.

---

09 | 예산개혁

공행정은 그 특수성상 성과측정, 사업원가 산정, 성과–예산의 연계 등에서 어려움이 있다.

(선지분석)
② 중기재정계획은 단년도 예산의 한계를 극복하고자 재정계획의 안정성과 일관성을 제고하고, 재정건전성 등 중장기적 거시 재정목표의 효과적인 추구를 위해 도입되었다.
③ 하향식 예산편성제도는 추계한 예산총량을 전략적 우선순위에 따라 먼저 부문별·부처별로 배분하여 예산의 배분적 효율성(allocative efficiency)의 제고를 우선적인 목적으로 한다.
④ 총액배분자율편성예산제도는 기획재정부가 부문별·부처별로 예산상한을 할당하면 그 범위 내에서 부처에서 사업별 예산배분을 하는 분권화된 예산편성 방식이다.

답 ①

1990년대 이후부터 2000년대 초반까지 영·미 등 주요 선진국 행정개혁의 특징과 거리가 먼 것은?

① 시장원리의 도입을 통한 행정서비스 공급의 효율성 향상을 꾀한다.

② 책임성 향상에 대한 요구가 증가함에 따라 내부관리에 대한 규제를 보다 강화한다.

③ 자원배분의 기준으로서 투입보다는 성과를 중시한다.

④ 책임성과 효율성을 동시에 강조한다.

---

10 | 선진국 행정개혁

1990년대 이후부터 2000년대 초반 영·미 등 주요 선진국의 행정개혁은 신공공관리론에 바탕을 두고 이어졌다. 신공공관리론에서는 투입보다는 산출, 과정보다는 결과, 규칙에서 임무 중심으로의 관리체제가 강조된다. 따라서 책임성 향상에 대한 요구가 증가함에 따라 내부관리에 대한 규제완화를 주장하게 되었다.

(선지분석)
① 1990년대 이후부터 2000년대 초까지의 주요 선진국의 행정개혁은 신공공관리론을 바탕으로 행정서비스 공급의 효율성(생산성) 향상을 목적으로 한다.
③ 자원배분의 기준으로 합법성과 통제 위주의 투입보다는 정부활동의 성과를 중시한다.
④ 행정에 많은 재량권을 부여하여 효율성을 추구하는 한편, 이에 수반된 책임성을 중시한다.

답 ②

---

11 ☐☐☐

역대 정부의 조직개편에 대한 설명으로 옳지 않은 것은?

① 김대중 정부는 대통령 소속의 중앙인사위원회를 신설하고, 내무부와 총무처를 행정자치부로 통합하였다.

② 노무현 정부는 국무총리 소속의 국정홍보처를 신설하고, 행정자치부 산하에 소방방재청을 신설하였다.

③ 이명박 정부는 기획예산처, 국정홍보처, 정보통신부, 해양수산부, 과학기술부 등을 다른 부처와 통폐합하였다.

④ 박근혜 정부는 행정안전부를 안전행정부로 개편하고, 식품의약품안전청을 식품의약품안전처로 개편하였다.

12 ☐☐☐

총액인건비제도에 대한 설명으로 옳지 않은 것은?

① 정원관리에 대한 각 부처의 자율성 확대를 목표로 한다.

② 김대중 정부에서 중앙행정기관 및 지방자치단체에 처음 도입되었으며, 공공기관으로 확대되었다.

③ 보수관리에 대한 각 부처의 자율성이 확대되었다.

④ 시행기관은 성과중심의 조직운영을 위하여 총액인건비제도를 활용할 수 있다.

11	역대 정부의 조직개편

국정홍보처는 1999년 김대중 정부 때 신설되었다가 2008년 「정부조직법」 개정에 따라 문화관광부 및 정보통신부 일부와 통합하여 문화체육관광부로 개편되었다. 노무현 정부는 행정자치부 산하에 소방방재청을 신설하였다.

답 ②

12	총액인건비제도

총액인건비제도는 2007년 노무현 정부에서 도입되었다.

(선지분석)

①, ③ 총액인건비제도는 재정당국이 인건비 총액만을 결정하므로, 총액인건비제도의 도입에 따라 정원관리 및 보수관리에 대한 각 부처의 자율성이 확대되었다.

④ 시행기관은 인건비 총액의 범위 내에서 예산 절감 등을 통하여 능률성 제고 및 성과중심의 조직운영을 도모할 수 있다.

답 ②

역대 정부의 행정개혁에 대한 기술로 옳지 않은 것은?

① 노무현 행정부는 예산효율화를 위해 사업별 예산제도를 도입하였다.

② 김영삼 행정부는 지방분권화를 위해 내무부의 지방통제 기능을 축소하였다.

③ 이명박 행정부는 공기업 선진화를 위해 민영화, 통폐합 등의 조치를 단행하였다.

④ 김대중 행정부는 공무원의 전문성과 역량 강화를 위해 고위공무원단제도를 도입하였다.

13	역대 정부의 행정개혁

고위공무원단제도는 2006년 노무현 정부에 의해 도입되었다.

선지분석

③ 이명박 정부는 신공공관리론(NPM)적 개혁을 위하여 작은 정부를 지향하였다.

답 ④

다음 중 한국의 행정개혁에 관한 내용을 시대적 순서대로 배열한 것은?

> ㄱ. 정보통신정책과 국가정보화를 전담하여 추진하던 정보통신부를 폐지하고 방송통신 융합을 주도할 방송통신위원회를 설치하였다.
> ㄴ. 대통령 소속의 중앙인사위원회를 설치하여 대통령의 인사권 행사를 강화하였다.
> ㄷ. 부총리제가 부활되고 외교통상부의 통상 교섭기능이 산업통상자원부로 이관되었다.
> ㄹ. 법제처와 국가보훈처를 장관급 기구로 격상하고, 소방방재청을 신설하였다.

① ㄱ - ㄹ - ㄴ - ㄷ

② ㄴ - ㄱ - ㄹ - ㄷ

③ ㄴ - ㄹ - ㄱ - ㄷ

④ ㄹ - ㄱ - ㄴ - ㄷ

⑤ ㄹ - ㄴ - ㄱ - ㄷ

14	한국의 행정개혁

시대적 순서대로 배열하면 ㄴ → ㄹ → ㄱ → ㄷ이다.

ㄴ. 1999년 김대중 정부는 대통령 소속의 중앙인사위원회를 설치하여 대통령의 인사권 행사를 강화하였다.

ㄹ. 2004년 노무현 정부는 법제처와 국가보훈처를 장관급 기구로 격상하고, 소방방재청을 신설하였다.

ㄱ. 2008년 이명박 정부는 정보통신부를 폐지하고 방송통신위원회를 설치하였다.

ㄷ. 2013년 박근혜 정부에서 부총리제가 부활되고 외교통상부의 통상 교섭기능이 산업통상자원부로 이관되었다.

답 ③

THEME 094 정보화사회와 행정

01 □□□
2020년 서울시 9급

「전자정부법」상 전자정부에 대한 설명으로 가장 옳지 않은 것은?

① 행정기관 등은 전자정부의 구현을 위해 중복투자의 방지 및 상호운용성 증진 등을 우선적으로 고려하여야 한다.
② 행정기관 등의 장은 5년마다 해당 기관의 전자정부의 구현·운영 및 발전을 위한 기본계획을 수립하여 중앙사무관장기관의 장에게 제출하여야 한다.
③ 행정기관 등의 장은 해당 기관의 전자정부서비스에 대한 이용실태 등을 주기적으로 조사하여야 한다.
④ 행정기관 등의 장이 행정안전부장관에게 데이터 활용을 신청한 경우 행정안전부장관은 비공개대상정보라도 반드시 제공하여야 한다.

02 □□□
2008년 지방직 7급

행정정보화가 행정조직에 미치는 영향을 잘못 설명하고 있는 것은?

① 정보의 기획 및 통제기능이 중요해짐에 따라 조직의 집권화가 촉진되는 측면이 있다.
② 조직 중간층의 기능이 강화되어 중간관리층이 확대된다.
③ 조직은 전통적인 수직적 피라미드 형태에서 수평적 조직 형태로 변화한다.
④ 종래의 계선과 참모의 구별이 모호해진다.

01	전자정부

행정안전부장관은 다른 법령에서 비공개 사항으로 규정된 경우에는 행정정보 활용을 승인하여서는 안 된다(「전자정부법」 제39조 제2항 제1호).

(선지분석)
① 행정기관 등은 전자정부의 구현을 위해 중복투자의 방지 및 상호운용성 증진 등을 우선적으로 고려하여야 한다(「전자정부법」 제4조 제1항 제6호).
② 행정기관 등의 장은 5년마다 해당 기관의 전자정부의 구현·운영 및 발전을 위한 기본계획을 수립하여 중앙사무관장기관의 장에게 제출하여야 한다(「전자정부법」 제5조의2 제1항).
③ 행정기관 등의 장은 해당 기관의 전자정부서비스에 대한 이용실태 등을 주기적으로 조사하여야 한다(「전자정부법」 제22조 제1항).

답 ④

02	행정정보화

프로그램화된 업무나 일상적인 업무 등은 컴퓨터가 자동처리하게 되면서 조직의 중간층은 오히려 약화되어 축소될 가능성이 높다.

(선지분석)
① 행정정보화는 조직의 분권화를 지향하지만, 현실적으로는 정보의 기획 및 통제기능이 중요해짐에 따라 조직의 집권화가 촉진되는 측면도 있다.
③ 행정정보화가 진행됨에 따라 계층이 축소되면서 조직은 전통적인 수직적 피라미드 형태에서 수평적 조직형태로 변화한다.
④ 행정정보화의 진행에 따라 종래 정부관료제의 계선과 참모의 구별이 모호해지고, 이음매 없는 조직형태가 나타난다.

답 ②

다음 중 고객정보를 바탕으로 업무프로세스, 조직, 인력을 정비하고 운용하는 전략을 나타내는 개념은?

① E-Consultation
② CRM
③ EDI
④ TRM
⑤ DRM

전자정부의 효율적 구현을 목적으로 하는 「전자정부법」의 내용으로 옳지 않은 것은?

① 행정정보의 처리업무를 방해할 목적으로 행정정보를 위조 · 변경 · 훼손하거나 말소하는 행위를 한 사람은 10년 이하의 징역에 처한다.
② 전자정부의 발전과 촉진을 위해 「전자정부법」은 전자정부의 날을 규정하고 있다.
③ 행정기관의 장은 3년마다 해당 기관의 전자정부의 구현 · 운영 및 발전을 위한 기본계획을 수립하여야 한다.
④ 행정안전부장관은 전자적 대민서비스와 관련된 보안대책을 국가정보원장과 사전 협의를 거쳐 마련하여야 한다.

---

03 | CRM

고객에 대한 다양한 정보를 바탕으로 고객을 세분화하고 그에 따라 업무프로세스, 조직, 인력을 정비하여 체계적인 마케팅전략을 수립·운용하는 전략을 나타내는 개념은 CRM(Customer Relationship Management, 고객관계관리)에 해당한다.

(선지분석)
① E-Consultation은 전자자문 단계로, 시민과 선출직공무원 간의 상호의사소통(전자청원, 정책토론)과 그에 대한 환류(feedback)가 이루어지는 단계를 말한다.
③ EDI(Electronic Data Interchange)는 전자적 문서교환을 말한다.
④ TRM(Technical Reference Model)은 기술참조모델로, 조직업무 활동에 필요한 기능들을 수행하기 위해 정보기술을 중심으로 요구되는 정보 서비스들의 집합이며, 성과, 업무, 서비스, 데이터, 기술참조모델로 구성된다.
⑤ DRM(Digital Right Management)은 디지털 콘텐츠의 저작권을 보호하는 기술이다.

답 ②

---

04 | 「전자정부법」

중앙사무관장기관의 장은 전자정부의 구현, 운영 및 발전을 위하여 5년마다 행정기관 등의 기관별 계획을 종합하여 전자정부기본계획을 수립하여야 한다.

(선지분석)
① 「전자정부법」 제35조, 제76조에 명시되어 있는 벌칙 규정이다.
② 「전자정부법」 제5조의3에 따르면 매년 6월 24일은 전자정부의 날이다.

답 ③

정보화와 전자정부에 대한 설명으로 옳지 않은 것은?

① 행정안전부장관은 관계 행정기관 등의 장과 협의하여 정보 기술아키텍처를 체계적으로 도입하고 확산시키기 위한 기본계획을 수립하여야 한다.

② 행정안전부장관은 국가와 지방자치단체의 부문계획을 종합하여 5년마다 국가정보화기본계획을 수립하여야 한다.

③ 정부 3.0이란 개방, 공유, 소통, 협력의 핵심가치들을 통해 국정과제를 해결하고 국민행복을 추구하는 것이다.

④ 스마트워크(smart work)란 영상회의 등 정보통신기술을 이용해 시간과 장소의 제약 없이 업무를 수행하는 유연한 근무 형태이다.

현행 전자정부 관련 법령상 우리나라 전자정부서비스에 대한 설명으로 옳지 않은 것은?

① 행정기관의 장은 해당 기관에서 처리할 민원사항에 대하여 관련 법령에서 종이문서로 신청하도록 규정하고 있는 경우 전자문서로 신청을 하게 할 수 없다.

② 민원사항과 관련하여 전자문서로 신청을 하는 경우 전자문서에 첨부되는 서류는 전자화 문서로 할 수 있다.

③ 행정기관의 장은 민원인이 제출하여야 하는 구비서류가 행정기관이 전자문서로 발급할 수 있는 문서인 경우에는 직접 그 구비서류를 발급하는 기관으로부터 발급받아 업무를 처리해야 한다.

④ 행정기관의 장은 전자민원창구를 설치할 경우 특별한 사유가 없으면 소속 기관마다 설치할 것이 아니라 하나의 창구로 설치해야 한다.

---

05   정보화와 전자정부

과학기술정보통신부장관은 국가정보화의 효율적·체계적인 추진을 위하여 5년마다 국가와 지방자치단체의 부문계획을 종합하여 정보통신전략위원회의 심의를 거쳐 국가정보화기본계획을 수립하여야 한다.

답 ②

06   우리나라 전자정부서비스

행정기관 등의 장은 관계 법령(지방자치단체의 조례 및 규칙 포함)에서 문서·서면·서류 등의 종이문서로 신청·신고 또는 제출·통지·통보 또는 고지 등을 하도록 규정하고 있는 경우에도 전자문서로 신청 등을 하게 하거나 통지 등을 할 수 있다.

답 ①

현행 「전자정부법」상 행정기관이 전자정부의 구현·운영 및 발전을 추진할 때 우선적으로 고려해야 하는 사항으로 옳지 않은 것은?

① 대민서비스의 전자화 및 행정기관 편의의 증진
② 행정업무의 혁신 및 효율성의 향상
③ 정보시스템의 안정성·신뢰성의 확보
④ 행정정보의 공개 및 공동이용의 확대

전자정부의 특징에 대한 설명으로 옳지 않은 것은?

① 전자정부는 정보기술을 이용하여 정부활동의 시간적·공간적 제약을 축소한다.
② 전자정부는 공개지향적 정부로서 정부가 보유하고 있는 모든 정보에 대해 접근이 가능하다.
③ 전자정부는 생산성을 높이기 위해 정보기술 집약화를 이룩한 정부이다.
④ 전자정부는 대국민 서비스 제공의 효율화를 목표로 한다.

08	전자정부

전자정부가 공개지향적 정부인 것은 맞지만 모든 정보에 대한 접근이 가능하지는 않다. 국가 안보적인 문제와 개인정보 및 사생활의 보호를 위하여 정보공개를 제한할 수 있다. 여기서 전자정부는 정보기술을 이용하여 정부조직과 업무 및 시스템을 효율적으로 개혁하여, 단기적으로는 행정의 효율성과 고객지향성을 제고하고 장기적으로는 국가의 경쟁력 향상 및 국민의 원활한 행정참여가 이루어지는 전자민주주의의 실현을 목표로 하는 정부이다.

📄 **전자정부의 원칙(「전자정부법」 제4조)**

대민서비스의 전자화 및 국민편익의 증진	대민서비스를 전자화하여 민원인의 업무처리 과정에 시간과 노력이 최소화되도록 함
행정업무의 혁신 및 생산성·효율성의 향상	업무처리 과정을 전자적 처리에 적합하도록 혁신하여 생산성을 향상
정보시스템의 안전성·신뢰성의 확보	보안시스템을 철저히 하여 정보시스템의 안전성·신뢰성을 확보
개인정보 및 사생활의 보호	개인정보는 법령에서 정하는 경우를 제외하고는 당사자의 의사에 반하여 사용되어서는 안 되며, 개인의 사생활을 보장하여야 함
행정정보의 공개 및 공동이용의 확대	행정정보는 인터넷을 통하여 적극 공개하고 행정기관은 행정정보를 다른 기관과 공동으로 이용
중복투자의 방지 및 상호 운용성 증진	부처 간 소프트웨어 중복개발을 금지하고 비용절감을 위해 상호 운용
정보기술아키텍처를 기반으로 하는 전자정부 구현·운영	행정기관 등은 전자정부의 구현·운영 및 발전을 추진할 때 정보기술아키텍처를 기반으로 하여야 함
행정기관 확인의 원칙	행정기관이 전자적으로 확인할 수 있는 사항은 민원인에게 제출하도록 요구하여서는 안 됨

답 ②

07	「전자정부법」

행정기관의 편의 증진이 아니라 국민의 편익이 증진되어야 한다.

「전자정부법」 제4조 【전자정부의 원칙】① 행정기관 등은 전자정부의 구현·운영 및 발전을 추진할 때 다음 각 호의 사항을 우선적으로 고려하고 이에 필요한 대책을 마련하여야 한다.
1. 대민서비스의 전자화 및 국민편익의 증진
2. 행정업무의 혁신 및 생산성·효율성의 향상
3. 정보시스템의 안정성·신뢰성의 확보
4. 개인정보 및 사생활의 보호
5. 행정정보의 공개 및 공동이용의 확대
6. 중복투자의 방지 및 상호운용성 증진

답 ①

09 ☐☐☐

전자정부의 개념정의에 있어서 효율성 모델과 민주성 모델에 대한 비교설명으로 옳지 않은 것은?

① 효율성 모델의 사회발전관은 기술결정론인 데 반하여 민주성 모델은 사회결정론으로 볼 수 있다.
② 효율성 모델은 국민 편의의 극대화와 정책의 투명화 · 전문화 과정 등을 통한 정부 내부의 생산성 제고를 꾀하며, 민주성 모델은 행정 과정상의 민주성 증진에 초점을 둔다.
③ 효율성 모델은 전자정부를 광의로 해석한 것이며, 민주성 모델은 협의로 해석한 것이다.
④ 효율성 모델은 행정전산망을 확충하거나 행정민원 해결을 강조하는 데 반하여 민주성 모델은 전자민주주의와의 연계를 중요시한다.

10 ☐☐☐

다음 중 한국의 대민 전자정부(G2C 또는 G2B)의 사례가 아닌 것은?

① 민원24
② 국민신문고
③ 전자조달 나라장터
④ 온-나라시스템
⑤ 전자통관시스템

09	효율성 모델과 민주성 모델

효율성 모델이 전자정부를 생산성 제고라는 측면에서 협의의 개념으로 해석한 것이라면, 민주성 모델은 국민과의 관계와 행정 과정상의 민주주의를 구현하려는 광의의 개념으로 해석한 것이다.

📄 기술결정론과 사회결정론

기술결정론	전자정부는 IT기술, 시스템, 네트워크 발달에 기인한 것이라고 보는 효율성 모델
사회결정론	사회의 민주화, 사회문제의 복잡화, 전자민주주의 그리고 인본주의 요구 등에 기인한 것이라고 보는 민주성 모델

답 ③

10	한국의 대민 전자정부

온-나라시스템은 정부 내부의 업무처리에서 종이 없는 행정의 실현을 추구하는 G2G에 해당한다.

(선지분석)
①, ② G2C(Government to Customer)에 해당한다.
③, ⑤ G2B(Government to Business)에 해당한다.

답 ④

전자적 행정서비스를 제공받는 집단에 대한 설명으로 옳은 것은?

① G2G(Government, Government)에서는 그룹웨어시스템을 통한 원격지 연결, 정보 공유, 업무의 공동처리, 업무 유연성 등으로 행정의 생산성이 저하된다.

② G2C(Government, Citizen)의 관계 변화를 통해 시민요구에 부응하는 질 높은 행정서비스를 제공하고 시민참여를 촉진할 수 있지만 공공서비스 수요에 대한 대응성이 낮아진다.

③ G2G(Government, Government)에서는 정부부처 간, 중앙과 지방정부 간에 정보를 공동활용하여 행정업무의 정확성과 효율성이 증대되고 거래비용이 감소한다.

④ G2B(Government, Business)의 관계 변화로 정부의 정책 수행을 위한 권고, 지침전달 등을 위한 정보교류비용이 감소하지만 조달행정비용은 증가한다.

전자정부에 대한 설명으로 옳지 않은 것은?

① 온라인 참여포털 국민신문고는 국민의 고충 민원과 제안을 원스톱으로 접수 및 처리하는 것을 목적으로 한다.

② 디지털예산회계시스템(D-brain)은 재정업무의 전 과정을 온라인으로 수행하고 재정사업의 현황을 실시간으로 파악할 수 있는 통합재정정보시스템이다.

③ 스마트워크란 통신, 방송, 인터넷 등을 통합한 멀티미디어 서비스를 안전하게 제공하는 통합네트워크를 의미한다.

④ 전자정부 2020 기본계획은 「전자정부법」에 따라 2016년부터 2020년까지 5개년 계획으로 수립되었다.

11	전자적 행정서비스

G2G(Government, Government)는 정부 내부의 전자서비스를 의미한다. 이는 정부부처 간, 중앙과 지방 간 정보를 공동으로 활용하여 정확성과 효율성이 증대되고 거래비용이 감소한다.

(선지분석)
① G2G에서는 그룹웨어시스템을 통한 원격지 연결, 정보 공유, 업무의 공동처리, 업무 유연성 등으로 행정의 생산성이 증진될 수 있다.
② G2C는 일반국민을 위한 전자서비스이다. G2C의 관계 변화를 통해 시민요구에 부응하는 질 높은 행정서비스를 제공하고, 시민참여를 촉진할 수 있으며 공공서비스 수요에 대한 대응성이 높아진다.
④ G2B는 기업활동을 위한 전자서비스이다. G2B의 관계 변화로 정부의 정책 수행을 위한 권고, 지침전달 등을 위한 정보교류비용, 조달행정비용이 감소한다.

답 ③

12	전자정부

스마트워크란 유연근무제의 일종인 원격근무제로, 스마트워크센터에서의 근무를 의미한다.

(선지분석)
① 국민신문고는 국민의 고충 민원과 제안을 온라인상 참여를 통하여 원스톱으로 처리하는 방식이다.
② 디지털예산회계시스템(D-brain)은 노무현 정부 때 시행된 4대 재정개혁의 일환으로, 재정업무의 전 과정을 온라인으로 수행하고 재정사업의 현황을 실시간으로 파악하는 한편, 정부가 재정정보 연계가 가능한 통합재정정보시스템이다.
④ 중앙사무관장기관의 장은 전자정부의 구현·운영 및 발전을 위하여 5년마다 행정기관 등의 기관별 계획을 종합하여 전자정부기본계획을 수립하여야 한다(「전자정부법」 제5조 제1항).

답 ③

다음 중 스마트사회의 전자정부에서 강조되는 특징으로 옳지 않은 것은?

① 시민집단수요 중심의 맞춤형 전자정부서비스 제공을 강조한다.

② 모바일 기술에 의해 현장근무, 재택근무 등의 유연근무가 촉진된다.

③ 국민들이 민원서비스를 신청하지 않더라도 정부가 국민의 요구들을 미리 파악해서 행정서비스를 선제적으로 제공한다.

④ 지능형 정보기술을 활용하여 재난사고 등에 대해 사전예방 위주의 위기관리를 강화한다.

⑤ 스마트기술을 활용하여 국민이 시간과 장소에 상관없이 필요할 경우 원하는 방식으로 정부서비스에 접근할 수 있다.

스마트사회 및 스마트정부의 모습과 거리가 먼 것은?

① 유연성·창의성·인간 중심 가치가 중시되는 사회이다.

② 정부는 국민이 요구하기 전에 먼저 알아서 서비스를 제공한다.

③ 스마트워크의 확산으로 현장에서 업무를 처리하고 실시간으로 입력하기 때문에 효율성과 생산성이 제고된다.

④ 재난 발생 후 최대한 빠른 시간 내에 복구하는 것을 정책목표로 추구한다.

---

13 ┃ 전자정부

시민집단수요 중심의 서비스가 아니라 개인별 맞춤 전자정부서비스의 제공을 강조한다.

(선지분석)
② 스마트사회의 전자정부에서는 다양한 모바일 기술의 발달에 따라 재택근무, 스마트워크센터 근무 등의 유연근무가 촉진된다.
③ 스마트사회의 전자정부는 온라인으로 민원서비스를 제공하는 데 그치는 것이 아니라, 국민들이 민원서비스를 신청하지 않더라도 정부가 국민의 요구들을 미리 파악해서 행정서비스를 선제적으로 제공한다.
④ 스마트사회의 전자정부는 사후처치보다 사전예방 위주의 위기관리를 지향한다.
⑤ 스마트기술을 활용하여 국민이 시간과 장소에 상관없이(유비쿼터스 전자정부) 필요한 경우 모바일, 태블릿PC 등 원하는 방식으로 정부서비스에 접근할 수 있다.

답 ①

14 ┃ 스마트사회 및 스마트정부

스마트정부는 IT기술을 활용하여 정부조직 내외의 정보를 전자적으로 체계화함으로써 정부조직을 능률적으로 관리하고 국민들에게 맞춤형 행정서비스를 신속하게 제공하는 정부이다. 스마트사회 및 스마트정부에서는 재난 발생 후 복구가 아니라 재난의 사전예방을 정책목표로 추구한다.

(선지분석)
① 스마트사회는 경직적이고 정형적인 기존의 산업사회를 극복하고 유연성·창의성·인간 중심 가치가 중시되는 사회이다.
② 스마트사회의 전자정부는 온라인으로 민원서비스를 제공하는 데 그치는 것이 아니라, 국민들이 민원서비스를 신청하지 않더라도 정부가 국민의 요구들을 미리 파악해서 행정서비스를 선제적으로 제공한다.
③ 스마트워크의 확산으로 스마트워크센터 근무, 재택근무 등 다양한 유연근무제를 통하여 효율성과 생산성이 제고된다.

답 ④

전자정부의 미래 모습을 나타내는 요인들을 모두 고르면?

> ㄱ. Zero-Stop 서비스
> ㄴ. 전자정부 대표 포털
> ㄷ. 접근수단의 단일화
> ㄹ. 조직구조 · 프로세스 혁신
> ㅁ. 부처별 · 기관별 업무처리
> ㅂ. e-Governance 구현
> ㅅ. 정부 중심의 전자정부
> ㅇ. 백오피스와 프런트오피스 간격 확대

① ㄱ, ㄴ, ㄷ, ㄹ
② ㄱ, ㄴ, ㄹ, ㅂ
③ ㄴ, ㄹ, ㅂ, ㅅ
④ ㄴ, ㄹ, ㅂ, ㅇ

유비쿼터스 전자정부에 대한 설명으로 옳은 것만을 모두 고르면?

> ㄱ. 기술적으로 브로드밴드와 무선, 모바일 네트워크, 센싱, 칩 등을 기반으로 한다.
> ㄴ. 서비스 전달 측면에서 지능적인 업무수행과 개개인의 수요에 맞는 맞춤형 서비스를 제공한다.
> ㄷ. Any-time, Any-where, Any-device, Any-network, Any-service 환경에서 실현되는 정부를 지향한다.

① ㄱ, ㄴ
② ㄱ, ㄷ
③ ㄴ, ㄷ
④ ㄱ, ㄴ, ㄷ

15	전자정부

Zero-Stop 서비스, 전자정부 대표 포털, 조직구조·프로세스 혁신, e-Governance 구현은 모두 전자정부의 미래 모습을 나타내는 요인에 해당한다.

(선지분석)
ㄷ. 접근수단이 다양화될 것이다.
ㅁ. 공유를 통한 원스톱 업무처리가 이루어질 것이다.
ㅅ. 소비자 중심의 전자정부를 추구할 것이다.
ㅇ. 백오피스와 프런트오피스의 간격이 축소될 것이다.

답 ②

16	유비쿼터스 전자정부

ㄱ. 유비쿼터스란 고정·이동, 유선·무선, 통신·방송이라는 영역을 넘어 이용장소에 관계없이 상시 접속이 가능한 컴퓨팅으로 브로드밴드와 무선, 모바일 네트워크, 센싱칩 등을 기반으로 한다. 이러한 유비쿼터스 컴퓨팅이 적용된 정부가 유비쿼터스 전자정부이다.
ㄴ. 유비쿼터스 전자정부는 고객지향성을 중시하고 개인의 관심사나 선호도 등에 따른 실시간 맞춤정보 제공으로 시민참여도를 제고하는 전자정부의 형태이다.
ㄷ. 유비쿼터스 전자정부는 5Any 환경에서 실현되는 정부를 지향한다.

📄 유비쿼터스 전자정부의 5Any와 5C

5Any	Any-time, Any-where, Any-network, Any-device, Any-service
5C	컴퓨팅(Computing), 커뮤니케이션(Communication), 접속(Connectivity), 콘텐츠(Contents), 조용함(Calm)

답 ④

17 ☐☐☐

2013년 국가직 9급

유비쿼터스 정부(u-government)의 특성과 거리가 먼 것은?

① 중단 없는 정보 서비스 제공
② 맞춤 정보 제공
③ 고객 지향성, 실시간성, 형평성 등의 가치 추구
④ 일방향 정보 제공

---

17 ┊ 유비쿼터스 정부

일방향으로 정보를 제공하는 것은 초기 전자정부의 특징이다. 유비쿼터스 정부(u-government)는 정부 3.0으로서, 활성화된 쌍방향 정보 제공을 뛰어 넘어 개인별 맞춤식 정보 제공을 중시하는 특성을 가진다.

답 ④

18 ☐☐☐

2009년 지방직 7급

유비쿼터스 정부(u-government)에 대한 설명으로 옳지 않은 것은?

① 언제 어디서나 개인화되고 중단 없는 정보서비스를 제공함으로써 부가적인 가치를 제공하는 정부이다.
② 개인의 관심사, 선호도 등에 따른 실시간 맞춤정보 제공으로 시민참여도가 제고되어 궁극적으로 투명한 정책결정과 행정처리가 가능해진다.
③ 행정서비스가 추구하는 가치는 고객지향성, 지능성, 실시간성, 형평성 등으로 요약된다.
④ 인터넷 기반 온라인 서비스의 강화에 초점을 맞춘 웹(web) 2.0시대의 미래형 전자정부이다.

---

18 ┊ 유비쿼터스 정부

유비쿼터스 정부는 웹(web) 3.0시대의 전자정부이다. 유비쿼터스 정부는 언제 어디서나 중단 없는 정보서비스를 제공하는 전자정부의 형태로 고객지향성, 지능성, 실시간성, 형평성 등을 중시하고 개인의 관심사나 선호도 등에 따른 실시간 맞춤정보를 제공한다.

답 ④

4차 산업혁명에 대한 설명으로 옳지 않은 것은?

① 산업과 산업 간의 초연결성을 바탕으로 초지능성을 창출한다.

② 3차 산업혁명의 연장선상이며 근본적인 특성을 공유하고 있다.

③ 사이버 물리 시스템(Cyber-physical system)혁명이라고 할 수 있다.

④ IoT, 인공지능, 빅데이터 등의 신기술을 기존 제조업과 융합해 생산능력과 효율을 극대화시킨다.

다음 중 UN에서 본 전자거버넌스로서의 전자적 참여의 형태가 진화하는 단계로 옳은 것은?

① 전자정보화 – 전자자문 – 전자결정

② 전자문서화 – 전자결정 – 전자자문

③ 전자자문 – 전자문서화 – 전자결정

④ 전자정보화 – 전자결정 – 전자문서화

⑤ 전자자문 – 전자정보화 – 전자결정

19	**4차 산업혁명**

4차 산업혁명은 3차 산업혁명의 연장선상에서 등장하였지만, 근본적인 특성을 공유하지는 않는다. 3차 산업혁명이 지식, 정보사회로서 정보통신기술, 컴퓨터, 인터넷 등의 기반기술이 특징이라면, 4차 산업혁명은 초연결, 초지능을 기반으로 인공지능, 빅데이터 등 기존 3차 산업혁명 시대와는 완전히 다른 신기술을 특성으로 한다.

답 ②

20	**전자적 참여의 형태**

전자거버넌스는 전자정보화(e-Information) → 전자자문(e-Consultation) → 전자결정(e-Decision) 순으로 발전하였다.

📄 전자적 참여의 형태(UN, 2008)

전자정보화 단계 (e-Information)	• 전자적 채널(정부 웹사이트)을 통해 국민에게 정부기관의 다양한 정보를 공개하는 단계 • 일방향적인 정보의 공개가 일어남
전자자문 단계 (e-Consultation)	시민과 선출직공무원 간의 상호 의사소통(전자청원, 정책토론)과 그에 대한 환류(feedback)가 이루어짐
전자결정 단계 (e-Decision)	• 시민의 의견이 정부의 정책 과정에 반영되는 단계 • 어떠한 정책결정에 반영되었는지에 대한 정보를 시민들에게 제공해 줌

답 ①

전자정부의 발전 단계에 대한 설명으로 가장 옳지 않은 것은?

① 우리나라의 나라장터(G2B)는 2002년 개설된 범정부적 전자조달사업으로서 입찰공고 및 조달정보 제공, 제안서 제출시스템 등을 갖추고 있다.

② 미국의 'challenge.gov'프로그램은 국민을 프로슈머 협력자로 보기보다는 정부정책을 홍보해야 할 대상으로 여긴다.

③ 정부의 '국민신문고'나 서울시의 '천만상상 오아시스' 시스템은 참여형 전자거버넌스의 예이다.

④ 공동생산형 전자정부단계에서는 정부와 국민이 공동 생산자로 등장하기 때문에 GNC(Government and Citizen)로 약칭된다.

정보 격차에 대한 설명으로 옳지 않은 것은?

① 경제협력개발기구(OECD)는 정보 격차를 '개인, 가정, 기업 및 지역들 간에 상이한 사회·경제적 여건에서 비롯된 정보통신기술에 대한 접근 기회와 다양한 활동을 위한 인터넷 이용에서의 차이'로 정의하였다.

② '정보화마을'은 우리나라에서 도농 간 정보격차 해소를 위해 시행한 지역정보화정책의 사례이다.

③ 「국가정보화 기본법」은 국가기관과 지방자치단체뿐만 아니라 민간기업에 대해서도 정보격차해소 시책을 마련할 의무를 규정하고 있다.

④ 「장애인차별금지 및 권리구제 등에 관한 법률」은 정보통신·의사소통 등에서의 정당한 편의제공의무에 관한 규정을 두고 있다.

---

21 ┊ 전자정부의 발전 단계

미국의 'challenge.gov'는 미국의 오바마 행정부에서 만든 '온라인 민관 공동생산' 프로그램으로, 국민을 정부정책을 홍보할 대상이 아니라 프로슈머 (prosumer) 협력자로 여긴다.

(선지분석)

① 조달청에서 운영하는 나라장터, 관세청에서 운영하는 온라인 전자통관 시스템은 대표적인 G2B 체제이다.

③ 정부의 '국민신문고', 서울시의 '천만상상 오아시스' 시스템은 국민이 직접 정부의 정책에 참여하는 참여형 전자거버넌스의 사례이다.

답 ②

---

22 ┊ 정보 격차

「국가정보화 기본법」은 국가기관과 지방자치단체의 정보격차 해소 시책을 마련할 의무를 규정하고 있으나, 민간기업에 대한 의무사항은 규정되어 있지 않다.

> 「국가정보화 기본법」 제31조 【정보격차 해소 시책의 마련】 국가기관과 지방자치단체는 모든 국민이 정보통신서비스에 원활하게 접근하고 정보를 유익하게 활용할 기본적 권리를 실질적으로 누릴 수 있도록 필요한 시책을 마련하여야 한다.

답 ③

전자정부 구현에 따른 기대효용으로 거리가 먼 것은?

① 정보의 공개와 상호작용을 통한 행정의 신뢰성 확보
② 정보의 집중화를 통한 신속하고 집권적인 정책결정
③ 정보통신기술을 활용한 업무 효율성 제고
④ 정부 정보에 대한 시민의 접근성 강화

---

23 | 전자정부 구현

전자정부의 구현을 통해 정보의 공유를 통한 정보의 분산화를 지향하고 신속하고 분권적인 정책결정을 도모한다.

> **📑 전자정부의 효용**
>
> 1. 정보통신 기술을 활용하여 업무의 효율성을 제고시킨다.
> 2. 백오피스(back office): 프런트오피스(front office)의 간격 축소 및 연계 확대를 통해 공공서비스를 개선한다.
> 3. 정보의 공개와 상호작용을 통해 행정의 신뢰성을 확보한다.
> 4. 정부 정보에 대한 시민의 접근성을 강화하여 행정의 민주성·투명성·개방성을 제고시킨다.
> 5. 분권적인 정책결정시스템을 구축한다.
> 6. 지역정보화를 통해 지역 간의 불균형을 해소한다.
> 7. 일과 가정이 양립할 수 있도록 지원한다. 예 재택근무, 탄력근무 등

답 ②

전자정부(e-government) 구현 과정에서 예측되는 현상으로 옳지 않은 것은?

① 직무 간 경계와 기능 간 경계가 점점 명확해진다.
② 조직규모가 줄어들고 수평적 관계가 중요해진다.
③ 중간관리층 규모가 축소되고 행정농도가 낮아진다.
④ 분권화를 촉진시키지만 집권화를 위해서 사용될 수도 있다.

---

24 | 전자정부 구현

전자거버넌스(e-governance)는 IT 기술 발달로 시공간적 제약이 극복되고 다양한 관계의 네트워크가 형성되면서 전자적 공간을 활용하여 거버넌스가 구현된 것이다. 참여와 공개를 핵심으로 하는 민주성을 제고하여 전자민주주의의 가능성을 넓히고 정책결정의 합리성 제고가 가능하며, 직무 간 경계와 기능 간 경계가 점점 모호해지는 특징이 있다.

(선지분석)
③ 행정농도를 중간관리계층으로 파악하는 우리나라의 경우 전자정부 구현 시 행정농도가 낮아진다.
④ 전자정부 구현은 분권화와 집권화의 가능성이 모두 열려있다.

답 ①

전자정부로의 개혁이 가져오는 행정관리구조의 변화로 보기 어려운 것은?

① 관리 과정 및 정책 과정의 투명성 제고
② 저층화된 구조의 형성
③ 규제지향적인 행정절차의 확대
④ 이음매 없는 조직의 구현

전자정부의 역기능에 해당하는 내용과 그 요인을 〈보기〉에서 모두 고른 것은?

〈보기〉
ㄱ. 인포데믹스(infordemics)
ㄴ. 집단극화(group polarization)
ㄷ. 선택적 정보접촉(selective exposure to information)
ㄹ. 정보격차(digital divide)

① ㄱ, ㄴ
② ㄷ, ㄹ
③ ㄱ, ㄴ, ㄹ
④ ㄱ, ㄴ, ㄷ, ㄹ

25	전자정부로의 개혁

전자정부는 기본적으로 규제지향적인 행정절차의 축소를 전제로 한다.

선지분석
① 정부 정보에 대한 시민의 접근성을 강화하여 행정의 민주성·투명성·개방성을 제고시킨다.
② 전자정부는 계층의 축소로 인한 수평구조를 지향한다.
④ 전자정부의 행정관리 구조는 경계가 모호하고 불분명해져 이음매 없는 조직이 구현된다.

답 ③

26	전자정부

ㄱ. 인포데믹스(infordemics): 정보(information)와 전염병(epidemics)을 합성한 말로, 추측이나 루머가 결합된 부정확한 정보가 매체를 통해 전염병과 같이 빠르게 전파됨으로써 사회에 영향을 미치는 정보확산의 역기능을 의미한다.
ㄴ. 집단극화(group polarization): 집단의 결정이 개인의 결정보다 더 극단적인 결론에 도달하는 경향을 의미한다. 가상공간에서는 이념과 가치, 사상을 공유하는 다양한 사이버 공동체가 형성되며, 각각의 사이버 공동체는 집단극화라는 역기능을 보일 수가 있다.
ㄷ. 선택적 정보접촉(selective exposure to information): 전자정부, 지식정보화시대의 정보 폭증 속에서 자신에게 유리한 정보만을 선택적으로 취하면서 편견이 강화되는 현상을 의미한다.
ㄹ. 정보격차(digital divide): 개인적·지역적 등으로 상이한 사회경제적 여건으로 인해 정보를 획득하는 능력을 지닌 자와 그렇지 못한 자들 간에 정보 획득의 불평등이 나타나는 현상을 말한다.

답 ④

27 ☐☐☐

기존 전자정부와 비교한 스마트전자정부의 특징이 아닌 것은?

① 개인별 맞춤형 통합서비스 제공
② 스마트폰, 태블릿 PC, 스마트 TV 등 다매체 활용
③ 공급자 중심의 서비스 개발
④ 1회 신청으로 연관 민원 일괄처리

28 ☐☐☐

정보화 및 전자민주주의에 대한 설명으로 옳지 않은 것은?

① 전자민주주의의 부정적 측면으로 전자전제주의(telefascism)가 나타날 수 있다.
② 정보의 비대칭성이 발생하지 않도록 정보관리는 배제성의 원리가 적용되어야 한다.
③ 우리나라 정부는 「국가정보화 기본법」에 의해 5년마다 국가정보화 기본계획을 수립하여야 한다.
④ 전자민주주의는 정치의 투명성 확보를 용이하게 한다.

27	스마트전자정부

스마트전자정부는 공급자 중심이 아니라 소비자·수요자(국민) 중심의 서비스 개발을 특징으로 한다. 공급자 중심의 서비스 개발은 기존 1.0 전자정부의 특징이다.

(선지분석)
① 스마트전자정부는 온라인 통합서비스를 뛰어넘어 개인별 맞춤형 통합서비스를 제공한다.
② 스마트전자정부는 기존의 데스크탑을 활용하는 단계를 넘어 스마트폰, 태블릿 PC, 스마트 TV 등 다양한 매체를 활용한다.
④ 스마트전자정부는 1회 신청으로 연관 민원을 일괄 처리하는 논스톱 처리 시스템을 지향한다.

답 ③

28	정보화 및 전자민주주의

정보관리에 배제성을 적용하게 되면 오히려 정보격차가 심해져 정보의 비대칭성이 발생하게 된다.

📄 전자민주주의(e-Democracy)	
의의	• 정보통신기반을 이용하여 정치과정에 시민의 직접 참여가 이루어지는 정보사회의 민주주의 • 국민과 정부 간 정책결정관련 정보와 의견의 전달을 돕는 의사소통기술의 운용을 의미함
효과	• 정책과정에 대해 모든 사람들이 온라인상으로 자유롭게 보고 들으며 의사를 표명하여 전자거버넌스의 실효성을 높여줌 • 신속한 의사소통이 이루어짐 • 정치의 투명성 확보에 기여함
수단	인터넷을 통한 여론수렴과 투표, 국민신문고, 사이버 국회와 정당, 전자공청회, 전자청원(e-Petition), 전자배심원제(e-Jury), 트위터(twitter) 정치 등 정책결정에 따른 시민의 온라인 참여 및 토론, 지지 후보나 정책 등을 인터넷을 통해 다른 사람들에게 알리는 일련의 정치적 행위를 통해 이루어짐

답 ②

전자정부 및 지역정보화에 대한 설명으로 옳지 않은 것은?

① UN이 전자정부 발달 단계에서 최종 단계로 본 것은 통합처리(seamless) 단계이다.

② 지역정보화에는 기존의 산업화 과정에서 나타난 지역 간 격차문제 해결을 위해 지방정부의 주체적 노력이 요구된다.

③ 지역정보화는 지역 간 정보격차를 해소하는 지역의 정보화와 지역의 균형적 발전을 위한 정보의 지방화를 포함한다.

④ 정보의 그레셤(Gresham) 법칙은 공개되는 공적 정보시스템에는 사적 정보시스템에 비해서 상대적으로 가치가 큰 정보가 축적되는 현상을 말한다.

2009년 서울의 한 고등학생이 개발한 '서울버스 앱'은 공공데이터의 무료 개방에 따른 부가서비스 개발의 대표적 사례로 알려져 있다. '서울버스 앱'의 기반이 되는 웹 기술은?

① 하이퍼링크 중심의 Web 1.0 기술

② 플랫폼 기반의 Web 2.0 기술

③ 시맨틱웹(Semantic Web) 기반의 3.0 기술

④ 사물인터넷 기반의 Web 3.0 기술

29	전자정부 및 지역정보화

정보의 그레셤(Gresham) 법칙은 악화가 양화를 구축한다는 것이다. 좋은 정보는 개인이 소장하고 불필요하고 가치가 낮은 정보만 유통시킴으로써 공개되지 않은 사적 정보시스템의 가치가 상대적으로 높아지는 현상이 발생한다. 따라서 공적 정보시스템에는 사적 정보시스템에 비해서 상대적으로 가치가 낮은 정보가 축적되는 현상을 정보의 그레셤(Gresham) 법칙이라 한다.

（선지분석）

① UN은 전자정부의 발달을 1단계인 착수(제한적 정보 제공), 2단계인 발전(콘텐츠 및 정보의 주기적 현행화), 3단계인 상호작용(이메일을 통한 의사소통, 민원양식의 전자적 제공), 4단계인 전자거래(비자, 여권, 출생 및 상황 기록 등의 온라인 발급, 조세 및 수수료 등 전자납부), 5단계인 통합처리(부처 간 경계 없는 온라인 서비스 제공) 단계로 분류하였다.

답 ④

30	플랫폼 기반의 Web 2.0 기술

'서울버스 웹'은 시민이 직접 개발한 어플리케이션으로 플랫폼 기반의 Web 2.0 기술을 응용하여 만들어졌다. Web 2.0 기술은 개방, 참여, 공유의 정신을 바탕으로 사용자가 중심이 되어 직접 정보를 생산하여 쌍방향으로 소통하는 웹기술, 즉 웹어플리케이션을 제공하는 하나의 완전한 플랫폼 중심의 웹으로의 발전을 지칭한다. 여기서 Web 3.0 기술은 개인별 맞춤형 서비스의 제공까지 이루어지는 것이다.

（선지분석）

① 하이퍼링크 중심의 Web 1.0 기술: 컴퓨터가 정보나 서비스를 단순히 제공하기만 할 뿐이며 사용자가 웹사이트에서 데이터나 서비스를 수정할 수 없는 것으로 하이퍼텍스트문서 간 연결하여 검색할 수 있는 인터넷 환경이다.

③ 시맨틱웹(Semantic Web) 기반의 3.0 기술: 시맨틱(semantic)기술이란 컴퓨터가 마치 사람처럼 정보자원의 뜻을 이해하고 논리적 추론까지 할 수 있는 지능형 앱 또는 인공지능 앱으로 인공지능형 로봇 등이 이에 해당한다.

④ 사물인터넷 기반의 Web 3.0(4차 산업혁명의 일환) 기술: 모든 기기 및 사물에 통신모듈을 적용·탑재하고 센서 네트워크기술을 이용하여 사물들을 유무선으로 서로 연결함으로써 사람과 사물, 사물과 사물 간 상호 정보교환과 소통을 할 수 있는 지능형 정보인프라이다.

답 ②

31 ☐☐☐

정보통신기술을 활용한 행정개선 사례로 옳지 않은 것은?

① 정부서울청사 등에 스마트워크센터를 설치하여 운영하고 있다.

② 민원서비스를 통합적으로 제공하는 '민원24'를 도입하였다.

③ 정부에 대한 불편사항 제기, 국민제안, 부패 및 공익 신고 등을 위해 '국민신문고'를 도입하였다.

④ 공공기관의 공사, 용역, 물품 등의 발주정보를 공개하고 조달절차를 인터넷으로 처리하도록 '온나라시스템'을 도입하였다.

THEME 095 정보공개제도와 지식행정론

32 ☐☐☐

「공공기관의 정보공개에 관한 법률」의 내용으로 옳은 것은?

① 지방자치단체는 그 소관 사무에 관하여 법령의 범위에서 정보공개에 관한 조례를 정할 수 있다.

② 모든 국민은 정보의 공개를 청구할 권리를 가지며, 외국인의 정보공개 청구에 관하여는 법률로 정한다.

③ 공공기관은 예산집행의 내용과 사업평가 결과 등 행정감시에 필요한 정보가 다른 법률에서 비밀이나 비공개사항으로 규정되었더라도 이를 공개하여야 한다.

④ 공공기관은 정보공개의 청구를 받으면 부득이한 사유가 있더라도 그 청구를 받은 날부터 연장 없이 10일 이내에 공개 여부를 결정하여야 한다.

31	정보통신기술

공공기관의 공사, 용역, 물품 등의 발주정보를 공개하고 조달절차를 인터넷으로 처리하도록 한 것은 '국가종합전자조달시스템'이다. '온나라시스템'은 행정의 효율성을 제고하고 비용절감을 위해 정부가 수행하는 업무를 체계적으로 분류하고, 온라인상에서 실시간으로 처리하도록 하는 전산시스템이다.

(선지분석)
① 정부는 유연근무제의 일환으로 정부서울청사, 서울역 등에 스마트워크센터를 설치하고 있다.
② 정부는 논스톱 민원서비스 제공을 위하여 민원서비스를 통합적으로 제공하는 '민원24'를 도입하였다.

답 ④

32	「공공기관의 정보공개에 관한 법률」

지방자치단체는 그 소관 사무에 관하여 법령의 범위에서 정보공개에 관한 조례를 정할 수 있다(「공공기관의 정보공개에 관한 법률」 제4조 제2항).

(선지분석)
② 외국인의 정보공개 청구에 관하여는 대통령령으로 정한다.
③ 예산집행의 내용과 사업평가 결과 등 행정감시를 위하여 필요한 정보가 다른 법률에서 비밀이나 비공개사항으로 규정되었다면 행정정보 공표의 제외대상에 해당한다.
④ 공공기관은 정보공개의 청구를 받으면 그 청구를 받은 날부터 10일 이내에 공개 여부를 결정하여야 한다. 공공기관은 부득이한 사유로 청구를 받은 날부터 10일 이내에 공개 여부를 결정할 수 없으면 그 기간이 끝나는 날의 다음 날부터 기산하여 10일의 범위에서 공개 여부 결정기간을 연장할 수 있다.

답 ①

---

33 ☐☐☐

우리나라의 행정정보공개제도에 대한 설명으로 옳지 않은 것은?

① 국정에 대한 국민의 참여와 국정 운영의 투명성 확보를 목적으로 한다.
② 중앙행정기관의 경우 전자적 형태의 정보 중 공개대상으로 분류된 정보는 공개청구가 없더라도 공개하여야 한다.
③ 정보의 공개 및 우송 등에 드는 비용은 실비 범위에서 청구인이 부담한다.
④ 정보공개 청구는 말로써도 할 수 있으나 외국인은 청구할 수 없다.

34 ☐☐☐

행정정보공개에 대한 설명으로 옳지 않은 것은?

① 국민생활에 큰 영향을 미치는 정책정보는 청구가 없더라도 공개해야 한다.
② 유비쿼터스(ubiquitous) 정부의 실현은 행정정보공개제도의 실질적 구현에 긍정적인 영향을 미칠 수 있다.
③ 행정정보공개의 확대는 공무원의 도전적이고 적극적인 행태를 조장한다.
④ 정보공개 청구제도는 특정 청구인을 대상으로 한다.

33 　우리나라의 행정정보공개제도

정보공개는 모든 국민, 법인과 단체뿐만 아니라 일정한 조건을 가진 외국인도 청구할 수 있다. 정보의 공개를 청구하는 자는 해당 정보를 보유하거나 관리하고 있는 공공기관에 정보공개청구서를 제출하거나 말로써 정보의 공개를 청구할 수 있다.

선지분석
① 행정정보공개제도는 투명성 확보를 위한 대표적인 방안이다.
② 공공기관은 전자적 형태로 보유·관리하는 정보 중 공개대상으로 분류된 정보를 국민의 정보공개 청구가 없더라도 정보통신망을 활용한 정보공개시스템 등을 통하여 공개하여야 한다(「공공기관의 정보공개에 관한 법률」 제8조의2).
③ 정보의 공개 및 우송 등에 드는 비용은 실비 범위에서 청구인이 부담한다 (「공공기관의 정보공개에 관한 법률」 제17조 제1항).

답 ④

34 　행정정보공개

정보공개제도의 확대는 공무원들이 자신의 실책이 드러나거나 말썽이 생길 것을 걱정하여 업무 추진에 소극적인 태도를 보일 수 있다.

선지분석
① 공공기관은 국민생활에 매우 큰 영향을 미치는 정책정보, 국가시책으로 시행하는 공사, 대규모 예산이 투입되는 사업의 정보, 예산집행의 내용과 사업의 평가 결과 등 행정감시를 위하여 필요한 정보는 청구가 없더라도 정기적으로 공개하여야 한다.

답 ③

다음은 우리나라의 「공공기관의 정보공개에 관한 법률」에 대한 설명이다. 옳은 것으로 짝지어진 것은?

> ㄱ. 헌법상의 '알 권리'를 구체화하기 위하여 1996년에 제정되었다.
> ㄴ. 공공기관에 의한 자발적·능동적인 정보제공을 주된 내용으로 하고 있다.
> ㄷ. 외국인은 행정정보의 공개를 청구할 수 없다.
> ㄹ. 직무를 수행한 공무원의 성명·직위는 공개할 수 있다.
> ㅁ. 공공기관은 부득이한 사유가 없는 한 정보공개 청구를 받은 날부터 10일 이내에 공개 여부를 결정해야 한다.

① ㄱ, ㄴ, ㅁ
② ㄱ, ㄹ, ㅁ
③ ㄴ, ㄷ, ㄹ
④ ㄷ, ㄹ, ㅁ

지식을 암묵지(tacit knowledge)와 형식지(explicit knowledge)로 구분할 경우, 암묵지에 해당하는 것만을 모두 고른 것은?

> ㄱ. 업무매뉴얼
> ㄴ. 조직의 경험
> ㄷ. 숙련된 기능
> ㄹ. 개인적 노하우(know-how)
> ㅁ. 컴퓨터 프로그램
> ㅂ. 정부 보고서

① ㄱ, ㄴ, ㄷ
② ㄴ, ㄷ, ㄹ
③ ㄷ, ㄹ, ㅁ
④ ㄹ, ㅁ, ㅂ

35	「공공기관의 정보공개에 관한 법률」

ㄱ. 「공공기관의 정보공개에 관한 법률」이 구체화하는 헌법상의 기본권은 '알 권리'이다.
ㄹ. 성명 등 개인정보는 비공개 대상이나, 직무를 수행한 공무원의 성명·직위는 비공개 대상의 예외이다.
ㅁ. 공공기관은 정보공개의 청구를 받으면 그 청구를 받은 날부터 10일 이내에 공개 여부를 결정하여야 한다. 공공기관은 부득이한 사유로 청구를 받은 날부터 10일 이내에 공개 여부를 결정할 수 없으면 그 기간이 끝나는 날의 다음 날부터 가산하여 10일의 범위에서 공개 여부 결정기간을 연장할 수 있다.

(선지분석)
ㄴ. 행정PR에 대한 특징이다. 정보공개는 청구인의 청구에 의한 공개를 원칙으로 하는 수동적인 정보제공의 특징을 가지고 있다.
ㄷ. 외국인도 일정한 조건을 충족하면 행정정보의 공개 청구가 가능하다.

답 ②

36	암묵지와 형식지

ㄴ, ㄷ, ㄹ이 암묵지에 해당한다. 암묵지는 암묵적 지식으로서 언어로 표현하기 힘든 개인적 경험, 주관적 지식 등을 이르는 말이다.

(선지분석)
ㄱ, ㅁ, ㅂ은 형식지로서 객관화된 지식, 언어를 통해 표현 가능한 지식을 의미한다.

📄 **암묵지와 형식지 비교**

구분	암묵지	형식지
정의	주관적인 지식으로서 언어로 표현하기 힘든 지식	객관적인 지식으로서 언어로 표현 가능한 지식
획득	경험을 통해 획득	언어를 통해 획득
전달	• 타인에게 전달하는 것이 어려움 • 은유를 통해 전달함	• 타인에게 전달하는 것이 상대적으로 용이함 • 언어를 통해 전달함

답 ②

37 ☐☐☐

다음 중 지식행정관리의 기대효과로 가장 옳지 않은 것은?

① 조직 구성원의 전문적 자질 향상
② 지식공유를 통한 지식가치의 확대 재생산
③ 학습조직 기반 구축
④ 지식의 개인 사유화 촉진

38 ☐☐☐

전통적 행정관리와 비교한 새로운 지식행정관리의 특징으로 보기 어려운 것은?

① 공유를 통한 지식가치 향상 및 확대 재생산
② 지식의 조직 공동재산화
③ 계층제적 조직 기반
④ 구성원의 전문가적 자질 향상

---

37 | 지식행정관리

과거 전통적 행정관리가 지식의 개인 사유화를 강조하였다면, 지식행정관리는 지식의 조직 공동재산화를 추구한다.

[선지분석]
① 지식행정관리를 통하여 조직 구성원의 전문적 자질 향상을 도모할 수 있다.
② 지식행정관리는 지식의 사유화를 지양하고, 지식의 공유를 통하여 지식가치를 확대하고 재생산하는 것을 목표로 한다.
③ 지식행정관리를 통하여 학습조직의 기반을 구축할 수 있다.

답 ④

---

38 | 새로운 지식행정관리

계층제적 조직 기반은 전통적 행정관리의 특징이다. 지식행정관리는 학습조직을 기반으로 한다.

[선지분석]
② 지식행정관리는 지식의 사유화를 지양하고, 지식의 공유를 통하여 지식가치를 확대하고 재생산하는 것을 목표로 한다.
④ 지식행정관리를 통하여 조직 구성원의 전문가적 자질 향상을 도모할 수 있다.

답 ③

지식관리의 기대효과에 대한 설명으로 옳지 않은 것은?

① 개인의 전문적 자질 향상
② 정보 · 지식의 중복 활용
③ 학습조직의 기반 구축
④ 공유를 통한 지식가치 향상 및 확대 재생산

지식정보사회의 도래는 사회의 모든 곳에 지대한 영향을 미치고 있다. 다음 중 지식정보사회가 행정조직에 미칠 영향에 대한 설명으로 적절하지 않은 것은?

① 정보화의 진전에 따라 오히려 정부관료제의 계층제적 구조가 강화될 수도 있다는 우려가 있다.
② 환경에 신속하게 적응하기 위해 조직구조를 보다 경직화할 필요가 있다.
③ 조직의 신축성이 더욱 요구되고 있다.
④ 수평적인 형태로 연결된 네트워크구조가 증가할 것이다.
⑤ 조직의 신축성을 보장하는 조직이론의 탄생을 강요하고 있다.

39	지식관리의 기대효과

정보와 지식의 중복 활용은 전통적 행정관리의 내용이다.

📄 전통적 행정관리와 지식관리 비교

구분	전통적 행정관리	지식관리
조직구조	계층제적 조직	학습조직 기반 구축
조직 구성원의 능력	조직 구성원의 기능과 경험이 일과성으로 소모	개인의 전문적 자질 향상
지식소유	지식의 개인 사유화	지식의 조직 공동재산화
지식공유와 활용	• 정보·지식의 중복 활용 • 조직 내 정보 및 지식의 분절·파편화	• 조직의 업무능력 향상 • 지식공유를 통한 가치 향상 및 확대·재생산

답 ②

40	지식정보사회

환경에 신속하게 적응하기 위해서는 조직구조를 보다 유연하게 할 필요성이 있다.

선지분석

① 정보화의 진전에 따라 조직의 분권화를 지향하지만, 현실적으로는 정보의 기획 및 통제기능이 중요해짐에 따라 조직의 집권화가 촉진되는 측면도 있다.
③, ⑤ 지식정보사회는 조직의 신축성이 요구되는 사회로, 이러한 신축성을 보장하는 조직이론의 뒷받침을 필요로 하게 된다.
④ 지식정보사회는 기존 조직의 관료제적 계층구조를 지양하고, 수평적인 형태로 연결된 네트워크구조가 증가하게 된다.

답 ②

41 ☐☐☐

지식관리시스템(KMS: Knowledge Management System)의 성공요인에 대한 설명으로 옳지 않은 것은?

① 조직적 지식의 창출보다는 조직 구성원의 개인적 지식 축적을 강조한다.
② 개인 또는 부서가 업무 결과로 얻은 새로운 지식을 다른 구성원들과 공유하는 문화를 조성한다.
③ 지식을 효과적으로 발굴하고 활용할 수 있는 제도와 조직 구조를 정비한다.
④ 지식관리의 촉진제이자 실질적인 도구인 정보기술 인프라를 구축한다.

---

42 ☐☐☐

행정정보화 및 정보·지식정책과 관련된 설명으로 옳은 것은 모두 몇 개인가?

> ㄱ. 지식관리에서는 암묵적 지식(tacit knowledge)을 명시적 지식(explicit knowledge)으로 전환시켜 조직의 지식을 증폭시키는 것이 중요하다.
> ㄴ. 정보재의 속성상 그 생산자는 자신의 소유권을 명확히 하기 어렵다.
> ㄷ. 보편적 정보서비스정책의 준거 중에서 활용가능성이란 빈부격차 등 경제적인 이유 때문에 배제되지 않아야 한다는 것을 의미한다.
> ㄹ. 우리나라의 국가정보화 기본계획은 행정안전부장관이 수립한다.
> ㅁ. 정보는 사물이나 사실을 기호로 표시한 것이고, 지식은 정보가 사용자에게 의미 있는 형태로 가공된 결과이다.

① 2개
② 3개
③ 4개
④ 5개

41 　지식관리시스템

지식관리시스템은 행정지식에 대한 보관·공유를 위해 구축되었으며, 개인적 지식의 창출보다는 조직의 지식 축적을 강조한다.

(선지분석)
② 지식관리시스템은 지식의 사유화를 지양하고 지식의 공유를 통하여 지식 가치를 확대, 재생산함으로써 성공할 수 있다.
③ 지식관리시스템에서는 지식이 가장 중요한 자본이 되므로 지식을 효과적으로 발굴하고 활용할 수 있는 제도와 조직 구조를 정비함으로써 성공할 수 있다.
④ 정보기술 인프라는 지식관리의 촉진제이자 도구로 활용된다.

답 ①

42 　행정정보화 및 정보·지식정책

ㄱ, ㄴ이 옳은 설명이므로 2개이다.

(선지분석)
ㄷ. 활용가능성이란 개인의 경제적 능력이 아니라 정보 리터러시 등 지적능력이나 신체조건과 연관된 육체적 능력에 관계없이 유연하고 보편적으로 정보서비스를 받을 수 있어야 한다는 것을 의미한다.
ㄹ. 우리나라의 국가정보화 기본계획은 과학기술정보통신부장관이 수립한다.
ㅁ. 정보는 단순한 부호차원이 아니고, 인간이 의미를 부여한 사실 및 자료의 집합이므로 단순히 사물이나 사실을 기호로 표시한 것 이상의 의미이다.

답 ①

지식관리시스템을 성공적으로 구축하고 그 효과를 실현하기 위한 방안과 거리가 먼 것은?

① 지식관리를 위한 제도적인 지원과 문화의 형성
② 통합적이고 수직적인 조직구조의 형성
③ 전문적인 인적자원 확보
④ 지식관리시스템을 가능하게 하는 통합적인 정보기술의 확보

지식정보사회의 조직에 대한 설명으로 옳은 것을 모두 고르면?

> ㄱ. 사회적 지식의 활용에 있어 사회적 학습보다 개인과 집단의 활동이 강조된다.
> ㄴ. 민영화와 민간위탁이 선호되고 정부는 기획, 조정, 통제, 감독 등의 핵심적 기능으로 축소된 공동조직(hollow organization) 형태를 띠게 된다.
> ㄷ. 지식정보사회의 조직에서 중시되는 사회적 자본은 사회적 관계에서 거래비용을 감소시켜준다.
> ㄹ. 매트릭스조직은 일상적인 업무를 보다 신속하고 효율적으로 추진하고자 할 때 유용하다.
> ㅁ. 지식정보사회의 네트워크조직은 과다한 초기투자 없이 새로운 사업에 진입할 수 있다.

① ㄱ, ㄴ, ㄷ
② ㄴ, ㄷ, ㄹ
③ ㄴ, ㄷ, ㅁ
④ ㄷ, ㄹ, ㅁ

43	지식관리시스템

통합적·수직적인 조직구조는 전통적 계층제조직을 의미하며, 이러한 조직 하에서는 성공적인 지식관리가 이루어지기 힘들다. 지식행정관리에서는 분권적·수평적·유기적 구조가 요구된다.

답 ②

44	지식정보사회의 조직

ㄴ. 지식정보사회의 정부는 핵심 행정부의 성격을 보인다.
ㄷ. 사회적 자본은 구성원 간 신뢰를 통하여 정보탐색비용 등 거래비용을 감소시켜준다.
ㅁ. 네트워크조직은 기획, 정책 등 핵심 업무 이외의 부수적 업무는 네트워크 등을 통하여 외부 기관 등에 위탁하므로 과다한 초기투자 없이 새로운 사업에 진입할 수 있다.

(선지분석)
ㄱ. 개인의 학습보다 사회적 집단의 활동을 필요로 한다.
ㄹ. 매트릭스조직은 일상적인 업무보다 전문성이 있는 업무분야를 추진할 때 알맞은 조직구조이다. 기능구조와 사업구조의 이중적인 중첩구조로 인해 신속하고 효율적인 업무추진은 어려운 구조이다.

답 ③

우리나라 정부 3.0에 대한 설명으로 가장 옳지 않은 것은?

① 정부 3.0은 공공정보를 적극 개방하고 공유하여 부처 간 소통과 협력을 중시한다.

② 정부 3.0은 원스톱 서비스 제공을 위해 직접 방문과 인터넷을 중심기반으로 설계되었다.

③ 정부 3.0에서의 행정서비스는 양방향·맞춤형 제공을 지향한다.

④ 정부 3.0은 '민원 24' 서비스를 확대하여 개인별 생활민원 정보를 하나의 창구에서 통합 안내한다.

정부운영의 새로운 패러다임인 정부 3.0의 내용으로 옳지 않은 것은?

① 정부 3.0의 핵심 키워드는 협력, 소통, 맞춤형 서비스, 일자리 창출, 칸막이 해소 등이다.

② 정부 3.0의 운영 방향은 공공정보의 개방과 공유, 정부·국민 간의 소통과 협력을 포함하고 있다.

③ 정부 3.0에서는 공공기관의 정보 제공에 초점을 둔 정부 중심의 국가운영 거버넌스를 의미한다.

④ 정부 3.0은 기술적 관점에서 모바일 스마트 기반의 차세대 전자정부로 이해할 수 있다.

---

45 | 정부 3.0

정부 3.0은 행정서비스의 양방향·맞춤형 서비스를 제공한다. 직접 방문을 중심기반으로 설계된 것은 정부 1.0이고, 인터넷을 중심기반으로 설계된 것은 정부 2.0이다.

📋 정부운영 패러다임의 변화

구분	정부 1.0	정부 2.0(web 1.0)	정부 3.0(web 2.0)
운영방향	정부 중심	국민 중심	국민 개개인 중심
핵심가치	효율성	민주성	확장된 민주성
참여방식	관 주도·동원 방식	제한된 공개·참여	능동적 공개와 참여 (개방·공유·소통·협력)
행정서비스	일방향 제공	양방향 제공	양방향·맞춤형 제공
참여수단	직접 방문	인터넷	무선 인터넷, 스마트 모바일 서비스

답 ②

46 | 정부 3.0

정부 3.0은 공공기관의 정보 제공에 초점을 둔 정부 중심의 국가운영 거버넌스가 아닌 공공정보를 적극적으로 개방하고 공유함으로써 국민 맞춤형 서비스를 제공하는 데 목적을 둔 정부운영의 패러다임을 의미한다.

답 ③

우리나라에서 정부개혁의 일환으로 추진하고 있는 '정부 3.0'의 내용을 잘못 설명하고 있는 것은?

① 정부 내 칸막이 해소에 역점을 둔다.
② 빅데이터를 이용한 개인정보의 유출을 방지하는 데 역점을 둔다.
③ 온라인 민관협업공간을 구축하는 데 역점을 둔다.
④ 공공데이터의 민간활용 활성화에 역점을 둔다.
⑤ 개인별 맞춤정보 제공에 역점을 둔다.

다음 중 '정부 3.0 추진 기본계획'에 포함된 정부 3.0의 내용으로 옳지 않은 것은?

① 공공데이터의 민간활용 활성화
② 정부 주도의 적극적인 일방향 서비스 제공
③ 민관협치 강화
④ 빅데이터를 활용한 과학적 행정 구현
⑤ 창업 및 기업활동에 대한 원스톱 지원 강화

---

47   정부 3.0

정부 3.0은 빅데이터를 활용한 미래 지향적인 행정구현에 역점을 둔다.

📄 **정부 3.0의 중점 추진과제**	
소통하는 투명한 정부	• 공공정보 적극 공개로 국민의 알권리 충족 • 공공데이터의 민간 활용 활성화 • 민관 협치 강화
일 잘하는 유능한 정부	• 정부 내 칸막이 해소 • 협업·소통 지원을 위한 정부운영시스템 개선 • 빅데이터를 활용한 과학적 행정 구현
국민 중심의 서비스 정부	• 수요자 맞춤형 서비스 통합 제공 • 창업 및 기업활동 원스톱 지원 강화 • 정보 취약계층의 서비스 접근성 제고 • 새로운 정보기술을 활용한 맞춤형 서비스 창출

답 ②

---

48   정부 3.0

정부 주도의 적극적인 일방향 서비스 제공은 정부 1.0에 대한 내용이다. 정부 3.0은 유비쿼터스 정부를 바탕으로 수요자 맞춤형 서비스 제공을 지향한다.

답 ②

최근 정부의 '정부 3.0'에 대한 설명 중 옳지 않은 것은?

① 개방, 공유, 소통 및 협력을 핵심가치로 사용하고 있다.
② 인터넷 사용과 함께 정부와 국민의 면대면 접촉을 강화하는 전략을 강조하고 있다.
③ 정부의 직접참여보다는 민간의 능동적 참여를 유도하는 플랫폼 정부를 지향하고 있다.
④ 국민 개개인의 행복에 초점을 둔 맞춤형 서비스 제공을 강조하고 있다.
⑤ 부처 간 칸막이를 없애고 소통과 협력을 통한 일하는 방식의 개선을 강조하고 있다.

49	정부 3.0

시민이 공공기관을 직접 방문하여 공무원과 면대면으로 접촉하는 것은 정부 1.0의 서비스 제공방식에 해당한다. 정부 3.0은 유비쿼터스 정부를 토대로 하여 스마트폰 등의 모바일을 통해 원하는 장소에서 원하는 시간에 맞춤형 서비스를 제공하는 것을 원칙으로 한다.

답 ②

'정부 3.0 추진 기본계획'의 과제 중에서 공공정보가 민간의 창의성 및 혁신적인 아이디어와 결합하여 새로운 비지니스를 창출할 수 있는 생태계를 조성하는 것과 관련이 있는 과제는?

① 공공정보 적극 공개로 국민의 알 권리 충족
② 공공데이터의 민간 활용 활성화
③ 민관 협치 강화
④ 빅데이터를 활용한 과학적 행정 구현

50	정부 3.0

공공데이터의 민간 활용 활성화는 창조·혁신 생태계 조성을 위한 관련부처의 종합적인 지원 대책 마련 등으로 민간에게 공공데이터를 개방함으로써 공공데이터 활용을 통한 신성장 동력을 창출하기 위한 과제이다.

답 ②

기존 데이터와 비교할 때 빅데이터의 주요 특징이 아닌 것은?

① 속도(velocity)
② 다양성(variety)
③ 크기(volume)
④ 수동성(passivity)

정보화와 전자정부 등에 대한 설명으로 옳지 않은 것은?

① e-거버넌스는 모범적인 거버넌스를 실현하기 위하여 다양한 차원의 정부와 공공부문에서 정보통신기술의 잠재력을 활용하기 위한 과정과 구조의 실현을 추구한다.
② 웹 접근성이란 장애인 등 정보 소외계층이 웹사이트에 있는 정보에 접근할 수 있도록 편의를 제공하는 것을 말한다.
③ 빅데이터(big data)의 3대 특징은 크기, 정형성, 임시성이다.
④ 지역정보화 정책의 기본 목표는 지역경제의 활성화, 주민의 삶의 질 향상, 행정의 효율성 강화이다.

51	빅데이터

빅데이터란 규모가 방대하고, 생성 주기도 짧으며, 형태도 정형적인 수치 데이터뿐만 아니라 문자와 영상 등 비정형적 데이터를 포함하는 대규모 데이터를 말한다. 빅데이터의 3대 특징은 데이터의 크기(volume), 속도(velocity), 형태의 다양성(variety)이며, 수동성(passivity)은 포함되지 않는다. 최근에는 가치(value)나 복잡성(complexity)을 추가하기도 한다.

답 ④

52	정보화와 전자정부

빅데이터(big data)의 3대 특징은 크기(Volume), 속도(Velocity), 다양성(Variety)이다.

📄 **빅데이터의 3대 특징(3V)**

크기 (Volume)	• 엄청난 규모의 데이터의 물리적 크기 • 테라바이트(TB), 패타바이트(PB) 규모로 확장된 데이터
속도 (Velocity)	• 데이터의 처리 능력 • 스트리밍형태, 즉 실시간 라이브 형태로 사용
다양성 (Variety)	• 데이터의 형태 • 정형적인 데이터를 넘어 정형 또는 비정형의 다양한 데이터

답 ③

53 ☐☐☐

우리나라의 공공부문 빅데이터 정책에 대한 설명으로 옳지 않은 것은?

① 과거 국가정보화전략위원회에서는 공공부문의 빅데이터 활용 시나리오를 제시하였다.

② 빅데이터의 유통 활성화를 위해서는 데이터 보안, 암호화, 비식별화 등 개인정보보호를 위한 기술 개발이 중요하다.

③ 우리나라는 현재 빅데이터 활성화를 목표로 한 기본법이 시행되고 있지만 아직 지방자치단체의 조례는 제정되지 않았다.

④ 반정형화된 데이터나 비정형 데이터에 이르기까지 활용하는 데이터의 수준이나 폭이 확대되고 있다.

54 ☐☐☐

데이터 기반의 과학적 정책 수립을 위하여 빅데이터의 중요성이 커지고 있다. 빅데이터에 대한 설명으로 옳지 않은 것은?

① 빅데이터 부상의 이유로 페이스북(Facebook)·트위터(Twitter) 등의 소셜네트워크서비스(SNS)의 보급 확대를 들 수 있다.

② 인터넷쇼핑업체인 아마존(Amazon)이 고객 행동 패턴 데이터를 분석하여 상품 추천 시스템을 도입한 것은 빅데이터를 활용한 사례이다.

③ 빅데이터는 비정형적 데이터가 아닌 정형적 데이터를 지칭한다.

④ 빅데이터를 활성화하기 위해서는 개인정보 보호 장치가 제도적으로 선행될 필요가 있다.

---

53 | 빅데이터

우리나라는 현재 「국가정보화기본법」에서 빅데이터의 활용을 장려하고 있으며, 대부분의 지방자치단체에서도 빅데이터의 활용에 관한 조례를 제정·시행하고 있다.

선지분석

① 과거 국가정보화전략위원회에서는 공공부문의 빅데이터 활용 시나리오를 제시하였고, 이 시나리오는 추후 공공부문 빅데이터 활용의 기초가 되었다.

② 빅데이터는 개인정보보호 침해의 우려가 있기 때문에 데이터 보안, 암호화, 개인 비식별화 등 개인정보보호를 위한 기술 개발이 중요하다.

④ 공공부문 빅데이터 정책으로 정형화된 데이터뿐만 아니라 반정형화된 데이터, 비정형 데이터에 이르기까지 활용하는 데이터의 수준이나 폭이 지속적으로 확대되고 있다.

답 ③

---

54 | 빅데이터

빅데이터는 비정형적 데이터뿐만 아니라 정형적 데이터 모두를 포함한다.

선지분석

② 구글 등은 빅데이터를 기반으로 온라인 광고를 노출시킨다.
④ 빅데이터 활성화는 개인정보 침해의 우려가 있다.

답 ③

PART

7

지방행정론

THEME 096 지방행정의 이념과 가치

01 □□□
2020년 국가직 9급

우리나라 지방자치에 대한 설명으로 옳은 것은?

① 자치사법권은 인정되고 있다.
② 지방자치단체의 예산안 편성권은 지방자치단체장에 속한다.
③ 자치입법권은 지방의회만이 행사할 수 있는 전속적 권한이다.
④ '세종특별자치시'와 제주특별자치도의 '제주시'는 기초자치단체로서 자치권을 가지고 있다.

02 □□□
2015년 서울시 9급

다음 중 지방자치의 의의로 가장 옳지 않은 것은?

① 민주주의의 훈련
② 다양한 정책실험의 실시
③ 공공서비스의 균질화
④ 지역주민에 대한 행정의 반응성 제고

01	우리나라 지방자치

지방자치단체의 예산안 편성권은 지방자치단체장의 권한이다. 지방의회는 지방자치단체장이 편성한 예산에 대하여 심의·의결할 권한을 가진다.

(선지분석)
① 우리나라를 비롯한 단체자치 국가에서는 지방자치단체에 대한 자치사법권은 인정되지 않는다.
③ 자치입법권으로 지방의회는 조례제정권을 가지고, 지방자치단체장은 규칙제정권을 가진다.
④ '세종특별자치시'는 광역자치단체로 자치권을 가지고 있으나, 제주특별자치도는 단층제로 운영되고 있으므로 '제주시'는 자치단체가 아닌 행정시에 불과하다.

답 ②

02	지방자치

공공서비스의 균질화는 중앙집권이 가지는 장점이다. 지방자치는 각각의 지역 실정에 맞는 서비스, 지역주민에 대한 대응성 등을 장점으로 가진다.

(선지분석)
① 지방자치는 지역주민의 참여에 의한 민주성의 제고로 민주주의의 훈련장으로 기능한다.
② 지방자치는 거시적 차원의 국가정책으로 도입하기 어려운 정책의 실험이 가능하다.
④ 지방자치는 지역주민과 행정의 밀접성이 높으므로 지역주민에 대한 행정의 반응성을 제고할 수 있다.

답 ③

03 ☐☐☐

우리나라 지방자치제에 대한 설명으로 옳지 않은 것은?

① 지방자치단체와 지방의회는 기관대립형이다.
② 지방자치단체는 법인으로 한다.
③ 주민투표제, 주민감사청구제, 주민소환제를 실시하고 있다.
④ 자치입법권, 자치조직권, 자치재정권, 자치사법권을 인정하고 있다.

04 ☐☐☐

지방자치의 이념과 사상적 계보에 대한 설명으로 가장 옳은 것은?

① 자치권의 인식에서 주민자치는 전래권으로, 단체자치는 고유권으로 본다.
② 주민자치는 지방분권의 이념을, 단체자치는 민주주의 이념을 강조한다.
③ 주만자치는 의결기관과 집행기관을 분리하여 대립시키는 기관분리형을 채택하는 반면, 단체자치는 의결기관이 집행기관도 되는 기관통합형을 채택한다.
④ 사무구분에서 주민자치는 자치사무와 위임사무를 구분하지 않지만, 단체자치는 이를 구분한다.

04	지방자치

주민자치는 기본적으로 지방의 사무는 모두 자치사무이므로 위임사무를 구분하지 않고, 단체자치는 중앙의 위임사무와 지방정부의 자치사무를 구분한다.

(선지분석)

① 자치권의 인식에서 단체자치는 전래권으로 주민자치는 고유권으로 본다.
② 주민자치는 민주주의의 이념을, 단체자치는 지방분권의 이념을 강조한다.
③ 주민자치는 기관통합형이 일반적이고, 단체자치는 기관분리형이 일반적이나, 논리필연적 관계는 아니다.

📑 **주민자치와 단체자치의 비교**

구분	주민자치	단체자치
의미	정치적 의미(민주적 성격)	법률적 의미(법률적 위임)
자치의 중점	지방정부와 주민의 관계 (주민참여)	지방자치단체와 국가의 관계 (지방분권)
사무의 구분	사무구별 없음	자치사무와 위임사무의 구별
권한배분방식	개별적 수권주의	개괄적(포괄적) 수권주의
기관의 형태 (예외 있음)	기관통합형	기관대립형
지방세	독립세 (자치단체가 과세주체)	부가세 (국가가 과세주체)
자치권	고유권설	전래권설
자치단체	순수한 자치단체 (독립적 지위)	이중적 지위 (지방자치단체+하급기관)
통제의 중점	주민통제	중앙통제
중앙통제방식	입법적·사법적 통제(약) 중앙정부와 기능적 협력관계	행정적 통제(강) 중앙정부와 권력적 감독관계
주요국가	영국, 미국 등 영미법계	프랑스, 독일, 일본, 우리나라 등 대륙법계

03	우리나라 지방자치제

일반적으로 자치사법권은 아무리 지방자치가 발달하여도 자치권에 포함되지 않는다. 우리나라의 경우에도 자치사법권은 인정하고 있지 않다.

📑 **자치권의 종류**

자치입법권	조례와 규칙(자치입법)을 제정할 수 있는 권한 • 조례: 헌법과 법률의 범위 내에서 지방의회가 제정 • 규칙: 법령과 조례의 범위 내에서 지방자치단체의 장이 제정
자치행정권	자신의 사무를 자주적으로 처리할 수 있는 권한
자치조직권	지방자치단체가 지방자치의 행정을 수행하기 위하여 필요한 조직을 스스로 형성·변경·폐지할 수 있는 권한
자치인사권	필요한 인력을 채용하고 관리할 수 있는 권한
자치재정권	재원을 자주적으로 조달하고 관리할 수 있는 권한

답 ④

답 ④

주민자치와 구별되는 단체자치의 특성으로 가장 옳지 않은 것은?

① 지방분권
② 고유사무와 위임사무의 구분
③ 법률적 차원의 자치
④ 정치적 차원의 자치

다음 중 우리나라 지방자치단체의 자치권에 대한 설명으로 옳지 않은 것은?

① 지방자치단체는 자치재정권이 인정되어 조례를 통해서 독립적인 지방 세목을 설치할 수 있다.
② 행정기구의 설치는 대통령령이 정하는 범위 안에서 지방자치단체의 조례로 정한다.
③ 자치사법권이 부여되어 있지 않다.
④ 중앙정부가 분권화시킨 결과가 지방정부의 자치권 확보라고 할 수 있다.
⑤ 중앙과 지방의 기능배분에 있어서 포괄적 예시형 방식을 적용한다.

05	주민자치와 단체자치

정치적 차원의 자치는 주민자치의 특성이다.

선지분석
① 지방정부에의 주민참여가 주민자치의 특성이라면, 중앙정부에서부터의 지방분권은 단체자치의 특성이다.
② 주민자치는 기본적으로 모든 사무가 지방정부 고유의 사무라면, 단체자치는 지방정부 고유사무와 국가 위임사무를 구분한다.
③ 단체자치는 지방자치단체의 자치권을 법률에 근거한 자치로 본다.

답 ④

06	우리나라 지방자치단체의 자치권

조세법률주의는 국세와 지방세의 구분 없이 적용되기 때문에 지방자치단체는 조례를 통해서 독립적인 지방 세목을 설치할 수 없다. 지방세의 종목과 세율은 국세와 마찬가지로 법률로 정한다.

선지분석
② 지방자치단체의 행정기구의 설치와 지방공무원의 정원은 대통령령이 정하는 기준에 따라 당해 지방자치단체의 조례로 정한다.
③ 우리나라와 같은 단방제 국가의 경우, 지방자치단체에 자치사법권은 존재하지 않는다.
⑤ 우리나라의 경우 포괄적 예시형 방식에 따라 국가와 지방자치단체 간, 광역자치단체와 기초자치단체 간의 기능배분을 하고 있으므로, 기능배분이 모호하고 재원배분과도 일치하지 않는다.

답 ①

우리나라 지방자치단체의 권한에 대한 설명으로 옳지 않은 것은?

① 지방자치단체는 법령이나 상급 지방자치단체의 조례를 위반하여 그 사무를 처리할 수 없다.

② 지방자치단체는 그 사무를 분장하기 위하여 필요한 행정기구와 지방공무원을 둔다.

③ 지방자치단체는 조례와 규칙으로 정하는 바에 따라 지방세를 부과 · 징수할 수 있다.

④ 지방자치단체는 관할구역의 자치사무와 법령에 따라 지방자치단체에 속하는 사무를 처리한다.

07	우리나라 지방자치단체의 권한

「지방자치법」 제135조에 따르면 지방자치단체는 '법률'에서 정하는 바에 따라 지방세를 부과 또는 징수할 수 있다(조세법정주의).

(선지분석)

① 지방자치단체는 국가의 법령을 위반하거나 기초 지방자치단체가 광역 지방자치단체의 조례를 위반하여 그 사무를 처리할 수 없다.

답 ③

우리나라 자치입법권에 관한 설명으로 옳은 것은?

① 규칙과 조례가 충돌할 때는 지방자치단체장의 입법권인 규칙이 조례에 우선한다.

② 지방자치단체는 조례로 주민의 권리 제한에 관한 사항을 법률의 위임 없이 제정할 수 있다.

③ 지방자치단체는 조례를 위반한 행위에 대하여 조례로써 1천만 원 이하의 과태료를 정할 수 있다.

④ 지방자치단체의 격이 변경된 경우, 그 단체장은 필요한 사항에 대하여 종래 그 지역에 시행되던 조례나 규칙을 시행할 수 없기 때문에 새로운 규칙과 조례를 제정하여야 한다.

08	우리나라 자치입법권

1994년 이전에는 조례로 벌금을 부과할 수 있었으나, 죄형법정주의에 위배된다는 논란으로 현재는 형벌이 아닌 행정벌만 부과가 가능하다.

(선지분석)

① 규칙과 조례가 충돌할 때는 지방의회의 입법권인 조례가 규칙에 우선한다.

② 지방자치단체는 법률의 위임이 있어야 조례로 주민의 권리 제한에 관한 사항을 제정할 수 있다.

④ 지방자치단체의 격이 변경된 경우, 그 단체장은 필요한 사항에 대하여 새로운 조례나 규칙이 제정될 때까지 종래 그 지역에 시행되던 조례나 규칙을 시행할 수 있다.

답 ③

09 ☐☐☐

지방자치단체의 자치권에 대한 설명으로 가장 옳은 것은?

① 우리나라의 지방자치단체는 자치사법권을 가지고 있다.

② 우리나라의 지방자치단체는 법률의 위임 없이도 조례로 형벌의 부과와 벌칙을 정할 수 있다.

③ 2007년에 도입된 총액인건비제는 자치조직의 권한을 축소 하는 효과를 가지고 있다.

④ 조세법률주의에 따라 지방세의 세목과 세율에 대해 국회 가 제정하는 법률로써 정해야 하며 조례에 의한 세목의 신 설은 허용하지 않는다.

⑤ 중앙정부와 지방정부의 기능배분방식은 포괄적 예시형 기 능배분방식을 적용하고 있어 중앙기능의 지방이양률이 매 우 높은 편이다.

---

09 │ 지방자치단체의 자치권

조세법률주의에 대한 설명으로 옳은 지문이다. 우리나라는 모든 조세의 종 목과 세율은 법률로써 정하도록 규정하고 있다.

선지분석

① 자치사법권은 일반적으로 자치권의 범주에 포함되지 않는다. 우리나라 의 경우에도 자치사법권, 외교권은 인정하지 않고 있다.

② 우리나라의 경우 지방자치단체는 법률의 위임이 있는 경우에 한하여 조 례로 벌칙(과태료 1천만 원 이하)을 정할 수 있다.

③ 총액인건비제는 자치조직의 권한을 확대하는 효과를 가진다.

⑤ 우리나라가 적용하고 있는 포괄적 예시형은 중앙과 지방 간 기능 구분이 모호하고 중앙기능의 지방이양률이 매우 낮은 편이다.

답 ④

10 ☐☐☐

지방자치의 두 요소인 주민자치와 단체자치에 대한 설명으로 가 장 옳은 것은?

① 주민자치의 원리는 주로 영국과 미국에서 발달하였으며, 단체자치의 원리는 주로 독일과 프랑스에서 발달하였다.

② 주민자치가 지방자치의 형식적 · 법제적 요소라고 한다면, 단체자치는 지방자치를 실현하기 위한 내용적 · 본질적 요 소라고 할 수 있다.

③ 단체자치에서는 법률에 의해 권한이 명시적 · 한시적으로 규정되어 사무를 자주적으로 처리할 수 있는 재량의 범위 가 크다.

④ 단체자치에서는 입법통제와 사법통제가 주된 통제방식이다.

---

10 │ 주민자치와 단체자치

주민자치는 영국과 미국 등의 영미법계 국가의 원리이며, 단체자치는 독일과 프랑스 등의 대륙법계 국가의 원리이다. 우리나라는 단체자치의 원리에 영 향을 받았다.

선지분석

② 주민자치가 지방자치를 실현하기 위한 내용적·본질적 요소라면, 단체자 치는 지방자치의 형식적·법제적 요소이다.

③ 단체자치가 아니라 주민자치에서는 법률에 의해 권한이 명시적·한시적 으로 규정되어 사무를 자주적으로 처리할 수 있는 재량의 범위가 크다.

④ 단체자치는 입법통제나 사법통제가 아닌 행정적 통제를 주된 통제방식 으로 삼는다. 입법통제와 사법통제가 주된 통제방식인 것은 주민자치 이다.

답 ①

THEME 097 중앙집권과 지방분권

11 ☐☐☐

지방분권 추진 원칙 중 다음 설명에 해당하는 것은?

> • 기능 배분에 있어 가까운 정부에게 우선적 관할권을 부여한다.
> • 민간이 처리할 수 있다면 정부가 관여해서는 안 된다.
> • 가까운 지방정부가 처리할 수 있는 업무에 상급 지방정부나 중앙정부가 관여해서는 안 된다.

① 보충성의 원칙
② 포괄성의 원칙
③ 형평성의 원칙
④ 경제성의 원칙

12 ☐☐☐

신중앙집권화의 촉진요인으로 적절하지 않은 것은?

① 유엔의 '리우선언'(1992)에 따른 환경보존행동계획
② 정보통신기술 및 교통의 발달로 인한 생활권역의 확대
③ 경제력 및 세원의 편제로 인한 지방자치단체 간 재정력 격차의 확대
④ 환경문제, 보건문제 등 전국적인 문제의 발생

11	지방분권 추진 원칙

제시문은 보충성의 원칙에 대한 설명이다. 보충성의 원칙은 주민의 생활과 가까운 정부에 사무의 우선적 관할권을 인정하는 원칙이다.

> **「지방자치분권 및 지방행정체제개편에 관한 특별법」 제9조 【사무배분의 원칙】** ② 국가는 제1항에 따라 사무를 배분하는 경우 지역주민생활과 밀접한 관련이 있는 사무는 원칙적으로 시·군 및 자치구(이하 "시·군·구"라 한다)의 사무로, 시·군·구가 처리하기 어려운 사무는 특별시·광역시·특별자치시·도 및 특별자치도(이하 "시·도"라 한다)의 사무로, 시·도가 처리하기 어려운 사무는 국가의 사무로 각각 배분하여야 한다.

선지분석
② 포괄성의 원칙은 국가가 지방자치단체에 사무를 배분하거나 지방자치단체가 사무를 다른 지방자치단체에 재배분하는 경우 사무를 배분받는 지방자치단체가 그 사무를 자기의 책임하에 종합적으로 처리할 수 있도록 중·대단위의 사무를 일괄 이양하여야 한다는 원칙이다.
④ 경제성(능률성)의 원칙은 각 단체의 규모, 재정능력, 인구수 등을 고려하여 능률적으로 배분해야 한다는 원칙이다.

답 ①

12	신중앙집권화의 촉진요인

리우선언은 1992년 6월 3일부터 14일까지 브라질의 리우데자네이루에서 '지구를 건강하게, 미래를 풍요롭게'라는 슬로건 아래 개최된 지구 정상회담에서 환경과 개발에 관한 기본원칙을 담은 선언문이다. 이러한 리우선언은 전체적으로 지방자치의 활성화와 관련이 있다.

> 📄 **신중앙집권화의 촉진요인**
> 1. 행정권의 강화에 기인한 행정사무의 양적인 증대와 질적 심화
> 2. 행정사무의 전국화·복잡화 경향과 지방 능력의 한계
> 3. 교통·통신의 발달, 정보·통신기술(컴퓨터)의 발달, 과학기술의 발달
> 4. 국민생활권의 확대와 경제적 규제의 필요성
> 5. 국민적 최저 수준의 유지와 같은 사회복지행정 수요의 증대
> 6. 개발경제로부터 보존경제(계획적인 개발행정)로의 전환 → 자원고갈의 방지 및 공공이익의 옹호
> 7. 지역 간의 행정·재정적 격차의 조정 및 균형적인 지역개발의 도모
> 8. 국제정세의 불안정과 국제적 긴장의 고조

답 ①

우리나라의 중앙정부와 지방자치단체 간의 관계에 대한 설명으로 옳지 않은 것은?

① 보충성의 원칙에 따라 중앙정부가 처리하기 곤란한 사무는 지방자치단체가 보충적으로 처리해야 한다.
② 자치권은 법적 실체 간의 권한배분관계에서 배태된 개념으로 중앙정부가 분권화시킨 결과이다.
③ 적절한 재원 조치 없는 사무의 지방이양은 자치권을 오히려 제약하는 문제를 야기한다.
④ 사무처리에 필요한 법규를 자율적으로 제정할 수 있는 자치입법권에 대해 제약적인 규정을 두고 있다.

13	중앙정부와 지방자치단체

보충성의 원칙이란 기초정부에서 할 수 있는 사무는 광역정부가 관여하지 않는다는 의미로, 지방자치단체가 처리하기 어려운 사무에 한해서 예외적으로 중앙정부가 필요시 보충하여야 한다는 원칙이다.

(선지분석)
② 우리나라는 단체자치의 입장이기 때문에 지방자치단체의 자치권을 중앙정부가 분권화시킨 결과로 본다.
③ 중앙정부의 사무를 지방으로 이양시킬 때는 적절한 재원 조치가 필요하고, 그렇지 못할 경우는 오히려 자치권을 제약할 수 있다.
④ 지방자치단체의 조례나 규칙은 국가의 법령이나 상급 지방자치단체의 조례나 규칙을 위반할 수 없다.

답 ①

「지방자치분권 및 지방행정체제개편에 관한 특별법」상 지방자치분권에 대한 내용으로 옳은 것은?

① 정부업무평가위원회는 자치분권 및 지방행정체제 개편을 효과적으로 추진하기 위하여 관계 중앙행정기관의 장과 협의하고 지방자치단체의 의견을 수렴하여 자치분권 종합계획을 수립하여야 한다.
② 국가와 지방자치단체 간 또는 지방자치단체 상호 간의 사무를 배분하는 경우 원칙적으로 국가가 처리하기 어려운 사무는 특별시·광역시·특별자치시·도 및 특별자치도의 사무로, 특별시·광역시·특별자치시·도 및 특별자치도가 처리하기 어려운 사무는 시·군 및 자치구의 사무로 각각 배분하여야 한다.
③ 국가는 사무배분의 원칙에 따라 그 권한 및 사무를 적극적으로 지방자치단체에 이양하여야 하며, 그 과정에서 국가사무 또는 특별시·광역시·특별자치시·도 및 특별자치도의 사무로서 특별시·광역시·특별자치시·도 및 특별자치도 또는 시·군 및 자치구의 장에게 위임된 사무는 원칙적으로 폐지하고 자치사무와 국가사무로 이분화하여야 한다.
④ 국가는 자치분권정책을 추진할 때 어떠한 경우에도 지방자치단체 간에 차등을 두어서는 아니 된다.

14	지방자치분권

국가는 사무배분의 원칙에 따라 그 권한 및 사무를 적극적으로 지방자치단체에 이양하여야 하며, 그 과정에서 국가사무 또는 시·도의 사무로서 시·도 또는 시·군·구의 장에게 위임된 사무는 원칙적으로 폐지하고 자치사무와 국가사무로 이분화하여야 한다(「지방자치분권 및 지방행정체제개편에 관한 특별법」 제11조 제1항).

(선지분석)
① 자치분권위원회는 자치분권 및 지방행정체제 개편을 효과적으로 추진하기 위하여 관계 중앙행정기관의 장과 협의하고 지방자치단체의 의견을 수렴하여 자치분권 종합계획을 수립하여야 한다.
② 국가는 사무를 배분하는 경우 지역주민생활과 밀접한 관련이 있는 사무는 원칙적으로 시·군 및 자치구의 사무로, 시·군·구가 처리하기 어려운 사무는 특별시·광역시·특별자치시·도 및 특별자치도의 사무로, 시·도가 처리하기 어려운 사무는 국가의 사무로 각각 배분하여야 한다(「지방자치분권 및 지방행정체제개편에 관한 특별법」 제9조 제2항).
④ 국가는 자치분권정책을 추진함에 있어서 필요한 때에는 그 지방자치단체의 실정에 맞게 시범적·차등적으로 실시할 수 있다(「지방자치분권 및 지방행정체제개편에 관한 특별법」 제10조).

답 ③

THEME 098 지방행정의 조직

01 ☐☐☐
2017년 국가직 9급(4월 시행)

우리나라의 지방자치계층에 대한 설명으로 옳지 않은 것은?

① 제주특별자치도는 자치계층 측면에서 단층제로 운영되고 있다.
② 자치계층은 주민공동체의 정책결정 및 집행의 단위로서 정치적 민주성 가치가 중요시된다.
③ 세종특별자치시의 관할구역으로 자치구를 둘 수 있다.
④ 자치계층으로 군을 두고 있는 광역시가 있다.

02 ☐☐☐
2013년 국가직 9급

우리나라 지방행정체제와 관련된 내용으로 옳지 않은 것은?

① 자치구의 자치권 범위는 시·군의 경우와 같다.
② 특별시·광역시·도는 같은 수준의 자치행정계층이다.
③ 광역시가 아닌 시라도 인구 50만 이상의 경우에는 자치구가 아닌 구를 둘 수 있다.
④ 군은 광역시나 도의 관할구역 안에 둔다.

---

01 ┃ 우리나라의 지방자치계층

세종특별자치시의 관할구역에는 자치구를 둘 수 없다. 「지방자치법」의 규정만 놓고 보았을 때에는 옳은 지문이지만, 「세종특별자치시 설치 등에 관한 특별법」에 의하여 옳지 않은 지문에 해당한다. 보통법과 특별법이 충돌할 경우 특별법이 보통법에 우선한다.

> **「지방자치법」 제3조 【지방자치단체의 법인격과 관할】** ② 자치구는 특별시와 광역시, 특별자치시의 관할구역 안에 둔다.
> **「세종특별자치시 설치 등에 관한 특별법」 제6조 【설치 등】** ② 세종특별자치시의 관할구역에는 「지방자치법」 제2조 제1항 제2호의 지방자치단체를 두지 아니한다.

「세종특별자치시 설치 등에 관한 특별법」 제6조 제2항에서 말하는 지방자치단체는 '시, 군, 구'이며 이에 특별법상 규정에 따라 세종특별자치시에는 관할구역으로 자치구를 둘 수 없다. 세종특별자치시는 제주특별자치도와 같이 단층제로 운영되고 있다.

답 ③

02 ┃ 우리나라 지방행정체제

자치구는 특별시와 광역시의 관할구역 안의 구만을 말하며, 자치구의 자치권 범위는 법령으로 정하는 바에 따라 시·군과 다르게 할 수 있다.

선지분석

② 우리나라 자치계층은 일반적으로 광역자치단체와 기초자치단체의 중층제 형태이다. 광역자치단체로는 특별자치도, 도, 광역시, 특별시, 특별자치시가 있고, 기초자치단체에는 시, 군, 자치구가 있다. 특별시·광역시·도는 모두 광역자치단체로, 같은 수준의 자치행정계층이다.
③ 특별시·광역시 및 특별자치시가 아닌 인구 50만 이상의 시에는 자치구가 아닌 구를 둘 수 있고, 군에는 읍·면을 두며, 시와 구(자치구를 포함한다)에는 동을, 읍·면에는 리를 둔다(「지방자치법」 제3조 제3항).
④ 특별시, 광역시, 특별자치시, 도, 특별자치도(이하 "시·도"라 한다)는 정부의 직할(直轄)로 두고, 시는 도의 관할 구역 안에, 군은 광역시, 특별자치시나 도의 관할 구역 안에 두며, 자치구는 특별시와 광역시, 특별자치시의 관할 구역 안에 둔다(「지방자치법」 제3조 제2항).

답 ①

03 □□□

특별지방자치단체에 대한 설명으로 옳지 않은 것은?

① 특정한 목적을 수행하기 위하여 필요한 경우에 설치되는 지방자치단체이다.

② 특정한 지방공공사무를 보다 편리하면서도 효율적으로 수행하기 위하여 별도의 관할구역과 행정조직이 필요하다는 것이 설립의 일반적 이유이다.

③ 특별지방자치단체의 설립을 통해 지방자치단체의 난립과 구역·조직·재무 등 지방제도의 복잡성과 혼란을 완화할 수 있다.

④ 특별지방자치단체는 행정사무처리 이외에 공기업의 경영을 위해 설립되기도 한다.

04 □□□

우리나라 지방자치단체에 대한 설명으로 옳지 않은 것은?

① 특별자치시와 특별자치도에는 자치구를 두고 있다.

② 특별시·광역시 및 특별자치시가 아닌 인구 50만 이상의 시에는 행정구를 둘 수 있다.

③ 도농복합형태의 시에서 도시의 형태를 갖춘 지역에는 동을, 그 밖의 지역에는 읍·면을 둔다.

④ 보통지방자치단체 외에 특정한 목적을 수행하기 위해 필요하면 따로 특별지방자치단체를 설치할 수 있다.

03	특별지방자치단체

특별지방자치단체는 특정한 행정목적의 달성 또는 행정사무의 공동처리를 의해 설치하는 것으로, 지방자치단체의 난립과 구역·조직·재무 등 지방제도의 복잡성과 혼란을 야기할 수 있다.

📋 특별지방자치단체의 장·단점

장점	단점
• 광역문제를 합리적으로 해결 • 사무 처리에 경제성·효율성 제고 • 사무처리 및 관리상의 탄력성 확보 가능	• 지방자치단체의 난립을 가지고 오기 때문에 구역·조직·재무 등 지방제도가 복잡해질 수 있음 • 할거주의 조장 • 책임소재가 불분명함 • 행정에 대한 주민의 관심 및 통제 약화

답 ③

04	우리나라 지방자치단체

특별자치시와 특별자치도에는 현재 자치구를 두고 있지 않다. 특별자치도에는 자치시가 아닌 시만을 둘 수 있고, 특별자치시에는 군과 자치구를 둘 수 있지만 현재 자치구는 두고 있지 않다.

선지분석

② 인구 50만 이상의 시에는 행정구를 둘 수 있으나, 임의사항이다. 따라서 화성, 남양주 등 인구 50만 이상이 되더라도 행정구가 없는 시도 있다.

③ 도시와 농어촌 지역이 통합된 도농복합형태의 시(청주시, 문경시 등)의 경우 도시의 형태를 갖춘 지역에는 동을, 그 밖의 지역에는 읍·면을 둔다.

답 ①

05 ☐☐☐

지방자치단체의 계층구조에 대한 설명으로 옳지 않은 것은?

① 계층구조는 각 국가의 정치형태, 면적, 인구 등에 따라 다양한 형태를 갖는다.
② 중층제에서는 단층제에서보다 기초자치단체와 중앙정부의 의사소통이 원활하지 못할 수 있다.
③ 단층제는 중층제보다 중복행정으로 인한 행정지연의 낭비를 줄일 수 있다.
④ 중층제는 단층제보다 행정책임을 보다 명확하게 할 수 있다.

06 ☐☐☐

지방자치단체의 기관구성에 대한 설명으로 옳은 것은?

① 우리나라는 시장의 권한이 지방의회의 권한에 비해 상대적으로 약한 기관대립형을 유지하고 있다.
② 영국의 의회형에서는 집행기관의 장을 주민이 직선으로 선출한다.
③ 미국의 위원회형은 기관대립형의 특수한 형태로 볼 수 있다.
④ 기관통합형의 집행기관은 기관대립형에 비해 행정의 전문성이 높지 않을 가능성이 크다.

| **05** | **지방자치단체의 계층구조** |

중층제는 단층제보다 많은 계층으로 인해 행정책임이 모호해질 수 있다.

📄 **단층제와 중층제의 장·단점**

구분	단층제	중층제
장점	• 신속한 행정 가능 • 낭비의 제거 • 행정의 능률성 증진 • 권한과 책임의 명확화 • 자치권 및 지역적 특수성 인정	• 민주주의의 원리 확산에 기여 • 국가의 감독기능 유지에 용이 (중간자치단체에 감독권 부여) • 중간자치단체가 기초자치단체의 기능을 보완 • 국가와 기초 간의 원활한 관계 유지 가능 • 공공기능의 분업적 수행 가능
단점	• 국토가 넓거나 인구가 많으면 적용이 곤란 • 중앙집권화의 우려가 있음 • 광역사무처리에 부적합함 • 중앙정부의 비대화 발생 • 중앙정부의 통솔범위가 너무 넓어 비효율적일 수 있음	• 기능 중첩으로 인한 이중행정의 폐단 • 행정책임의 모호성 • 행정의 지체와 낭비로 인한 불합리성 • 지역적 특성이 무시될 우려 (광역자치단체가 주도할 경우) • 의사전달의 왜곡 우려

답 ④

| **06** | **지방자치단체의 기관구성** |

기관대립형은 행정의 최종책임자를 선거로 선출하므로 행정의 전문성이 기관통합형보다 높다.

(선지분석)
① 우리나라는 시장의 권한이 상대적으로 강한 기관대립형을 유지하고 있다.
② 영국의 의회형은 기관통합형이므로 집행기관의 장을 주민이 직선으로 선출하지 않는다.
③ 미국의 위원회형은 기관통합형의 한 형태이다.

답 ④

지방자치단체의 기관구성에 대한 설명으로 옳지 않은 것은?

① 「지방자치법」에서는 기관대립형 구조만을 채택하고 있다.
② 기관대립형은 행정책임의 소재가 분명하다는 장점이 있다.
③ 기관통합형은 영국의 의회형이 대표적이다.
④ 기관통합형은 의결기관과 집행기관을 이원적으로 구성해 상호 견제와 균형을 도모한다.

지방자치단체의 기관구성에 대한 설명으로 옳지 않은 것은?

① 기관대립형(기관분리형)은 견제와 균형을 통해 민주적이고 합리적인 지방자치를 실시하는 방식이다.
② 기관통합형은 주민 직선으로 지방의회를 구성하고 의회 의장이 단체장을 겸하는 방식이다.
③ 기관대립형(기관분리형)은 집행부와 의회의 기구가 병존함에 따라 비효율성을 줄일 수 있다는 장점이 있다.
④ 기관통합형은 의결기능과 집행기능이 통합되어 있기 때문에 지방자치행정을 기관 간 마찰없이 안정적으로 수행할 수 있다는 장점이 있다.

07	**지방자치단체의 기관구성**

의결기관과 집행기관을 이원적으로 구성해 상호 견제와 균형을 도모하는 기관구성의 유형은 기관대립형이다.

선지분석
① 우리나라의 「지방자치법」은 두 개의 기관을 구분하여 운영하는 기관대립형을 규정하고 있다.
② 기관대립형은 결정과 집행에 대한 행정책임의 소재가 분명하다는 장점이 있다.
③ 기관통합형 국가에는 영국, 미국, 독일 등이 있고 기관대립형 국가에는 우리나라, 일본, 이탈리아 등이 있다.

답 ④

08	**지방자치단체의 기관구성**

기관대립형은 권력분립의 원칙에 입각하여 의결기관과 집행기관을 분리시켜 견제와 균형의 원리를 추구하는 형태로, 대륙계 일부 국가인 이탈리아, 일본, 우리나라 등이 채택하고 있는 유형이다. 기관대립형은 집행부와 의회가 분리되어 있기 때문에 비효율성을 초래할 수 있다는 단점이 있다.

📋 **기관통합형과 기관대립형의 장·단점**

구분	기관통합형	기관대립형
장점	• 민주정치와 책임정치 가능 • 의결 및 집행기관의 갈등 감소 • 신중하고 공정한 행정 가능 • 정책결정과 정책집행의 연결 → 행정의 안정성과 능률성	• 견제와 균형 • 행정의 전문성 확보 • 행정의 종합성과 통일성 • 집행의 분파주의 방지
단점	• 견제와 균형의 곤란 • 행정의 전문성 저해 • 집행의 중첩성과 통일성 저해 • 책임소재의 모호성	• 집행부와 의회의 마찰 • 인기영합주의 • 집행의 독단성 • 행정의 비효율성 야기

답 ③

09 ☐☐☐

지방자치단체의 기관구성에 관한 설명으로 가장 옳지 않은 것은?

① 기관통합형은 의원내각제와 비교적 유사하다.
② 기관대립형은 대통령중심제와 비교적 유사하다.
③ 기관통합형에서는 임기 동안 지방자치행정에 대한 효율성과 책임성을 확보할 수 있다.
④ 기관대립형에서는 집행부와 의회의 마찰로 인한 비효율성이 발생할 수도 있다.
⑤ 기관통합형에서는 의회와 집행기관 간 견제와 균형을 통하여 민주성을 확보할 수 있다.

10 ☐☐☐

지방자치단체 기관구성 형태의 하나인 기관분립형에 대한 설명으로 적절하지 않은 것은?

① 기관통합형에 비해 집행기관구성에서 주민의 대표성을 확보할 수 있으나 행정의 전문성이 결여될 수 있다.
② 의결기관과 집행기관 간의 견제와 균형의 원리에 의해 권력의 남용을 방지하고 비판감시기능을 할 수 있다.
③ 지방의회와 지방자치단체의 장을 주민이 직선함으로써 지방행정에 대한 주민통제가 보다 용이하다.
④ 기관통합형에 비해 행정부서 간 분파주의를 배제하는 데 유리하다.

09	지방자치단체의 기관구성

의회와 집행기관 간 견제와 균형을 통하여 민주성을 확보할 수 있는 것은 기관대립형의 장점이다. 기관통합형은 오히려 의결기관인 의회와 집행기관인 단체장이 분리되어 있지 않아서 견제와 균형을 통한 민주성 확보가 곤란하다.

선지분석
① 기관통합형은 지방의회만 주민 직선으로 선출한다는 점에서 국회의원만 국민의 직접선거로 선출하는 의원내각제와 유사하다.
② 기관대립형은 지방의회와 단체장 모두 주민 직선으로 선출한다는 점에서 국회의원과 대통령 모두 국민의 직접선거로 선출하는 대통령중심제와 유사하다.
④ 기관대립형은 집행부의 수장인 단체장도 주민 직선으로 선출되었기 때문에 집행부와 의회의 마찰로 인한 비효율성이 발생할 수 있다.

답 ⑤

10	지방자치단체의 기관구성

기관통합형에 대한 설명이다. 기관통합형은 의결기관과 집행기능을 단일 기관에 집중시키는 형태로, 지방의회는 주민의 대표기관으로서 주민의사의 결정과 집행을 담당하며 주민에게 책임을 지게 된다. 기관통합형은 기관분립형에 비해 집행기관구성에서 주민의 대표성을 확보할 수 있으나 행정의 전문성이 결여될 수 있다는 단점을 가진다.

선지분석
② 기관분립형은 의결기관인 의회와 집행기관인 선출직 지방자치단체장 간의 견제와 균형의 원리에 의해 상호 권력의 남용을 방지하고 비판감시기능을 수행할 수 있다.
③ 기관분립형은 지방의회와 지방자치단체의 장 모두를 주민이 직접선거로 선출한다는 점에서 지방행정에 대한 주민통제가 보다 용이한 측면이 있다.
④ 기관통합형은 각 행정부서의 행정집행을 의회가 위원회별로 책임질 경우 분파주의가 발생할 우려가 있지만, 행정집행을 지방자치단체의 장이 모두 책임지는 기관분립형은 이러한 행정부서 간의 분파주의를 방지할 수 있다.

답 ①

「지방자치법」상 지방의회에 대한 내용으로 옳지 않은 것은?

① 지방의회는 조례로 정하는 바에 따라 위원회를 둘 수 있으며, 위원회의 종류는 상임위원회와 특별위원회로 한다.
② 지방의회는 그 의결로 소속 의원의 사직을 허가할 수 있다. 다만, 폐회 중에는 의장이 허가할 수 있다.
③ 의장은 의결에서 표결권을 가지지 못하며, 찬성과 반대가 같으면 부결된 것으로 본다.
④ 지방의회에서 부결된 의안은 같은 회기 중에 다시 발의하거나 제출할 수 없다.

「지방자치법」상 지방의회 의원이 받을 수 있는 징계의 사례가 아닌 것은?

① A 의원은 45일간 출석 정지를 내용으로 하는 징계를 받았다.
② B 의원은 공개회의에서 사과를 하는 징계를 받았다.
③ C 의원은 재적의원 3분의 2 이상 찬성에 따라 제명되는 징계를 받았다.
④ D 의원은 공개회의에서 경고를 받는 징계를 받았다.

---

11   지방의회

지방의회의장은 의결에서 표결권을 가지고, 찬성과 반대가 같으면 부결된 것으로 본다. 우리나라는 의장이 가부동수의 경우 결정권을 가지는 권한인 캐스팅보트(Casting Vote)제도가 없다. 캐스팅보트란 찬성표와 반대표가 같은 경우인 가부동수가 나왔을 때 결과를 결정할 수 있는 표를 말한다. 의장은 이때 결과를 확정하기 위해 한 쪽에 투표할 수 있다.

(선지분석)

① 지방의회의 조례로 정하는 바에 따라 위원회를 둘 수 있으며, 위원회의 종류는 상설 형태의 상임위원회와 비상설 형태의 특별위원회로 한다.
② 지방의회가 의원의 사직을 허가할 경우 의결이 필요하다. 다만, 폐회 중에는 의장이 의원의 사직을 허가할 수 있다.
④ 일사부재리의 원칙에 따라 지방의회에서 부결된 의안은 같은 회기 중에는 다시 발의하거나 제출할 수 없다. 다만, 회기가 새로 시작된 경우에는 가능하다.

답 ③

---

12   「지방자치법」상 징계

「지방자치법」상 징계는 공개회의에서의 경고, 공개회의에서의 사과, 30일 이내의 출석정지, 제명(재적의원 3분의 2 이상의 찬성 필요)이 있다.

답 ①

13 ☐☐☐

지방의회가 지방자치단체에 대하여 행사할 수 있는 권한으로 옳지 않은 것은?

① 예산불성립 시 예산집행
② 선결처분의 사후승인
③ 행정사무의 감사 · 조사
④ 청원서의 이송 · 보고요구

14 ☐☐☐

다음은 지방의원의 권한과 의무에 관한 설명이다. 옳은 것끼리 연결된 것은?

> ㄱ. 지방의원은 직무수행과 관련해 면책특권이 인정되지 않고 있다.
> ㄴ. 집행기관의 행정사무 처리사항을 조사 및 감사할 권한을 가진다.
> ㄷ. 임시회의 소집요구권이 없다.
> ㄹ. 광역의회의원은 정당공천을 받을 수 없다.
> ㅁ. 이해관계가 있는 안건에는 참여가 금지되어 있다.

① ㄴ, ㄷ, ㅁ
② ㄴ, ㄹ
③ ㄴ, ㄷ, ㄹ
④ ㄱ, ㄹ
⑤ ㄱ, ㄴ, ㅁ

| **13** | 지방의회의 기능 및 권한 |

예산불성립 시 준예산의 집행은 지방의회가 아니라 지방자치단체장의 권한이다.

📑 **지방의회의 기능 및 권한**

1. 의결권
2. 서류제출요구권
3. 행정사무 감사 및 조사권
4. 기관선출권
5. 자율운영권

답 ①

| **14** | 지방의원의 권한과 의무 |

ㄱ. 지방의원은 국회의원과 달리 면책특권이 인정되지 않는다.
ㄴ. 지방의원은 행정사무 조사권 및 행정사무 감사권을 보유한다.
ㅁ. 지방의원은 이해관계가 있는 안건의 의결 등에는 참여할 수 없다.

(선지분석)
ㄷ. 지방의원들은 임시회의 소집요구권을 가진다. 지방의회의장은 지방자치단체의 장이나 재적의원 3분의 1 이상의 의원이 요구하면 15일 이내에 임시회를 소집하여야 한다.
ㄹ. 우리나라의 경우 광역자치단체와 기초자치단체의 장 및 의원의 선거에 있어서 후보자의 정당표방 및 정당의 후보자 추천이 인정된다.

답 ⑤

15 □□□

다음 중 「지방자치법」에서 규정하고 있는 지방의회의 권한으로 옳지 않은 것은?

① 지방자치단체장에 대한 주민투표실시 청구권
② 지방의회 의장에 대한 불신임의결권
③ 행정사무감사 및 조사권
④ 외국 지방자치단체와의 교류협력에 관한 사항
⑤ 소속의원의 사직 허가

16 □□□

「지방자치법」상 지방의회의 의결사항으로 옳은 것만을 모두 고른 것은?

> ㄱ. 예산의 심의 · 확정
> ㄴ. 법령에 규정된 수수료의 부과 및 징수
> ㄷ. 외국 지방자치단체와의 교류 · 협력에 관한 사항

① ㄱ, ㄴ
② ㄱ, ㄷ
③ ㄱ, ㄴ, ㄷ
④ ㄴ, ㄷ

15	지방의회의 권한

지방의회의 지방자치단체장에 대한 주민투표실시 청구권은 「지방자치법」이 아니라 「주민투표법」에 규정되어 있다.

답 ①

16	지방의회의 의결사항

ㄱ, ㄷ. 조례의 제정·개정 및 폐지, 예산의 심의·확정, 결산의 승인, 기금 설치·운영, 중요 재산의 취득·처분, 법령과 조례에 규정된 것을 제외한 예산 외의 의무부담이나 권리의 포기, 청원의 수리와 처리, 외국 지방자치단체와의 교류·협력에 관한 사항, 그 밖에 법령에 따라 그 권한에 속하는 사항이 지방의회의 의결사항이다(「지방자치법」 제39조 제1항).

선지분석

ㄴ. 법령에 규정된 수수료의 부과 및 징수에 관해서는 지방의회가 의결할 수 없다. 법령에 규정된 수수료의 부과 및 징수에 관련된 사항을 제외한 사용료·수수료·분담금·지방세 또는 가입금의 부과와 징수만 지방의회의 의결사항에 해당한다.

답 ②

17 ☐☐☐

지방자치단체의 조례에 관한 설명으로 옳은 것을 모두 고른 것은?

> ㄱ. 지방자치단체의 장은 법령이나 조례가 위임한 범위에서
> 그 권한에 속하는 사무에 관하여 규칙을 제정할 수 있다.
> ㄴ. 지방의회에서 의결된 조례안은 10일 이내에 지방자치단
> 체의 장에게 이송되어야 한다.
> ㄷ. 재의요구를 받은 조례안은 재적의원 과반수의 출석과 출
> 석의원 과반수의 찬성으로 재의요구를 받기 전과 같이
> 의결되면, 조례로 확정된다.
> ㄹ. 지방자치단체의 장은 재의결된 조례가 법령에 위반된다
> 고 판단되면 재의결된 날부터 20일 이내에 대법원에 제
> 소할 수 있다.

① ㄱ, ㄴ
② ㄴ, ㄹ
③ ㄱ, ㄹ
④ ㄷ, ㄹ

18 ☐☐☐

현행 「지방자치법」상 지방자치단체의 장의 보조기관은?

① 부단체장
② 사업소
③ 출장소
④ 읍면동

17	지방자치단체의 조례

ㄱ. 지방자치단체의 장은 법령이나 조례가 위임한 범위에서 그 권한에 속하
는 사무에 관하여 규칙을 제정할 수 있다(「지방자치법」 제23조).
ㄹ. 지방자치단체의 장은 재의결된 사항이 법령에 위반된다고 인정되면 대
법원에 소(訴)를 제기할 수 있다(「지방자치법」 제107조 제3항).

선지분석

ㄴ. 지방의회에서 의결된 조례안은 5일 이내에 지방자치단체의 장에게 이송
되어야 한다.
ㄷ. 재의요구를 받은 조례안은 재적의원 과반수의 출석과 출석의원 3분의 2
이상의 찬성으로 재의요구를 받기 전과 같이 의결되면, 조례로 확정된다.

답 ③

18	보조기관

부단체장과 소속 지방공무원은 지방자치단체장의 보조기관에 해당한다.

선지분석

②, ③ 사업소와 출장소는 소속기관에 해당한다.
④ 읍면동은 하부행정기관에 해당한다.

🗎 **「지방자치법」상 집행기관**	
지방자치단체의 장	특별시장, 광역시장, 특별자치시장, 도지사, 시장, 군수, 지방공무원
보조기관	부자치단체장(부지사·부시장·부군수·부구청장), 행정기구, 지방공무원
소속행정기관	직속기관, 사업소, 출장소, 합의제 행정기관, 자문기관
하부행정기관	자치구가 아닌 구(구청장), 읍(읍장), 면(면장), 동(동장)
교육·과학·체육기관	지방자치단체의 교육·과학 및 체육에 관한 사무 분장

답 ①

19 □□□

우리나라 지방자치단체장의 권한으로 볼 수 없는 것은?

① 지방의회의 의결이 월권이거나 법령에 위반되는 경우 재의요구권
② 총선거 후 최초로 집회되는 지방의회 임시회 소집권
③ 지방의회의 의결사항 중 주민의 생명과 재산보호를 위하여 긴급하게 필요한 사항으로서 지방의회를 소집할 시간적 여유가 없거나 지방의회에서 의결이 지체되어 의결되지 아니할 때의 선결처분권
④ 지방채 발행권

---

20 □□□

지방의회의 의결에 대한 지방자치단체장의 재의요구사유가 아닌 것은?

① 지방의회의 의결이 월권이거나 법령에 위반된다고 인정되는 경우
② 지방의회의 의결이 국제관계에서 맺은 국제교류업무 수행에 드는 경비를 축소한 경우
③ 지방의회의 의결이 예산상 집행 불가능한 경비를 포함하고 있다고 인정되는 경우
④ 지방의회의 의결이 비상재해로 인한 시설의 응급복구를 위하여 필요한 경비를 축소한 경우

19	지방자치단체장의 권한

총선거 후 최초로 집회되는 임시회는 지방의회 사무처장·사무국장·사무과장이 지방의회의원 임기 개시일로부터 25일 이내에 소집한다(「지방자치법」제45조 제1항).

(선지분석)
④ 지방채는 지방자치단체장과 지방자치단체 조합이 발행한다.

답 ②

20	지방자치단체장의 재의요구사유

지방의회의 의결이 국제교류업무 수행에 드는 경비를 축소한 경우는 지방의회의 의결에 대한 지방자치단체장의 재의요구 사유에 해당하지 않는다. 재의요구의 사유로는 이송받은 조례안에 대하여 이의가 있는 경우, 지방의회의 의결이 월권 또는 법령에 위반되거나 공익을 현저히 해친다고 인정되는 경우, 지방의회의 의결이 예산상 집행할 수 없는 경비를 포함하고 있다고 인정되는 경우 등이 있다.

답 ②

21 □□□

우리나라의 지방자치제도에 대한 설명으로 옳지 않은 것은?

① 지방의회는 법률에 위배되는 내용을 포함한 조례를 제정할 수 없다.
② 지방의회는 지방자치단체의 장을 감시하고 통제하는 기능을 하지만, 지방자치단체의 장에 대한 불신임권은 갖고 있지 않다.
③ 우리나라 지방자치단체의 기관구성 형태는 기관통합형이다.
④ 조례안이 지방의회에서 의결되면 의장은 의결된 날부터 5일 이내에 그 지방자치단체의 장에게 이를 이송하여야 한다.

21	우리나라의 지방자치제도

우리나라는 의결기관과 집행기관이 분리되어 있는 기관대립형의 기관구성 형태를 가지고 있다.

선지분석
① 지방의회는 법령이나 상급 지방자치단체의 조례에 위배되는 내용을 포함한 조례를 제정할 수 없다.
② 지방의회는 지방자치단체의 장에 대한 불신임권은 갖고 있지 않다. 다만, 의장이나 부의장에 대한 불신임권을 갖고 있다.

답 ③

22 □□□

우리나라의 지방선거에 대한 설명으로 가장 옳은 것은?

① 현재 광역 – 기초자치단체장 및 광역 – 기초의회의원 선거 모두에 정당공천제가 허용되고 있다.
② 광역의회의 지역구 선거는 기본적으로 중선거구제를 채택하고 있다.
③ 기초의회 지역구 선거는 기본적으로 소선거구제에 입각하고 있다.
④ 소선거구제의 경우에는 풀뿌리 민주주의의 기반이 되는 주민과 의원과의 관계가 멀어질 수 있다는 단점이 있다.

22	지방선거

우리나라는 현재 광역 – 기초자치단체장 및 광역 – 기초의회의원 선거 모두에 정당공천제가 허용되고 있다(「공직선거법」 제47조).

선지분석
② 광역의회의 지역구 선거는 기본적으로 소선거구제를 채택하고 있다.
③ 기초의회 지역구 선거는 기본적으로 중선거구제에 입각하고 있다.
④ 소선거구제가 아니라 중선거구제인 경우에는 풀뿌리 민주주의의 기반이 되는 주민과 의원과의 관계가 멀어질 수 있다는 단점이 있다.

답 ①

다음 중 우리나라의 지방자치제도에 대한 설명으로 옳지 않은 것은?

① 지방의회는 매년 1회 그 지방자치단체의 사무에 대하여 시·도에서는 14일의 범위에서, 시·군 및 자치구에서는 9일의 범위에서 감사를 실시한다.

② 지방의회의 의장 또는 부의장에 대한 불신임의결은 재적 의원 3분의 1 이상의 발의와 재적의원 과반수의 찬성으로 행한다.

③ 지방자치단체장은 주민투표의 전부 또는 일부 무효의 판결이 확정된 때에는 그 날부터 20일 이내에 무효로 된 투표구의 재투표를 실시하여야 한다.

④ 주민투표의 투표일은 주민투표 발의일로부터 23일 이상 30일 이하의 범위 안에서 지방자치단체장이 관할 선거관리위원회와 협의하여 정한다.

⑤ 지방자치단체의 조례는 지방자치단체장이 공포해야 효력을 가진다.

다음 중 조례와 규칙에 대한 설명으로 옳지 않은 것은?

① 지방자치단체의 장은 법령의 범위 안에서 그 사무에 관하여 조례를 정할 수 있다.

② 조례를 정할 때, 주민의 권리 제한에 관한 사항은 법률의 위임이 있어야 한다.

③ 시·군 및 자치구의 조례나 규칙은 시·도의 조례나 규칙을 위반하여서는 안 된다.

④ 지방자치단체는 조례를 위반한 행위에 대하여 조례로써 과태료를 정할 수 있다.

⑤ 과태료는 해당 지방자치단체의 장이 부과·징수한다.

23	우리나라의 지방자치제도

지방의회의 의장이나 부의장이 법령을 위반하거나 정당한 사유 없이 직무를 수행하지 않으면, 지방의회는 불신임을 의결할 수 있다. 불신임의결은 재적의원 4분의 1 이상의 발의와 재적의원 과반수의 찬성으로 행한다.

선지분석
⑤ 조례는 공포해야 효력을 가지나, 예산은 지방의회의 의결로 확정된다.

답 ②

24	조례와 규칙

조례는 지방의회가 제정한다. 지방자치단체의 장은 규칙을 정할 수 있다.

선지분석
② 주민의 권리 제한에 관한 사항은 법률의 위임이 필수적이다.
③ 기초지방자치단체의 조례나 규칙은 광역지방자치단체의 조례나 규칙을 위반하여서는 안 된다.
④ 지방자치단체는 조례를 위반한 행위에 대하여 조례로써 1,000만 원 이하의 과태료를 정할 수 있다.
⑤ 과태료 부과·징수의 주체는 해당 지방자치단체의 장이다.

답 ①

THEME 099 지방자치단체의 사무

01 ☐☐☐
2020년 국가직 9급

단체위임사무와 기관위임사무에 대한 설명으로 옳지 않은 것은?

① 지방의회는 기관위임사무에 대해 조례제정권을 행사할 수
없다.
② 보건소의 운영업무와 병역자원의 관리업무는 대표적인 기
관위임사무이다.
③ 중앙정부는 단체위임사무에 대해 사전적 통제보다 사후적
통제를 주로 한다.
④ 기관위임사무의 처리를 위한 비용은 국가가 부담한다.

---

01   단체위임사무와 기관위임사무

보건소의 운영업무는 단체위임사무이고, 병역자원의 관리업무는 기관위임
사무이다.

(선지분석)
① 지방의회는 자치사무와 단체위임사무에 대해서는 조례제정권을 행사할
수 있으나, 기관위임사무에 대해서는 조례제정권을 행사할 수는 없다.
③ 중앙정부는 단체위임사무에 대해 사전적 통제보다는 사후적 통제를 주
로하며, 기관위임사무에 대해서는 사전적 통제가 가능하다.
④ 기관위임사무는 본래 중앙정부의 사무를 지방자치단체장에게 위임한
사무이므로 그 처리를 위한 비용은 국가가 부담한다.

답 ②

02 ☐☐☐
2020년 서울시 9급

단체위임사무와 기관위임사무에 대한 설명으로 가장 옳지 않
은 것은?

① 단체위임사무는 법령에 의하여 국가 또는 상급 지방자치
단체로부터 지방자치단체에 위임된 사무이고, 기관위임사
무는 법령 등에 의하여 국가 또는 상급 지방자치단체로부
터 지방자치단체의 장에게 위임된 사무이다.
② 단체위임사무의 경비는 지방자치단체와 위임기관이 공동
으로 부담하며, 기관위임사무의 경비는 그 전액을 위임기
관이 부담하는 것이 원칙이다.
③ 단체위임사무는 지방의회가 관여하는 것이 불가능하고,
기관위임사무는 지방의회가 관여할 수 있다.
④ 단체위임사무의 예로는 예방접종, 보건소의 운영 등이 있
고, 기관위임사무의 예로는 국민투표 사무, 선거 사무 등
이 있다.

---

02   단체위임사무와 기관위임사무

기관위임사무는 지방의회가 관여하는 것이 불가능하고, 단체위임사무는
지방의회가 관여할 수 있다.

📄 **지방자치단체의 사무 비교**

구분	자치사무	단체위임사무	기관위임사무
개념	지방자치단체가 자기의 책임과 부담으로 처리하는 지방적 공공사무	법령에 의하여 국가 또는 상급 지방자치단체로부터 그 지방자치단체에 위임된 사무	법령에 의하여 국가 또는 상급 지방자치단체로부터 지방자치단체의 집행기관에 위임된 사무
결정 주체	지방의회 (본래의 사무)	지방의회 (지방자치단체에 위임)	국가 (지방자치단체 개입 불가)
사무 처리 주체	지방자치단체	지방자치단체	지방자치단체장 (일선행정기관의 성격)
조례 제정권	O	O	X
국가의 감독	합법성 중심의 사후·교정적 감독	합법성＋합목적성의 교정적 감독	교정적 감독＋사전·예방적 감독
경비의 부담	지방자치단체 (보조금 = 장려적 보조금)	국가와 지방자치단체의 공동부담 (보조금 = 부담금)	국가 전액부담 (보조금 = 교부금)

답 ③

03 ☐☐☐

「지방자치법」상 지방자치단체의 사무범위에 해당하지 않는 것은?

① 농림 · 상공업 등 산업 진흥에 관한 사무
② 교육 · 체육 · 문화 · 예술의 진흥에 관한 사무
③ 축산물 · 수산물 및 양곡의 수급 조절과 수출입 사무
④ 지역민방위 및 지방소방에 관한 사무

03	지방자치단체의 사무범위

축산물 · 수산물 및 양곡의 수급 조절과 수출입 사무는 국가사무이다.

선지분석

①, ②, ④ 「지방자치법」 제9조 제2항에 따르면 지방자치단체의 구역, 조직, 행정관리 등에 관한 사무, 주민의 복지증진에 관한 사무, 농림·상공업 등 산업 진흥에 관한 사무, 지역개발과 주민의 생활환경시설의 설치·관리에 관한 사무, 교육·체육·문화·예술의 진흥에 관한 사무, 지역민방위 및 지방소방에 관한 사무는 지방자치단체의 사무에 해당한다.

답 ③

04 ☐☐☐

우리나라 지방자치제에 대한 설명으로 옳지 않은 것은?

① 지방자치단체의 의사를 결정하는 의결기관과 의사를 집행하는 집행기관을 이원적으로 구성하는 기관대립(분립)형이다.
② 지방분권화의 세계적 흐름에 따라 지방사무의 배분방식은 제한적 열거방식을 채택하고 있다.
③ 자치경찰제는 현재 제주특별자치도에서만 실시되고 있다.
④ 특별지방행정기관은 중앙행정기관이 소관 사무를 집행하기 위해 설치한 지방행정기관이며, 세무서와 출입국관리사무소는 특별지방행정기관에 해당한다.

04	우리나라 지방자치제

우리나라 지방사무의 배분방식은 제한적 열거방식이 아니라 포괄적 예시주의를 채택하고 있다. 우리나라를 비롯하여 독일 등 대륙법계 단체자치에서 주로 채택하는 것으로 법률이 특히 금지한 사항이나 중앙정부가 반드시 처리하여야 할 사항을 제외하고는 지방자치단체가 그 주민의 일반적 이익을 위하여 어떠한 사무든지 처리할 수 있도록 헌법이나 법률에 일괄적으로 권한을 부여하는 방식이다.

선지분석

① 우리나라 지방자치단체의 형태는 의결기관과 집행기관 모두를 주민 직선으로 선출하는 기관대립형이다.
④ 특별지방행정기관은 중앙행정기관이 소관 사무를 집행하기 위해 설치한 지방행정기관으로 중앙행정기관의 사무를 전문적·효율적으로 집행할 수 있는 장점이 있으나, 지방자치의 본질을 침해할 우려가 있다. 세무서는 국세청, 출입국관리사무소는 법무부의 특별지방행정기관이다.

답 ②

05 ☐☐☐
2018년 서울시 9급

「지방자치법」상 지방자치단체의 사무처리에 관한 설명으로 가장 옳지 않은 것은?

① 지방자치단체는 법령을 위반하여 그 사무를 처리할 수 없다.
② 행정처리 결과가 2개 이상의 시·군 및 자치구에 미치는 광역적 사무는 시·도가 처리한다.
③ 시·도와 시·군 및 자치구의 사무가 서로 경합하면 시·도에서 먼저 처리한다.
④ 지방자치단체는 법률에 다른 규정이 있는 경우를 제외하고 외교, 국방, 사법, 국세 등 국가의 존립에 필요한 사무를 처리할 수 없다.

05 　지방자치단체의 사무처리

시·도와 시·군 및 자치구의 사무가 서로 경합하면 보충성의 원리에 따라 시·군에서 먼저 처리한다. 보충성의 원칙이란 기초자치단체와 광역자치단체 간 사무가 서로 경합할 경우에 기초자치단체에서 할 수 있는 사무는 광역자치단체가 관여하지 않는다는 의미로 광역자치단체는 예외적으로 필요시에만 사무를 보충하여야 한다는 원칙이다.

답 ③

06 ☐☐☐
2014년 사회복지직 9급

「지방자치법」상 광역자치단체의 사무에 대한 설명으로 옳지 않은 것은?

① 시·도와 시·군 및 자치구의 사무가 서로 경합하면 시·도에서 처리한다.
② 국가와 시·군 및 자치구 사이의 연락·조정 등의 사무는 시·도에서 처리한다.
③ 지역적 특성을 살리면서 시·도 단위로 통일성을 유지할 필요가 있는 사무는 시·도에서 처리한다.
④ 행정처리 결과가 2개 이상의 시·군 및 자치구에 미치는 광역적 사무는 시·도에서 처리한다.

06 　광역자치단체의 사무

보충성의 원칙에 따라 기초자치단체와 광역자치단체의 사무가 경합하는 경우에는 기초자치단체에서 우선적으로 처리한다. 즉, 시·도와 시·군 및 자치구의 사무가 서로 경합하면 시·군 및 자치구에서 우선적으로 처리해야 한다.

답 ①

다음 중 우리나라의 지방자치제도에 대한 설명으로 옳지 않은 것은?

① 주민의 지방정부에 대한 참정권은 법률에 의해 제한되며 지방정부의 과세권 역시 법률로 제한된다.

② 우리나라 지방자치단체의 구성은 기관통합형이 아닌 기관대립형을 택하고 있다.

③ 지방자치단체는 법령의 범위 안에서 자치에 관한 규정을 제정할 수 있다.

④ 지방세무서, 지방노동청, 지방산림청 등의 특별지방행정기관은 중앙부처에서 설치한 일선집행기관으로서 고유의 법인격은 물론 자치권도 가지고 있지 않다.

⑤ 기관위임사무는 지방자치단체장이 국가사무를 위임받아 수행하는 것이며 소요 경비는 지방의회의 심의를 거쳐 지방정부 예산으로 부담한다.

지방자치단체의 사무에 관한 설명 중 가장 옳지 않은 것은?

① 기관위임사무에 소요되는 비용은 원칙적으로 자치단체와 위임기관이 공동으로 부담한다.

② 지방의회는 단체위임사무에 대해 조사·감사를 시행한다.

③ 예방접종에 관한 사무는 통상 자치단체에 위임된 사무로 본다.

④ 자치사무에 대한 국가의 감독에서 적극적 감독, 즉 예방적 감독과 합목적성의 감독은 배제되는 것이 원칙이다.

---

07   우리나라의 지방자치제도

기관위임사무는 지방자치단체의 장이 국가 또는 상급 지방자치단체의 사무를 위임받아 수행하는 것이기 때문에 지방과는 관계가 없다. 따라서 기관위임사무의 소요 경비는 전액 위임기관이 부담한다.

선지분석

① 지역주민의 지방정부에 대한 참정권은 「공직선거법」, 「지방자치법」 등의 법률에 의해 제한되며, 지방정부의 과세권도 조세법률주의에 의해 제한된다.

② 우리나라 지방자치단체의 구성은 의회와 지방자치단체장 모두 주민의 직접선거로 선출하는 기관대립형을 택하고 있다.

③ 지방자치단체는 법령의 범위를 벗어나지 않는 범위 내에서 자치에 관한 규정을 조례로 제정할 수 있다.

④ 지방세무서는 국세청의, 지방노동청은 고용노동부의, 지방산림청은 산림청의 특별지방행정기관으로 고유의 법인격도 자치권도 없다.

답 ⑤

08   지방자치단체의 사무

기관위임사무에 소요되는 비용은 원칙적으로 위임기관이 부담한다. 기관위임사무는 국가나 상급 지방자치단체가 집행기관에 위임한 사무로서, 지방과의 이해관계가 없는 국가사무를 중앙에서 결정하고 지방자치단체가 집행하는 사무이며 지방의회가 관여할 수 없는 사무이다.

선지분석

② 지방의회는 단체위임사무에 대해서는 조사 및 감사를 시행할 수 있지만 기관위임사무에 대해서는 불가하다.

③ 보건소, 예방접종에 관한 사무 등은 자치단체에 위임된 사무이다.

④ 자치사무에 대한 국가의 감독은 합법성의 감독만 허용된다.

답 ①

우리나라 지방자치단체의 사무구분에 대한 설명으로 옳은 것은?

① 자치사무와 단체위임사무는 자치단체가 전액경비를 부담하며, 기관위임사무는 원칙적으로 자치단체와 위임기관이 공동으로 부담한다.

② 단체위임사무는 법령에 의해 하급 자치단체장에게 위임된 사무이며, 기관위임사무는 법령에 의해 국가 또는 다른 자치단체로부터 위임된 사무이다.

③ 자치사무와 단체위임사무의 처리를 위해 자치단체는 조례를 제정하는 것이 가능한데, 기관위임사무는 원칙적으로 조례제정 대상이 아니다.

④ 자치사무는 지방의회의 관여(의결, 사무감사 및 사무조사) 대상이지만, 단체위임사무와 기관위임사무는 관여 대상이 아니다.

09 　우리나라 지방자치단체의 사무구분

자치사무, 단체위임사무와는 달리 기관위임사무는 원칙적으로 조례제정 대상이 아니다.

(선지분석)
① 기관위임사무는 원칙적으로 위임기관이 경비의 전액을 부담한다.
② 기관위임사무는 법령에 의해 하급 지방자치단체장에게 위임된 사무이며, 단체위임사무는 법령에 의해 국가 또는 다른 지방자치단체로부터 위임된 사무이다.
④ 자치사무와 단체위임사무는 지방의회의 관여(의결, 사무감사 및 사무조사)의 대상이지만, 기관위임사무는 관여 대상이 아니다.

답 ③

지방선거에 대한 설명으로 옳은 것은?

① 이승만 정부에 처음으로 시·읍·면 의회의원을 뽑는 지방선거가 실시되었다.

② 박정희 정부부터 노태우 정부 시기까지는 지방선거가 실시되지 않았다.

③ 지방자치단체장과 지방의회의원을 동시에 뽑는 선거는 김대중 정부에서 처음으로 실시되었다.

④ 2010년 지방선거부터 정당공천제가 기초지방의원까지 확대되었지만 많은 문제점이 지적되면서 현재는 실시되지 않고 있다.

10 　지방선거

이승만 정부 시기인 1952년 시·읍·면 의회의원을 뽑는 지방선거를 실시하였다. 단, 지방자치단체의 장은 간선 또는 임명직이었다.

(선지분석)
② 노태우 정부 때 지방선거가 부활하였다.
④ 정당공천제는 기초지방의원까지 확대 실시되고 있다.

📋 지방선거의 연혁	
1952년 제1차 지방선거	• 제헌헌법에 따라 「지방자치법」 제정 • 지방의원 선거 실시
1956년 제2차 지방선거	• 임명제로 선출하던 지방자치단체장을 직선제로 선출 • 최초로 지방자치단체장 선출(시·읍·면장만 해당)
1960년 제3차 지방선거	최초로 서울특별시장 및 도지사 선출
1961년 지방자치 중단	• 「지방자치에 관한 임시조치법」 시행으로 지방의회 해산, 지방자치단체장 임명제로 전환 • 이후 제3~5공화국 동안 지방자치 중단
1991년 제4회 지방선거	• 개정헌법에 의해 지방선거를 부활시키고 기초자치단체의원 선거 실시(단체장 선거 미실시) • 소선거구제·비례대표제 • 정당공천제 시행(기초의원은 정당공천 미시행)
1995년 제1회 전국동시지방선거	최초로 기초·광역의원 및 지방자치단체장을 동시에 선출
2006년 제4회 전국동시지방선거	• 기초의원 선거가 중선거구제·비례대표제로 변경 • 기초의원도 정당공천 시행(지방의원 유급제 전환)
2010년 제5회 전국동시지방선거	교육감, 교육의원 직선제로 선출
2014년 제6회 전국동시지방선거	교육의원 선거 폐지

답 ①

지방자치단체와 국가의 관계

THEME 100 정부 간 관계론(IGR)

01 ☐☐☐
2013년 서울시 7급

라이트(Wright)의 정부 간 관계모형에 대한 설명으로 옳은 것은?

① 대립형은 정책을 둘러싸고 정부 간 경쟁 관계를 유지한다.
② 포함형은 정부 간 관계의 이상적 모형으로 간주된다.
③ 포함형은 정치적 타협과 협상에 의한 정부 간 상호 의존 관계이다.
④ 중첩형은 지방정부가 중앙정부에 종속된 경우이다.
⑤ 분리형은 재정과 인사 등의 독립적 기능이 있다.

02 ☐☐☐
2011년 지방직 9급

라이트(Wright)의 정부 간 관계모형에 대한 설명 중 옳지 않은 것은?

① 분리형(seperated model)은 중앙 - 지방 간의 독립적인 관계를 의미한다.
② 내포형(inclusive model)은 지방정부가 중앙정부에 완전히 의존되어 있는 관계를 의미한다.
③ 중첩형(overlapping model)은 정치적 타협과 협상에 의한 중앙 - 지방 간의 상호 의존관계를 의미한다.
④ 경쟁형(competitive model)은 정책을 둘러싼 정부 간 경쟁 관계를 의미한다.

01	라이트(Wright)의 정부 간 관계모형

라이트(Wright)의 중앙정부와 지방자치단체의 관계모형에서 분리권위형은 중앙과 지방이 서로 독립적인 관계로 지방정부의 재정과 인사는 중앙정부로부터 완전히 분리되고, 지방정부의 사무는 대부분 자치사무로 구성된다.

(선지분석)
① 라이트(Wright)는 분리형, 포괄형(포함형), 중첩형으로 구분하였다. 대립형은 라이트가 제시한 정부 간 관계모형에 해당하지 않는다.
②, ③ 중첩형은 중앙과 지방이 상호 의존적 관계로 각 정부가 행사할 수 있는 권한 또는 영향력이 제한되어 있어 정부들 간에 긴밀한 관계가 유지되고, 협상이 이루어진다. 이는 라이트(Wright)의 정부 간 모형에서 가장 이상적인 관계이다.
④ 포괄형(포함형)은 지방이 중앙에 전적으로 의존하는 계서적 관계로 중앙과 지방이 엄격한 명령과 복종으로 이루어진다. 지방정부의 재정과 인사는 중앙정부에 완전히 종속되고, 지방정부의 사무는 대부분 기관위임사무로 구성된다.

답 ⑤

02	라이트(Wright)의 정부 간 관계모형

라이트(Wright)는 중앙정부와 지방자치단체의 관계모형으로 분리형, 포괄형, 중첩형으로 유형화하였다. 경쟁형은 나이스(Nice)가 제시한 유형으로 나이스는 정부 간 관계를 경쟁형과 상호 의존형으로 구분하였다.

답 ④

정부 간 관계(IGR)모형에 대한 설명으로 옳은 것은?

> ㄱ. 로즈(Rhodes)모형에서 지방정부는 중앙정부에 완전히 예속되는 것도 아니고 완전히 동등한 관계가 되는 것도 아닌 상태에서 상호 의존한다.
> ㄴ. 로즈(Rhodes)는 지방정부는 법적 자원, 재정적 자원에서 우위를 점하며, 중앙정부는 정보자원과 조직자원의 측면에서 우위를 점한다고 주장한다.
> ㄷ. 라이트(Wright)는 정부 간 관계를 포괄형, 분리형, 중첩형의 세 유형으로 나누고, 각 유형별로 지방정부의 사무 내용, 중앙·지방 간 재정관계와 인사관계의 차이가 있음을 밝히고 있다.
> ㄹ. 라이트(Wright)모형 중 포괄형에서는 정부의 권위가 독립적인데 비하여, 분리형에서는 계층적이다.

① ㄱ, ㄴ
② ㄴ, ㄷ, ㄹ
③ ㄱ, ㄷ
④ ㄱ, ㄴ, ㄷ

정부 간 관계에 대한 설명으로 옳은 것은?

① 미국 건국초기에는 연방의 권한이 상대적으로 강했으며, 연방과 주의 권한을 명확히 구분하지 않았다.
② 딜런의 규칙(Dillon's rule)에 의하면 지방정부는 '주 정부의 피조물'로서 명시적으로 위임된 사항 외에도 포괄적인 권한을 지닌다.
③ 영국의 경우 개별적으로 수권받은 사무에 대해서는 지방자치단체가 자치권을 보유하지만, 그 범위를 벗어나는 행위는 금지된다.
④ 일본의 경우 메이지유신 이래 강력한 중앙집권적 체제를 유지해 왔으며, 국가의 관여를 폐지하거나 축소시키는 등의 분권개혁은 이루어지지 못했다.

---

03   정부 간 관계모형

ㄱ. 로즈(Rhodes)의 권력의존모형에 대한 설명이다.
ㄷ. 라이트(Wright)의 정부 간 관계모형 중 포괄형은 중앙이 지방정부를 완전히 포괄한 형태, 분리형은 중앙과 지방정부가 완전히 분리된 형태, 중첩형은 중앙과 지방이 상호 의존하는 형태이다.

(선지분석)
ㄴ. 로즈(Rhodes)는 지방정부는 정보자원과 조직자원의 측면에서 우위를 점하며, 중앙정부는 법률을 제정할 수 있는 법적 자원과 재정적 자원에서 우위를 점한다고 주장하였다.
ㄹ. 라이트(Wright)의 정부 간 관계모형 중 포괄형에서는 정부의 권위가 계층적이고, 분리형에서는 정부의 권위가 독립적이다.

답 ③

04   정부 간 관계

영국의 경우에는 사무의 배분에 있어 개별적 수권형의 방식을 취한다. 따라서 개별적으로 수권받은 사무에 대해서는 지방자치단체가 자치권을 보유하지만, 그 범위를 벗어나는 행위는 금지된다.

(선지분석)
① 미국 건국초기에는 연방정부는 주정부에 비해 상대적으로 규모가 작고 권한이 제한되어 있었다.
② 딜런의 규칙이 아니라 홈룰의 법칙에 대한 설명이다. 딜런의 규칙은 지방정부의 권한은 주정부로부터 나온다는 것으로 지방정부의 권한보다는 주정부의 권한을 우선시한다.
④ 일본의 경우 메이지유신 이래로 강력한 중앙집권적 체제를 유지해 왔으나, 점차 국가의 관여를 폐지하고 축소시키는 등의 분권개혁을 추진하고 있다.

답 ③

05 ☐☐☐

분권화된 지방정부에서 발에 의한 투표(vote by feet)가 가능해지기 위한 전제조건들에 대한 설명으로 가장 옳지 않은 것은?

① 지방정부의 시민들은 그들의 선호체계에 가장 적합한 지역으로 이동하는 것이 가능하다.

② 시민들이 지방정부들의 세입 세출 형태에 관해 완전한 정보를 가지고 있어야 한다.

③ 시민들이 배당수입에 의존하여 생활해야 한다.

④ 공급되는 공공재도 외부비용과 외부효과 문제를 가지고 있을 수 있다.

06 ☐☐☐

티부(Tiebout)모형에서 제시한 '발로 하는 투표(vote by feet)'의 전제조건에 해당하지 않는 것은?

① 정보의 불완전성

② 다수의 지방정부

③ 고정적 생산요소의 존재

④ 배당수입에 의한 소득

05	티부가설

발에 의한 투표는 티부가설을 의미한다. 티부가설은 주민들은 지방정부를 자유롭게 이동할 수 있다는 전제하에 지방자치의 당위성을 강조하는 이론이다. 티부가설에 따르면 한 지방의 정부가 제공하는 서비스는 다른 지역이 아닌 그 지역주민의 후생에만 영향을 가져야 하므로, 공급되는 공공재가 외부비용과 외부효과의 문제를 가져서는 안 된다.

📄 티부가설의 전제조건

1. 지방정부가 제공하는 정책에 대한 모든 정보가 주민에게 공개되어 주민이 그 내용을 알 수 있어야 한다.
2. 시민들은 자신의 선호에 맞는 지방정부로 자유롭게 이동할 수 있다.
3. 한 지방의 정부가 제공하는 서비스는 다른 지역이 아닌 그 지역주민의 후생에만 영향을 가진다(외부경제나 외부불경제가 존재하지 않음).
4. 규모의 경제가 존재하게 되면 지방정부의 규모에 따라 경쟁이 불가하므로 규모의 경제가 존재하지 않아야 한다.
5. 서로 다른 정책을 추구하고, 서비스를 제공하는 많은 수의 지방정부가 존재한다.
6. 모든 지방정부는 최적규모를 추구한다.
7. 주민들은 배당수입에 의한 소득이 있고, 지방정부의 재원은 그 지역주민들이 납부하는 재산세로 충당한다.

답 ④

06	발로 하는 투표

티부(Tiebout)모형은 주민들의 자유로운 선호에 의하여 도시의 적정 공급규모가 결정된다는 것으로, 각 지역의 재정프로그램에 대해 주민들이 정확히 알고 있어야 한다는 '정보의 완전성'을 전제조건으로 한다.

(선지분석)

② 서로 다른 정책을 추구하고, 서비스를 제공하는 다수의 지방정부가 존재하여야 한다.

③ 각 지방정부에는 고정적인 생산요소가 존재하여야 한다.

④ 지역주민들은 배당수입에 의한 소득이 존재하고, 지방정부의 재원은 그 지역주민들이 납부하는 재산세로 충당하여야 한다.

답 ①

중앙행정기관의 장과 지방자치단체의 장이 사무를 처리할 때 의견을 달리하는 경우 이를 협의·조정하기 위하여 설치하는 기구는?

① 중앙분쟁조정위원회
② 지방분쟁조정위원회
③ 갈등관리심의위원회
④ 행정협의조정위원회

중앙정부와 지방정부 간 갈등관계에 대한 설명으로 가장 옳지 않은 것은?

① 중앙정부와 지방정부 간 공식적인 갈등조정기구는 대통령 소속의 행정협의조정위원회이다.
② 중앙정부와 지방정부 간 국책사업 갈등에는 지역주민이 갈등의 당사자로 참여하는 경우가 있다.
③ 중앙정부와 지방정부는 사무권한과 관련한 갈등의 경우 헌법재판소에 권한쟁의심판을 청구할 수 있다.
④ 취득세 감면조치는 중앙정부와 지방정부의 갈등요인으로 작용할 수 있다.

---

07   행정협의조정위원회

「지방자치법」 제168조에 의하여 중앙행정기관의 장과 지방자치단체의 장이 사무를 처리할 때 의견을 달리하는 경우 이를 협의·조정하기 위하여 국무총리 소속으로 행정협의조정위원회를 둔다.

(선지분석)

①, ② 지방자치단체 상호 간이나 지방자치단체의 장 상호 간 사무를 처리할 때 의견이 달라 다툼이 생기면 행정안전부장관이나 시·도지사가 당사자의 신청에 따라 조정할 수 있는데 이러한 협의사항의 조정에 필요한 사항을 심의·의결하기 위하여 행정안전부에 지방자치단체중앙분쟁조정위원회와 시·도에 지방자치단체지방분쟁조정위원회를 둔다.

답 ④

---

08   중앙정부와 지방정부 간 갈등관계

중앙정부와 지방정부 간 공식적인 갈등조정기구는 대통령이 아닌 국무총리 소속의 행정협의조정위원회이다.

(선지분석)

② 중앙정부와 지방정부 간 국책사업 시행과 관련하여 갈등이 발생할 경우 국책사업의 실질적 비용부담자가 되는 지역주민이 갈등의 당사자로 참여하는 경우가 있다.
③ 중앙정부와 지방정부의 사무권한과 관련된 갈등의 경우 사법적 해결 수단으로 헌법재판소에 권한쟁의심판을 청구할 수 있다.
④ 취득세는 광역자치단체의 조세나, 취득세 감면조치 결정은 중앙정부가 하므로 이러한 경우 중앙정부와 지방정부의 갈등요인으로 작용할 수 있다.

답 ①

다음은 지방자치단체 상호 간 관계에 대한 설명이다. ㄱ ~ ㄹ에 들어갈 말을 순서대로 바르게 나열한 것은?

- 2개 이상의 지방자치단체가 하나 또는 둘 이상의 사무를 공동으로 처리할 필요가 있을 때에는 규약을 정하여 그 지방의회의 의결을 거쳐 시·도는 행정안전부장관의, 시·군 및 자치구는 시·도지사의 승인을 받아 ＿＿ㄱ＿＿ 을/를 설립할 수 있다.
- 지방자치단체의 장이나 지방의회의 의장은 상호 간의 교류와 협력을 증진하고, 공동의 문제를 협의하기 위하여 전국적 ＿＿ㄴ＿＿ 를 설립할 수 있다.
- 지방자치단체 상호 간이나 지방자치단체의 장 상호 간 사무를 처리할 때 의견이 달라 생긴 분쟁의 조정과 행정협의회에서 합의가 이루어지지 아니한 사항의 조정에 필요한 사항을 심의·의결하기 위하여 행정안전부에 ＿＿ㄷ＿＿ 를 둔다.
- 지방자치단체는 2개 이상의 지방자치단체에 관련된 사무의 일부를 공동으로 처리하기 위하여 관계 지방자치단체 간의 ＿＿ㄹ＿＿ 를 구성할 수 있다.

	ㄱ	ㄴ	ㄷ	ㄹ
①	행정협의회	지방자치단체장협의회	지방자치단체지방분쟁조정위원회	협의체
②	지방자치단체조합	행정협의회	지방자치단체지방분쟁조정위원회	협의체
③	행정협의회	협의체	지방자치단체중앙분쟁조정위원회	지방자치단체장협의회
④	지방자치단체조합	협의체	지방자치단체중앙분쟁조정위원회	행정협의회

09 　지방자치단체 상호 간 관계

ㄱ은 지방자치단체조합, ㄴ은 협의체, ㄷ은 지방자치단체중앙분쟁조정위원회, ㄹ은 행정협의회이다.

답 ④

우리나라의 중앙정부와 지방정부 간 관계에 대한 설명으로 옳지 않은 것은?

① 중앙정부와 지방정부 간의 인사교류 활성화는 소모적 갈등의 완화에 기여할 수 있다.
② 특별지방행정기관과 지방정부 간 기능이 유사·중복되어 갈등이 발생하기도 한다.
③ 중앙정부와 지방정부 간 재원 및 재정 부담을 둘러싼 갈등이 심화되고 있다.
④ 중앙정부와 지방정부 간 갈등을 해결하기 위하여 설치된 행정협의조정위원회의 결정은 강제력을 가진다.

10 　중앙정부와 지방정부 간 관계

행정협의조정위원회의 결정은 지방자치단체의 장이 그 협의·조정 사항을 이행해야 하는 의무가 생기지만, 직무이행명령권과 대집행권이 없어 실제적으로 약한 강제력을 가지고 있다.

선지분석
① 중앙정부와 지방정부의 소속 공무원의 인사교류 활성화는 상호 이해를 증진시켜 소모적 갈등의 완화에 기여할 수 있다.
② 특별지방행정기관은 중앙정부의 소속기관으로 그 기능이 지방정부와 유사·중복될 경우 그 권한과 책임에 관하여 갈등이 발생할 수 있다.
③ 중앙정부와 지방정부가 공동으로 사업을 시행하는 경우가 증가하는 한편, 중앙정부의 사무가 지방정부로 이행되었지만 재정적 뒷받침이 이루어지지 않아 재원 및 재정 부담을 둘러싼 갈등이 심화되고 있다.

답 ④

지방자치단체 상호 간의 분쟁조정에 관한 설명으로 옳지 않은 것은?

① 지방자치단체 상호 간에 분쟁이 발생할 경우 행정안전부장관 또는 시·도지사가 당사자의 신청에 의하여 이를 조정할 수 있다.

② 지방자치단체 상호 간 분쟁이 공익을 현저히 저해하여 조속한 조정이 필요하다고 인정될 경우에는 당사자의 신청이 없어도 행정안전부장관 또는 시·도지사가 직권으로 이를 조정할 수 있다.

③ 조정결정사항 중 예산이 수반되는 경우에 관계 지방자치단체는 이에 필요한 예산을 우선적으로 편성하여야 한다.

④ 동일 광역자치단체 내 기초자치단체 간의 분쟁은 중앙분쟁조정위원회에서 조정한다.

「지방자치법」상 지방자치단체에 대한 국가의 지도·감독의 내용으로 옳지 않은 것은?

① 중앙행정기관의 장과 지방자치단체의 장이 사무를 처리할 때 의견을 달리하는 경우 이를 협의·조정하기 위하여 국무총리 소속으로 행정협의조정위원회를 둔다.

② 지방자치단체나 그 장이 위임받아 처리하는 국가사무에 관하여 시·도에서는 주무부장관의, 시·군 및 자치구에서는 1차로 시·도지사의, 2차로 주무부장관의 지도·감독을 받는다.

③ 행정안전부장관이나 시·도지사는 지방자치단체의 자치사무가 공익을 현저히 해친다고 판단되면 지방자치단체의 서류·장부 또는 회계를 감사할 수 있다.

④ 지방의회의 의결이 공익을 현저히 해친다고 판단되면 시·도에 대하여는 주무부장관이, 시·군 및 자치구에 대하여는 시·도지사가 재의를 요구하게 할 수 있다.

11	지방자치단체 상호 간의 분쟁조정

지방분쟁조정위원회는 중앙분쟁조정위원회의 심의·의결 대상이 아닌 지방자치단체·지방자치단체조합 간 또는 그 장 간의 분쟁을 심의·의결한다(「지방자치법」 제149조 제3항).

> **「지방자치법」 제149조【지방자치단체중앙분쟁조정위원회 등의 설치와 구성 등】** ② 중앙분쟁조정위원회는 다음 각 호의 분쟁을 심의·의결한다.
> 1. 시·도 간 또는 그 장 간의 분쟁
> 2. 시·도를 달리하는 시·군 및 자치구 간 또는 그 장 간의 분쟁
> 3. 시·도와 시·군 및 자치구 간 또는 그 장 간의 분쟁
> 4. 시·도와 지방자치단체조합 간 또는 그 장 간의 분쟁
> 5. 시·도를 달리하는 시·군 및 자치구와 지방자치단체조합 간 또는 그 장 간의 분쟁
> 6. 시·도를 달리하는 지방자치단체조합 간 또는 그 장 간의 분쟁

답 ④

12	지방자치단체에 대한 국가의 지도·감독

행정안전부장관이나 시·도지사는 지방자치단체의 자치사무에 관하여 보고를 받거나 서류·장부 또는 회계를 감사할 수 있다. 이 경우 감사는 법령위반사항에 대하여만 실시한다(「지방자치법」 제171조 제1항).

(선지분석)
① 「지방자치법」 제168조 제1항에 규정되어 있다.
② 「지방자치법」 제163조 제1항에 규정되어 있다.
④ 「지방자치법」 제172조 제1항에 규정되어 있다.

답 ③

「지방자치법」상 지방자치단체에 대한 국가의 지도·감독에 대한 설명으로 옳지 않은 것은?

① 중앙행정기관의 장이나 시·도지사는 지방자치단체의 사무에 관하여 조언 또는 권고하거나 지도할 수 있으며, 이를 위하여 필요하면 지방자치단체에 자료의 제출을 요구할 수 있다.

② 지방자치단체의 자치사무에 관한 그 장의 명령이나 처분이 법령에 위반되거나 현저히 부당하여 공익을 해친다고 인정되면 시·도에 대하여는 주무부장관이, 시·군 및 자치구에 대하여는 시·도지사가 기간을 정하여 서면으로 시정할 것을 명하고, 그 기간에 이행하지 아니하면 이를 취소하거나 정지할 수 있다.

③ 지방자치단체의 장이 법령의 규정에 따라 그 의무에 속하는 국가위임사무나 시·도위임사무의 관리와 집행을 명백히 게을리하고 있다고 인정되면 시·도에 대하여는 주무부장관이, 시·군 및 자치구에 대하여는 시·도지사가 기간을 정하여 서면으로 이행할 사항을 명령할 수 있다.

④ 행정안전부장관이나 시·도지사는 지방자치단체의 자치사무에 관하여 보고를 받거나 서류·장부 또는 회계를 감사할 수 있다.

우리나라 지방자치제도에 대한 설명으로 옳지 않은 것은?

① 자치사무(고유사무)와 달리 법령에 의하여 지방자치단체에 속하는 사무(단체위임사무)에 관해서는 조례로 규정할 수 없다.

② 합의제 행정기관의 설치·운영에 관하여 필요한 사항은 대통령령 또는 조례로 정할 수 있다.

③ 지방자치단체는 공공시설을 부정사용한 자에 대하여 과태료를 부과하는 규정을 조례로 정할 수 있다.

④ 지방자치단체는 공공시설을 관계 지방자치단체의 동의를 얻어 그 지방자치단체의 구역 밖에 설치할 수 있다.

13	지방자치단체에 대한 국가의 지도·감독

지방자치단체의 자치사무에 관한 시정명령의 경우는 그 장의 명령이나 처분이 위법한 경우에 한정되며, 부당에 그친 경우에는 인정되지 않는다.

> 「지방자치법」 제169조 【위법·부당한 명령·처분의 시정】 ① 지방자치단체의 사무에 관한 그 장의 명령이나 처분이 법령에 위반되거나 현저히 부당하여 공익을 해친다고 인정되면 시·도에 대하여는 주무부장관이, 시·군·자치구에 대하여는 시·도지사가 기간을 정하여 서면으로 시정할 것을 명하고, 그 기간에 이행하지 아니하면 이를 취소하거나 정지할 수 있다. 이 경우 자치사무에 관한 명령이나 처분에 대하여는 법령을 위반하는 것에 한한다.

답 ②

14	우리나라 지방자치제도

지방자치단체는 자치사무와 단체위임사무에 대하여 조례로 규정할 수 있다.

(선지분석)

② 합의제행정기관의 설치·운영에 관하여 필요한 사항은 대통령령이나 그 지방자치단체의 조례로 정한다(「지방자치법」 제116조 제2항).

③ 지방자치단체는 조례를 위반한 행위에 대하여 조례로써 1천만 원 이하의 과태료를 정할 수 있다(「지방자치법」 제27조 제1항).

③ 공공시설은 관계 지방자치단체의 동의를 받아 그 지방자치단체의 구역 밖에 설치할 수 있다(「지방자치법」 제114조 제3항).

답 ①

지방자치단체의 조직권을 강화하기 위한 방안의 하나로 도입된 '총액인건비제'에 대한 설명으로 옳지 않은 것은?

① 중앙정부에 의한 정원통제를 어느 정도 피할 수 있다.
② 정원 및 기구의 조정을 통해 조직 내에서 자동적인 제어기 능이 작동한다.
③ 업무성격이나 내용에 따라 유연한 인력운영이 가능하다.
④ 표준정원제 운영에 적합하고, 지방자치단체장의 무분별한 기구와 정원관리의 폐해를 막을 수 있다.

우리나라 중앙정부와 지방자치단체 간 또는 지방자치단체 상호 간의 관계에 대한 기술로 틀린 것은?

① 행정안전부장관은 공익상 필요하면 지방자치단체조합의 설립이나 해산을 명할 수 있다.
② 지방자치단체 간 의견이 달라 분쟁이 생길 경우 당사자의 신청 없이는 조정을 할 수 없다.
③ 중앙행정기관의 장과 지방자치단체의 장 간에 의견을 달리하는 경우 국무총리 소속으로 행정협의조정위원회를 두어 조정한다.
④ 「지방자치법」상 인정되는 지방자치단체 간의 협력방안으로 지방자치단체조합의 설립, 사무위탁, 행정협의회의 구성 등이 있다.

---

15   총액인건비제

지방자치단체별 기구와 정원을 산정·통제하는 표준정원제는 2007년도 총액인건비제로 전환되었다. 여기서 총액인건비제는 각 기관에 조직·정원, 보수, 예산운영의 자율성을 부여하여 성과 중심의 조직운영체제를 확립하기 위해 2007년부터 전 중앙행정기관에서 전면 시행되고 있다.

답 ④

---

16   중앙정부와 지방자치단체 간 또는 지방자치단체 상호 간의 관계

지방자치단체 간 의견이 달라 분쟁이 생길 경우 당사자의 신청에 의한 조정이 원칙이지만, 공익을 현저히 저해하여 조속한 조정이 필요하다고 인정되면 신청 없이도 조정을 할 수 있다.

(선지분석)
① 행정안전부장관은 공익상 필요하면 지방자치단체조합의 설립이나 해산 또는 규약의 변경을 명할 수 있다(「지방자치법」 제163조 제2항).
③ 중앙행정기관의 장과 지방자치단체의 장이 사무를 처리할 때 의견을 달리하는 경우 이를 협의·조정하기 위하여 국무총리 소속으로 행정협의조정위원회를 둔다(「지방자치법」 제168조 제1항).

답 ②

특별지방행정기관에 대한 설명으로 옳은 것은?

① 국가의 사무를 집행하기 위해 설치한 일선집행기관으로 고유의 법인격을 가지고 있다.

② 전문분야의 행정을 보다 효율적으로 수행하기 위해 설치하나 행정기관 간의 중복을 야기하기도 한다.

③ 특별지방행정기관의 예로는 자치구가 아닌 일반행정구가 있다.

④ 특별지방행정기관은 지방행정의 전문성을 제고하여 지방분권 강화에 긍정적인 영향을 미친다.

특별지방행정기관에 대한 설명으로 옳지 않은 것은?

① 고유의 법인격을 물론 자치권도 가지고 있지 않다.

② 관할범위가 넓을수록 이용자인 고객의 편리성이 향상된다.

③ 주민들의 직접통제와 참여가 용이하지 않은 문제가 있다.

④ 특별지방행정기관의 예로 교도소, 세관, 우체국 등을 들 수 있다.

17	특별지방행정기관

책임행정기관과 지방자치단체의 기능과 업무 중복으로 인력과 예산 낭비를 초래하여 행정의 비효율성을 야기할 수 있다.

(선지분석)

① 특별지방행정기관은 법인격이 없다.

③ 일반행정구는 지방자치단체의 하부기관이다.

④ 특별지방행정기관은 지방행정에 중앙의 영향력을 강화함으로써 지방분권 강화에 부정적 영향을 미칠 수 있다.

답 ②

18	특별지방행정기관

특별지방행정기관은 관할범위가 자치단체보다 넓어 광역행정에 유리하다는 장점이 있지만, 고객의 편리성이나 주민접근성이 떨어져 현지행정을 저해한다는 단점이 있다.

📄 특별지방행정기관의 필요성과 한계

필요성	• 통일행정: 신속하고 통일적인 행정수행에 유용함
	• 근린행정: 지역별 특성을 확보하는 정책집행 가능
	• 전문행정: 국가의 업무 부담을 경감하고 전문적인 행정수행
	• 광역행정: 중앙과 지역 간 협력 및 광역행정의 수단
한계	• 행정책임의 약화와 행정의 비효율성 증대
	• 주민의 참여 저하와 중앙통제 강화
	• 지방자치단체와의 갈등 가능성 증가
	• 지방자치단체와 수평적 협조 및 조정이 곤란함

답 ②

특별지방행정기관에 대한 설명으로 옳지 않은 것은?

① 관할지역 주민들의 직접적인 통제와 참여가 용이하기 때문에 책임행정을 실현할 수 있다.
② 출입국관리, 공정거래, 근로조건 등 국가적 통일성이 요구되는 업무를 수행한다.
③ 현장의 정보를 중앙정부에 전달하거나 중앙정부와 지방자치단체 사이의 매개 역할을 수행하기도 한다.
④ 국가의 사무를 집행하기 위해 중앙정부에서 설치한 일선행정기관으로 자치권을 가지고 있지 않다.

특별지방행정기관에 대한 설명으로 옳은 것은?

① 국가적 통일성보다는 지역의 특수성을 중요시하여 설치한다.
② 지방자치의 발전에 기여한다.
③ 지방자치단체와 명확한 역할배분이 이루어져 행정의 효율성을 높일 수 있다.
④ 지역별 책임행정을 강화할 수 있다.
⑤ 주민들의 직접 통제와 참여가 용이하지 않다.

---

19   특별지방행정기관

특별지방행정기관은 국가가 국가사무를 처리하게 하기 위하여 지역별로 설치한 것이다. 주민의 참여가 가능한 지방자치와는 달리 주민들의 참여 확보가 곤란한 일선기관은 책임행정을 실현하기 곤란하다.

(선지분석)
② 출입국관리 업무를 위하여 법무부 소속 출입국관리사무소를, 공정거래 업무를 위하여 공정거래위원회 소속 공정거래사무소를, 근로조건 관련 업무를 위하여 고용노동부 소속 고용노동청을 특별지방행정기관으로 둔다.
③ 특별지방행정기관은 지방의 현장 정보를 중앙정부에 전달하거나 중앙정부와 특별지방행정기관이 소재한 지방자치단체 사이의 매개체 역할을 하기도 한다.
④ 특별지방행정기관은 국가의 사무를 집행하기 위해 중앙정부에서 설치한 일선행정기관으로 법인격과 자치권이 없다.

답 ①

20   특별지방행정기관

특별지방행정기관은 국가사무의 통일적이고 전문적인 처리를 위하여 국가가 지방에 설치한 행정기관을 의미한다. 따라서 주민들의 직접 통제와 참여가 용이하지 않다.

(선지분석)
① 특별지방행정기관은 지역의 특수성보다 국가적 통일성을 중요시하여 설치한다.
② 특별지방행정기관은 지방자치의 발전을 저해한다.
③ 지방자치단체와 역할배분이 모호해져 행정의 낭비와 비효율성이 야기될 수 있다.
④ 특별지방행정기관은 지역별 책임행정을 저해할 수 있다.

답 ⑤

21 □□□

특별지방행정기관에 대한 설명으로 옳지 않은 것은?

① 국가업무의 효율적이고 광역적인 추진이라는 긍정적인 목적과 부처이기주의적 목적이 결합되어 설치되었다.

② 지방자치단체와의 관계에서 이중행정, 이중감독의 문제는 보조금의 교부, 자금의 대부 등에서 현저하게 나타난다.

③ 특별지방행정기관의 수는 IMF 경제위기를 극복하기 위해 1990년대 후반에 급증하였다.

④ 지역주민의 의사를 반영시키는 제도적 장치가 결여되어 있다.

22 □□□

특별지방행정기관에 해당하지 않는 것은?

① 농촌진흥청
② 유역환경청
③ 국립검역소
④ 지방국토관리청

21	특별지방행정기관

특별지방행정기관은 특수한 광역적 사무를 처리하기 위하여 설치된 자치단체로서 특별일선기관과는 구별되며, 1990년대 후반에 들어서 특별지방행정기관은 통합되거나 정비되어 그 수가 줄어들었다.

(선지분석)

① 특별지방행정기관은 국가업무의 효율적이고 광역적 추진이라는 긍정적인 목적과 각 중앙부처에서 특별지방행정기관의 확대를 통한 영향력 강화라는 부처이기주의적 목적이 결합되어 설치되었다.

② 특별지방행정기관의 설치로 인하여 지방자치단체와 행정이 중복되어서 수행되고 민간에 대한 이중감독의 문제 등이 발생하였다.

④ 특별지방행정기관은 중앙부처 소속기관으로 지역 주민들의 참여가 제한되어 있기 때문에 지역주민의 의사를 반영시키는 제도적 장치가 결여되어 있다.

답 ③

22	특별지방행정기관

「정부조직법」제36조에 따르면 농촌진흥청은 농림축산식품부장관 소속 기관으로, 우리나라 중앙행정기관인 '청'에 해당하는 것이다.

(선지분석)

② 유역환경청은 환경부 소속의 지방환경청으로 특별지방행정기관에 해당한다.

③ 국립검역소는 보건복지부 산하에 있는 특별지방행정기관이다.

④ 각 지방국토관리청은 국토교통부 소속의 특별지방행정기관이다.

답 ①

23 □□□

다음 중 현행 「정부조직법」에서 정하고 있는 행정각부 소속의 특별지방행정기관으로 옳지 않은 것은?

① 서울지방경찰청
② 부산지방우정청
③ 광주지방식품의약품안전청
④ 부산지방중소기업청
⑤ 충청지방통계청

THEME 101 광역행정

24 □□□

광역행정에 대한 설명으로 옳지 않은 것은?

① 기존의 행정구역을 초월해 더 넓은 지역을 대상으로 행정을 수행한다.
② 행정권과 주민의 생활권을 일치시켜 행정 효율성을 증진시킬 수 있다.
③ 규모의 경제를 확보하기 어렵다.
④ 지방자치단체 간에 균질한 행정서비스를 제공하는 계기로 작용해 왔다.

23	특별지방행정기관

광주지방식품의약품안전청은 국무총리 소속의 특별지방행정기관에 해당한다. 나머지는 모두 대통령 소속의 행정각부 또는 그 소속외청의 특별지방행정기관이다.

선지분석
① 행정안전부 소속의 경찰청의 지방경찰청이다.
② 과학기술정보통신부 소속의 우정사업본부의 지방우정청이다.
④ 현재 부산지방중소기업청은 부산지방중소벤처기업청으로 변경되었다. 중소기업청은 중소벤처기업부로 승격·독립하였다.
⑤ 기획재정부 소속의 통계청의 지방통계청이다.

답 ③

24	광역행정

광역행정은 기존의 행정구역보다 더 넓은 지역을 대상으로 행정을 수행한다. 따라서 행정 수행의 구역이 커지므로 규모의 경제를 확보하기가 용이하다.

선지분석
① 광역행정이란 기존의 자치단체의 행정구역을 초월하여 더 넓은 지역을 대상으로 행정을 수행한다.
② 광역행정은 주민의 생활권이 자치단체의 행정권보다 넓을 경우 그 생활권과 행정권을 일치시켜 행정의 효율성을 증진시킬 수 있다.
④ 광역행정은 지방자치단체 간의 행정서비스 격차를 시정하고 균질한 행정서비스를 제공하는 계기로 작용한다.

답 ③

자치단체 상호 간의 적극적 협력을 제고하기 위한 제도적·비제도적 방식에 해당하지 않는 것은?

① 자치단체조합
② 전략적 협력
③ 분쟁조정위원회
④ 사무위탁

다음 중 광역행정의 방식에 대한 설명으로 옳지 않은 것은?

① 공동처리방식은 둘 이상의 지방자치단체가 상호 협력관계를 형성하여 광역적 행정사무를 공동으로 처리하는 방식이다.
② 연합방식은 둘 이상의 지방자치단체가 독립적인 법인격을 그대로 유지하면서 연합단체를 새로 창설하여 광역행정에 관한 사무를 그 연합단체가 처리하게 하는 방식이다.
③ 연합방식은 새로 창설된 연합단체가 기존 자치단체의 독립성을 존중하면서 스스로 사업주체가 된다는 점에서 공동처리방식과 구별된다.
④ 통합방식은 일정한 광역권 안에 여러 자치단체를 포괄하는 단일의 정부를 설립하여 그 정부의 주도로 광역사무를 처리하는 방식이다.
⑤ 통합방식은 각 자치단체의 개별적 특수성을 반영함으로써 지방분권화를 촉진하고 주민참여를 용이하게 하는 장점이 있어 발전도상국보다 선진 민주국가에서 많이 채택하고 있다.

25	분쟁조정위원회

분쟁조정위원회는 지방과 지방 간(자치단체 상호 간) 분쟁이 발생하였을 때 조정하기 위한 기구이다. 자치단체조합, 전략적 협력, 사무위탁은 자치단체 상호 간의 적극적 협력을 제고하기 위한 방식이다.

답 ③

26	광역행정

통합방식은 기존의 자치단체가 독립된 법인격을 상실하는 것이므로 자치단체의 개별적 특수성이 무시된 채 주민참여를 저해하고 중앙집권화를 초래한다는 점에서 선진국보다는 개발도상국에서 많이 채택하고 있다.

📄 통합방식의 유형

합병	• 몇 개의 기존 지방자치단체를 통·폐합하여 하나의 법인격을 가진 지방자치단체를 신설하는 방식 • A + B = C • 우리나라 시·군 자율통폐합, 일본의시정촌 합병추진 등이 이에 해당함
흡수통합	하급 지방자치단체의 권한이나 지위를 상급 지방자치단체가 흡수하는 방식
전부사무조합	• 둘 이상의 지방자치단체가 계약에 의해 모든 사무를 공동으로 처리하기 위해 설치하는 조합 • 기존 지방자치단체는 사실상 소멸함

답 ⑤

27 □□□

광역행정에 대한 설명으로 옳지 않은 것은?

① 광역행정이란 둘 이상의 지방자치단체관할구역에 걸쳐서 공동적 또는 통일적으로 수행되는 행정을 말한다.

② 사회경제권역의 확대는 광역행정을 촉진시키는 요인으로 작용한다.

③ 공동처리방식은 둘 이상의 지방자치단체가 상호 협력하여 광역행정사무를 공동으로 처리하는 방식이다.

④ 연합방식은 일정한 광역권 안에 여러 자치단체를 통합한 단일의 정부를 설립하여 광역행정사무를 처리하는 방식이다.

27	광역행정

연합방식이 아니라 통합방식에 해당한다. 연합방식은 둘 이상의 자치단체가 독립된 법인격을 유지하면서 광역의 연합정부를 구성하는 방식이다.

📋 연합방식의 유형

자치단체연합체	둘 이상의 지방자치단체가 독립된 법인격을 유지하면서, 특별지방자치단체인 연합정부를 구성하는 방식
도시 공동체	대도시권의 기초자치단체인 시(市)들이 광역자치단체 내지 광역 행정단위를 구성하는 방식
복합사무조합	둘 이상의 지방자치단체가 계약에 의해 몇 개의 사무를 공동으로 처리하기 위하여 규약을 정하고 설치하는 조합

답 ④

28 □□□

광역행정의 방식에 대한 설명으로 옳지 않은 것은?

① 흡수통합은 자치단체를 몇 개 폐합하여 하나의 법인격을 가진 새로운 자치단체를 신설하는 방식이다.

② 공동처리방식은 둘 이상의 자치단체가 상호 협력관계를 형성하여 광역적 행정사무를 공동으로 처리하는 방식이다.

③ 연합은 기존의 자치단체가 각각 독립적인 법인격을 유지하면서 그 위에 광역행정을 전담하는 새로운 자치단체를 신설하는 방식이다.

④ 자치단체 간 계약은 한 자치단체가 다른 자치단체에게 일정한 대가를 받고 서비스를 제공하는 것을 말한다.

28	광역행정

흡수통합이 아니라 합병에 대한 설명이다. 흡수통합은 상급 자치단체 또는 국가가 하급 자치단체의 권한·지위를 흡수하여 통합하는 방식이다.

(선지분석)

③ 연합은 기존의 자치단체가 각각 독립적인 법인격을 유지하면서, 그 위에 광역행정을 전담하는 새로운 자치단체를 신설하는 방식이다. 우리나라의 경우는 자치단체가 기본적으로 중층제 구조이기 때문에 연합방식이 쓰이지 않는다.

④ 자치단체 간 계약은 자치단체 간의 민사적 계약 등을 통하여 한 자치단체가 대가를 받고, 다른 자치단체는 대가만큼의 서비스를 제공하는 방식이다.

답 ①

「지방자치법」상의 지방자치단체조합에 대한 설명으로 옳지 않은 것은?

① 2개 이상의 지방자치단체가 하나 또는 둘 이상의 사무를 공동으로 처리할 필요가 있을 때에 소정의 절차를 거쳐 설립할 수 있는 법인이다.
② 설립뿐 아니라 규약변경이나 해산의 경우에도 지방의회의 의결을 거쳐야 한다.
③ 해산한 경우에 그 재산의 처분은 행정안전부장관의 승인을 받아야 한다.
④ 구성원인 시·군 및 자치구가 2개 이상의 시·도에 걸치는 지방자치단체조합은 행정안전부장관의 지도·감독을 받는다.

현행 「지방자치법」상 지방자치단체 상호 간 협력방식에 대한 설명으로 가장 적합하지 않은 것은?

① 사무위탁은 사무처리비용의 절감, 공동사무처리에 따른 규모의 경제 등의 장점이 있으나, 위탁처리비용의 산정문제 등으로 인해 광범위하게 이용되지 못하고 있다.
② 2개 이상의 지방자치단체가 그 사무 중 일부를 공동처리할 필요가 있을 때에는 규약을 정하고 일정한 절차를 거쳐 지방자치단체조합을 설립할 수 있다.
③ 행정협의회를 구성한 관계 지방자치단체는 반드시 협의회의 결정에 따라 사무를 처리할 필요는 없다.
④ 지방자치단체는 다른 지방자치단체로부터 사무의 공동처리에 관한 요청이나 사무처리에 관한 협의·조정·승인 또는 지원의 요청을 받으면 법령의 범위에서 협력하여야 한다.

29	지방자치단체조합

지방자치단체조합을 해산한 경우에 그 재산의 처분은 관계 지방자치단체의 협의에 따른다.

선지분석

① 2개 이상의 지방자치단체가 하나 또는 둘 이상의 사무를 공동으로 처리할 필요가 있을 때에는 규약을 정하여 그 지방의회의 의결을 거쳐 시·도는 행정안전부장관의, 시·군 및 자치구는 시·도지사의 승인을 받아 지방자치단체조합을 설립할 수 있다(「지방자치법」 제159조 제1항).
② 지방자치단체조합의 규약을 변경하거나 지방자치단체조합을 해산하려는 경우에는 제159조 제1항을 준용한다(「지방자치법」 제164조 제1항).
④ 시·도가 구성원인 지방자치단체조합은 행정안전부장관의, 시·군 및 자치구가 구성원인 지방자치단체조합은 1차로 시·도지사의, 2차로 행정안전부장관의 지도·감독을 받는다. 다만, 지방자치단체조합의 구성원인 시·군 및 자치구가 2개 이상의 시·도에 걸치는 지방자치단체조합은 행정안전부장관의 지도·감독을 받는다(「지방자치법」 제163조).

답 ③

30	지방자치단체 상호 간 협력방식

행정협의회의 경우 협의회의 결정이 관계 지방자치단체를 실질적으로 구속하지는 못하지만, 「지방자치법」 제157조에 의해 관계 지방자치단체는 협의회의 결정을 따라야 한다.

> 「**지방자치법**」 **제157조 【협의회의 협의 및 사무처리의 효력】** ① 협의회를 구성한 관계 지방자치단체는 협의회가 결정한 사항이 있으면 그 결정에 따라 사무를 처리하여야 한다.

답 ③

CHAPTER 5 지방자치와 주민참여

THEME 102   지방자치와 주민참여

01 □□□
2015년 사회복지직 9급

주민의 참여가 확대됨으로써 예상되는 긍정적 기능에 해당하지 않는 것은?

① 정책집행의 순응성 제고
② 정책의 민주성과 정당성 증대
③ 시민의 역량과 자질 증대
④ 행정적 비용의 감소

---

01   주민참여

주민참여는 그 과정에서 행정지체로 인한 행정의 비능률성과 행정적 비용의 증가 문제가 발생한다.

📑 **주민참여의 순기능과 역기능**

순기능	역기능

• 대의 민주주의의 한계 보완
• 행정의 효율성과 책임성 제고
• 절차적 민주주의와 정당성 실현
• 정책의 신뢰성 향상과 순응 확보
• 정책의 현실성 및 적실성 제고
	• 행정의 능률성 저해
	  (시간과 비용의 증가)
	• 주민대표성의 문제
	  (활동적 소수의 문제)
	• 행정의 전문성 저하
	• 책임의 분산을 통한 전가
	• 갈등의 증대

답 ④

---

02 □□□
2016년 사회복지직 9급

우리나라의 예산제도와 그 목적을 연결한 것으로 옳지 않은 것은?

① 주민참여예산제도 – 재정사업의 성과관리
② 예산의 이용과 전용 – 예산집행의 신축성 확보
③ 준예산제도 – 국가 재정활동의 단절 방지
④ 특별회계제도 – 재정운영주체의 자율성 확보

---

02   우리나라의 예산제도

주민참여예산제도는 지방자치단체의 예산편성에 주민이 직접 참여하여 재정운영의 투명성과 공개성을 높이고, 예산에 대한 행정통제를 통해 책임성을 강화하기 위한 목적으로 시행되는 제도이다. 재정사업의 성과관리는 성과관리제도의 목적에 대한 설명이다.

(선지분석)
② 예산의 이용은 입법과목 간, 전용은 행정과목 간의 상호 융통이다. 이용과 전용 모두 예산 성립 이후 집행과정에서 발생하는 변화에 신축적으로 대응하기 위한 방안이다.
③ 준예산제도는 새로운 회계연도가 개시될 때까지 본예산이 국회에서 의결되지 못한 때에 정부가 국회에서 예산안이 의결될 때까지 전년도 예산에 준하여 특정한 경비를 지출할 수 있도록 하여 국가 재정활동의 단절을 방지하는 제도이다.
④ 특별회계제도는 특정한 세입으로 특정한 세출에 충당하기 위하여 일반회계와 별도로 구분하여 경리하는 예산으로, 행정기관의 재량범위를 확대한다.

답 ①

다음 중 아른슈타인(Arnstein)이 제시한 주민참여의 8단계론 중 명목적(형식적) 참여의 범주에 해당하는 것은?

① 조작(manipulation)
② 치료(therapy)
③ 협력(partnership)
④ 정보제공(informing)
⑤ 주민통제(citizen control)

아른슈타인(Arnstein)이 분류한 주민참여수준에 대한 설명으로 옳지 않은 것은?

① 회유(placation)는 주민이 정보를 제공받고, 각종 위원회 등에서 의견을 제시·권고하는 등의 역할은 하지만, 주민이 정책결정에 영향력을 행사하는 능력은 갖지 못하는 수준이다.
② 정보제공(informing)은 행정기관과 주민 간의 정보회로가 쌍방향적이어서 환류를 통한 협상과 타협에 연결되는 수준이다.
③ 대등협력(partnership)은 행정기관이 최종결정권을 가지고 있지만 주민이 필요하다고 판단될 경우 행정기관에 맞서서 자신의 주장을 내세울 만큼의 영향력을 갖고 있는 수준이다.
④ 권한위임(delegated power)은 주민이 정책의 결정·실시에 우월한 권력을 가지고 참여하는 경우로, 주민의 영향력이 강하여 행정기관은 문제해결을 위하여 주민을 협상으로 유도하는 수준이다.

03	주민참여의 8단계론

명목적(형식적) 참여는 주민이 정보를 제공받아 권고·조언하고 공청회 등에 참여하여 정책결정과 관련한 의견을 제시할 수 있지만 판단결정권은 지방자치단체에 유보되어 있는 단계로 정보제공, 상담, 유화가 그 범주에 포함된다.

📋 **아른슈타인(Arnstein)의 주민참여 8단계**

비참여	1. 조작	• 관료들의 일방적 지시나 전달 • 주민들의 수동적 대응 수준
	2. 치료	• 행정기관이 책임 회피를 위하여 행하는 조치 • 주민은 실제적으로 정책결정에 참여하지 못하고 책임만을 부여받는 수준
명목적 참여	3. 정보제공	• 행정기관의 일방적인 정보전달 • 환류를 통한 협상과 타협에 연결되지 못하는 수준
	4. 상담	주민이 정책에 관해 권고하는 정도의 채널은 열려 있지만, 행정기관은 주민의사의 수렴보다 요구된 과정을 거친다는 형식에 더 큰 비중을 두는 수준
	5. 유화 (회유)	각종 위원회에서 의견 제시 등의 단계가 이루어지지만 영향력이 높지 않은 수준
주민 권력	6. 협력관계	행정기관이 최종결정권을 가지고 있지만, 주민이 필요하다고 판단될 경우 행정기관에 맞서서 자신의 주장을 내세울 만큼의 영향력을 가지고 있는 수준
	7. 권한위임	주민들이 정책의 결정·실시에 우월한 권력을 가지고 참여하는 수준
	8. 주민통제	주민이 위원회 등을 통하여 행정을 실제로 지배하고 있는 수준

답 ④

04	아른슈타인(Arnstein)의 주민참여수준

아른슈타인(Arnstein)이 분류한 주민참여수준에 따르면 정보제공(informing)은 행정기관의 일방적인 정보전달로서 환류를 통한 협상과 타협에 연결되지 못하는 수준이다.

답 ②

05 □□□

주민참여예산제도에 대한 설명으로 옳지 않은 것은?

① 「지방재정법」에 근거조항이 마련되어 있다.
② 주민참여예산기구의 구성·운영과 그 밖에 필요한 사항은 해당 지방자치단체의 조례로 정한다.
③ 지방자치단체의 장은 주민참여예산제도를 통하여 수렴한 주민의 의견서를 지방의회에 제출하는 예산안에 첨부하여야 한다.
④ 지방자치단체의 장은 지방의회의 의결사항을 포함하여 예산과정에 주민참여예산제도를 마련하여 시행하여야 한다.

---

05 주민참여예산제도

지방자치단체의 장은 지방의회의 의결사항을 제외하고 예산과정에 주민참여예산제도를 마련하여 시행하여야 한다(「지방재정법」 제39조 제1항).

(선지분석)
① 주민참여예산제도는 「지방재정법」 제39조에 근거조항이 마련되어 있다.
② 주민참여예산기구의 구성·운영과 그 밖에 필요한 사항은 해당 지방자치단체의 조례로 정한다(「지방재정법」 제39조 제5항).
③ 지방자치단체의 장은 주민참여예산제도를 통하여 수렴한 주민의 의견서를 지방의회에 제출하는 예산안에 첨부하여야 한다(「지방재정법」 제39조 제2항 제2호).

답 ④

06 □□□

다음 중 현행 법률상 허용되지 않는 것만을 모두 고르면?

ㄱ. 비례대표 지방의회의원에 대한 주민소환
ㄴ. 수사에 관여하게 되는 사항에 대한 주민감사청구
ㄷ. 수수료 감면을 위한 주민의 조례 개정 청구
ㄹ. 지방공무원의 정원에 관한 주민투표

① ㄱ, ㄷ
② ㄱ, ㄴ, ㄹ
③ ㄴ, ㄷ, ㄹ
④ ㄱ, ㄴ, ㄷ, ㄹ

---

06 주민참여제도

ㄱ. 비례대표 지방의회의원에 대해서는 주민소환이 인정되지 않는다.
ㄴ. 수사나 재판에 관여하게 되는 사항에 대하여는 주민감사청구가 인정되지 않는다.
ㄷ. 지방세, 사용료, 수수료, 부담금의 부과, 징수 또는 감면에 관한 사항은 조례 제정 및 개폐 청구의 대상에서 제외된다.
ㄹ. 공무원의 인사, 정원 등 신분과 보수에 관한 사항은 주민투표에서 제외된다.

답 ④

CHAPTER 5 지방자치와 주민참여 **733**

주민참여제도에 대한 설명으로 옳지 않은 것은?

① 주민참여제도에는 주민투표, 주민소환, 주민소송 등이 있다.
② 「지방자치법」에서는 주민소송에 관한 사항을 명시하고 있다.
③ 지역구지방의회의원에 대한 주민소환투표는 당해 지방의회의원의 지역선거구를 대상으로 한다.
④ 지방자치단체가 조례를 제정하면 해당 지역에 거주하는 18세 이상의 외국인에게도 주민투표권이 부여된다.

다음 중 주민의 직접적 지방행정 참여제도와 가장 거리가 먼 것은?

① 주민소환제도
② 주민감사청구제도
③ 주민협의회제도
④ 주민참여예산제도

07	주민참여제도

지방자치단체가 조례를 제정하면 해당 지역에 거주하는 외국인에게도 주민투표권이 부여될 수 있다. 이 때 외국인은 19세 이상이어야 한다.

(선지분석)
② 「지방자치법」 제17조에서 주민소송에 관한 사항을 명시하고 있다.
③ 주민소환투표는 주민이 직접 선출한 의원을 선출하는 제도이므로 당해 지방의회의원의 지역선거구를 대상으로 한다.

답 ④

08	주민참여제도

주민협의회, 연합회, 자문위원회 등은 전통적인 주민의 간접적 지방행정 참여제도에 해당한다.

(선지분석)
①, ②, ④ 주민소환제도, 주민감사청구제도, 주민참여예산제도 등은 「지방자치법」상 주민의 직접참여제도에 해당한다.

답 ③

09 □□□

「지방자치법」이 규정하고 있는 제도가 아닌 것은?

① 주민소환제도
② 주민정보공개청구제도
③ 주민소송제도
④ 주민감사청구제도

10 □□□

「지방자치법」에서 정한 주민참여의 방식으로 옳지 않은 것은?

① 주민의 조례제정청구
② 주민의 감사청구
③ 주민총회
④ 주민소송

09	주민참여제도

주민정보공개청구제도는 「공공기관의 정보공개에 관한 법률」에 규정되어 있다.

(선지분석)

① 「지방자치법」 제20조에 규정되어 있다.
③ 「지방자치법」 제17조에 규정되어 있다.
④ 「지방자치법」 제16조에 규정되어 있다.

답 ②

10	주민참여제도

우리나라의 「지방자치법」은 주민총회에 대해 규정하고 있지 않다. 주민총회는 직접민주주의 원리에 입각한 지방자치단체의 기관구성 형태이다. 이는 지방자치단체 지역 내의 전유권자들로 구성된 주민총회가 지방자치단체의 최고기관으로서 중요 공직자를 선출하고 지방자치단체의 중요정책 등을 결정한다.

답 ③

「지방자치법」상 주민참여 수단에 대한 설명으로 옳지 않은 것은?

① 지방자치단체의 장은 주민에게 과도한 부담을 주거나 중대한 영향을 미치는 지방자치단체의 주요 결정사항들에 대하여 주민투표에 부칠 수 있다.

② 19세 이상의 주민은 그 지방자치단체와 그 장의 권한에 속하는 사무의 처리가 법령에 위반되거나 공익을 현저히 해친다고 인정되면 감사를 청구할 수 있다.

③ 주민은 그 지방자치단체의 장을 소환할 권리를 갖지만, 비례대표 지방의회의원을 소환할 권리를 가지고 있지는 못하다.

④ 주민은 행정기구를 설치하거나 변경하는 것에 관한 사항이나 공공시설의 설치를 반대하는 사항의 조례를 제정하거나 개정하거나 폐지할 것을 청구할 수 있다.

우리나라 지방자치단체 주민투표제도에 대한 설명으로 가장 옳은 것은?

① 1994년 「지방자치법」 개정에서 도입된 이래 지금까지 시행되고 있다.

② 주민투표에 부쳐진 사항은 법에서 정한 경우를 제외하고는 주민투표권자 총수의 3분의 1 이상의 투표와 유효 투표 수 과반수의 득표로 확정된다.

③ 지방자치단체의 장은 주민 또는 지방의회의 청구에 의한 경우가 아닌 자신의 직권으로 주민투표를 실시할 수 없다.

④ 일반 공직선거와 마찬가지로 외국인은 어떠한 경우에도 주민투표에 참여할 수 없다.

11	주민참여 수단

법령을 위반하는 사항, 지방세·수수료·사용료·부담금의 부과·징수 또는 감면에 관한 사항, 행정기구의 설치·변경에 관한 사항 또는 공공시설의 설치를 반대하는 사항은 조례 제정 및 개폐 청구의 제외 대상이다.

선지분석

③ 비례대표 지방의회의원은 주민이 직접 선출했다고 보기 어려운 측면이 있으므로, 주민소환의 대상에서 제외된다.

답 ④

12	주민투표

주민투표의 의결정족수는 주민투표권자 총수의 3분의 1 이상의 투표와 유효 투표 수 과반수의 득표로 확정된다.

선지분석

① 주민투표제도는 2004년 「지방자치법」 개정으로 「주민투표법」이 제정된 이래 지금까지 시행되고 있다.

③ 지방자치단체의 장은 직권으로 주민투표를 실시할 수 있다. 다만 직권으로 주민투표에 부치고자 할 때에는 사전에 지방의회에 동의를 얻어야 한다.

④ 출입국관리 관계 법령에 따라 대한민국에 계속 거주할 수 있는 자격을 갖춘 외국인 중 지방자치단체의 조례로 정한 사람은 주민투표에 참여할 수 있다.

답 ②

주민투표에 관한 설명으로 옳지 않은 것은?

① 주민투표는 궁극적으로 대의제를 대체하려는 것이다.
② 우리나라에서 행정기구의 설치·변경에 관한 사항은 주민투표에 부칠 수 없다.
③ 주민투표제가 성공적으로 정착되기 위해서는 주민들의 자치의식이 확립되어야 한다.
④ 우리나라에서 주민투표는 주민 또는 지방의회의 청구에 의하거나 지방자치단체의 장의 직권에 의하여 실시할 수 있다.

주민에게 과도한 부담을 주거나 중대한 영향을 미치는 지방자치단체의 주요 결정사항으로서 그 지방자치단체의 조례로 정하는 사항은 주민투표에 부칠 수 있다. 이에 대한 설명으로 옳지 않은 것은?

① 지방자치단체장은 주민 또는 지방의회의 청구에 의하거나 직권에 의해 주민투표를 실시할 수 있다.
②「지방자치법」은 주민투표의 대상·발의자·발의 요건, 그 밖의 투표 절차 등에 관한 사항은 따로 법률로 정하도록 규정하고 있다.
③ 지방자치단체장 및 지방의회는 주민투표 결과 확정된 사항에 대해 원칙적으로 2년 이내에는 이를 변경하거나 새로운 결정을 할 수 없다.
④ 주민투표에 부쳐진 사항은 주민투표권자 총수의 3분의 1 이상의 투표와 유효 투표수 3분의 2 이상의 득표로 확정된다.

---

13 | 주민투표

주민투표의 목적은 궁극적으로 대의제의 보완에 있으며, 대의제를 대체하려고 하는 것은 아니다. 주민투표는 대표를 선출하는 것만으로는 지방자치에 주민의 의견을 구체적으로 표현할 수 없기 때문에 특정한 사안에 대하여 의사결정 과정에 일반 주민이 직접 참여하는 제도이다.

(선지분석)
② 법령에 위반되거나 재판중인 사항, 국가 또는 다른 지방자치단체의 권한 또는 사무에 속하는 사항, 지방자치단체의 예산·회계·계약 및 재산관리에 관한 사항과 지방세·사용료·수수료·분담금 등 각종 공과금의 부과 또는 감면에 관한 사항, 행정기구의 설치·변경에 관한 사항과 공무원의 인사·정원 등 신분과 보수에 관한 사항, 다른 법률에 의하여 주민대표가 직접 의사결정주체로서 참여할 수 있는 공공시설의 설치에 관한 사항 (다만, 지방의회가 주민투표의 실시를 청구하는 경우 제외), 동일한 사항에 대하여 주민투표가 실시된 후 2년이 경과되지 아니한 사항은 주민투표에 부칠 수 없다.

답 ①

14 | 주민투표

주민투표에 부쳐진 사항은 주민투표권자 총수의 3분의 1 이상의 투표와 유효 투표수 과반수의 득표로 확정된다(「주민투표법」 제24조 제1항).

(선지분석)
②「지방자치법」은 주민투표의 대상, 발의자, 발의요건, 그 밖의 투표 절차 등에 관한 사항을 따로 법률로 정하도록 규정하고 있고, 이에 「주민투표법」에서 해당 내용을 규정하고 있다.

답 ④

참여예산제도에 대한 설명으로 옳지 않은 것은?

① 브라질의 포르투 알레그리(Porto Alegre)시는 참여예산제도를 도입한 대표적인 사례이다.

② 예산 과정에의 시민참여는 중앙정부와 지방정부 모두 가능하지만, 참여예산제는 주로 지방정부를 대상으로 시행된다.

③ 참여예산제는 과정적 측면보다는 결과적 측면의 이념을 지향한다.

④ 예산 과정의 단계별로 볼 때 예산편성 단계에서의 참여에 초점을 둔다.

15	**참여예산제도**

참여예산제도는 예산편성의 과정에서 주민들이 참여하는 제도로서 결과보다는 과정적 측면을 중시한다.

(선지분석)

② 참여예산제도는 주로 지방정부를 대상으로 시행되지만, 우리나라의 경우 2019년부터 중앙정부를 대상으로도 참여예산제도를 실시하고 있다.

④ 참여예산제도는 예산편성 단계에서의 주민참여를 의미한다.

답 ③

재정 민주주의에 대한 설명으로 옳지 않은 것은?

① 재정 민주주의는 '대표 없이 과세 없다'라는 표현에서 나타나듯이 재정 주권이 납세자인 국민에게 있다는 의미를 내포하고 있다.

② 납세자인 시민이 국가 또는 지방자치단체의 재정지출과 관련된 부정과 낭비를 감시하는 납세자소송제도는 재정 민주주의의 본질을 잘 반영하고 있다.

③ 주민참여예산제도는 예산편성 과정에 주민참여를 확대함으로써 지방재정운영의 투명성 및 공정성을 제고하여 재정 민주주의에 기여한다.

④ 정부 예산집행의 신축성을 확대하기 위하여 만들어진 예산의 전용제도는 국회의 동의를 구해야 하므로 재정 민주주의 확보에 기여하는 제도적 장치이다.

16	**재정 민주주의**

예산의 전용은 행정과목 간의 상호 융통으로 기획재정부장관의 승인만으로 용도변경이 가능한 제도이다. 따라서 국회의 사전 동의가 필요하지 않다. 예산의 이용은 입법과목 간의 상호 융통으로 국회의 사전 동의가 필요하다.

(선지분석)

① 재정 민주주의는 재정 주권이 납세자인 국민에게 있다는 의미를 내포하고 있으므로, 국민이나 국민의 대표인 의회가 행정부를 통제하여야 한다는 의미이다.

답 ④

우리나라 시민 예산 참여에 대한 설명으로 옳지 않은 것은?

① 예산편성 단계에서 특정 사업의 시행과 관련하여 주민발안을 할 수 있다.

② 필요한 정보를 얻기 위해서 정보공개청구제도를 이용할 수 있다.

③ 예산이 부당하게 지출된 경우에 주민감사청구를 제기할 수 있다.

④ 중앙정부와 지방정부를 대상으로 국민소송제도를 입법화하였다.

⑤ 납세자소송은 국민에 대한 재정 주권의 실현을 보장하는 제도라고 할 수 있다.

주민의 합의와 참여를 근거로 예산을 수립하는 '주민참여예산제도'에 대한 설명으로 옳지 않은 것은?

① 공공부문에서 예산운영의 효율성과 지출가치의 극대화보다는 예산주권의 극대화나 시민욕구의 반영을 중요시하는 제도이다.

② 보수주의적 예산을 탈피하기 위하여 경직성 경비를 삭감하고 최고관리층의 중앙집권적 통제에 의해 성과주의예산과 목표기준예산을 활용한다.

③ 주민참여예산제도는 실질적 참여가 이루어지는 것을 전제로 하기 때문에 아른슈타인(Arnstein)의 주민권력 단계에 속한다고 할 수 있다.

④ 관료 중심의 예산운영으로 인한 전통적 비효율성과 지방자치단체장의 인기성, 선심성 예산운영으로 인한 비효율성을 극복하려는 사전적 주민통제방안이라고 할 수 있다.

---

17   우리나라 시민 예산 참여

지방정부를 대상으로 하는 주민소송제도는 2006년도에 이미 도입이 되었지만, 중앙정부를 상대로 하는 국민소송제도는 아직 입법화되지 않았다.

(선지분석)
① 예산편성 단계에서 특정 사업의 시행과 관련하여 지방자치단체의 장에게 조례의 제정, 개정 및 폐지 등을 청구할 수 있다.
② 필요한 정보를 얻기 위해 「공공기관의 정보공개에 관한 법률」에 의하여 정보공개청구제도를 이용할 수 있다.
③ 예산이 부당하게 지출된 경우에 「지방자치법」에 따라 주민감사청구를 제기할 수 있다.

답 ④

---

18   주민참여예산제도

주민참여예산제도에 대한 설명이 아니라 신성과주의예산에 대한 설명이다. 우리나라는 1999년 당시 기획예산위원회(현 기획재정부)가 주도하여 신성과주의예산제도 도입을 위한 준비 기간을 거쳐 2000년도에 시범적으로 도입한 후, 2003년부터 성과관리체제로 전환하여 현재에 이르고 있다. 지방정부의 경우에는 서울특별시가 2001년도 예산편성부터 신성과주의예산주의를 도입하여 적용하고 있다. 주민참여예산제도는 지역주민들이 직접 지방자치단체의 예산편성 과정에 참여하는 제도로, 예산의 투명한 공개, 주민참여를 통한 예산의 우선순위 결정, 정부와 주민대표의 협의를 통하여 실현가능한 예산계획을 마련하여 국회 동의의 단계를 거치는 등 시민참여에 초점을 맞춘 공식적인 제도이다.

답 ②

19 □□□

주민참여예산제도에 대한 설명으로 옳지 않은 것은?

① 지방자치단체의 장은 주민참여예산제도를 통하여 수렴한 주민의 의견서를 지방의회에 제출하는 예산안에 첨부하여야 한다.

② 주민참여예산기구의 구성·운영과 그 밖에 필요한 사항은 해당 지방자치단체의 조례로 정한다.

③ 2011년 「지방자치법」의 개정으로 모든 지방자치단체가 의무적으로 이행해야 하는 제도가 되었다.

④ 행정안전부장관은 지방자치단체의 재정적 여건을 고려하여 지방자치단체별 주민참여예산제도의 운영을 평가할 수 있다.

20 □□□

주민소환제에 대한 설명으로 옳은 것은?

① 주민은 그 지방자치단체의 장 및 비례대표를 포함한 지방의회의원을 소환할 권리를 가진다.

② 선출직 지방공직자의 임기만료일부터 1년 미만일 때에는 주민소환투표의 실시를 청구할 수 없다.

③ 주민소환은 주민소환투표권자 총수의 2분의 1 이상의 투표와 유효투표 총수 과반수의 찬성으로 확정된다.

④ 지방행정의 민주성과 책임성을 제고할 목적으로 도입한 주민 간접참여방식의 제도이다.

⑤ 주민소환투표의 효력에 이의가 있는 경우 투표 결과가 공표된 날부터 10일 이내에 소청할 수 있다.

19	주민참여예산제도

주민참여예산제도는 2011년 「지방재정법」의 개정으로 모든 지방자치단체가 의무적으로 이행해야 하는 제도가 되었다.

답 ③

20	주민소환

선출직 지방공직자가 임기개시일로부터 1년 이내, 임기만료일로부터 1년 미만일 때, 해당 선출직 지방공직자에 대한 주민소환투표를 실시한 날부터 1년 이내인 때에는 주민소환투표의 실시를 청구할 수 없다.

선지분석

① 주민소환투표청구권자는 해당 선출직 지방공직자(비례대표선거구시·도의회의원 및 비례대표선거구자치구·시·군의회의원은 제외)에 대하여 주민의 서명으로 그 소환사유를 구체적으로 명시하여 관할선거관리위원회에 주민소환투표의 실시를 청구할 수 있다.

③ 주민소환은 주민소환투표권자 총수의 3분의 1 이상의 투표와 유효투표 총수 과반수의 찬성으로 확정된다.

④ 주민소환은 지방자치에 관한 주민의 직접참여를 확대하고 지방행정의 민주성과 책임성을 제고함을 목적으로 한다.

⑤ 주민소환투표의 효력에 이의가 있는 경우 투표 결과가 공표된 날부터 14일 이내에 소청할 수 있다.

답 ②

21 □□□

우리나라의 주민소환제도에 관한 설명으로 옳지 않은 것은?

① 주민소환의 방식은 해당 관할구역의 주민들이 자율적으로 정한다.

② 지방자치에 관한 주민의 직접참여를 확대하고 지방행정의 민주성과 책임성을 제고함을 목적으로 한다.

③ 2007년에 경기도 하남시에서 주민소환투표가 최초로 실시되었다.

④ 주민소환의 대상자는 지방자치단체의 장 및 지방의회의원이지만 비례대표 지방의회의원은 제외된다.

22 □□

「지방자치법」상 주민에 의한 조례의 제정 및 개폐청구대상에 포함되지 않는 것만을 모두 고른 것은?

> ㄱ. 지방세의 부과·징수에 관한 사항
> ㄴ. 행정기구를 설치하거나 변경하는 것에 관한 사항
> ㄷ. 공공시설의 설치를 반대하는 사항

① ㄱ

② ㄱ, ㄷ

③ ㄴ, ㄷ

④ ㄱ, ㄴ, ㄷ

---

21 주민소환

주민소환의 방식은 「주민소환에 관한 법률」, 즉 법률에 의해서 규정하고 있다. 따라서 해당 관할구역의 주민들이 주민소환의 방식을 자율적으로 정한다는 지문은 옳지 않다.

선지분석

② 주민소환제도는 주민들의 투표에 의해서 선출된 공직자를 주민들의 의사로 소환하는 제도로, 주민의 직접참여를 확대하고 지방행정의 민주성과 책임성을 제고한다.

③ 2007년 경기도 하남시에서 하남시 의원을 대상으로 주민소환투표가 최초로 실시되었다.

④ 비례대표 지방의회의원은 주민이 직접 선출했다고 보기 어려운 측면이 있으므로 주민소환의 대상에서 제외된다.

답 ①

22 조례의 제정 및 개폐청구대상

ㄱ, ㄴ, ㄷ 모두 「지방자치법」상 주민에 의한 조례의 제정 및 개폐청구대상에 포함되지 않는다.

> 「지방자치법」 제15조 【조례의 제정과 개폐청구】 ② 다음 각 호의 사항은 청구대상에서 제외한다.
> 1. 법령을 위반하는 사항
> 2. 지방세·사용료·수수료·부담금의 부과·징수 또는 감면에 관한 사항
> 3. 행정기구를 설치하거나 변경하는 것에 관한 사항이나 공공시설의 설치를 반대하는 사항

답 ④

「지방자치법」상 주민의 감사청구에 대한 설명으로 옳지 않은 것은?

① 주민의 감사청구는 사무처리가 있었던 날이나 끝난 날부터 2년이 지나면 제기할 수 없다.

② 주무부장관이나 시·도지사는 감사청구를 수리한 날부터 60일 이내에 감사청구된 사항에 대하여 감사를 끝내는 것을 원칙으로 한다.

③ 다른 기관에서 감사한 사항이라도 새로운 사항이 발견되거나 중요 사항이 감사에서 누락된 경우는 감사청구의 대상이 될 수 있다.

④ 지방자치단체의 19세 이상의 주민은 시·도는 500명, 인구 50만 명 이상 대도시는 200, 그 밖의 시·군 및 자치구는 100명을 넘지 아니하는 범위에서 그 지방자치단체의 조례로 정하는 19세 이상의 주민 수 이상의 연서로 감사를 청구할 수 있다.

우리나라의 주민감사청구제도에 대한 설명으로 옳지 않은 것은?

① 19세 이상의 주민은 50만 이상의 대도시의 경우는 19세 이상 주민 500명을 넘지 않는 범위 내에서 해당 지방자치단체가 조례로 정하는 주민 수 이상의 연서로 청구할 수 있다.

② 사무처리가 있었던 날이나 끝난 날부터 2년이 지나면 제기할 수 없다.

③ 주무부장관이나 시·도지사는 감사청구를 수리한 날부터 60일 이내에 감사청구된 사항에 대하여 감사를 끝내야 한다. 다만, 그 기간에 감사를 끝내기가 어려운 정당한 사유가 있으면 그 기간을 연장할 수 있다.

④ 주무부장관이나 시·도지사는 감사 결과에 따라 기간을 정해 해당 지방자치단체장에게 필요한 조치를 요구할 수 있다.

23	주민감사청구제도

지방자치단체의 19세 이상의 주민은 시·도는 500명, 인구 50만 명 이상 대도시는 300명, 그 밖의 시·군 및 자치구는 200명을 초과하지 아니하는 범위 안에서 당해 지방자치단체의 조례가 정하는 19세 이상의 주민 수 이상의 연서로 시·도에 있어서는 주무부장관에게, 시·군 및 자치구에 있어서는 시·도지사에게 청구할 수 있다(「지방자치법」제16조 제1항).

(선지분석)
③ 다른 기관에서 감사한 사항은 주민감사청구 제외대상인 것이 원칙이나, 다른 기관에서 감사한 사항이라도 새로운 사항이 발견되거나 중요 사항이 감사에서 누락된 경우는 감사청구의 대상이 될 수 있다.

답 ④

24	주민감사청구제도

지방자치단체의 19세 이상의 주민은 인구 50만 이상 대도시의 경우에는 300명을 넘지 아니하는 범위에서 그 지방자치단체의 조례로 정하는 19세 이상의 주민 수 이상의 연서로 감사를 청구할 수 있다.

답 ①

우리나라의 주민참여제도에 대한 설명으로 옳지 않은 것은?

① 지방자치단체의 장은 주민에게 과도한 부담을 주거나 중대한 영향을 미치는 지방자치단체의 주요 결정사항 등에 대하여 주민투표에 부칠 수 있다.

② 개인의 사생활을 침해할 우려가 있는 사항이라도, 사무의 처리가 법령에 위반되거나 공익을 현저히 해친다고 인정되면 주민감사청구를 할 수 있다.

③ 주무부장관이나 시·도지사는 주민감사청구를 처리(각하 포함)할 때 청구인의 대표자에게 반드시 증거 제출 및 의견 진술의 기회를 주어야 한다.

④ 지방자치단체의 장은 대통령령으로 정하는 바에 따라 지방예산 편성 과정에 주민이 참여할 수 있는 절차를 마련하여 시행하여야 한다.

25	주민참여제도

주민감사청구제도란 주무부장관 또는 시·도지사에게 당해 지방자치단체와 그 장의 권한에 속하는 사무의 처리가 법령에 위반되거나 공익을 현저히 해한다고 인정되는 경우 감사를 청구할 수 있는 제도로, 개인의 사생활을 침해할 우려가 있는 사항은 주민감사청구의 대상에서 제외된다.

> **📄 주민감사청구 제외대상**
>
> 1. 수사 또는 재판에 관한 사항
> 2. 개인의 사생활을 침해할 우려가 있는 사항
> 3. 다른 기관에서 감사하였거나 감사 중인 사항
> 4. 동일한 사항의 소송이 계속 중이거나 판결이 확정된 사항
> 5. 당해 사무처리가 있었던 날 또는 종료된 날로부터 2년이 경과한 경우

답 ②

우리나라의 주민참여제도에 대한 설명으로 옳은 것은?

① 지방자치제가 1995년 부활한 이후 주민투표제, 주민소환제, 주민소송제, 주민참여예산제의 순서로 도입되었다.

② 주민소환의 청구요건이 엄격해 실제로 주민소환제를 통해 주민소환이 확정된 지방자치단체장이나 지방의회의원은 없다.

③ 기획재정부장관은 지방자치단체별 주민참여예산제도의 운영에 대한 평가를 실시할 수 있다.

④ 주민투표는 특정한 사항에 대하여 찬성 또는 반대의 의사표시를 하거나 두 가지 사항 중 하나를 선택하는 형식으로 실시하여야 한다.

26	주민참여제도

주민투표는 특정한 사항에 대하여 찬성 또는 반대의 의사표시를 하거나 두 가지 사항 중 하나를 선택하는 형식으로 이루어져야 한다(「주민투표법」 제15조).

（선지분석）

① 주민투표(2004년), 주민소송(2006년), 주민소환(2007년), 주민참여예산(2011년)의 순서로 도입되었다.

② 주민소환의 청구요건은 엄격하게 법정화되어 있지 않다.

③ 기획재정부장관이 아니라 행정안전부장관은 대통령령으로 정하는 바에 따라 지방자치단체별 주민참여예산제도의 운영에 대한 평가를 실시할 수 있다.

답 ④

27 ☐☐☐

주민참여제도에 대한 설명으로 옳지 않은 것은?

① 주민소환의 대상은 지방자치단체장, 비례대표의원을 제외한 지방의회의원, 교육감이다.

② 현행법상 주민참여제도의 도입 순서는 조례의 제정 및 개폐에 관한 청구, 주민투표, 주민소송, 주민소환 순이다.

③ 주민투표는 자치단체장에게, 주민감사청구는 감사원에, 주민소송은 관할 행정법원에, 주민소환은 관할 선거관리위원회에 청구한다.

④ 주민소송의 소송 대상은 주민감사를 청구한 사항 중 공금지출에 관한 사항, 해당 지방자치단체를 당사자로 하는 매매·임차·도급계약에 관한 사항 등 재무·회계에 관한 사항이다.

28 ☐☐☐

주민참여제도에 대한 설명으로 옳지 않은 것은?

① 주민투표제도, 주민발안제도, 주민소환제도가 모두 시행되고 있다.

② 「지방자치법」은 주민감사청구요건으로 시·군·자치구의 경우 19세 이상 주민 500명 이상의 연서를 받아 감사를 청구할 수 있도록 규정하고 있다.

③ 지방자치단체장에 대한 주민소환투표가 실시된 적이 있다.

④ 「지방재정법」은 지방자치단체의 장이 주민참여예산제도를 의무적으로 시행하도록 규정하고 있다.

27	주민참여제도

주민투표는 자치단체장에게, 주민감사청구는 상급 자체단체장이나 주무부장관에게, 주민소송은 관할 행정법원에, 주민소환은 관할 선거관리위원회에 청구한다. 부패행위에 대하여 국민이 감사원에 감사를 청구하는 것은 주민감사청구제도가 아니라 국민감사청구제도에 해당한다.

(선지분석)

② 조례의 제정 및 개폐에 관한 청구(1999년), 주민투표(2004년), 주민소송(2006년), 주민소환(2007년) 순으로 주민참여제도가 도입되었다.

④ 주민소송의 소송 대상은 주민감사를 청구한 사항 모두가 가능한 것이 아니라 재무·회계에 관한 사항이 가능하다.

답 ③

28	주민참여제도

지방자치단체의 19세 이상의 주민은 시·군 및 자치구의 경우는 200명을 넘지 아니하는 범위에서 그 지방자치단체의 조례로 정하는 19세 이상의 주민 수 연서(連署)로, 시·도에서는 주무부장관에게, 시·군 및 자치구에서는 시·도지사에게 그 지방자치단체와 그 장의 권한에 속하는 사무의 처리가 법령에 위반되거나 공익을 현저히 해친다고 인정되면 감사를 청구할 수 있다.

(선지분석)

① 우리나라는 주민투표제도가 2004년부터, 주민발안제도(조례 제정 및 개폐에 관한 청구 제도)가 1999년부터, 주민소환제도가 2007년부터 시행되고 있다.

③ 하남시장, 제주특별자치도지사, 과천시장, 삼척시장, 구례군수를 대상으로 주민소환투표가 실시된 적이 있다.

④ 주민참여예산제도는 2011년부터 의무화되었다.

답 ②

「지방자치법」상 우리나라 지방자치단체에 대한 설명으로 옳지 않은 것은?

① 지방자치단체인 구는 특별시와 광역시의 관할구역 안의 구만을 말한다.
② 자치구가 아닌 구의 명칭과 구역의 변경은 그 지방자치단체의 조례로 정한다.
③ 주민은 지방자치단체와 그 장의 권한에 속하는 사무의 처리가 법령에 위반되거나 공익을 현저히 해친다고 인정되면 감사를 청구할 수 있다.
④ 주민은 그 지방자치단체의 장뿐만 아니라 지방에 속한 모든 의회의원까지도 소환할 권리를 가진다.

다음 중 우리나라에서 실시되는 주민참여제도에 대한 설명으로 옳지 않은 것은?

① 주민참여예산제도는 지방자치단체의 예산편성에 주민이 직접 참여하여 재정운영의 투명성과 책임성을 제고할 수 있도록 하는 것이다.
② 주민소송은 주민감사청구의 결과에 불복하는 경우에 하는 것이다.
③ 조례개폐청구제도는 지방선거의 유권자 중 일정 수 이상의 연서로 지방자치단체의 조례 제정 및 개폐에 대해 주민들이 직접 발안할 수 있도록 하는 것이다.
④ 주민투표제도는 지역주민에게 중대한 영향을 미치는 주요결정사항들 중 「지방자치법」에 구체적으로 명시된 사안들에 대해 주민들의 직접투표로 결정할 수 있도록 하는 것이다.
⑤ 주민소환제도는 주민소환투표청구권자 중 일정 수 이상의 서명으로 지방자치단체의 장 혹은 지방의회의원(비례대표 제외) 등을 소환하도록 청구할 수 있는 제도이다.

---

29   우리나라 지방자치단체

주민은 그 지방자치단체의 장 및 지방의회의원(비례대표 지방의회의원은 제외한다)을 소환할 권리를 가진다(「지방자치법」 제20조).

(선지분석)
① 지방자치단체의 구는 특별시와 광역시의 관할구역 안의 구만을 말하며, 기초자치단체 안의 구는 지방자치단체가 아니다.
③ 주민감사청구의 요건은 법령 위반 사항뿐만 아니라 공익을 현저히 해치는 경우도 포함된다.

답 ④

---

30   주민참여제도

주민투표제도는 지역주민에게 중대한 영향을 미치는 주요결정사항들 중 당해 지방자치단체의 조례에 구체적으로 명시된 사안들에 대해 주민들의 직접투표로 결정할 수 있도록 하는 것이다.

(선지분석)
② 주민소송은 주민감사청구의 결과 불복하는 경우 주민감사청구한 자가 지방자치단체의 재무회계행위에 한하여 제기할 수 있다.
③ 조례개폐청구제도는 주민발안제도의 일종으로 지방자치단체의 조례 제정 및 개폐에 대해 일정 수 이상의 주민들이 직접 발안할 수 있도록 하는 제도이나, 현행 법률상 우리나라의 조례 제정 및 개폐청구는 지방자치단체장에게 하는 것으로, 지방의회에서 주민이 직접 발의할 수는 없다.

답 ④

우리나라의 주민참여제도에 대한 연결로 옳지 않은 것은?

① 주민투표제도 – 주민에게 과도한 부담을 주거나 중대한 영향을 미치는 지방자치단체의 주요 결정사항으로서, 그 지방자치단체의 조례로 정하는 사항을 주민이 직접 결정하는 제도이다.

② 주민참여예산제도 – 법령이 정하는 절차에 따라 수렴된 주민의 의견을 검토하고, 그 결과를 예산편성에 반영하지 않을 수도 있다.

③ 주민발의제도 – 주민이 직접 조례의 제정 및 개폐를 청구할 수 있는 제도로, 주민은 지방의회에 이를 청구하게 되어 있다.

④ 주민소환제도 – 주민은 그 지방자치단체의 장 및 지방의회의원을 소환할 수 있다. 단, 비례대표의원은 제외된다.

우리나라 지방자치행정에 대한 설명으로 옳지 않은 것은?

① 포괄적 예시형의 기능배분방식을 적용하므로 중앙기능의 지방이양률은 낮은 편이다.

② 지방분권의 관점에서 볼 때 특별지방행정기관의 존재와 남설로 인한 문제점은 책임행정 결여, 기능중복으로 인한 비효율성 야기 등을 지적할 수 있다.

③ 지방자치기관 구조에 있어서 기관통합형을 취하는 미국에 비해 우리나라는 전형적인 기관대립형이다.

④ 주민참여제도와 관련하여 1995년 지방자치제 실시 이후 조례개폐청구제, 주민투표제, 주민소환제 등 직접적이고 실질적인 참여제도들이 마련되어 있으나, 아직 주민소송제도는 도입되지 못하고 있다.

31	주민참여제도

주민은 지방자치단체의 장에게 조례를 제정·개정하거나 폐지할 것을 청구할 수 있다(「지방자치법」 제13조 제1항). 지방자치단체의 장은 청구를 수리한 날부터 60일 이내에 주민청구조례안을 지방의회에 부의하여야 한다(「지방자치법」 제13조 제9항).

답 ③

32	우리나라 지방자치행정

주민소송제도는 주민이 지방자치단체의 재무회계행위가 적정하게 운영되도록 하기 위해 해당 지방자치단체에 의한 위법하거나 게을리 한 행위에 대해 이를 방지 및 시정하거나 그 손해의 회복을 위해 제기하는 소송으로, 우리나라는 2006년부터 「지방자치법」 개정에 의해 시행되고 있다.

(선지분석)

① 우리나라는 포괄적 예시형의 기능배분방식을 적용하고 있으며, 중앙정부가 꼭 처리하여야 하는 사무를 넓게 보기 때문에 중앙기능의 지방이양률은 낮은 편이다.

② 중앙정부의 소속 기관인 특별지방행정기관의 존재와 남설은 지방정부의 책임 외의 행정이 실현되고, 중앙정부와 지방정부 간 기능이 중복되어 비효율이 발생하는 등의 문제가 있다.

③ 현재 선진 각 국 대다수는 기관통합형을 취하고 있는데 반하여, 우리나라, 일본, 이탈리아는 기관대립형을 취하고 있다.

답 ④

CHAPTER 6 지방자치단체의 재정

THEME 103　지방재정의 개요

01 ☐☐☐

2019년 서울시 7급

지방재정의 사전관리제도에 해당하는 것을 〈보기〉에서 모두 고른 것은?

〈보기〉
ㄱ. 중기지방재정계획
ㄴ. 지방재정투자심사
ㄷ. 행정사무감사
ㄹ. 성인지 예산제도
ㅁ. 재정공시

① ㄱ, ㄴ
② ㄴ, ㄷ
③ ㄱ, ㄴ, ㄹ
④ ㄷ, ㄹ, ㅁ

02 ☐☐☐

2017년 지방직 9급(6월 시행)

우리나라 지방자치단체의 자치재정권에 대한 설명으로 옳지 않은 것은?

① 지방세 탄력세율제도는 지방자치단체 재정의 신축성과 자율성을 제고하기 위한 제도이다.
② 지방자치단체는 법령의 위임이 없더라도 조례의 제정을 통하여 지방 세목을 설치할 수 있다.
③ 지방자치단체의 장은 재정투자사업에 관한 예산안을 편성할 경우 대통령령이 정하는 바에 따라 사전에 그 필요성과 타당성에 대한 심사를 하여야 한다.
④ 지방자치단체의 장은 재해예방 및 복구사업을 위한 자금 조달에 필요할 때에는 지방채를 발행할 수 있다.

01　지방재정의 사전관리제도

ㄱ. 지방자치단체의 장은 매년 다음 회계연도부터 5회계연도 이상의 기간에 대한 중기지방재정계획을 수립하여 예산안과 함께 지방의회에 제출하고, 회계연도 개시 30일 전까지 행정안전부장관에게 제출하여야 하므로 중기지방재정계획은 지방재정 사전관리제도이다.
ㄴ. 지방자치단체의 장은 재정투자사업에 관한 예산안 편성 및 채무부담행위 등에 대한 지방의회 의결을 요청할 시 사전에 그 필요성과 타당성에 대한 심사를 하여야 하므로 지방재정투자심사는 지방재정 사전관리제도이다.
ㄹ. 지방자치단체는 예산편성 시 예산이 여성과 남성에 미치는 효과를 평가하고, 그 결과를 지방자치단체의 예산에 반영하기 위하여 노력하여야 하므로 성인지 예산제도는 지방재정 사전관리제도이다.

(선지분석)
ㄷ. 행정사무감사는 이미 집행된 지방행정에 대한 감사이다.
ㅁ. 지방자치단체의 장은 예산 또는 결산의 확정 또는 승인 후 2개월 이내에 예산서와 결산서를 기준으로 지방재정 운용상황 등을 공시하여야 하므로 사전관리제도로 볼 수 없다.

답 ③

02　자치재정권

우리나라의 조세는 조세법률주의에 의하여 조세의 종목과 세율을 조례가 아닌 법률로 정하도록 되어 있기 때문에 지방자치단체는 조례로 지방 세목을 설치할 수 없다.

(선지분석)
① 지방세 탄력세율제도는 일정 기준 범위 내에서 지방자치단체가 세율을 탄력적으로 결정할 수 있게 함으로써 지방자치단체 재정의 신축성과 자율성을 제고하는 제도이다.
④ 지방자치단체의 장은 재해예방 및 복구사업을 위한 자금 조달에 필요할 때에는 대통령령이 정하는 범위 내에서 지방채를 발행할 수 있다. 그러나 만약 대통령령의 범위를 초과할 경우에는 행정안전부장관과 협의하여야 한다.

답 ②

우리나라의 지방자치제에 대한 설명으로 옳지 않은 것은?

① 지방자치단체의 기관구성에 있어 기관대립형 구조를 채택하고 있다.

② 주민투표제, 조례의 제정·개폐청구, 주민감사청구, 주민소송제 등을 통해 주민참여를 보장하고 있다.

③ 지방자치단체가 지방고유사무와 관련된 영역에 한해 법령의 근거 없이 스스로 세목을 개발하고 지방세를 부과·징수할 수 있다.

④ 지역 간 재정 형평성을 확보하기 위해 지방재정조정제도를 운영하고 있다.

지방재정의 구성요소 중 의존재원의 기능으로 적절하지 않은 것은?

① 지방자치단체에 대한 유도·조성을 통한 국가차원의 통합성 유지

② 지방재정의 안정성 확보

③ 지방재정의 지역 간 불균형 시정

④ 지방자치단체의 다양성과 지방분권화 촉진

03	우리나라의 지방자치제

지방자치단체는 지방세의 세목(稅目), 과세대상, 과세표준, 세율, 그 밖에 지방세의 부과·징수에 필요한 사항을 정할 때에는 이 법 또는 지방세관계법에서 정하는 범위에서 조례로 정하여야 한다(「지방세기본법」 제5조 제1항).

(선지분석)

① 현재 선진 각 국 대다수는 기관통합형을 취하고 있는데 반하여, 우리나라, 일본, 이탈리아는 기관대립형을 취하고 있다.

② 우리나라는 주민투표제, 주민발안제, 주민감사청구제도, 주민소송제, 주민소환제, 주민청원 등의 방법으로 주민참여를 보장하고 있다.

④ 우리나라는 지역 간 재정 형평성을 확보하기 위해 지방교부세, 조정교부금 등의 지방재정조정제도를 운영하고 있다.

답 ③

04	의존재원

의존재원은 국가차원의 재정통제와 통합성을 유지하기 위하여 국가로부터 교부되는 재원으로 중앙정부의 통제가 강한 성격을 가지고, 지방자치단체의 다양성과 지방분권화가 저해될 수 있다.

(선지분석)

① 의존재원이란 지방자치단체가 국가의 재정력에 의존하는 재원으로 전국 차원의 통합성 유지를 위한 기능을 한다.

② 의존재원을 통하여 재정력이 미약한 지방자치단체 재정의 안정성을 확보할 수 있다.

③ 의존재원을 통하여 지방자치단체 간 재정 불균형을 시정할 수 있다.

답 ④

05 □□□

정부가 동원하는 공공재원에 대한 설명으로 옳지 않은 것은?

① 조세로 투자된 자본시설은 개인이 대가를 지불하지 않는 것으로 인식되어 과다 수요 혹은 과다 지출되는 비효율성 문제가 발생할 수 있다.

② 수익자부담금은 시장기구와 유사한 메커니즘을 통해 공공서비스의 최적 수준을 지향하여 자원 배분의 효율성을 제고할 수 있다.

③ 국공채는 사회간접자본(SOC) 관련 사업이나 시설로 인해 편익을 얻게 될 경우 후세대도 비용을 분담하기 때문에 세대 간 형평성을 훼손시킨다.

④ 조세의 경우 납세자인 국민들은 정부지출을 통제하고 성과에 대한 직접적인 책임을 요구할 수 있다.

---

05 | 공공재원

국공채는 사회간접자본(SOC) 관련 사업이나 시설로 인해 편익을 얻게 될 경우 후세대도 비용을 분담하기 때문에 세대 간 비용부담의 형평성을 제고한다.

(선지분석)

① 조세로 투자된 자본시설은 응능적 성격으로 인하여 이용자가 대가를 지불하지 않는 것으로 인식하게 되기 때문에 과다 수요 혹은 과다 지출되는 비효율성 문제가 발생할 수 있다.

② 수익자부담금이란 수익을 향유하는 자가 비용(금전)을 부담하는 제도로, 응익성이 기준이 되는 시장기구와 유사한 메커니즘을 통하여 공공서비스의 최적수준을 지향하여 자원 배분의 효율성을 제고할 수 있다.

④ 재정 민주주의적 관점에서 납세자인 국민들은 정부의 지출을 통제하고 성과에 대한 책임을 요구할 수 있다.

답 ③

---

06 □□□

다음 설명에 해당하는 지방세의 원칙은?

> • 납세자의 지불능력보다는 공공서비스의 수혜 정도를 기준으로 한다.
> • 세외수입 역시 이 원칙의 적용을 받는다.

① 신장성의 원칙
② 응익성의 원칙
③ 안정성의 원칙
④ 부담분임의 원칙

---

06 | 응익성의 원칙

제시문은 주민이 향유한 이익의 크기에 비례하여 부담해야 한다는 응익성의 원칙에 대한 설명이다.

📋 지방세의 원칙

재정 수입 측면	• 충분성의 원칙: 지방자치의 행정수요를 위하여 금액이 충분하여야 함 • 보편성의 원칙: 지방세원이 지역 간에 균형적으로 분포되어 있어야 함 • 안정성의 원칙: 경기변동에 관계없이 세수가 안정적으로 확보되어야 함 • 신장성의 원칙: 늘어나는 행정수요에 대응하여 매년 지속적으로 세수가 확대될 수 있어야 함 • 신축성의 원칙: 자치단체의 특성에 따라 탄력적으로 운영되어야 함
주민 부담 측면	• 부담분임의 원칙: 가급적 모든(많은) 주민들이 경비를 나누어 분담하여야 함 • 응익성의 원칙: 주민이 향유한 이익의 크기에 비례하여 부담하여야 함 • 효율성의 원칙: 자원배분의 효율화에 기여할 수 있어야 함 • 부담보편의 원칙: 주민이 공평하게 부담하여야 함
세무 행정 측면	• 자주성의 원칙: 중앙정부로부터 독자적인 과세주권이 확립되어야 함 • 편의 및 최소비용의 원칙: 징세가 용이하고 징세비가 절감되어야 함 • 국지성의 원칙: 과세객체가 관할구역 내에 국한되어 있어 조세부담을 회피하기 위한 지역 간 이동이 없어야 함

답 ②

재정수입의 측면에서 "지방세의 세원이 특정지역에 편재되어 있지 않고 고루 분포되어 있어야 한다."라는 내용과 관련된 지방세의 원칙은?

① 세수안정의 원칙
② 책임분담의 원칙
③ 응익성의 원칙
④ 보편성의 원칙

국세에 해당하는 것으로만 묶은 것은?

ㄱ. 취득세
ㄴ. 자동차세
ㄷ. 종합부동산세
ㄹ. 인지세
ㅁ. 등록면허세
ㅂ. 주세

① ㄱ, ㄹ
② ㄴ, ㄷ
③ ㄷ, ㅁ
④ ㄹ, ㅂ

07	보편성의 원칙

보편성의 원칙은 세원이 한 지역에 편중되어 있지 않고 각 지방자치단체에 골고루 분포되어 있어야 한다는 것이다.

(선지분석)
① 세수안정의 원칙은 세수가 안정적으로 확보되어야 한다는 원칙이다.
② 책임분담의 원칙은 지방자치단체의 경비는 가능한 많은 구성원이 분담하여 책임져야 한다는 원칙이다.
③ 응익성의 원칙은 이익을 보는 자가 비용을 부담해야 한다는 원칙이다.

답 ④

08	국세

ㄷ. 종합부동산세, ㄹ. 인지세, ㅂ. 주세는 국세에 해당한다.

(선지분석)
ㄱ. 취득세, ㄴ. 자동차세, ㅁ. 등록면허세는 지방세에 해당한다.

📄 국세의 체계(13종)

내국세	• 직접세: 소득세, 법인세, 상속세와 증여세, 종합부동산세
	• 간접세: 부가가치세, 개별소비세, 주세, 인지세, 증권거래세
목적세	교육세, 교통·에너지·환경세, 농어촌특별세

답 ④

우리나라의 지방재정에 대한 설명으로 가장 옳지 않은 것은?

① 지방자치단체의 세입재원은 크게 자주재원과 의존재원으로 나눌 수 있는데, 자주재원에는 지방세와 세외수입이 있고, 의존재원에는 국고보조금과 지방교부세 등이 있다.
② 지방세 중 목적세로는 담배소비세, 레저세, 자동차세, 지역자원시설세, 지방교육세 등이 있다.
③ 지방교부세는 지방자치단체 간 재정력의 불균형을 조정하는 재원으로, 보통교부세 · 특별교부세 · 부동산교부세 및 소방안전교부세로 구분한다.
④ 지방재정자립도를 높이기 위해 국세의 일부를 지방세로 전환할 경우 지역 간 재정불균형이 심화될 수 있다.

09 　　우리나라의 지방재정

지방세 중 목적세로는 지방교육세와 지역자원시설세로 2종이 있다. 담배소비세, 레저세, 자동차세 등은 보통세에 해당한다.

📋 지방세의 체계(11종)

보통세	취득세, 등록면허세, 주민세, 담배소비세, 레저세, 자동차세, 지방소비세, 지방소득세, 재산세
목적세	지역자원시설세, 지방교육세

답 ②

「지방세기본법」상 특별시 · 광역시의 세원이 아닌 것은?

① 취득세
② 자동차세
③ 등록면허세
④ 레저세

10 　　지방세 체계

「지방세기본법」상 등록면허세는 특별시 · 광역시가 아니라 자치구세이다.

📋 광역자치단체와 기초자치단체의 지방세 체계

지방세 (11종)	광역자치단체		기초자치단체	
	특별시 · 광역시	도	자치구	시 · 군
보통세	취득세, 레저세, 주민세, 자동차세, 담배소비세, 지방소비세, 지방소득세	취득세, 등록면허세, 레저세, 지방소비세	등록면허세, 재산세	주민세, 재산세, 자동차세, 담배소비세, 지방소득세
목적세	지방교육세, 지역자원시설세	지방교육세, 지역자원시설세	–	–

답 ③

다음 〈보기〉에서 특별(광역)시세로만 짝지어진 것은?

〈보기〉
ㄱ. 레저세
ㄴ. 담배소비세
ㄷ. 지방소비세
ㄹ. 주민세
ㅁ. 자동차세
ㅂ. 재산세
ㅅ. 지방교육세
ㅇ. 등록면허세
ㅈ. 지역자원시설세

① ㄱ, ㄴ, ㄷ
② ㄹ, ㅁ, ㅂ
③ ㄹ, ㅁ, ㅇ
④ ㅅ, ㅇ, ㅈ

11 　지방세 체계

ㄱ. 레저세, ㄴ. 담배소비세, ㄷ. 지방소비세, ㄹ. 주민세, ㅁ. 자동차세, ㅅ. 지방교육세, ㅈ. 지역자원시설세가 특별시·광역시세이다.

(선지분석)
ㅂ. 재산세와 ㅇ. 등록면허세는 자치구세에 해당한다.

답 ①

지방세 체계에 대한 설명 중 옳지 않은 것은?

① 광역시의 경우에는 주민세 재산분 및 종업원분은 광역시세가 아니고 구세로 한다.
② 광역시의 군지역은 광역시세와 자치구세의 세목 구분이 적용되지 않고, 도세와 시·군세의 세목 구분이 적용된다.
③ 시·도는 지방교육세를 매 회계연도 일반회계예산에 계상하여 교육비특별회계로 전출하여야 한다.
④ 특별시의 재산세는 특별시분과 자치구분으로 구분하고, 특별시분은 구의 지방세수 등을 고려하여 자치구에 차등 분배하고 있다.

12 　지방세 체계

특별시의 재산세는 공동과세로 특별시분(50%)과 자치구분(50%)으로 구분하고, 특별시분(50%)은 자치구에 균등분배하고 있다.

답 ④

지방재정의 세입항목 중 자주재원에 해당하는 것은?

① 지방교부세
② 재산임대수입
③ 조정교부금
④ 국고보조금

서울특별시에서 확보할 수 있는 자주재원으로 볼 수 없는 것은?

① 주민세
② 담배소비세
③ 상속세
④ 취득세
⑤ 자동차세

13	자주재원

재산임대수입은 지방자치단체의 자체 세입원으로, 경상세외수입(규칙적인 세외수입)이므로 자주재원에 해당한다.

선지분석
① 지방교부세는 지방재정의 부족 등 지방적 필요에 따라 국가가 조정을 위해 지급하는 재원으로 의존재원에 해당한다.
③ 조정교부금은 광역자치단체가 관할 기초지방자치단체 간의 재정력 격차를 조정하기 위해 교부하는 재원으로 의존재원에 해당한다.
④ 국고보조금은 국가시책을 장려하기 위해 국가가 자치사무에 대한 경비를 지원하는 것으로 의존재원에 해당한다.

답 ②

14	자주재원

상속세는 지방세가 아닌 국세이므로 서울특별시에서 확보할 수 있는 자주재원으로 볼 수 없다.

답 ③

다음은 지방세 각 세목에 대한 설명이다. 목적세에 해당하는 것을 모두 고르면?

ㄱ. 국세인 부가가치세의 일부를 지방세로 전환한 세금이다. 납세의무자는 부가가치세를 납부할 의무가 있는 자이며, 국가에 부가가치세를 납부하면 국가가 납세액의 일정비율을 지방자치단체로 이전하는 형식을 취한다.

ㄴ. 지하·해저자원, 관광자원, 수자원, 특수지형 등 지역자원의 보호 및 개발, 지역의 특수한 재난예방 등 안전관리사업 및 환경보호·개선사업, 그 밖에 지역균형개발사업에 필요한 재원을 확보하거나 소방시설, 오물처리시설, 수리시설 및 그 밖의 공공시설에 필요한 비용을 충당하기 위하여 부과하는 세금이다.

ㄷ. 소득분과 종업원분으로 구분한다. 소득분은 지방자치단체에서 소득세 및 법인세의 납세의무가 있는 자에게 부과하고, 종업원분은 종업원에게 급여를 지급하는 사업주에게 부과한다.

ㄹ. 지방교육의 질적 향상에 필요한 지방교육재정의 확충에 소요되는 재원을 확보하기 위하여 부과한다. 레저세, 담배소비세, 주민세 균등분 등의 납세의무자에게 부과한다.

① ㄱ, ㄴ
② ㄱ, ㄹ
③ ㄴ, ㄷ
④ ㄴ, ㄹ

지방세에 대한 설명으로 옳지 않은 것으로 묶인 것은?

ㄱ. 지방세의 중요한 원칙으로는 응익성, 안정성, 보편성 등이 있다.

ㄴ. 지방자치단체의 목적세로는 주행세, 도시계획세, 지방교육세 등이 있다.

ㄷ. 자치구의 보통세로는 등록면허세, 재산세가 있다.

ㄹ. 중앙정부는 보통교부세를 교부할 때 일정한 조건을 붙이거나 용도를 제한할 수 없다.

ㅁ. 지방채 발행 한도액의 범위 안이라도 외채를 발행하는 경우에는 지방의회의 의결을 거친 후 행정안전부장관의 추인을 받아야 한다.

ㅂ. 지방자치단체장은 그 지방자치단체의 항구적 이익이 되거나 긴급한 재난복구 등의 필요가 있을 때에는 지방채를 발행할 수 있다.

① ㄱ, ㄴ
② ㄴ, ㄹ
③ ㄴ, ㅁ
④ ㄷ, ㅂ

15	지방세

우리나라의 지방세 중 목적세에 해당하는 것은 ㄴ. 지역자원시설세, ㄹ. 지방교육세로, 두 가지이다.

(선지분석)
ㄱ. 지방소비세에 대한 설명이다.
ㄷ. 지방소득세에 대한 설명이다.

답 ④

16	지방세

ㄴ. 지방자치단체의 목적세로는 지역자원시설세, 지방교육세가 있다.
ㅁ. 지방의회의 의결을 거치기 전에 행정안전부장관의 승인을 얻어야 한다.

답 ③

우리나라의 지방자치제도에 대한 설명으로 옳은 것은?

① 시 · 군의 지방세 세목에는 담배소비세, 주민세, 지방소득세, 재산세, 자동차세가 있다.
② 지방의회는 지방자치단체를 외부에 대표하는 기능, 국가위임사무 집행기능 등을 가진다.
③ 지방자치단체는 2층제이며, 16개의 광역자치단체와 220개의 기초자치단체가 설치되어 있다.
④ 기관통합형 구조를 채택하고 있으며, 기초자치단체장 선거에서는 정당공천제를 실시하지 않고 있다.

17	우리나라의 지방자치제도

담배소비세, 주민세, 지방소득세, 재산세, 자동차세는 보통세로, 시 · 군세의 지방세 세목에 해당한다.

(선지분석)
② 지방의회는 지방자치단체를 외부에 대표하는 기능을 가지지만, 국가위임사무 집행기능은 가지지 않는다. 국가위임사무 집행기능은 지방자치단체장의 역할이다.
③ 지방자치단체는 2층제이며, 17개의 광역자치단체와 226개의 기초자치단체가 설치되어 있다.
④ 우리나라는 기관대립형 구조를 채택하고 있으며, 기초자치단체장 선거에서는 정당공천제를 실시하고 있다.

답 ①

부담금에 대한 설명으로 옳지 않은 것은?

① 특정의 공공서비스를 창출하거나 바람직한 행위를 유도하기 위해 사용된다.
② 수익자 부담의 원칙이 적용된다.
③ 「지방세법」상 지방세 수입의 재원 중 하나이다.
④ 부담금에 관한 주요 정책과 그 운용방향 등을 심의하기 위하여 기획재정부장관 소속으로 부담금심의위원회를 둔다.

18	부담금

부담금은 지방세 수입의 재원이 아니다. 부담금은 중앙행정기관의 장, 지방자치단체의 장 등이 특정 공익사업과 관련하여 법률에서 정하는 바에 따라 부과하는 조세 외의 금전지급의무를 말한다(「부담금관리 기본법」 제2조).

(선지분석)
①, ② 부담금은 특정의 공공서비스를 창출하거나 바람직한 행위를 유도하기 위하여 이익을 향유하는 자가 이익의 범위 안에서 일의 처리에 필요한 경비를 부담하는 금전이다.
④ 부담금에 관한 주요 정책과 그 운용방향 등을 심의하기 위하여 기획재정부장관 소속으로 부담금운용심의위원회를 둔다(「부담금관리 기본법」 제9조 제1항).

답 ③

세외수입의 종류와 그에 대한 설명을 바르게 연결한 것은?

> ㄱ. 지방자치단체가 주민의 복지증진을 위해 설치한 공공시설을 특정 소비자가 사용할 때 그 반대급부로 개별적인 보상원칙에 따라 지방자치단체의 조례에 의거하여 강제적으로 부과·징수하는 공과금이다.
> ㄴ. 지방자치단체의 재산 또는 공공시설의 설치로 인해 주민의 일부가 특별히 이익을 받을 때 그 비용의 일부를 부담시키기 위해 그 이익을 받는 자로부터 수익의 정도에 따라 징수하는 공과금이다.
> ㄷ. 지방자치단체가 특정인에게 제공한 행정서비스에 의해 이익을 받는 자로부터 그 비용의 전부 또는 일부를 반대급부로 징수하는 수입이다.

	ㄱ	ㄴ	ㄷ
①	사용료	분담금	수수료
②	수수료	부담금	과년도 수입
③	사용료	부담금	과년도 수입
④	수수료	분담금	사용료

19	세외수입

ㄱ은 사용료, ㄴ은 분담금, ㄷ은 수수료이다. 세외수입은 지방자치단체의 자체 세입원 중 지방세 수입을 제외한 나머지 자주재원을 의미한다.
ㄱ. 사용료: 지방자치단체의 재산이나 영조물을 사용하는 경우에 징수하는 재원이다.
ㄴ. 분담금: 지방자치단체의 재산이나 공공시설로 주민의 일부가 특별한 이익을 받는 경우 그 비용의 일부에 대해서 부과하는 공과금으로 사용료와 수수료의 중간적인 성격을 가진다.
ㄷ. 수수료: 지방자치단체가 제공한 행정서비스에 대하여 반대급부로서 징수하는 수입이다.

답 ①

지방채에 대한 설명으로 옳은 것은?

① 지방자치단체조합의 장은 지방채를 발행할 수 없다.
② 이미 발행한 지방채의 차환을 위해서 지방자치단체의 장은 지방채를 발행할 수 없다.
③ 제주특별자치도지사는 제주특별자치도의 발전과 관계가 있는 사업을 위하여 필요하면 도의회 의결을 마친 후 외채 발행과 지방채 발행 한도액의 범위를 초과한 지방채 발행을 할 수 있다.
④ 외채를 발행할 경우에는 지방채 발행 한도액 범위더라도 지방의회의 의결을 거치기 전에 기획재정부장관의 승인을 받아야 한다.

20	지방채

지방자치단체의 장은 대통령령이 정하는 한도액을 초과하여 발행하거나 외채를 발행할 경우에는 행정안전부장관의 협의나 승인을 얻어야 하지만, 제주특별자치도의 경우에는 특별법에 따라 행정안전부장관의 승인 없이도 한도액의 범위를 초과한 지방채를 발행할 수 있다.

(선지분석)
① 지방자치단체조합의 장도 지방채를 발행할 수 있으나 이 경우 행정안전부장관의 사전 승인이 필요하다.
② 지방채의 차환을 위한 지방채 발행도 가능하다.
④ 기획재정부장관이 아니라 행정안전부장관의 승인이 필요하다.

답 ③

---

21 ☐☐☐

지방교부세에 대한 설명으로 가장 옳지 않은 것은?

① 국고보조금과 함께 지방재정조정제도로 운영되고 있다.
② 대표적 지방세로, 내국세 총액의 19.24%와 종합부동산세 총액으로만 구성된다.
③ 보통교부세는 용도를 특정하지 않은 일반재원이다.
④ 소방안전교부세 중 「개별소비세법」에 따라 담배에 부과하는 개별소비세 총액의 20%를 초과하는 부분은 소방 인력의 인건비로 우선 충당하여야 한다.

22 ☐☐☐

지방재정조정제도 중 「지방교부세법」에서 규정하고 있지 않은 것은?

① 소방안전교부세
② 보통교부세
③ 조정교부금
④ 부동산교부세

---

21   지방교부세

지방교부세는 지방세가 아닌 지방재정조정제도이며, 보통교부세, 특별교부세, 소방안전교부세, 부동산교부세로 구성된다. 이 중 보통교부세와 특별교부세의 재원은 내국세 총액의 19.24%, 소방안전교부세의 재원은 「개별소비세법」에 따라 담배에 부과하는 개별소비세 총액의 45%, 부동산교부세의 재원은 종합부동산세 총액이다.

(선지분석)
① 지방교부세는 국고보조금과 함께 수직적 지방재정조정제도로 운영되고 있으며, 수평적 지방재정조정제도의 성격도 가지고 있다.
③ 특별교부세와 소방안전교부세는 특정재원이며, 보통교부세와 부동산교부세는 일반재원이다.
④ 소방직공무원의 국가직 전환에 따라, 소방안전교부세의 재원은 「개별소비세법」에 따라 담배에 부과하는 개별소비세 총액의 45%로 증가하였다. 이 중 개별소비세 총액의 20%를 초과하는 부분은 소방 인력의 인건비로 우선 충당하여야 한다.

답 ②

---

22   지방재정조정제도

조정교부금은 「지방교부세법」에 규정된 제도가 아니다. 「지방교부세법」에 규정된 지방재정조정제도는 보통교부세, 특별교부세, 소방안전교부세, 부동산교부세로 네 가지이다.

답 ③

「지방교부세법」상 지방교부세에 대한 설명으로 옳지 않은 것은?

① 지방교부세의 재원에는 종합부동산세 총액, 담배에 부과하는 개별소비세 총액의 일부 등이 포함된다.
② 보통교부세의 산정기일 후에 발생한 재난을 복구하거나, 재난 및 안전관리를 위한 특별한 재정수요가 생기거나, 재정수입이 감소한 경우 특별교부세를 교부할 수 있다.
③ 지방교부세의 종류는 보통교부세, 특별교부세, 부동산교부세 및 교통안전교부세로 구분한다.
④ 지방행정 및 재정운용 실적이 우수한 지방자치단체의 재정지원 등 특별한 재정수요가 있을 경우 특별교부세를 교부할 수 있다.

우리나라 지방자치단체의 세입·세출에 대한 설명으로 옳지 않은 것은?

① 의존재원의 비중이 높아지면 재정분권이 취약해질 수 있다.
② 보통교부세는 중앙정부가 용도를 제한하여 지방자치단체의 재량권이 없는 재원이다.
③ 지방세와 세외수입은 자주재원에 속하고, 보조금은 의존재원에 속한다.
④ 현행법상 지방자치단체의 관할구역 자치사무에 필요한 경비는 그 지방자치단체가 전액을 부담한다.

23　지방교부세

지방교부세의 종류는 보통교부세, 특별교부세, 소방안전교부세, 부동산교부세로 구분하며, 교통안전교부세는 해당하지 않는다.

📑 지방교부세의 종류

구분	개념	교부주체	재원	용도
보통교부세	재정력지수가 1 이하인 지방자치단체에 교부		지방교부세율 (내국세총액의 19.24% + 정산액)의 100분의 97	일반재원
특별교부세	기준재정수요액으로 산정할 수 없는 특별한 재정수요 발생 시 교부	행정안전부장관	지방교부세율 (내국세총액의 19.24% + 정산액)의 100분의 3	특정재원
	재난 복구 및 안전관리를 위한 특별한 재정수요 발생 시 교부			
	국가적 장려, 국가와 지방 간 시급한 협력, 재정운용 실적 우수 시 등 교부			
소방안전교부세	소방인력운용, 소방 및 안전시설 확충, 안전관리 강화 등을 위하여 교부		담배에 부과되는 개별소비세 총액의 100분의 45 + 정산액	특정재원
부동산교부세	재정여건 및 지방세 운영상황 등을 고려하여 교부		종합부동산세 전액 + 정산액	일반재원

답 ③

24　지방자치단체의 세입·세출

보통교부세는 지방자치단체 간 균형을 위해 각 지방자치단체의 재정부족액을 산정하여 용도를 특정하지 않고 사용할 수 있도록 교부하는 일반재원으로, 지방자치단체의 재량에 따라 자유롭게 사용할 수 있다. 중앙정부가 용도를 제한하여 지방자치단체의 재량권이 없는 재원은 특정재원이다.

(선지분석)
① 의존재원이란 지방자치단체가 상급 지방자치단체나 국가의 재정능력에 의존하는 재원이므로, 그 비중이 높아지면 재정분권이 취약해질 수 있다.
③ 지방세와 세외수입은 지방자치단체 스스로 확보하는 자주재원이고, 보조금은 국가에 의존하는 의존재원이다.
④ 자치사무는 지방자치단체의 고유사무이므로, 이에 필요한 경비는 지방자치단체가 전액을 부담하는 것이 원칙이다.

답 ②

25 □□□

우리나라의 지방교부세에 대한 설명으로 옳지 않은 것은?

① 국고보조금제도와 함께 지방재정조정제도 중의 하나로 운영되고 있다.
② 지방교부세는 대표적인 지방세로서, 내국세의 일정 비율의 금액으로 법정되어 있다.
③ 보통교부세는 그 용도를 특정하지 아니한 일반재원이다.
④ 특별교부세는 중앙정부가 지방정부를 통제하기 위한 수단으로 사용된다는 비판도 있다.

25	지방교부세

지방교부세는 지방세에 해당하지 않으며, 국가가 지방자치단체의 재정불균형을 시정하기 위하여 교부하는 의존재원이다.

선지분석
④ 특별교부세는 그 용도가 지정된 특정재원이므로, 중앙정부가 지방정부를 통제하기 위한 수단으로 사용된다는 비판이 있다.

답 ②

---

26 □□□

다음 사례에 대한 설명으로 옳은 것은?

> 2013년 환경부는 상수도 낙후지역에 사는 국민이 안심하고 마실 수 있는 수돗물을 공급하기 위해 총 사업비 8,833억 원(국비 30%, 지방비 70%)를 들여 '상수관망 최적관리시스템 구축사업'을 추진한다고 발표하였다. 그러나 A시는 상수도 사업을 자체관리하기로 결정하고, 당초 요청하기로 계획했던 국고보조금 56억 원을 신청하지 않았다.

① 만약 A시가 이 사업에 참여하여 당초 요청하기로 계획했던 보조금이 그대로 배정된다면, A가 부담해야 하는 비용은 총 56억 원이다.
② 상수관망을 통해 공급되는 수돗물과 민간재인 생수가 모두 정상재라고 가정하면, 환경부의 사업 보조금은 수돗물과 생수의 공급수준을 모두 증가시키는 소득효과만을 유발시킨다.
③ 이 사례에서와 같은 보조금은 지역 간에 발생하는 외부효과를 시정하거나 중앙정부의 특정 목적을 달성하기 위해 운영된다.
④ A시가 신청하지 않은 보조금은 일반정액보조금에 해당한다.

26	국고보조금

국고보조금은 국가가 시책상 또는 자치단체의 재정필요상 인정될 때에 예산의 범위 안에서 행정수행에 소요되는 경비의 일부 또는 전부를 충당할 수 있도록 용도를 특정하여 교부하는 재원으로, 지역 간에 발생하는 외부효과를 시정하거나 중앙정부의 특정 목적을 달성하기 위해 운영된다.

선지분석
① 만약 A시가 이 사업에 참여하여 당초 요청하기로 계획했던 보조금이 그대로 배정된다면, A시가 부담해야 하는 비용은 56억 원 이상이다. 사업의 국비 부담률이 30%, 지방비 부담률이 70%이기 때문이다.
② 상수관망을 통해 공급되는 수돗물과 민간재인 생수가 모두 정상재라고 가정하면, 환경부의 사업 보조금은 수돗물과 생수의 공급수준을 모두 증가시키는 소득효과를 유발시킬 수도 있으나, 수돗물의 공급수준은 증가시키지만 생수의 공급수준은 감소시키는 대체효과를 유발할 수도 있다.
④ A시가 신청하지 않은 보조금은 정률보조금에 해당한다.

답 ③

27 ☐☐☐

국고보조금에 대한 설명으로 옳은 것은?

① 내국세 총액의 일정비율과 「종합부동산세법」에 따른 종합부동산세 총액을 재원으로 한다.

② 사업별 보조율은 50%로 사업비의 절반은 지방자치단체가 부담해야 한다.

③ 국고보조사업의 수행에서 중앙정부의 감독을 받으므로 지방자치단체의 자율성이 약화될 우려가 있다.

④ 중앙관서의 장은 보조사업을 수행하려는 자로부터 신청받은 보조금의 명세 및 금액을 조정하여 행정안전부장관에게 보조금 예산을 요구하여야 한다.

---

27 | 국고보조금

국고보조금은 국가가 시책상 또는 지방자치단체의 재정필요상 인정될 때에 예산의 범위 안에서 행정수행에 소요되는 경비의 일부 또는 전부를 충당할 수 있도록 용도를 특정하여 교부하는 재원으로, 지방자치단체의 자율성을 약화시킨다는 문제점이 있다.

선지분석

① 내국세 총액의 일정비율과 「종합부동산세법」에 따른 종합부동산세 총액을 재원으로 하는 것은 지방교부세에 대한 설명이다.

② 기획재정부장관은 매년 지방자치단체에 대한 보조금 예산을 편성할 때에 필요하다고 인정되는 보조사업에 대하여는 해당 지방자치단체의 재정사정을 고려하여 기준보조율에서 일정비율을 더하거나 빼는 차등보조율을 적용할 수 있다(「보조금 관리에 관한 법률」 제10조 제1항). 즉, 국고보조금의 사업별 보조율은 사업의 종류에 따라 다르다.

④ 중앙관서의 장은 보조사업을 수행하려는 자로부터 신청받은 보조금의 명세 및 금액을 조정하여 기획재정부장관에게 보조금 예산을 요구하여야 한다(「보조금 관리에 관한 법률」 제6조 제1항).

답 ③

28 ☐☐☐

지방재정에 대한 설명으로 옳은 것은?

① 지방교부세의 기본 목적은 지방자치단체 간 재정격차를 줄임으로써 기초적인 행정서비스가 제공될 수 있도록 하는 데 있다.

② 세외수입은 연도별 신장률이 안정적이며 그 종류와 형태가 다양하다.

③ 보통교부세, 특별교부세, 분권교부세, 부동산교부세 등의 지방교부세가 운영되고 있다.

④ 대부분의 국고보조사업에는 차등보조율이 적용되고 있다.

---

28 | 지방재정

지방교부세는 지방자치단체의 기능수행에 필요한 자체재원의 부족분을 보충해주고, 각 지방자치단체 간 재정적 불균형을 조정하여 재정격차를 줄임으로써 기초적인 행정서비스가 제공될 수 있도록 하는 데 목적이 있다.

선지분석

② 세외수입은 지방자치단체의 자체 세입원 중 지방세 이외의 수입으로, 연도별 신장률이 안정적이지 못하다.

③ 지방교부세는 보통교부세, 특별교부세, 부동산교부세, 소방안전교부세로 운영되고 있다.

④ 대부분의 국고보조사업에는 획일보조율이 적용되며, 일부 보조사업의 경우 차등보조율이 적용된다.

답 ①

다음 중 서울특별시가 자치구에 교부하는 조정교부금의 재원이 될 수 없는 것은?

① 지방소득세
② 담배소비세
③ 취득세
④ 지방교육세

우리나라 지방재정조정제도 중의 하나인 조정교부금제도에 대한 설명으로 옳은 것만을 모두 고른 것은?

> ㄱ. 특별시 · 광역시 내 자치구 사이의 재정격차를 해소하여 균형적인 행정서비스를 제공하기 위해 도입되었다.
> ㄴ. 중앙정부가 지방정부의 재정수요와 재정수입을 비교하여 부족한 재원을 보전할 목적으로 내국세의 적정 비율에 해당하는 금액을 지방정부에 교부하는 것이다.
> ㄷ. 지방정부가 수행하는 업무 중에서 국가사업과 지방사업의 연계를 강화하고자, 중앙정부가 지방정부의 특정 사업에 대하여 경비 일부의 용도를 지정하여 부담한다.
> ㄹ. 특별시장이나 광역시장은 시세 수입 중의 일정액을 확보하여 조례로 정하는 바에 따라 해당 지방자치단체의 관할구역 안의 자치구 상호 간의 재원을 조정하여야 한다.

① ㄱ, ㄴ
② ㄱ, ㄹ
③ ㄴ, ㄷ
④ ㄷ, ㄹ

29	조정교부금

지방교육세는 목적세로서 조정교부금의 재원이 될 수 없다. 자치구에 교부하는 조정교부금은 특별시 · 광역시가 징수하는 보통세로 일부를 자치구에 교부하는 것이다.

답 ④

30	조정교부금

ㄱ. 자치구의 재정격차 해소를 위하여 자치구 조정교부금이 도입되었다.
ㄹ. 자치구 조정교부금의 재원은 특별시 · 광역시가 징수하는 보통세의 일부이다.

(선지분석)
ㄴ. 내국세의 적정 비율에 해당하는 금액을 지방정부에 교부하는 것은 보통교부세이다.
ㄷ. 중앙정부가 지방정부의 특정 사업에 대하여 경비 일부의 용도를 지정하여 부담하는 것은 단체위임사무를 위임한 대가로 지급하는 부담금에 해당한다.

답 ②

지방재정에 대한 설명으로 가장 옳지 않은 것은?

① 지방수입에 있어서 자주재원의 핵심은 지방세와 세외수입으로 지방세는 법률이 정하는 바에 따라 강제적으로 징수하고, 세외수입은 지방세 외의 모든 수입을 포함하는 개념이다.

② 의존재원은 지방교부세, 국고보조금, 조정교부금, 지방채로 구성되며, 지방자치단체에서 필요로 하거나, 부족한 재원을 외부에서 조달한다는 특징이 있다.

③ 지방자치단체 지방수입의 구조에서 가장 두드러진 특징 중 하나는 자주재원에 비해 의존재원이 매우 많다는 점으로, 지방자치단체의 국가재정에 대한 의존도가 상당히 크다 할 수 있다.

④ 재정자립도는 지방자치단체 총 예산규모 중 자주재원이 차지하는 비율로 그 산식에 있어서 분모와 분자에 모두 자주재원이 존재함으로 인해 재정자립도를 결정하는 데에 중요한 요인은 의존재원이 된다.

다음 중 우리나라의 지방재정조정제도에 대한 설명으로 옳지 않은 것은?

① 지방교부세의 재원은 내국세의 19.24%에 해당하는 금액, 담배에 부과하는 개별소비세 45%와 종합부동산세 전액으로 구성된다.

② 국고보조금은 행정서비스의 구역 외 확산에 대처할 수 있지만 지역 간 재정력 격차 및 불균형을 심화시키기도 한다.

③ 지방교부세는 용도가 정해져 있지 않다는 점에서 국고보조금과 다르다.

④ 재정자립도를 산정할 때 지방교부세는 지방자치단체의 의존재원에 속한다.

⑤ 중앙정부가 지방자치단체별로 지방교부세를 교부할 때 사용하는 기준지표는 지방재정자립도이다.

31	**지방재정**

지방채는 의존재원이 아니다. 지방채는 자주재원으로 보기도 하고, 자주재원도 의존재원도 아닌 제3의 독립된 재원으로 보기도 한다.

답 ②

32	**우리나라의 지방재정조정제도**

중앙정부가 지방자치단체별로 지방교부세를 교부할 때 사용하는 기준지표는 지방재정자립도가 아닌 재정력지수(기준재정수입액/기준재정수요액)이다. 지방자치단체의 재정력지수가 1보다 클 경우에는 보통교부세를 교부하지 않는다.

답 ⑤

33 □□□

지방재정과 관련된 지표 중에서 재정자주도에 대한 설명으로 옳은 것은?

① 지방정부의 전체 재원에 대한 자주재원의 비율
② 통합재정수지상 자주재원의 비율
③ 기준재정수요액 대비 기준재정수입액의 비율
④ 지방정부 일반회계 세입에서 자주재원과 지방교부세를 합한 일반재원의 비중
⑤ 지방채를 자체재원에 포함시켜 계산한 지방재정자립도

33	재정자주도

지방정부의 일반회계 세입에서 자주재원과 지방교부세를 합한 일반재원의 비율을 재정자주도라고 한다.

(선지분석)
① 지방정부의 전체 재원에 대한 자주재원의 비율은 재정자립도이다.
③ 기준재정수요액 대비 기준재정수입액의 비율은 재정력지수이다.

답 ④

34 □□□

지방자치단체의 재정자립도에 대한 설명으로 가장 옳지 않은 것은?

① 재정자립도는 세입총액에서 지방세수입과 세외수입이 차지하는 비율을 나타낸다.
② 자주재원이 적더라도 중앙정부가 지방교부세를 증액하면 재정자립도는 올라간다.
③ 재정자립도가 높다고 지방정부의 실질적 재정이 반드시 좋다고 볼 수는 없다.
④ 국세의 지방세 이전은 재정자립도 증대에 도움이 된다.

34	재정자립도

재정자립도란 일반회계 총세입 중에서 자주재원(지방세+세외수입)이 차지하는 비중을 의미한다. 그러므로 자주재원의 비중이 클수록, 의존재원(지방교부세 및 국고보조금)이 작을수록 재정자립도는 높아진다. 따라서 자주재원이 적고 중앙정부가 지방교부세를 증액하면 재정자립도는 떨어진다.

> 재정자립도 = (지방세 + 세외수입) / 일반회계예산 × 100(%)

(선지분석)
③ 재정자립도는 세출의 질이나 지방정부 전체의 재정규모 등 실질적인 재정상태를 알려주지 못하므로 재정자립도가 높다고 하더라도 지방정부의 실질적 재정이 반드시 좋다고 볼 수는 없다.
④ 지방세는 자주재원이므로 국세를 지방세로 이전할 경우 재정자립도 증대에 도움이 된다.

답 ②

지방자치단체의 재정자립도 개념의 한계에 대한 설명으로 옳지 않은 것은?

① 지방자치단체의 일반회계만을 고려하고 특별회계와 기금 등을 종합적으로 고려하지 못하므로 지방자치단체의 실제 재정력이 과소평가된다.

② 일반회계에서 차지하는 자체재원의 비율이 높을수록 재정자립도가 높게 산정되기 때문에 지방교부세를 받은 지방자치단체는 재정력이 커짐에도 불구하고 재정자립도는 반대로 낮아지게 된다.

③ 지방자치단체의 세출을 중심으로 산정되기 때문에 지방자치단체의 재정력을 효과적으로 파악하기 곤란하다.

④ 지방자치단체 간의 상대적 재정규모를 평가하지 못하는 문제가 있다.

지방자치단체의 재정자립도에 대한 설명으로 옳지 않은 것은?

① 재정지출의 내역이라고 할 수 있는 세출의 질을 고려하고 있지 않다.

② 대규모 사업의 수행을 가능케 하는 재정규모의 중요성을 간과하고 있다.

③ 지방자치단체의 실질적 재정상태를 나타내며 중앙정부로부터 얼마나 많은 지원을 받고 있는가를 보여준다.

④ 중앙정부에 의한 재정지원을 의존재원으로 처리함으로써 재정지원의 형태를 제대로 파악할 수 없다.

35	재정자립도

재정자립도는 지방자치단체의 일반회계예산에서 자주재원(지방세＋세외수입)이 차지하는 비율을 의미한다. 우리나라에서는 일반회계를 기준으로 지방재정자립도를 계산하고 있다. 이는 세입 측면을 고려한 개념으로서, 지방자치단체의 세출의 질(세출구조의 건전성 여부 등)을 고려하지 못한 개념이다. 따라서 세출 측면의 변화는 지방재정자립도에 영향을 미치지 않는다.

답 ③

36	재정자립도

재정자립도란 지방자치단체의 세입구조를 지방세 수입, 세외수입, 지방교부세, 보조금으로 분류할 경우 그 중에서 지방세 수입과 세외수입이 세입총액에서 차지하는 비율을 의미한다. 따라서 중앙정부로부터 얼마나 많은 지원을 받고 있는가를 보여주는 것이 아니라 중앙정부로부터 재정지원을 받지 않고 지방자치단체의 힘으로 얼마만큼 해결할 수 있는가를 나타내는 개념이다.

답 ③

37 □□□

최근 지방재정자립도를 높이기 위하여 국세의 일부를 지방세로 전환해야 한다는 여론이 높아지고 있는데, 전환할 경우에 나타날 수 있는 현상과 가장 거리가 먼 것은?

① 조세저항이 일어날 수 있다.
② 지역 간 재정불균형이 심화될 수 있다.
③ 지방교부세 총액이 감소될 수 있다.
④ 중앙과 지방과의 기능을 조정할 필요가 있다.

37 　재정자립도

조세저항은 주로 새로운 세목의 신설 및 세율인상으로 인해 나타난다. 국세의 일부를 지방세로 전환하는 것은 새로운 조세부담을 발생시키는 것이 아니기 때문에 조세저항이 일어난다고 볼 수 없다.

답 ①

38 □□□

우리나라 지방자치단체의 재정에 대한 설명으로 옳은 것은?

① 지방세는 재산보유에 대한 과세보다 재산거래에 대한 과세의 비중이 상대적으로 높다.
② 재정력지수는 지방자치단체의 전체 재원에 대한 자주재원(지방세 수입, 지방세 외 수입)의 비율을 의미한다.
③ 재정자립도란 일반회계 세입에서 자주재원과 지방교부세를 합한 일반재원의 비중으로 생계급여 등 사회복지 분야에서 차등보조율을 설계할 때 사용된다.
④ 지방재정조정제도는 크게 지방자치단체에 재원 사용의 자율성을 전적으로 부여하는 국고보조금과 특정한 사업에 사용할 것을 조건으로 선택적으로 지원하는 지방교부세로 구분한다.

38 　우리나라 지방자치단체의 재정

지방세는 소득과세나 소비과세가 적고 재산과세가 많아 낮은 세수의 신장성을 가지고 재정운영의 신축성을 저해한다는 문제점을 가지고 있다.

선지분석

② 재정력지수란 기초적인 재정수요를 어느 정도 자체적으로 해결할 능력을 가지고 있는지의 정도를 추정하는 지표로 기준재정수요액에 대한 기준재정수입액의 비율이다.
③ 재정자립도란 지방자치단체의 일반회계예산에서 자주재원(지방세 + 세외수입)이 차지하는 비율이다.
④ 지방자치단체에 재원 활용의 자율성을 전적으로 부여하게 되는 재원은 지방교부세이며, 특정 사업에 활용할 것을 조건으로 하여 선택적으로 지원하는 재원은 국고보조금이다.

답 ①

39 ☐☐☐

「지방공기업법」에 근거한 지방공기업에 대한 설명으로 가장 옳지 않은 것은?

① 지방공기업은 수도사업(마을상수도사업은 제외한다), 공업용수도사업, 주택사업, 토지개발사업, 하수도사업, 자동차운송사업, 궤도사업(도시철도사업을 포함한다)을 할 수 있다.

② 지방공기업에 관한 경영평가는 원칙적으로 행정안전부장관의 주관으로 이루어진다.

③ 공사의 운영을 위하여 필요한 경우에는 자본금의 2분의 1을 넘지 아니하는 범위에서 지방자치단체 외의 자로 하여금 공사에 출자하게 할 수 있다. 단, 외국인 및 외국법인은 제외한다.

④ 지방공기업에 대한 경영평가, 관련정책의 연구, 임직원에 대한 교육 등을 전문적으로 지원하기 위하여 지방공기업평가원을 설립한다.

39	지방공기업

공사의 운영을 위하여 필요한 경우에는 자본금의 2분의 1을 넘지 아니하는 범위에서 지방자치단체 외의 자로 하여금 공사에 출자하게 할 수 있고, 외국인 및 외국법인도 포함된다.

(선지분석)

② 지방공기업에 관한 경영평가는 원칙적으로 행정안전부장관의 주관하에 실시하되, 필요 시 지방자치단체장으로 하여금 평가하도록 할 수 있다.

답 ③

40 ☐☐☐

지방공기업 유형 중 지방직영기업에 대한 설명으로 가장 옳지 않은 것은?

① 지방자치단체가 행정조직 형태로 직접 운영하는 사업을 말한다.

② 지방자치단체의 장이 지방직영기업의 관리자를 임명한다.

③ 소속된 직원은 공무원 신분이 아니다.

④ 「지방공기업법 시행령」에 따라 경영평가가 매년 실시되어야 하나 행정안전부장관이 이에 대해 따로 정할 수 있다.

40	지방직영기업

지방직영기업의 조직·인력은 지방자치단체 소속으로 신분은 공무원이다. 지방직영기업이란 지방자치단체가 직접 사업수행을 위하여 공기업특별회계를 설치하고, 일반회계와 구분하여 독립적으로 회계를 운영하는 형태이다.

(선지분석)

① 지방직영기업이란 지방자치단체가 실, 국, 본부, 부 등의 행정조직 형태로 직접 운영하는 사업을 말한다.

② 지방직영기업 관리자의 임명 주체는 지방자치단체의 장이다.

④ 지방직영기업에 대한 경영평가는 매년 실시하는 것이 원칙이나, 행정안전부장관이 이에 대해 따로 정할 수 있다.

답 ③

41 ☐☐☐

다음 중 지방공기업에 대한 설명으로 옳지 않은 것은?

① 자동차운송사업은 지방직영기업 대상에 해당된다.
② 지방공단의 자본금은 지방자치단체가 전액 출자한다.
③ 행정안전부장관은 지방공기업에 대한 평가를 실시하고 그 결과에 따라 필요한 조치를 하여야 한다.
④ 지방공사는 법인으로 한다.
⑤ 지방공사는 지방자치단체 외의 자(법인 등)가 출자를 할 수 있지만 지방공사 자본금의 3분의 1을 넘지 못한다.

42 ☐☐☐

지방공기업의 유형 중 지방직영기업에 대한 설명으로 가장 옳지 않은 것은?

① 지방자치단체가 일반회계와 구분되는 공기업특별회계를 설치해 독립적으로 회계를 운영하는 형태의 기업이다.
② 지방직영기업의 직원은 대부분 민간인 신분이다.
③ 지방자치단체가 직접 사업 수행을 위해 소속 행정기관의 형태로 설립하여 경영한다.
④ 일반적으로 상수도사업, 하수도사업, 공영개발, 지역개발기금 등이 지방직영기업에 속한다.

41	지방공기업

공사의 자본금은 그 전액을 지방자치단체가 현금 또는 현물로 출자한다. 그럼에도 불구하고 공사의 운영을 위하여 필요한 경우에는 자본금의 2분의 1을 넘지 아니하는 범위에서 지방자치단체 외의 자(외국인 및 외국법인을 포함한다)로 하여금 공사에 출자하게 할 수 있다. 증자의 경우에도 또한 같다(「지방공기업법」 제53조 제1항·제2항).

(선지분석)
① 지방직영기업 대상사업은 수도사업(마을상수도 사업 제외), 공업용수도사업, 궤도사업(도시철도사업 포함), 자동차운송사업, 지방도로사업(유료도로사업), 하수도사업, 주택사업, 토지개발사업, 주택·토지 또는 공(공)용건출물의 관리 등의 수탁이다.
② 지방공단의 자본금은 지방자치단체가 전액 출자하고, 지방공사는 자본금의 2분의 1을 넘지 아니하는 범위에서 지방자치단체 외의 자로 하여금 출자하게 할 수 있다(외국인 및 외국법인 포함).
③ 행정안전부장관은 지방공기업의 경영 기본원칙을 고려하여 지방공기업에 대한 경영평가를 하고, 그 결과에 따라 필요한 조치를 하여야 한다. 다만, 행정안전부장관이 필요하다고 인정하는 경우에는 지방자치단체의 장으로 하여금 경영평가를 하게 할 수 있다(「지방공기업법」 제78조 제1항).
④ 지방공사는 법인으로 한다(「지방공기업법」 제51조).

답 ⑤

42	지방직영기업

지방직영기업은 지방자치단체가 직접 설치·경영하는 사업으로서 대통령령으로 정하는 기준 이상의 사업에 해당한다. 지방자치단체가 직접 경영하는 지방자치단체 소속 행정기관 형태로서 직원의 신분은 공무원이다.

(선지분석)
①, ③ 지방직영기업이란 지방자치단체가 소속 행정기관의 형태인 실, 국, 본부, 부 등의 행정조직 형태로 직접 운영하는 지방공기업으로 공기업특별회계를 설치해 독립적으로 회계를 운영하는 형태의 기업이다.
④ 지방직영기업 대상사업은 수도사업(마을상수도사업 제외), 공업용수도사업, 궤도사업(도시철도사업 포함), 자동차운송사업, 지방도로사업(유료도로사업만 해당), 하수도사업, 주택사업, 토지개발사업, 주택, 토지 또는 공용·공공용 건축물의 관리 등의 수탁이다.

답 ②

43 □□□

다음은 각종 지역사업을 나열한 것이다. 이 중 현행 「지방공기업법」에 규정된 지방공기업 대상사업(당연적용사업)이 아닌 것만을 모두 고른 것은?

> ㄱ. 수도사업(마을상수도사업은 제외)
> ㄴ. 주민복지사업
> ㄷ. 공업용수도사업
> ㄹ. 공원묘지사업
> ㅁ. 주택사업
> ㅂ. 토지개발사업

① ㄱ, ㄷ
② ㄴ, ㄹ
③ ㄷ, ㅁ
④ ㄹ, ㅂ

44 □□□

「공공기관의 운영에 관한 법률」과 지방공기업법령상 공공기관과 지방공기업에 대한 설명으로 옳지 않은 것은?

① 기획재정부장관은 공공기관을 공기업·준정부기관과 기타공공기관으로 구분하여 지정하되, 공기업과 준정부기관은 직원 정원이 50인 이상인 공공기관 중에서 지정한다.
② 기획재정부장관은 경영실적평가 결과 경영실적이 부진한 공기업·준정부기관에 대하여 운영위원회의 심의·의결을 거친 후 기관장, 상임이사의 임명권자에게 그 해임을 건의하거나 요구할 수 있다.
③ 「지방공기업법」상 지방공기업의 범주에는 지방직영기업과 지방공사·지방공단이 포함된다.
④ 지방자치단체장은 지방자치의 발전과 주민복리의 증진을 위해 지방공기업을 설립·운영할 수 있으며, 매년 경영평가결과를 토대로 경영진단 대상 지방공기업을 선정한다.

43	지방공기업 대상사업(당연적용사업)

ㄴ, ㄹ. 주민복지사업과 공원묘지사업은 「지방공기업법」상 대상사업에 해당하지 않는다.

> **「지방공기업법」 제2조 【적용 범위】** ① 이 법은 다음 각 호의 어느 하나에 해당하는 사업(그에 부대되는 사업을 포함한다. 이하 같다) 중 제5조에 따라 지방자치단체가 직접 설치·경영하는 사업으로서 대통령령으로 정하는 기준 이상의 사업과 제3장 및 제4장에 따라 설립된 지방공사와 지방공단이 경영하는 사업에 대하여 각각 적용한다.
> 1. 수도사업(마을상수도사업은 제외한다)
> 2. 공업용수도사업
> 3. 궤도사업(도시철도사업을 포함한다)
> 4. 자동차운송사업
> 5. 지방도로사업(유료도로사업만 해당한다)
> 6. 하수도사업
> 7. 주택사업
> 8. 토지개발사업
> 9. 주택(대통령령으로 정하는 공공복리시설을 포함한다), 토지, 또는 공용·공공용 건축물의 관리 등의 수탁

답 ②

44	공공기관과 지방공기업

「지방공기업법」에 의하여 지방자치단체장은 지방자치의 발전과 주민복리의 증진을 위해 지방공기업을 설치할 수 있다. 그러나 경영진단 대상 지방공기업의 선정은 행정안전부장관이 할 수 있다.

> **「지방공기업법」 제78조의2 【경영진단 및 경영 개선 명령】** ② 행정안전부장관은 제78조 제1항 본문에 따라 경영평가를 하거나 제1항에 따른 서류 등을 분석한 결과 특별한 대책이 필요하다고 인정되는 지방공기업으로서 다음 각 호의 어느 하나에 해당하는 지방공기업에 대하여는 대통령령으로 정하는 바에 따라 따로 경영진단을 실시하고, 그 결과를 공개할 수 있다.

답 ④

합격을 위한 확실한 해답!

해커스공무원 교재 시리즈

영어 기초 시리즈

해커스 공무원 영어
기초 영문법/기초 독해

영어 보카 시리즈

해커스공무원
기출 보카

기본서 시리즈

해커스공무원
영어 (세트)

해커스공무원
국어 (세트)

해커스공무원
한국사 (세트)

해커스공무원
이명호 한국사 (세트)

해커스공무원
현 행정학 (세트)

해커스공무원
神행정법총론 (세트)

해커스공무원
세법 (세트)

해커스공무원
회계학 (세트)

해커스공무원
교정학 (세트)

해커스공무원
사회 (세트)

해커스공무원
과학 (세트)

해커스공무원
수학

해커스공무원
교육학 (세트)

해커스공무원
명품 행정학 (세트)

해커스공무원
쉬운 행정학

해커스공무원
하종화 사회 (세트)

해커스공무원
神헌법 (세트)

해커스공무원
박철한 헌법

해커스공무원
局경제학 (세트)

해커스공무원
이명호 올인원 관세법

빈칸노트 시리즈

해커스공무원
이중석 맵핑 한국사
올인원 블랭크노트

해커스공무원
이명호 관세법
뺑령집

필기노트 시리즈

해커스공무원
신민숙 국어 어법
합격생 필기노트

해커스공무원
이중석 맵핑 한국사
합격생 필기노트

핵심정리 시리즈

해커스공무원
단권화 핵심정리
국어

해커스공무원
단권화 핵심정리
한국사

해커스공무원
처음 헌법
조문해설집

해커스공무원
처음 헌법
만화판례집

워크북

해커스공무원
이명호 한국사
암기강화 프로젝트 워크북

11개년 기출문제집

쉬운 행정학

실전모의고사

추가 자료 | 해커스공무원 gosi.Hackers.com

공무원학원 · 공무원인강 · 기출분석 무료특강 ·
무료 회독 학습 점검표 · 무료 회독용 답안지 · 해커스 회독증강 콘텐츠

해커스공무원

해커스공무원

11개년 기출문제집

쉬운 행정학

실전모의고사

조철현

약력

제52회 행정고시 합격
한양대학교 정책학과 박사과정

현 | 해커스공무원 행정학 강의
현 | 해커스공무원 면접 강의
전 | 법무부 보호법제과 사무관
전 | 법무부 법무연수원 교수요원
전 | 행정고등고시 출제 검토위원
전 | 국가직공무원 공채, 경채 면접위원

저서

해커스공무원 쉬운 행정학, 해커스패스
해커스공무원 11개년 기출문제집 쉬운 행정학, 해커스패스
해커스공무원 면접마스터, 해커스패스

2021년 대비 최신개정판
상세한 해설을 담은 공무원 기출문제집!

해커스공무원

11개년 기출문제집

쉬운 행정학 실전모의고사

지은이	조철현
펴낸곳	해커스패스
펴낸이	해커스공무원 출판팀

주소	서울특별시 강남구 강남대로 428 해커스공무원
고객센터	02-598-5000
교재 관련 문의	gosi@hackerspass.com
	해커스공무원 사이트(gosi.Hackers.com) 교재 Q&A 게시판
학원 강의 및 동영상강의	gosi.Hackers.com

ISBN	979-11-6454-839-2 (14350)

**최단기 합격 1위,
해커스공무원(gosi.Hackers.com)**

해커스공무원

- 해커스공무원 학원 및 인강 (교재 내 인강 할인쿠폰 수록)
- 해커스공무원 스타강사의 기출분석 무료특강
- 다회독에 최적화된 무료 회독 학습 점검표 · 회독용 답안지
- '회독'의 방법과 공부 습관을 제시하는 해커스 회독증강 콘텐츠 (교재 내 할인쿠폰 수록)

[최단기 합격 1위, 해커스공무원] 헤럴드미디어 2018 대학생 선호 브랜드 대상 '대학생이 선정한 최단기 합격 공무원학원' 분야 1위

차례

실전모의고사

정답 및 해설

실전모의고사

문 1. 행정이론에 대한 설명으로 옳은 것은?

　① 사무관리론에서는 정부의 기획과 집행을 분리하고 정치와 행정영역의 권한과 책임을 명확히 하여야 한다고 보았다.

　② 신행정학에서는 정부의 적극적인 역할과 적실성 있는 정책수립을 부정하였다.

　③ 뉴거버넌스론은 공공참여자의 활발한 의사소통, 수평적 합의 등을 중시하는 정치행정이원론적 시각이다.

　④ 신공공서비스론에서는 시민을 주인이 아닌 고객으로 보아야 한다고 주장하였다.

문 2. 재분배정책에 대한 설명으로 옳은 것은?

　① 표준운영절차(SOP)나 선례에 따른 시스템을 확립하여 원활하게 집행될 가능성이 높다.

　② 부나 권력의 편중을 해소하기 위한 정책으로 계급대립적 성격이 강하다.

　③ 간접세 및 비례세의 확대는 재분배정책 실현을 위한 방안이다.

　④ 정책참여자들 간 이해대립이 낮은 편이며, 갈라먹기식 결정이 이루어지는 경우가 많다.

문 3. 「정부업무평가 기본법」의 내용으로 옳지 않은 것은?

　① 지방자치단체장은 정부업무평가시행계획에 따라 지방자치단체의 자체평가계획을 매년 수립하여야 한다.

　② 국무총리는 특정평가를 실시할 수 있고, 특정평가를 실시할 경우 그 결과는 공개하여야 한다.

　③ 중앙행정기관의 소속기관이 행하는 정책은 정부업무평가의 대상이다.

　④ 정부업무평가위원회는 위원장 1인을 포함한 15인 이내의 위원으로 구성한다.

문 4. 신공공관리론에 대한 설명으로 옳지 않은 것은?

　① 1980년대 이후 정부실패를 극복하기 위하여 발생한 이론이다.

　② 정부의 역할은 노젓기가 아닌 방향잡기라고 본다.

　③ 수익자부담원칙의 강화, 성과관리의 확대, 민영화 추진, 규제 강화 등의 방법을 제시한다.

　④ 행정의 효율성 향상을 위해 기업가적 재량권을 강조하므로, 공공 책임성의 문제를 초래할 우려가 있다.

문 5. 정책결정모형에 대한 설명으로 옳은 것은?

　① 합리모형은 인간의 제한된 합리성을 전제로 하기 때문에 그러한 한계를 보완할 수 있는 기능을 포함한다.

　② 점증모형은 정책결정과정에서 정치적 합리성 및 경제적 합리성을 중시한다.

　③ 사이버네틱스모형은 관습적이고 도구적인 의사결정을 설명하기 적절한 모형으로, 반복적으로 이루어지는 의사결정과정에서 현상유지를 위한 수정이 지속적으로 환류된다.

　④ 쓰레기통모형은 전통적인 관료제적 정부의 의사결정과정을 설명하기 용이하다.

문 6. 조직구조의 유형 중에서 기능별 구조와 비교할 경우 사업별 구조가 가지는 특징으로 옳지 않은 것은?

① 사업부서 내부의 기능 조정이 용이하고 외부의 변화하는 환경에 신속하게 대응할 수 있다.

② 각 사업부서의 성과책임 소재가 분명하기 때문에 성과관리 체제에 유리하다.

③ 산출물별로 사업부서가 운영되므로 고객만족도 제고에 적합하다.

④ 조직 전체의 효율화를 지향할 수 있으며 규모의 경제를 실현할 수 있다.

문 7. 조직구조의 상황요인에 대한 설명으로 옳지 않은 것은?

① 비일상적 기술은 공식화를 저해한다.

② 불확실한 환경은 집권화를 초래한다.

③ 환경의 불확실성이 높을수록 공식화는 불리하다.

④ 조직의 규모와 공식화 정도는 비례한다.

문 8. 동기부여이론에 대한 설명으로 옳은 것은?

① 허즈버그(Herzberg)의 욕구충족요인이원론에 따르면 보수를 인상하는 것은 올바른 동기부여 방안이다.

② 브룸(Vroom)의 기대이론에 따르면 보편적이고 객관적인 선호에 부합하는 결과물로 유인을 제공할 수 있다.

③ 아담스(Adams)의 형평성이론은 준거인물과의 형평성 자각이 동기를 부여하는 원천이라고 본다.

④ 로크(Locke)는 목표가 도전적이고 명확할 때 동기가 유발된다고 본다.

문 9. 바스(Bass)가 제시한 변혁적 리더십에 대한 설명으로 옳지 않은 것은?

① 리더는 조직 구성원별 개인의 욕구에 관심을 가져야만 한다.

② 리더는 구성원의 사고방식을 끊임없이 자극하여 혁신적인 해결책을 구할 수 있도록 유도하여야 한다.

③ 리더는 난관을 극복하고 현 상태에 대해 각성을 표명함으로써 부하들에게는 자긍심과 신념을 부여하고 부하들로부터 존경과 신뢰를 획득하여야 한다.

④ 리더는 부하들과 적절한 성과목표달성에 따른 계약을 체결하고 목표를 성취할 경우 계약에 따른 보상을 제공하여야 한다.

문 10. 리그스(Riggs)가 제시한 프리즘적 사회의 특징으로 옳지 않은 것은?

① 기능의 중복

② 고도의 분화성

③ 다규범주의

④ 형식주의

문 11. 전통적 예산의 원칙에 해당하지 않는 것은?

① 예산은 국민에게 공개되어야 한다.

② 한 회계연도의 세입과 세출은 모두 예산에 계상되어야 한다.

③ 모든 수입은 국고에 편입되어야만 하고, 국고로부터 지출이 되어야 한다.

④ 국가사업의 계획과 예산편성은 연계되어야만 한다.

문 12. 다음 중 「공직자윤리법」에 규정된 내용은 모두 몇 개인가?

> ㄱ. 재산등록 및 공개제도
> ㄴ. 선물수령신고제도
> ㄷ. 퇴직공직자의 취업제한제도
> ㄹ. 주식백지신탁제도
> ㅁ. 이해충돌 방지의무

① 2개

② 3개

③ 4개

④ 5개

문 13. 자본예산제도에 대한 설명으로 옳지 않은 것은?

① 자본적 지출은 장기적 재정계획에 따라 적자재정이 정당화 될 수 있다.

② 세출규모의 변동을 장기적 관점에서 조정할 수 있다.

③ 경상적 지출에 대한 심도 있는 분석을 그 목적으로 한다.

④ 국가 간 지출 성격별 비중을 비교분석 할 수 있다.

문 14. 스마트정부와 4차 산업혁명에 대한 설명으로 옳지 않은 것은?

① 4차 산업혁명이란 산업 간의 초연결성을 그 바탕으로 한다.

② 스마트정부는 재난발생 후 신속한 복구를 정책적 목표로 추구한다.

③ 4차 산업혁명은 AI 등 초지능성을 특징으로 한다.

④ 스마트정부는 스마트워크의 확산으로 시간과 공간을 초월한 업무가 가능해진다.

문 15. 우리나라 지방자치단체에 대한 설명으로 가장 옳지 않은 것은?

① 지방자치단체는 법령이나 상급 지방자치단체의 조례를 위반하여 그 사무를 처리할 수 없다.

② 우리나라의 지방자치단체는 기본적으로 중층제 형태이다.

③ 우리나라의 광역자치단체는 17개이다.

④ 특별시, 광역시 내에 군을 둘 수 있다.

문 16. 우리나라 정부조직에 대한 설명으로 옳지 않은 것은?

① 가족 업무는 보건복지부 소관이다.
② 특허청은 유일한 중앙책임운영기관이다.
③ 경찰청과 소방청은 행정안전부의 외청이다.
④ 검찰청의 장은 장관급이다.

문 17. 지방재정의 구성요소 중 의존재원의 기능으로 옳은 것만을 모두 고르면?

> ㄱ. 국가 전체적 차원의 통합성 유지
> ㄴ. 지방재정의 지역 간 불균형 시정
> ㄷ. 지방자치단체의 다양성과 지방분권화 촉진

① ㄱ
② ㄱ, ㄴ
③ ㄱ, ㄷ
④ ㄴ, ㄷ

문 18. 인사행정에 대한 설명으로 옳은 것은?

① 균형인사정책은 대표관료제의 단점을 완화하는 데 기여할 수 있다.
② 대표관료제는 정부의 인적 구성을 다양화함으로써 정부의 대응성을 향상시키는 측면이 있다.
③ 엽관제는 정당정치의 발달을 저해하고 행정의 민주성을 침해할 우려가 있다.
④ 엽관제는 정부 행정집행의 효율성을 제고한다.

문 19. 다면평가제도에 대한 설명으로 옳지 않은 것은?

① 공정성과 객관성을 향상시켜 당사자들의 승복을 받아내기가 용이하다.
② 행정서비스에 대한 다양한 의견을 수렴하기 쉽다.
③ 위계적인 조직질서가 강한 경우 다면평가제도를 통하여 조직의 화합을 촉진시킬 수 있다.
④ 관료집단의 시민에 대한 대응성을 향상시킬 수 있다.

문 20. 지방직영기업에 대한 설명으로 옳지 않은 것은?

① 소속 직원의 신분은 지방직공무원이다.
② 완전한 독립채산제의 원칙이 지켜진다.
③ 중앙정부의 우체국과 유사한 형태이다.
④ 지방자치단체의 장은 지방직영기업의 관리자를 임명한다.

소요시간: _____ / 15분   맞힌 답의 개수: _____ / 20

문 1. 행정학의 접근방법으로 옳지 않은 것은?

① 현상학적 접근방법에서는 인간의 의도된 행위와 표출된 행태를 구별하고, 그중 관심을 기울여야할 분야는 의도된 행위라고 본다.

② 신제도론적 접근방법은 행위와 구조 간의 매개과정을 규명할 수 있는 중범위이론이다.

③ 신행정론은 반실증주의적 입장이다.

④ 신공공관리론은 참여, 형평성, 처방성, 적실성 등 사회적 문제에 대한 정부의 공적 역할을 중시한다.

문 2. 현대행정에서 엽관제적 요소를 필요로 하는 이유로 가장 옳은 것은?

① 행정의 안정성 및 계속성 확보

② 공무원의 정치적 중립성 확보

③ 정권교체 시 정책의 추진력 확보

④ 공직임용에서의 균등한 기회 부여

문 3. 베버(Weber)의 관료제론에 대한 비판으로 가장 옳지 않은 것은?

① 관료의 직업적 보장을 경시하였다.

② 비공식 조직 측면을 경시하였다.

③ 번문욕례 및 형식주의를 초래하였다.

④ 사회변화에 대한 탄력적 대응이 곤란하다.

문 4. 정치행정이원론과 관련된 내용으로 옳지 않은 것은?

① 기술적 행정학

② 뉴딜(new deal) 정책

③ 정책결정과 정책집행의 구분

④ 실적주의의 발전

문 5. 생태론적 접근방법에 대한 설명으로 옳지 않은 것은?

① 버나드(Barnerd), 가우스(Gaus) 등이 대표적 학자이다.

② 생물학의 한 분야인 생태론을 행정현상의 규명에 활용한 접근방법이다.

③ 행정조직을 둘러싸고 있는 외부환경의 변화가 행정현상에 어떠한 영향을 주는가를 연구하는 접근방법이다.

④ 폐쇄체제론적 접근방법을 선호한다.

문 6. 인사제도에 대한 설명으로 옳지 않은 것은?

① 직위분류제도는 인사행정의 능률성과 합리성을 수단으로 하며, 엽관주의를 배경으로 추진된 제도이다.

② 직업공무원제도는 젊은 인재들을 공직에 유치하여 일생 동안 공무원으로 근무하도록 운영하는 인사제도이다.

③ 실적주의는 인사권자의 탄력적, 신축적인 인적자원 운용에 걸림돌이 될 수 있다.

④ 엽관제도는 1829년 미국의 잭슨(Jackson) 대통령이 의회에서 발표한 연두교서에서부터 더욱 강화되기 시작하였다.

문 7. 지출원인행위를 담당하는 공무원으로 옳은 것은?

① 재무관
② 수입징수관
③ 지출관
④ 출납공무원

문 8. 호손(Hawthorne) 공장 실험의 결론으로 가장 옳은 것은?

① 조직의 기계적 능률 중시
② 조직구성원의 경제적 보상의 중요성
③ 조직구성원의 사회적·심리적 요인의 중요성
④ 공식조직에서의 의사소통의 중요성

문 9. 비교행정론에 대한 설명으로 옳지 않은 것은?

① 미국의 신생국에 대한 경제원조의 실패가 발달요인이다.
② 행정의 과학화에 대한 요구로 등장하였다.
③ 환경적 요인을 지나치게 강조하여 신생국의 발전에 비판적이다.
④ 발전행정론에 반박하면서 이론을 전개해 나간다.

문 10. 특정직공무원으로 옳지 않은 것은?

① 경찰공무원
② 소방공무원
③ 국가정보원 직원
④ 감사원 직원

문 11. 적극적 인사행정에 대한 설명으로 가장 옳지 않은 것은?

① 실적주의 강화
② 엽관주의의 신축적 수용
③ 근무성적평정제도의 활용
④ 공무원단체의 활동 인정

문 12. 신공공관리론에 대한 설명으로 옳지 않은 것은?

① 정부뿐만 아니라 개인도 공동생산자로 인식한다.
② 정부의 주된 역할을 방향잡기(steering)로 인식한다.
③ 시장의 기능과 원리를 도입하여 정부의 생산성을 제고한다.
④ 결과보다는 투입과 절차의 과정적 측면을 중시한다.

문 13. 공행정과 사행정을 구별하는 기준으로 옳지 않은 것은?

① 성과평가의 기준
② 관료제적 성격
③ 법적 제약성
④ 평등성

문 14. 행정개혁의 성공요건으로 옳지 않은 것은?

① 정치적 리더십 확립
② 저항세력에 대한 정확한 진단
③ 여론의 지지와 의사소통의 활성화
④ 정당 등 이익집단의 활성화

문 15. 동기이론에 대한 설명으로 옳지 않은 것은?

① 매슬로우(Maslow)는 하위 욕구가 충족될 때 상위 욕구가 순차적으로 유발된다고 주장하였다.
② 허즈버그(Herzberg)는 동기요인은 만족감을 느끼게 하는 것이 아니라 불만을 막는 작용을 하는 것이라고 주장하였다.
③ 아지리스(Argyris)는 인간은 미성숙인에서 성숙인으로 변화하는 과정에서 일곱 과정의 국면변화가 일어난다고 주장하였다.
④ 동기이론은 일반적으로 내용이론과 과정이론으로 분류하는데, 앨더퍼(Alderfer)의 EGR이론은 내용이론이고 조직시민행동이론은 과정이론이다.

문 16. NGO에 대한 설명으로 옳지 않은 것은?

① 정책과정의 각 과정에서 다양한 방법을 통해 참여하게 된다.

② NPO라고 하기도 한다.

③ 시장실패, 정부실패, 세계화 등으로 인하여 등장하게 되었다.

④ 공익 추구의 자발적 조직으로 공적 조직이다.

문 17. 가치체계에 있어서 능률성이 제1의 공리라고 주장한 학자는?

① 화이트(White)

② 귤릭(Gulick)

③ 가우스(Gaus)

④ 디목(Dimock)

문 18. 우리나라 예산심의 과정에 대한 설명으로 옳지 않은 것은?

① 국회에서의 예산심의 기간은 헌법상 90일이다.

② 예산결산특별위원회는 소관 상임위원회에서 삭감한 예산금액을 증액하거나 새 비목을 설치하고자 할 경우 소관 상임위원회의 동의를 얻어야 한다.

③ 상임위원회의 예비심사를 마친 예산안은 예산결산특별위원회에서 종합심사를 한다.

④ 전년도 결산안은 다음 연도 예산안보다 먼저 국회로 제출된다.

문 19. 정부와 행정에 대한 설명으로 옳지 않은 것은?

① 행정과 경영은 능률성을 추구하는 관리기술, 관료제적 성격, 협동행위 등에서 유사하지만 목적, 법적 규제, 정치 권력적 성격, 평등성, 독자성, 권한 및 영향범위 등에서는 차이가 있다.

② 현대행정의 특징으로 행정수요의 복잡화 및 다양화, 정치와 행정의 일원화, 사회변동에의 적극 대응 등을 들 수 있다.

③ 보수주의적 정부는 기회의 평등을 강조하는 데 반해, 진보주의적 정부는 결과의 평등을 강조한다.

④ 자유방임사상가들은 정부의 역할을 국방, 치안, 외교, 공공토목사업, 환경규제 등의 최소한의 분야로 한정하고 있다.

문 20. 공기업의 설립요인으로 옳지 않은 것은?

① 국방전략상 고려

② 정치적 신조

③ 균형예산의 달성

④ 자연독점적 사업

소요시간: _____ / 20분   맞힌 답의 개수: _____ / 25

문 1. 「국가재정법」의 내용 중 성격이 다른 하나는?

① 중앙관서의 장과 법률에 따라 기금을 관리·운용하는 자는 재정활동의 성과관리체계를 구축하여야 한다.

② 정부는 재정지출 또는 조세감면을 수반하는 법률안을 제출하고자 하는 때에는 법률이 시행되는 연도부터 5회계연도의 재정수입·지출의 증감액에 관한 추계자료와 이에 상응하는 재원조달방안을 그 법률안에 첨부하여야 한다.

③ 기획재정부장관은 대통령령이 정하는 해당 연도 국세수입총액과 국세감면액 총액을 합한 금액에서 국세감면액 총액이 차지하는 비율이 대통령령이 정하는 비율 이하가 되도록 노력하여야 한다.

④ 기획재정부장관은 국가의 회계 또는 기금이 부담하는 금전채무에 대하여 매년 일정한 사항이 포함된 국가채무관리계획을 수립하여야 한다.

문 2. 공무원 구분에 대한 설명으로 옳지 않은 것은?

① 공무원은 경력직공무원과 특수경력직공무원으로 구분한다.

② 경력직공무원이란 실적과 자격에 따라 임용되고 그 신분이 보장되며 평생 동안 공무원으로 근무할 것이 예정되는 공무원을 말한다.

③ 특수경력직공무원이란 정무직공무원과 별정직공무원을 말한다.

④ 특정직공무원이란 비서 등 보좌업무를 수행하거나 특정한 업무 수행을 위하여 법령에서 지정하는 공무원이다.

문 3. 조직의 기본변수 중 복잡성에 대한 설명으로 옳지 않은 것은?

① 복잡성이란 조직 내에서 존재하는 분화의 정도이다.

② 수직적 복잡성이란 계층의 양태로 계층의 수나 계서제의 깊이와 관련된다.

③ 수평적 복잡성이란 조직의 업무를 구성원들이 나누어서 수행하는 양태이다.

④ 구성원의 사기를 제고하기 위해서는 복잡성을 증가시켜야 한다.

문 4. 위원회 조직에 대한 설명으로 옳은 것은?

① 시차임기제를 통하여 행정의 계속성과 안정성을 도모할 수 있다.

② 신속한 결정과 비용의 절감이 장점이다.

③ 독선적인 결정이 일어날 가능성이 높다.

④ 기밀 유지에 유리하다.

문 5. 정책결정에 있어서 관료의 우월적 위치를 결정짓는 요인으로 옳지 않은 것은?

① 정보의 통제

② 정책분야의 전문성

③ 이슈네트워크의 형성

④ 국민의 지지

문 6. 정책의제설정에 영향을 미치는 요인에 대한 설명으로 옳지 않은 것은?

① 킹던(Kingdon)은 정책의제설정 시 공식적 참여자들이 비공식적 참여자들보다 월등하게 큰 영향력을 행사한다고 본다.

② 문제와 관련하여 피해를 입는 사람의 숫자가 많으면 그 문제는 정책의제화 될 가능성이 높다.

③ 문제로 인하여 영향을 받는 집단이 크고 문제의 내용이 중요하며 이해관계가 복잡하게 얽혀 있는 경우에는 정책의제화 될 가능성이 높다.

④ 근본적이고 장기간 지속될 것으로 예상되는 문제는 일시적인 문제보다 정책의제화 될 가능성이 높다.

문 7. 신공공관리론에 대한 설명으로 옳지 않은 것은?

① 신공공관리론적 정부는 정부기능의 대폭적인 감축과 민영화를 추구한다.

② 성과보다는 과정이나 절차를 중시한다.

③ 신공공관리론적 시각에서는 공직사회의 경쟁을 촉진하기 위하여 개방형 임용제도가 필요하다고 본다.

④ 공공부문과 민간의 근본적 차이를 간과했다는 지적을 받는다.

문 8. 정책 메커니즘에 대한 설명으로 옳은 것은?

① 정책은 편파적으로 이익과 손해를 나누어주는 성격도 갖고 있다.

② 모든 사회문제는 정책의제화 된다.

③ 과거의 상향적 정책집행 시각은 현재 하향적 정책집행 또는 쌍방향적 정책집행 시각으로 변화하였다.

④ 립스키(Lipsky)는 일선관료제론에서 정책결정자의 역할을 강조하였다.

문 9. 정부규모에 대한 학자들의 주장으로 옳지 않은 것은?

① 피콕(Peacock)과 와이즈맨(Wiseman)의 대체효과는 공공재 과다공급설적 입장이다.

② 니스카넨(Niskanen)에 따르면 각 부처는 자기 부처의 이익을 극대화하기 위해 과잉예산을 확보하는 경향이 있다.

③ 지출의 수요가 있으면 거기에 맞추어 정부의 세입을 확대하려는 양입제출적 성격 때문에 정부의 지출은 낭비적으로 이루어진다.

④ 간접세의 경우 조세저항이 회피되어 세금을 과다징수함으로써 정부의 재정이 팽창하게 된다.

문 10. 지방자치단체의 부단체장에 대한 설명으로 옳지 않은 것은?

① 서울특별시의 부시장은 3명이다.

② 광역시와 도의 부단체장은 모두 2명이다.

③ 기초지방자치단체의 부단체장은 원칙적으로 1명이다.

④ 부단체장은 해당 지방자치단체의 장을 보좌하여 사무를 총괄하고, 소속직원을 지휘·감독한다.

문 11. 국민권익위원회에 접수된 다음의 고충민원 중 각하 사유로 옳은 것은 모두 몇 개인가?

> ㄱ. 고도의 정치적 판단을 요하거나 국가기밀 또는 공무상 비밀에 관한 사항
> ㄴ. 국회·법원·헌법재판소·선거관리위원회·감사원·지방의회에 관한 사항
> ㄷ. 수사 및 형 집행에 관한 사항
> ㄹ. 행정심판, 행정소송, 헌법재판소의 심판이나 감사원의 심사 청구 그 밖에 다른 법률에 따른 불복구제절차가 진행 중인 사항
> ㅁ. 법령에 따라 화해·알선·조정·중재 등 당사자 간의 이해조정을 목적으로 행하는 절차가 진행 중인 사항
> ㅂ. 판결·결정·재결·화해·조정·중재 등에 따라 확정된 권리관계에 관한 사항 또는 감사원이 처분을 요구한 사항
> ㅅ. 사인 간의 권리관계 또는 개인의 사생활에 관한 사항
> ㅇ. 행정기관 등의 직원에 관한 인사행정상의 행위에 관한 사항

① 5개
② 6개
③ 7개
④ 8개

문 12. 전통적 행정관리와 비교한 새로운 지식행정관리의 특징으로 보기 어려운 것은?

① 공유를 통한 지식가치 향상 및 확대 재생산
② 위계적 조직 질서의 구축
③ 학습조직 운영 활성화
④ 조직 구성원의 전문성 향상

문 13. 품목별예산제도(LIBS)에 대한 설명으로 옳지 않은 것은?

① 통제지향적인 입법부 우위의 예산원칙이다.
② 투입 측면에만 초점을 맞추어 편성되므로 정부가 투입을 통해 달성하고자 하는 사업을 파악할 수 없다.
③ 예산편성 및 심의과정에서 예산삭감이 이루어질 경우 이익집단의 저항이 강하게 발생한다.
④ 공무원들의 재량을 줄여 예산남용을 방지할 수 있다.

문 14. 다음 중 레짐(regime)이론에 대한 설명으로 옳은 것은 모두 몇 개인가?

> ㄱ. 레짐(regime)이란 비공식적인 실체를 가진 통치연합으로서, 도시정부라는 제도적 기제를 매개체로 정책결정을 하는 것이다.
> ㄴ. 스토커와 모스버거(Stoker & Mossberger)는 레짐 형성의 동기에 따라 도구적 레짐, 유기적 레짐, 상징적 레짐으로 레짐을 분류하였다.
> ㄷ. 스톤(Stone)은 현상유지 레짐, 개발 레짐, 중산계층진보 레짐, 하층기회확장 레짐으로 도시 레짐을 유형화 하였다.
> ㄹ. 스톤(Stone)의 레짐 중에서 레짐의 생존능력은 중산계층진보 레짐이 가장 강하다.

① 1개
② 2개
③ 3개
④ 4개

문 15. 우리나라의 지방자치단체사무에 대한 설명으로 옳지 않은 것은?

① 지방자치단체의 사무는 자치사무, 단체위임사무, 기관위임사무로 구분하는 것이 일반적이다.
② 기관위임사무의 경비는 원칙적으로 국가가 전액 부담한다.
③ 자치사무에 대한 국가의 감독은 사전 예방적 성격의 감독이다.
④ 기관위임사무의 사무처리의 주체는 지방자치단체장으로 국가의 일선행정기관의 성격을 보인다.

문 16. 우리나라의 광역행정 방식으로 옳지 않은 것은?

① 사무의 위탁
② 행정협의회
③ 지방자치단체 조합
④ 민영화

문 17. 예산과 법률에 대한 설명으로 옳지 않은 것은?

① 대통령은 예산에 대하여 거부권을 행사할 수 없으나, 법률에 대하여는 거부권을 행사할 수 있다.
② 국회는 정부가 제출한 법률안에 대하여 자유롭게 수정할 수 있으나, 예산에 대하여는 정부의 동의 없이 감액할 수 없다.
③ 예산은 대통령의 공포 없이도 국회의 의결로 확정된다.
④ 예산으로 법률 개폐가 불가하며, 법률로도 예산의 변경은 불가능하다.

문 18. 행정과 정치의 관계에 대한 설명으로 옳은 것은?

① 정치행정이원론은 엽관주의의 부패와 비능률로 대두되었다.
② 통치기능설은 정치행정이원론적 입장이다.
③ 잭슨(Jackson) 대통령은 정치로부터 행정이 독립되어야 한다고 주장하였다.
④ 정책학은 기본적으로 행정과 정치를 이원적 입장에서 파악한다.

문 19. 우리나라 중앙부처의 업무와 구성에 대한 설명으로 옳지 않은 것은?

① 기획재정부는 장기 국가발전전략을 수립하고 공공기관 관리, 경제협력, 국가채무에 관한 사무를 담당한다.
② 행정각부에 장관 1명과 차관 1명을 둔다. 다만, 기획재정부, 과학기술정보통신부, 외교부, 문화체육관광부, 보건복지부, 국토교통부, 법무부는 차관 2명을 둔다.
③ 기획재정부장관과 교육부장관은 부총리를 겸임한다.
④ 중견기업에 관한 소관 부처는 산업통상자원부이고 기술보증기금관리업무는 중소벤처기업부가 담당한다.

문 20. 조세지출예산제도에 대한 설명으로 옳지 않은 것은?

① 조세지출은 정부가 받아야 할 세금을 받지 않음으로써 간접적으로 대상을 지원하여 주는 조세감면을 뜻한다.
② 조세감면의 구체적 내역을 예산구조를 통하여 밝힘으로써 행정부의 입법부에 대한 통제를 강화하는 제도이다.
③ 조세감면의 정치적 특혜를 통제할 수 있다.
④ 구체적인 조세지출의 내역이 예산형태로 공표될 경우 농·어업 등 분야에서 교역 상대국과 통상마찰을 야기할 우려가 있다.

문 21. 윌리엄스와 앤더스(Williams & Anderson)에 의해 주장되는 조직에 대한 조직시민행동(OCB-O)으로 옳지 않은 것은?

① 신사적 행동
② 성실행동
③ 시민의식행동
④ 예의성

문 22. 행정재정립운동(refounding movement)에 대한 설명으로 옳은 것은?

① 직업공무원의 재량권을 축소하고 정치적으로 임명하는 공무원의 수를 상대적으로 증가시키는 것이다.
② 정책과정에서 공무원의 적극적인 역할을 옹호하였다.
③ 정부를 재구축하고 민간부문이 공공서비스 공급에 참여할 필요가 있다고 강조하였다.
④ 고객중심적 행정을 주요 대상으로 하는 새로운 연구경향이다.

문 23. 다음 중 슈나이더와 잉그램(Schneider & Ingram)의 사회구성주의(social consturction)에서 정책대상집단에 대한 설명으로 옳은 것만을 모두 고르면?

> ㄱ. 수혜집단(advantaged) - 퇴역 군인, 중산층, 노인이 대표적이다.
> ㄴ. 주장집단(contender) - 권력은 상대적으로 많지만 이미지는 부정적이다.
> ㄷ. 의존집단(dependents) - 권력은 상대적으로 적지만 이미지는 긍정적으로 어린이, 장애인이 대표적이다.
> ㄹ. 이탈집단(deviants) - 강력한 제제가 허용되지만 제제에 대하여 강력이 저항한다.

① ㄱ, ㄴ
② ㄴ, ㄷ
③ ㄱ, ㄴ, ㄷ
④ ㄴ, ㄷ, ㄹ

문 24. 르위키(Lewicki)의 공공정책갈등에 관한 이론에서 각 프레임과 그에 대한 설명으로 옳지 않은 것은?

① 정체성 프레임 - 갈등 당사자는 스스로에게 정책의 피해자라는 일정한 특징을 부여하여 자신들을 범주화한다.
② 사회적 통제 프레임 - 권력의 정당성에 대한 갈등 해결 당사자들의 인식을 의미한다.
③ 손익 프레임 - 문제 상황이 자신에게 어떤 이익과 손해를 가져오는지에 대한 당사자의 평가에 달려있다.
④ 특징부여 프레임 - 갈등이슈와 관련된 위험 수준과 유형에 대한 당사자의 평가를 의미한다.

문 25. 경합가치모형(CVM; Competing Values Model)에 대한 설명으로 옳지 않은 것은?

① 내부과정모형은 안정성을 강조해 의사소통을 중시한다.
② 합리목표모형은 조직의 성장과 자원 확보를 목표로 정보관리와 능률성을 중시한다.
③ 인간관계모형은 조직구성원들의 응집력과 사기 증진을 중시한다.
④ 개방체제모형은 조직유연성과 조직의 성장 및 환경적응성을 중시한다.

소요시간: _____ / 20분   맞힌 답의 개수: _____ / 25

문 1. 매슬로우(Maslow)의 욕구계층이론에 대한 설명으로 옳지 않은 것은?

① 욕구는 상·하위 욕구로 계층을 이루고 있다.
② 하위 욕구 충족 시 상위 욕구는 순차적으로 발로한다.
③ 욕구는 완전히 충족되어야 다음 순서의 상위 욕구가 발로한다.
④ 욕구는 생리적 욕구, 안전 욕구, 사회적 욕구, 존경 욕구, 자아실현 욕구의 순서로 발로한다.

문 2. 특별회계에 대한 설명으로 옳지 않은 것은?

① 정부기업의 수지를 명확하게 해준다.
② 안정적인 자금의 확보를 가능하게 한다.
③ 재정의 경직성 심화를 초래할 수 있다.
④ 회계처리의 복잡성을 줄이고 예산이 팽창하는 것을 억제할 수 있다.

문 3. 행정개혁의 성공요건으로 가장 거리가 먼 것은?

① 실현 가능성의 제고
② 저항의 최소화
③ 보수적이고 안정적인 행정조직 운영
④ 명확한 기대성과

문 4. 뉴거버넌스(New Governance)에 대한 설명으로 옳은 것은?

① 뉴거버넌스의 인식론적 기초는 신자유주의이다.
② 정부의 역할을 방향잡기(steering)로 본다는 측면에서 신공공관리론(NPM)과 공통점이 있다.
③ 국민을 고객으로 인식한다.
④ 산출통제에 중점을 둔다.

문 5. 「정부업무평가 기본법」의 내용으로 옳은 것은?

① 국무총리는 정부업무평가 기본계획의 타당성을 5년마다 검토하여 수정·보완 등의 조치를 하여야 한다.
② 정부업무평가의 대상기관은 중앙행정기관 및 지방자치단체와 그 소속기관, 공공기관이다.
③ 공공기관의 평가는 내부평가를 원칙으로 한다.
④ 정부업무평가 결과는 공개할 수 있다.

문 6. 계선조직에 대한 설명으로 옳은 것은?

　　① 계선조직은 계서적 성격이 강하다.
　　② 계선조직은 조직의 목표달성에 간접적으로 기여한다.
　　③ 일반적으로 계선조직은 국민과 직접 접촉하지 않는다.
　　④ 계선조직의 구성원이 지향하는 바는 전문행정가이다.

문 7. 조세지출에 대한 설명으로 옳은 것은?

　　① 조세지출은 세출예산상 보조금과 같은 경제적 효과를 발생시킨다.
　　② 조세지출예산제도는 1967년 미국에서 처음 도입되었다.
　　③ 조세지출은 세제상의 특혜를 통한 직접지출이라고 볼 수 있다.
　　④ 조세지출예산제도는 조세지출을 예산의 형식으로 통제하는 것을 말한다.

문 8. 공익에 대한 설명으로 옳지 않은 것은?

　　① 행정이념이 추구하는 최고의 가치이다.
　　② 공익의 실현을 중시하면 행정권한이 확대된다.
　　③ 정치행정이원론의 등장과 연계되어 있다.
　　④ 동태적인 불확정적 요소가 존재한다.

문 9. 퍼트남(Putnam)이 지역사회의 발전요인으로 강조하는 요인으로 옳은 것은?

　　① 정보 인프라
　　② 사회적 자본
　　③ 지역금융
　　④ 내향적 리더십

문 10. 사이먼(Simon)의 절차적 합리성(procedural ratio-nality)에 대한 설명으로 옳은 것은?

　　① 절차적 합리성은 행위자의 목표와 행위선택의 우선순위가 분명한 것을 말한다.
　　② 절차적 합리성은 객관적 합리성이라고도 하는데 주어진 여건 속에서 가능한 최선의 대안을 선택하는 합리성을 말한다.
　　③ 절차적 합리성은 행동대안을 선택하기 위하여 사용된 절차가 인간의 인지능력과 여러 가지 한계에 비추어 보았을 때 얼마만큼 효과적이었는가의 정도를 의미한다.
　　④ 절차적 합리성은 결정이 생성되는 과정보다 선택의 결과에 더 관심을 갖는다.

문 11. 상향식(bottom-up) 정책집행에 대한 설명으로 옳지 않은 것은?

① 정책집행이 성공하기 위해 일선공무원들의 전문지식과 문제해결 능력이 중요하다.

② 상향식 접근방법은 일선공무원들에게 권한과 재량이 주어지기 때문에 주인-대리인 이론에서 발생하는 문제를 최소화시킬 수 있다.

③ 정책집행 현장에서 일어나는 문제점을 파악하여 대응하게 함으로써 분권과 참여가 증대될 수 있다.

④ 정책집행에서 순응과 통제의 방식이 아닌 재량과 자율을 강조한다.

문 12. 「국가공무원법」에 따른 공무원의 구분으로 옳지 않은 것은?

① 외무공무원 – 특정직공무원

② 선출직공무원 – 정무직공무원

③ 국회의원 비서관 – 별정직공무원

④ 군무원 – 일반직공무원

문 13. 다음 중 「부정청탁 및 금품 등 수수의 금지에 관한 법률」상 '금품 등'에 해당하는 것을 모두 고르면?

> ㄱ. 일체의 재산적 이익
> ㄴ. 접대 및 향응
> ㄷ. 교통·숙박 등의 편의 제공
> ㄹ. 유·무형의 경제적 이익

① ㄱ

② ㄴ, ㄹ

③ ㄱ, ㄴ, ㄹ

④ ㄱ, ㄴ, ㄷ, ㄹ

문 14. 국가재정에 관한 규정 중 성격이 다른 하나는?

① 예비비

② 계속비

③ 국세감면 제한

④ 명시이월비

문 15. 조직의 규모가 확대되면서 나타나는 특징으로 옳은 것은?

① 직무 전문화, 부서 통폐합 추진

② 복잡성 증가, 직접적 감독 강화

③ 관료제화, 의사결정 분권화 및 민주화

④ 계층적 분화, 표준화·공식화에 의한 조정·통제

문 16. 다음 중 「지방자치법」상 성격이 가장 다른 하나는?

① 서울특별시 노원구
② 청주시 흥덕구
③ 경기도 안성시
④ 제주특별자치도

문 17. 다음 중 바스(Bass)가 제시한 변혁적 리더십의 특징으로 옳은 것은 모두 몇 개인가?

ㄱ. 비전의 공유를 통한 조직몰입도 증진
ㄴ. 지적인 자극유도
ㄷ. 조직 구성원 개인에 대한 배려
ㄹ. 성취욕구 동원
ㅁ. 카리스마형 리더십

① 2개
② 3개
③ 4개
④ 5개

문 18. 「지방자치분권 및 지방행정체제개편에 관한 특별법」상 지방행정체제개편의 기본 방향으로 옳지 않은 것은?

① 지방자치 및 지방행정계층의 적정화
② 주민생활 편익증진을 위한 자치구역의 조정
③ 지방자치단체의 규모와 자치역량에 부합하는 역할과 기능의 부여
④ 행정단위의 근린자치 활성화

문 19. 시장실패 또는 정부실패에 대한 설명으로 옳은 것은?

① 순수 공공재의 경우 비경합성으로 인해 동량의 공공재를 소비하고 동량의 편익을 얻게 된다.
② 긍정적 외부효과가 존재하는 경우 완전경쟁시장의 자원배분은 비효율적으로 이루어지며, 생산과 소비가 효율적인 양보다 지나치게 많이 이루어진다.
③ 선거를 의식하는 정치인의 시간할인율은 사회의 시간할인율에 비해 높아, 단기적 이익과 손해의 현재가치를 낮게 평가하는 경향이 있다.
④ 자연독점적 성격을 띠던 시내전화와 같은 서비스 시장에서 경쟁이 가능하게 된 것은 기술의 발달로 생산조건이 변했다고 보기 때문이다.

문 20. 신행정학(new public administration)에서 중시했던 가치와 가장 거리가 먼 것은?

① 정치적 중립성 확보
② 조직의 민주성 강화
③ 행정의 대응성 제고
④ 사회적 형평성 실현

문 21. 「공직자윤리법」상 재산등록 및 공개에 대한 설명으로 옳지 않은 것은?

① 공직유관단체에는 공기업이 포함된다.

② 재산등록의무자는 5급 이상의 국가공무원 및 지방공무원과 이에 상당하는 보수를 받는 별정직공무원이다.

③ 등록할 재산에는 본인의 직계존속·직계비속 것도 포함된다.

④ 등록할 재산에 혼인한 직계비속인 여성 것은 제외된다.

문 22. 「지방자치법」이 인정하는 주민직접참여제도로 옳은 것은?

① 주민총회, 주민소환

② 주민소환, 주민참여예산

③ 주민투표, 주민감사청구

④ 주민소송, 주민총회

문 23. 시·군 통합의 긍정적 효과에 대한 설명으로 옳지 않은 것은?

① 행정의 대응성 제고

② 규모의 경제 실현

③ 생활권과 행정권의 불일치 해소

④ 광역적 문제의 효과적 해결

문 24. 디목(Dimock)의 사회적 능률에 대한 설명으로 옳지 않은 것은?

① 사회적 형평성을 보장하기 위한 개념이다.

② 행정의 사회 목적 실현과 관련이 있다.

③ 경제성과 연계될 수 있는 개념이다.

④ 최소의 투입으로 최대의 산출을 추구한다.

문 25. 레비트(Levitt)가 제시하는 조직혁신의 주요 대상 변수로 옳지 않은 것은?

① 업무

② 인간

③ 구조

④ 규범

정답 및 해설

정답

p. 6

01	①	02	②	03	④	04	③	05	③
06	④	07	②	08	④	09	④	10	②
11	④	12	④	13	③	14	②	15	④
16	①	17	②	18	②	19	③	20	②

---

01 행정이론 답 ①

사무관리론은 정부의 기획은 정치의 영역인 반면 집행은 행정의 영역이므로, 이를 분리하고 정치와 행정영역의 권한과 책임을 명확히 하여야 한다고 보았다.

(선지분석)
② 신행정학에서는 정부의 적극적인 역할과 적실성 있는 정책수립을 강조하였다.
③ 뉴거버넌스론은 공공참여자의 활발한 의사소통, 수평적 합의 등을 중시하는 정치행정일원론적 시각이다.
④ 신공공서비스론에서는 시민을 고객이 아닌 주인으로 보아야 한다고 주장하였다.

---

02 재분배정책 답 ②

재분배정책은 상류 계급에 편중된 부나 권력을 하류 계급으로 이동시키는 정책이므로 계급대립적 성격을 나타낸다.

(선지분석)
① 재분배정책은 표준운영절차(SOP)나 선례에 따른 시스템을 확립하여 원활하게 집행될 가능성이 낮다. 표준운영절차(SOP)에 따라 원활히 집행되는 정책은 분배정책이다.
③ 누진세의 확대가 재분배정책 실현을 위한 방안이다. 간접세는 저소득층에게 부담이 더 큰 조세방식이며, 비례세도 형식적 평등을 전제로 한 조세방식이다.
④ 재분배정책은 정책참여자들 간 이해대립이 심하기 때문에 갈라먹기식 결정이 이루어지기 어렵다. 정책참여자들 간 이해대립이 낮고, 갈라먹기식 결정이 이루어지는 경우가 많은 것은 분배정책이다.

---

03 「정부업무평가 기본법」 답 ④

「정부업무평가 기본법」 제10조에 따르면 위원회는 위원장 2인을 포함한 15인 이내의 위원으로 구성한다.

---

04 신공공관리론 답 ③

신공공관리론은 수익자부담원칙의 강화, 성과관리의 확대, 민영화 추진, 규제 완화 등의 방법을 제시한다.

(선지분석)
① 신공공관리론은 1970년대 석유파동 사태와 정부개입이 스태그플레이션을 초래하였다는 시각에서 작고 효율적인 정부를 지향하는 과정에서 발생한 이론이다.
④ 공행정의 주체에게 기업가적 재량만을 강조할 경우 공행정의 특수성을 간과하는 현상이 발생하고 공공 책임성의 문제를 초래할 수 있다.

---

05 정책결정모형 답 ③

사이버네틱스모형은 고도의 불확실성하에서 정보를 지속적으로 제어하고 환류하면서 적응적으로 결정을 하는 시스템으로, 합리모형과 가장 극단적으로 대립되는 적응적·관습적 의사결정모형이다.

(선지분석)
① 합리모형은 인간의 완전한 합리성을 전제로 한다. 제한된 합리성을 전제로 하여 그러한 한계를 보완할 수 있는 기능을 포함하는 모형은 만족모형이다.
② 점증모형은 정책결정과정에서 경제적 합리성보다 정치적 합리성을 중시한다.
④ 쓰레기통모형은 위계질서가 강한 전통적인 관료제적 정부의 의사결정과정을 설명하기는 곤란하며, 조직화된 무정부 상황하의 의사결정과정을 설명하는 데 적절한 모형이다.

---

06 조직구조의 유형 답 ④

사업별 구조는 모든 사업부서가 준독립적으로 운영되므로 사업부서별로 기본적인 기능을 개별적으로 보유하여야 한다. 따라서 중복과 낭비의 문제가 발생하여 기능별 구조보다 효율성이 떨어지고, 규모의 경제를 구현하기가 곤란하다.

---

07 조직구조의 상황요인 답 ②

불확실한 환경은 외부 대응에의 신속성이 필요하기 때문에 집권화가 낮아지고 분권화를 초래한다.

(선지분석)
① 비일상적 기술은 조직의 공식화 수준을 떨어트린다.
③ 환경의 불확실성이 높을수록 공식화는 불리하다.
④ 일반적으로 조직의 규모가 커지면 공식화 수준은 높아지고, 규모가 작아지면 공식화 수준이 떨어진다. 즉, 조직의 규모와 공식화는 비례한다.

📄 조직의 구조변수

기본 변수	복잡성	조직 내 분화의 정도
	공식성	조직 내의 직무가 정형화·표준화된 정도
	집권성	조직 내 권한이 상층부에 집중되는 정도
상황 변수	규모	• 조직의 크기 • 구성원 수, 예산, 투입·산출, 자원 등과 관련됨
	기술	투입을 산출로 바꾸는 데 이용되는 모든 활동
	환경	• 조직 경계 밖의 모든 영역 • 조직에 영향을 미칠 수 있는 모든 요소

---

08 동기부여이론　　답 ④

로크(Locke)는 목표가 도전적이고 명확할 때 동기가 유발되고, 실현 불가능한 목표는 동기를 유발하지 못한다고 본다.

(선지분석)

① 허즈버그(Herzberg)의 욕구충족요인이원론에 따르면 보수는 위생요인에 불과하기 때문에, 보수를 인상하는 것은 올바른 동기부여 방안이 될 수 없다.
② 브룸(Vroom)의 기대이론에 따르면 개인적이고 주관적인 선호에 부합하는 결과물로 유인을 제공할 수 있다.
③ 아담스(Adams)의 형평성이론은 준거인물과의 불형평성 자각이 동기를 부여하는 원천이라고 본다.

---

09 변혁적 리더십　　답 ④

변혁적 리더십은 카리스마적 리더십, 영감적 리더십, 개별적 배려, 지적 자극(촉매적 리더십)으로 구성된다. 리더가 부하들과 적절한 성과목표달성에 따른 계약을 체결하고 목표를 성취할 경우 계약에 따른 보상을 제공하는 방식은 거래적 리더십이다.

(선지분석)

① 리더가 조직 구성원별 개인의 욕구에 관심을 가지는 것은 개별적 배려 방식이다.
② 리더가 구성원의 사고방식을 끊임없이 자극하여 혁신적인 해결책을 구할 수 있도록 유도하는 방식은 부하들에게 지적 자극을 주는 것이다.
③ 리더가 난관을 극복하고 현 상태에 대해 각성을 표명함으로써 부하들에게는 자긍심과 신념을 부여하고 부하들로부터 존경과 신뢰를 획득하는 방식은 카리스마적 리더십 방식이다.

📄 거래적 리더십과 변혁적 리더십 비교

거래적 리더십	변혁적 리더십
현실의 안정, 유지	변화 및 개혁 강조
현실적 목표	이상적 목표
단기적 전망	장기적 전망
즉각적·가시적인 보상 제공 (교환단계)	높은 수준의 개인적 목표를 동경하도록 유도(통합단계)
규칙과 관례	변화와 도전
해답 제시	질문 제공

---

10 리그스(Riggs)의 프리즘적 사회　　답 ②

리그스(Riggs)는 사회를 미분화된 농업사회인 융합사회, 선진화되고 분화된 산업사회, 개발도상국의 전이사회인 프리즘적 사회로 분류하였다. 고도의 분화성은 프리즘적 사회가 아니라 산업사회의 특징이다.

(선지분석)

① 프리즘적 사회는 과거 전근대사회의 기능과 산업사회의 기능이 중복된 형태로 나타난다.
③ 프리즘적 사회는 과거의 규범과 새로운 규범이 다양하게 나타난다.
④ 프리즘적 사회는 형식과 실질이 일치하지 않는 형식주의적 특징이 나타난다.

---

11 전통적 예산의 원칙　　답 ④

국가사업의 계획과 예산편성은 연계되어야만 한다는 것은 행정부 계획의 원칙으로, 현대적 예산의 원칙에 해당한다.

(선지분석)

① 예산은 국민에게 공개되어야 한다는 것은 예산 공개성의 원칙으로, 전통적 예산의 원칙이다.
② 한 회계연도의 세입과 세출은 모두 예산에 계상되어야 한다는 것은 예산 완전성의 원칙(예산총계주의)으로, 전통적 예산의 원칙이다.
③ 모든 수입은 국고에 편입되어야만 하고 국고로부터 지출이 되어야 한다는 것은 예산 통일성의 원칙으로, 전통적 예산의 원칙이다.

📄 고전적 예산제도의 원칙과 현대적 예산제도의 원칙

고전적 예산제도의 원칙	• 공개의 원칙 • 단일성의 원칙 • 명료성의 원칙 • 사전의결의 원칙 • 엄밀성의 원칙 • 완전성의 원칙 • 통일성의 원칙 • 한정성의 원칙
현대적 예산제도의 원칙	• 행정부 계획의 원칙 • 행정부 책임의 원칙 • 행정부 재량의 원칙 • 수단구비의 원칙 • 보고의 원칙 • 다원적 절차의 원칙 • 시기 신축성의 원칙 • 예산기구 상호성의 원칙

| **12** | 「공직자윤리법」상 공직윤리 | 답 ④ |

ㄱ. 재산등록 및 공개제도, ㄴ. 선물수령신고제도, ㄷ. 퇴직공직자의 취업제한제도, ㄹ. 주식백지신탁제도, ㅁ. 이해충돌 방지의무 모두 「공직자윤리법」에 규정되어 있다.

| **13** | 자본예산제도 | 답 ③ |

자본예산제도는 예산을 반복적·단기적인 경상적 예산과 비반복적·장기적인 자본적 예산으로 구분하여 편성하는 제도이다. 자본예산제도는 경상적 지출이 아니라 자본적 지출에 대한 심도 있는 분석을 그 목적으로 한다.

| **14** | 스마트정부와 4차 산업혁명 | 답 ② |

스마트정부는 재난발생 후 신속한 복구가 아니라 재난의 사전예방을 정책적 목표로 추구한다.

①, ③, ④ 4차 산업혁명이란 초연결성과 초지능성을 특징으로 하며, 4차 산업혁명과 연계된 스마트정부는 스마트워크의 확산으로 시간과 공간을 초월한 업무가 가능해진다.

| **15** | 우리나라 지방자치단체 | 답 ④ |

광역시 내에는 군을 둘 수 있으나, 특별시에는 군을 둘 수 없다.

① 지방자치단체는 법령이나 자신이 속한 상급 지방자치단체의 조례를 위반하여 그 사무를 처리할 수 없다.
② 우리나라의 지방자치단체는 기본적으로 중층제의 형태이지만, 제주특별자치도와 세종특별자치시의 경우는 단층제이다.
③ 우리나라의 광역자치단체는 서울, 부산, 대구, 인천, 광주, 대전, 울산, 충남, 충북, 경남, 경북, 전남, 전북, 경기, 강원, 제주, 세종 17개이다.

| **16** | 우리나라 정부조직 | 답 ① |

가족 업무는 보건복지부가 아니라 여성가족부 소관이다.

④ 검찰청의 장은 검찰총장으로, '청'급 기관 중 유일한 장관급이다.

| **17** | 의존재원 | 답 ② |

의존재원은 국가나 광역자치단체로부터 결정·실현되는 재원이다. 의존재원의 기능으로 옳은 것은 ㄱ, ㄴ이다.

ㄷ. 의존재원은 국가차원의 재정통제와 통합성을 유지하기 위하여 국가로부터 교부되는 재원으로 중앙정부의 통제가 강한 성격을 가지고 있다. 따라서 의존재원은 지방자치단체의 다양성과 지방분권화는 저해할 수 있다.

| **18** | 인사행정 | 답 ② |

대표관료제는 사회를 구성하는 주요 집단의 인구 비례에 따라 정부관료를 충원하여, 정부 내의 모든 계급에 비례적으로 배치하는 인사행정제도이다. 대표관료제는 다양한 사회집단의 참여를 통해 관료들이 국민의 다양한 요구에 반응하게 하여 정부의 대응성과 책임성을 제고시키고, 관료제의 민주화에 기여한다는 장점이 있다.

① 대표관료제는 일종의 균형인사정책으로, 균형인사정책은 소외집단에 대한 배려가 다른 집단에 대한 역차별을 야기하는 문제가 있다.
③ 엽관제는 정당정치의 발달을 촉진하고 행정의 대외적 민주성을 증진시킬 수 있다.
④ 엽관제는 정부 행정집행의 효율성을 저해하는 측면이 있다.

| **19** | 다면평가제도 | 답 ③ |

다면평가제도는 하급자도 상급자를 평가하므로, 위계적인 조직질서가 강한 경우 다면평가제도를 통하여 조직의 화합을 저해할 우려가 있다.

④ 다면평가제도의 경우 민원인도 평가에 참여하므로 관료집단의 시민에 대한 대응성을 향상시킬 수 있다.

| **20** | 지방직영기업 | 답 ② |

지방직영기업은 지방자치단체 소속으로, 지방자치단체가 직접 사업 수행을 위해 공기업 특별회계를 설치하여 일반회계와 구분하여 독립적으로 회계를 운영한다. 그러나 지방정부 예산의 일부에 불과하므로 완전한 독립채산제의 원칙이 지켜진다고 할 수 없다.

① 지방직영기업은 지방자치단체 소속 행정기관이기 때문에, 소속 직원의 신분은 지방직공무원이다.
③ 중앙정부의 우체국은 정부기업으로, 지방직영기업과 유사한 형태이다.

정답

p. 10

01	④	02	③	03	①	04	②	05	④
06	①	07	①	08	③	09	④	10	④
11	①	12	④	13	②	14	④	15	②
16	④	17	②	18	①	19	④	20	③

01　행정학의 접근방법　　답 ④

참여, 형평성, 처방성, 적실성 등 사회적 문제에 대한 정부의 공적 역할을 중시한 것은 신공공관리론이 아니라 신행정론이다. 신공공관리론은 사회적 문제에 대한 정부의 공적 역할보다 시장의 원리를 강조하여, 사회적 문제에 대한 정부의 공적 역할을 간과하였다는 비판을 받는다.

(선지분석)
② 신제도론적 접근방법은 인간의 행위와 사회의 구조 간의 매개 과정, 즉 거시와 미시의 매개관계를 규명할 수 있는 중범위이론 이다.
③ 신행정론은 가치중립적이고 보수적인 행태론과 실증주의를 비판하며, 현실의 사회문제 해결을 위한 가치지향적 입장이다.

02　엽관제　　답 ③

엽관제적 요소란 집권자(정당)가 자신의 정치적 성향에 따라 공무원을 임용할 수 있는 요소이다. 정권이 교체될 경우, 실제 정책을 추진하는 공무원을 자신의 정치적 성향과 일치하는 집단으로 임용하게 된다면 정책의 추진력을 확보할 수 있다.

(선지분석)
① 엽관제적 요소는 정권교체 시 행정공무원의 교체를 불러오기 때문에 행정의 안정성 및 계속성 확보가 어렵다.
② 엽관제적 요소는 공무원의 정치적 중립성과 대치되는 요소이다.
④ 엽관제를 극복하는 실적제가 공직임용의 균등한 기회를 부여하는 방식이다.

03　베버(Weber)의 관료제론　　답 ①

베버(Weber)의 관료제론은 직업인으로 관료들의 전임화, 전문화를 기본으로 하기 때문에 관료의 직업적 보장을 중시하였다.

(선지분석)
② 관료제는 조직의 공식적 측면만을 중시하여 비공식 조직의 측면을 경시하였다.
③ 관료제는 과도한 문서주의로 번문욕례(繁文縟禮, red tape) 현상 및 형식주의를 초래하였다.

④ 관료제의 경직적 성격은 사회변화에 따른 탄력적 대응이 곤란하다.

04　정치행정이원론　　답 ②

뉴딜(new deal) 정책은 경제대공황을 극복하기 위한 미국 정부의 적극적·확장적인 재정정책이다. 따라서 뉴딜(new deal) 정책은 문제해결을 위한 행정의 적극적 역할을 중시하기 때문에 정치행정일원론적 정책이다.

(선지분석)
① 기술적 행정학은 고전적 행정학으로, 행정의 관리기술적 측면에 주목한 정치행정이원론적 행정학이다.
③ 정치의 영역인 정책결정과 행정의 영역인 정책집행을 구분하는 것은 정치행정이원론이다.
④ 실적주의는 정치적 임용제도인 엽관제적 요소를 극복하는 이념으로, 정치행정이원론적 입장이다.

05　생태론적 접근방법　　답 ④

생태론적 접근방법은 외부환경의 변화가 행정현상에 어떠한 영향을 주는가를 연구하고 분석하는 접근방법이므로, 환경에 대하여 개방적인 입장이다. 따라서 개방체제론적 접근방법을 선호한다.

06　인사제도　　답 ①

직위분류제도는 인사행정의 능률성과 합리성을 수단으로 하며, 실적주의를 배경으로 추진된 제도이다.

(선지분석)
② 직업공무원제도는 젊고 유능한 인재의 채용을 전제로 한다.
③ 실적주의의 경직성은 인사권자의 탄력적이고 신축적인 인적자원 운용에 걸림돌이 될 수 있다.

07　지출원인행위　　답 ①

재무관은 정부(기관)의 지출이 원인이 되는 행위(계약 등)를 하는 공무원이다.

(선지분석)
② 수입징수관은 납입의 고지를 하고, 납세의무자의 납입에 대하여 조사·결정하는 공무원이다.
③ 지출관은 지출원인행위에 따라 지출을 담당하는 공무원이다.
④ 출납공무원은 조세 기타 금전의 지출과 납입을 담당하는 실무 공무원이다.

| 08 | 호손(Hawthorne) 공장 실험 | 답 ③ |

호손(Hawthorne) 공장 실험은 조직구성원의 동기는 외재적이고 피동적으로 주어진다고 본 점에서 기존의 과학적 관리론과 유사하나, 조직구성원에게는 경제적 요인보다 사회적·심리적 요인이 중요하다고 본 인간관계론의 기반이 되는 실험이다.

(선지분석)

① 인간적 가치를 고려한 조직의 사회적 능률을 중시하였다.
② 조직구성원의 경제적 보상보다는 사회적·심리적 충족이 중요하다고 보았다.
④ 비공식조직에서의 의사소통의 중요성을 강조하였다.

| 09 | 비교행정론 | 답 ④ |

비교행정론에 반박하면서 이론을 전개해 나간 것이 발전행정론이다. 비교행정론은 선진국과 개발도상국의 비교를 통하여 행정의 과학화에는 기여하였지만, 행정이 추구하여야하는 목표나 방향제시가 미흡하였고 개발도상국을 비관적으로 바라보았다. 이에 발전목표 지향적인 발전행정론이 1960년대 개발도상국의 국가발전에 기여하였다.

| 10 | 특정직공무원 | 답 ④ |

감사원 직원은 일반직공무원이고, 감사원 사무총장은 정무직공무원이다.

(선지분석)

①, ②, ③ 경찰공무원, 소방공무원, 국가정보원 직원은 모두 특정직공무원에 해당한다. 이외에도 특정직공무원에는 법관, 검사, 외무공무원, 교육공무원, 군인, 군무원, 헌법연구관 등이 있다.

| 11 | 적극적 인사행정 | 답 ① |

적극적 인사행정이란 실적주의와 직업공무원제도에 기반한 경직적인 기존의 인사행정을 탈피하여, 공무원의 능력발전 및 의사소통 강화 등을 적극적이고 능동적으로 추진하는 인사행정이다. 실적주의의 강화는 적극적 인사행정과 거리가 멀다.

📄 **현대적 인사행정**

고전적 인사행정	• 직무 중심의 과학적·합리적 인사행정(과학적 관리론) • 실적제, 직위분류제
신고전적 인사행정	인간의 가치를 중시하는 민주적 인사행정(인간관계론)
적극적 인사행정	• 적극적·신축적·분권적 인사행정(후기인간관계론) • 인적 자원관리 • 실적제의 한계로 대표관료제, 개방형 직위 등 엽관주의적 요소 도입 • 고위공무원단제(SES) 등 직위분류제와 계급제의 상호접근

| 12 | 신공공관리론 | 답 ④ |

신공공관리론은 투입과 절차의 과정적 측면보다, 성과라는 결과적 측면을 중시한다.

(선지분석)

①, ② 신공공관리론은 정부는 방향잡기(steering)의 역할을 수행하고, 개인 및 시장 등 정부 이외의 주체도 노젓기(rowing) 등의 임무를 수행하는 공동생산자로 인식한다.

| 13 | 공행정과 사행정 | 답 ② |

공행정과 사행정 모두 관료제의 순기능적 성격과 역기능적 성격이 나타난다. 관료제의 순기능에는 전문화의 촉진, 분업에 의한 능률화, 계층구조를 통한 의사전달의 통일성 등이 있고, 관료제의 역기능에는 번문욕례, 무사안일, 전문화로 인한 무능 등이 있다.

(선지분석)

① 사행정은 성과평가의 기준이 이윤 달성의 여부로 명확하나, 공행정은 성과평가의 기준이 다원적이고 모호하다.
③ 공행정은 사행정에 비해 강한 법적 제약을 받는다.
④ 공행정은 엄격한 평등성을 요구 받지만, 사행정은 고객과 비고객을 구별하므로 엄격한 평등성을 요구받지 않는다.

📄 **행정과 경영 비교**

구분		행정(공행정)	경영(사행정)
유사점		목표달성을 위한 수단성 • 관리성 강조 • 인적·물적 자원의 동원 및 활용 • 의사결정 과정 • 관료제적 성격 • 협동행위적 성격	
차이점	주체	정부·국가	민간기업·사기업
	목적	다원적, 국민의 복리증진	일원적, 사익 이윤극대화
	합리성	정치적 합리성	경제적 합리성
	권력성 여부	권력적 성격	비권력적 성격
	독점성 정도	강함	약함
	법적 규제 정도	강함	완화
	평등원칙 적용 정도	강함	약함
	능률성 척도	일률적 계량화 곤란	계량화 가능
	경쟁성 정도	약함	강함

| 14 | 행정개혁 | 답 ④ |

정당 등 이익집단이 활성화 될 경우 행정개혁에 저항할 가능성이 높아진다.

15 동기이론 　　　　　 답 ②

허즈버그(Herzberg)는 욕구충족요인이원론에서 동기요인은 만족감을 느끼게 하는 요인이고, 위생요인은 불만을 막는 작용을 하는 요인이라고 주장하였다. 직무상의 성취감, 직무성취에 대한 타인으로부터 받는 인정, 승진, 자아계발 등은 동기요인이고, 작업 조건, 보수, 대인관계 등은 위생요인에 해당한다고 보았다.

📑 위생요인과 동기요인

구분	위생요인(불만요인)	동기요인(만족요인)
성격	직무 외적·환경적 요인(경제적, 물리적, 대인적 환경)	직무와 관련된 심리적 요인
예	정책과 관리, 감독, 지위·보수, 안전, 대인관계, 작업조건 등	승진, 성취감, 인정감, 책임감, 직무 자체에 대한 보람, 성장·발전 등

16 NGO 　　　　　 답 ④

NGO는 공익 추구의 자발적 조직으로 민간조직이다. 공익을 추구하는 정부조직이 제1섹터, 이윤을 추구하는 민간조직이 제2섹터, 공익을 추구하는 NGO(민간조직)나 이윤을 추구하는 정부기업(정부조직)이 제3섹터이다.

📑 NGO의 기능과 한계

기능	한계
• 정부실패 및 시장실패 보완 • 공공서비스의 공급주체 • 정책과정에서 파트너 역할 • 부패에 대한 견제 • 갈등의 조정 • 교육적 기능(시민교육)	• 재정적·정치적 독립성이 약함 • 지역차원의 NGO가 미약 • 공공재의 무임승차성 • 역할분담 미약(백화점식 운동전개방식) • 구속력 미흡 • 관변단체화

17 능률성 　　　　　 답 ②

가치체계에서 능률성이 제1의 공리라고 주장한 학자는 귤릭(Gulick)이다.

④ 디목(Dimock)은 귤릭(Gulick)의 능률성을 기계적 능률성이라고 비판하고, 사회적 능률성을 주장하였다.

18 우리나라의 예산심의 　　　　　 답 ①

헌법은 정부는 회계연도 개시 90일 전까지 국회에 예산안을 제출하고, 국회는 회계연도 개시 30일 전까지 이를 의결하게 규정하고 있다. 따라서 국회에서의 예산심의 기간은 헌법상 60일이다.

② 예산결산특별위원회는 소관 상임위원회의 동의 없이 예산 금액을 삭감하거나 비목을 폐지할 수 있다. 그러나 삭감한 예산금액을 증액하거나 새 비목을 설치하고자 할 경우 소관 상임위원회의 동의를 얻어야 한다.
④ 전년도 결산안은 5월 31일까지 제출하게 되어 있고 다음 연도 예산안은 9월 2일까지 제출하게 되어 있다.

19 정부와 행정 　　　　　 답 ④

자유방임사상가들은 정부의 역할을 국방, 치안, 외교, 공공토목사업 등의 최소한의 분야로 한정하고 있다. 환경규제는 최근에 강조된 정부의 적극적 역할이다.

20 공기업의 설립요인 　　　　　 답 ③

균형예산이란 정부의 세입과 세출이 균형을 이루어 적자가 발생하지 않는 예산을 의미한다. 공기업은 스스로의 수지에 의해 단독으로 사업을 운영하는 방식인 독립채산제로 운영되기 때문에, 균형예산의 달성과 공기업의 설립은 무관하다.

① 국방전략상의 고려로 방위사업과 관련된 공기업이 설립되기도 한다.
② 집권당이 배분을 중시하는 정치적 신조를 가질 경우 공기업이 설립되기도 한다. 그 예로 영국의 노동당 집권 시기의 공기업 설립을 들 수 있다.
④ 전기, 가스, 철도 등의 재화를 생산하는 사업체는 초기 설립 시 대규모 설비와 비용이 발생하고 자연독점에 빠질 우려가 있기 때문에 국가가 공기업을 설립하여 재화를 생산한다.

📑 공기업의 설립요인

민간자본의 부족	초기에 대규모 자본이 투입되는 사업은 민간기업이 감당하기 어려워 공적 수요 충족을 위해 공기업을 설립함
국방·전략상 고려	군수품의 효율적 조달, 기밀유지 등 국방 전략상의 요인으로 공기업을 설립함
독과점에 대한 대응	철도사업, 통신사업, 전력사업 등 규모의 경제로 인해 자연독점적인 사업의 경우 독점의 폐해를 방지하기 위해 공기업을 설립함
정치적 신조	정당의 정강정책이나 최고지도자의 정치적 신념에 따라서 공기업을 설립함

정답

p. 14

01	①	02	④	03	④	04	①	05	③
06	③	07	②	08	①	09	③	10	②
11	④	12	②	13	③	14	③	15	③
16	④	17	②	18	①	19	②	20	②
21	④	22	②	23	③	24	④	25	②

---

01 「국가재정법」 답 ①

성과관리체계 구축(「국가재정법」 제8조)은 재정운용의 효율성 제고 방안이다.

(선지분석)
② 재원조달방안 법률안 첨부(「국가재정법」 제87조)는 재정 건전성 유지 방안이다.
③ 국세감면 제안(「국가재정법」 제88조)은 재정 건전성 유지 방안이다.
④ 국가채무 관리(「국가재정법」 제91조)는 재정 건전성 유지 방안이다.

---

02 공무원의 구분 답 ④

「국가공무원법」 제2조에 따르면 비서관·비서 등 보좌업무 등을 수행하거나 특정한 업무 수행을 위하여 법령에서 지정하는 공무원은 특수경력직공무원 중 별정직공무원이다. 특정직공무원은 법관, 검사, 외무공무원, 경찰공무원, 소방공무원, 교육공무원, 군인, 군무원, 헌법재판소 헌법연구관, 국가정보원의 직원, 경호공무원과 특수분야의 업무를 담당하는 공무원으로서 다른 법률에서 지정하는 공무원이다.

---

03 조직의 기본변수 답 ④

일반적으로 복잡성이 높을수록 구성원의 사기가 떨어지고 조직 내 갈등이 증가하기 때문에 구성원의 사기를 제고하기 위해서는 복잡성을 완화시켜야 한다.

(선지분석)
② 수직적 복잡성이란 계층의 양태로 계층의 수나 계서제의 깊이와 관련된다. 전통적인 기계적 구조는 수직적 복잡성이 높지만, 현대적인 유기적 구조는 수직적 복잡성이 낮다.
③ 수평적 복잡성이란 조직의 업무를 구성원들이 나누어서 수행하는 양태이다. 수평적 복잡성에는 업무의 전문화와 사람의 전문화가 있다.

---

04 위원회 조직 답 ①

위원회 조직은 위원회 위원들의 임기가 임명권자보다 오래되거나 위원의 교체시기를 부분적으로 하는 시차임기제 시행 등을 통하여 행정의 계속성(종적 일관성)과 안정성을 도모할 수 있다.

(선지분석)
② 신속한 결정이 어렵고 비용을 과다하게 사용하는 것이 단점이다.
③ 여러 위원이 결정에 참여하는 만큼 타협적인 결정이 일어날 가능성이 높다.
④ 의사결정자가 많아서 조직의 기밀 유지에 불리하다.

---

05 정책결정 답 ③

이슈네트워크는 관료뿐만 아니라 정책문제에 관심이 있는 다수의 이해관계자가 참여하기 때문에 정부관료가 네트워크를 주도하기 어렵고, 정책결정에 있어서 관료가 우월적 위치가 아닌 대등한 지위로 참여하게 된다.

(선지분석)
① 관료가 정책분야의 정보를 통제할 경우 타 집단에 비하여 우월적 위치를 차지할 수 있다.
② 관료가 특정 정책분야의 전문성을 갖출 경우 우월적 위치를 차지하기 쉽다.
③ 정책의 대상 집단인 국민의 지지가 있을 경우 관료는 우월적 위치에서 정책을 주도적으로 결정할 수 있다.

---

06 정책의제설정 답 ③

문제로 인하여 영향을 받는 집단이 크고 문제의 내용이 중요하면 정책의제화 될 가능성이 높지만, 이해관계가 복잡하게 얽혀 있는 경우에는 해결 가능성이 낮아지므로 정책의제화 될 가능성이 낮다.

(선지분석)
① 킹던(Kingdon)은 다원주의적 사회인 미국에서도 정책의제설정에는 의회의 유력한 지도자들과 행정부의 지도자들이 가장 중요한 역할을 한다고 본다.
② 문제와 관련하여 피해를 입는 사람의 수가 많거나, 피해의 강도가 크거나, 피해의 사회적 의미가 중대하면 정책의제화 될 가능성이 높다.
④ 근본적이고 장기간 지속될 것으로 예상되는 문제는 일시적으로 나타나는 문제보다 정책의제화 될 가능성이 높다. 그러나 해결 가능성이 존재하여야 한다.

07 신공공관리론   답 ②

신공공관리론은 업무의 과정이나 절차보다 성과를 중시한다.

(선지분석)

④ 신공공관리론은 기본적으로 능률을 중시하지만 공공부문은 사회윤리나 공동체정신, 사회적 형평성이 강조되는 경우가 많다. 또한 행정서비스는 민간의 시장과 달리 가격 메커니즘을 적용하기 어려운 부문(국방, 공교육, 치안 등)이 많다.

08 정책 메커니즘   답 ①

정책은 정책의 수혜집단에게는 이익을 주게 되고 정책의 비용부담 집단에게는 손해를 입히게 된다.

(선지분석)

② 모든 사회문제가 정책의제화 되는 것은 아니다. 의사결정이론에서는 정책결정자의 제한된 합리성 때문에, 체제이론에서는 체제 내부능력의 한계로 정책의 문지기에 의한 제한 때문에, 신엘리트이론에서는 무의사결정이 일어나기 때문에 일부 의제만이 정책의제화 된다고 본다.

③ 과거의 하향적 정책집행 시각은 현재 상향적 정책집행 또는 쌍방향적 정책집행 시각으로 변화하였다.

④ 립스키(Lipsky)는 일선관료제론에서 정책집행자 즉, 일선관료의 역할을 강조하였다.

09 정부규모   답 ③

지출의 수요가 있으면 거기에 맞추어 정부의 세입을 확대하려는 양출제입적 성격 때문에 정부는 강제적으로 세수를 확보함에 따라 정부의 지출은 낭비적으로 이루어진다.

(선지분석)

① 피콕(Peacock)과 와이즈맨(Wiseman)의 대체효과란 전쟁 등 비상 시에는 국민의 증액된 조세에 대한 허용수준이 높아지게 되고, 이러한 위기가 끝난 후에도 예산이 감축되지 않고 새로운 사업을 추진하는 데 대체되어 사용되는 현상을 뜻한다. 즉, 한 번 증액된 예산의 감축은 쉽게 이루어지지 않는다.

④ 간접세는 직접세에 비하여 조세부담자가 조세를 부담한다는 인식이 희박하므로 조세저항이 회피되어 세금을 과다징수할 수 있고, 정부의 재정은 팽창하게 된다.

10 지방자치단체   답 ②

광역시와 도의 부단체장은 2명이지만, 인구 800만 명 이상일 경우는 3명을 초과하지 아니하는 범위에서 대통령령으로 정할 수 있다(「지방자치법」 제110조 제1항 제2호). 따라서 현재 경기도는 부지사가 3명이다.

(선지분석)

① 서울특별시의 부시장은 행정1부시장, 행정2부시장, 정무부시장 3명이다. 특별시의 부시장은 3명을 넘지 아니하는 범위에서 대통령령으로 정한다(「지방자치법」 제110조 제1항 제1호).

③ 기초지방자치단체의 부단체장은 원칙적으로 1명이다(「지방자치법」 제110조 제1항 제3호). 그러나 인구 100만 명 이상 기초지방자치단체(수원, 고양, 용인, 창원 등)의 경우는 부단체장이 2명이다(「지방자치분권 및 지방행정체제 개편에 관한 특별법」 제42조).

11 국민권익위원회   답 ④

「부패방지 및 국민권익위원회의 설치와 운영에 관한 법률」 제43조 제1항에 따르면 ㄱ~ㅇ 모두 권익위원회 고충민원 중 각하 사유에 해당한다.

12 지식행정관리   답 ②

위계적 조직 질서란 계층제적 조직을 기반으로 한 질서이다. 전통적 행정관리에서는 계층제적 관료 조직을 기반으로 한 위계적 조직 질서의 구축이 필요하였으나, 새로운 지식행정관리에서는 학습조직의 운영 활성화 등을 통한 후기관료제적 특징이 나타난다.

(선지분석)

① 지식행정관리에서는 개인적 지식 축적 보다 지식의 공유를 통하여 조직의 지식 가치를 향상시키고 확대 재생산 시키고자 한다.

13 품목별예산제도(LIBS)   답 ③

품목별예산제도(LIBS)는 예산이 투입 측면에만 초점을 맞추어 편성되므로 정부가 투입을 통하여 달성하고자 하는 사업을 파악하기 어렵다. 따라서 예산편성 및 심의과정에서 예산삭감이 이루어지더라도 관련 사업의 이익집단의 저항을 덜 받게 된다.

(선지분석)

① 19세기 입법국가 시대의 이념에 기반한 통제지향인 행정부에 대한 입법부 우위의 예산원칙이다.

④ 철저한 예산심의를 통하여 공무원들의 재량을 줄여 예산남용을 방지할 수 있고, 행정부에 대한 의회의 권한을 강화할 수 있다.

14 레짐(regime)이론   답 ③

레짐(regime)이론에 대한 설명으로 옳은 것은 ㄱ, ㄴ, ㄷ으로 3개이다.

(선지분석)

ㄹ. 스톤(Stone)의 레짐 중에서 레짐의 생존능력은 현상유지 레짐이 가장 강하다.

스톤(Stone)의 도시레짐의 유형화

구분	현상유지 레짐	개발 레짐	중산계층 진보 레짐	하층기회 확장 레짐
추구하는 가치	현상유지	지역개발, 재개발	자연·생활 환경 보호, 삶의 질 개선	저소득층 보호 및 교육훈련
구성원 간 관계	친밀성이 높은 소규모 지역사회	갈등이 심함	시민참여와 감시 강조	대중동원이 통치과제
생존능력	강함	비교적 강함	보통	약함

---

15 우리나라의 지방자치단체사무 답 ③

자치사무에 대한 국가의 감독은 합법성 중심의 사후적이고 교정적인 감독이다.

지방자치단체의 사무

구분	자치사무	단체위임사무	기관위임사무
개념	지방자치단체가 자기의 책임과 부담으로 처리하는 지방적 공공사무	법령에 의하여 국가 또는 상급 지방자치단체로부터 그 지방자치단체에 위임된 사무	법령에 의하여 국가 또는 상급 지자체로부터 지방자치단체의 집행기관에 위임된 사무
결정 주체	지방의회 (본래의 사무)	지방의회 (지방자치단체에 위임)	국가 (지방자치단체 개입 불가)
사무처리 주체	지방자치단체	지방자치단체	지방자치단체장 (일선행정기관의 성격)
조례 제정권	○	○	×
국가의 감독	합법성 중심의 사후·교정적 감독	합법성+합목적성의 교정적 감독	교정적 감독+ 사전·예방적 감독
경비의 부담	지방자치단체 (장려적 보조금)	국가와 지방자치단체의 공동부담 (부담금)	국가 전액부담 (교부금)

---

16 우리나라의 광역행정 답 ④

민영화는 광역행정 방식이 아니다. 민영화는 정부실패에 대한 대응 방식이다.

(선지분석)
① 지방자치단체나 그 장은 소관 사무의 일부를 다른 지방자치단체나 그 장에게 위탁하여 처리하게 할 수 있다(「지방자치법」 제151조 제1항).
② 지방자치단체는 2개 이상의 지방자치단체에 관련된 사무의 일부를 공동으로 처리하기 위하여 관계 지방자치단체 간의 행정협의회를 구성할 수 있다(「지방자치법」 제152조 제1항).

---

③ 2개 이상의 지방자치단체가 하나 또는 둘 이상의 사무를 공동으로 처리할 필요가 있을 때에는 규약을 정하여 그 지방의회의 의결을 거쳐 시·도는 행정안전부장관의, 시·군 및 자치구는 시·도지사의 승인을 받아 지방자치단체조합을 설립할 수 있다(「지방자치법」 제159조 제1항). 지방자치단체 조합은 법인으로 한다(「지방자치법」 제159조 제2항).

---

17 예산과 법률 답 ②

국회는 정부가 제출한 법률안에 대하여 자유롭게 수정할 수 있으나, 예산에 대하여는 정부의 동의 없이 증액하거나 새 비목을 설치할 수 없고 정부의 동의 없이 감액할 수는 있다.

예산과 법률 비교

구분	예산	법률
제출권자	정부	국회, 정부
제출기간	회계연도 개시 120일 전	제한 없음
국회심의권	정부의 동의 없이 증액 및 새 비목의 설치 불가	자유로운 수정 가능
대통령거부권	거부권 행사 불가	거부권 행사 가능
공포	공포 불요, 국회 의결로서 확정	대통령의 공포로서 효력 발생
대인적 효력	국가기관 구속	국민·국가기관 모두를 구속
시간적 효력	회계연도에 국한	계속적인 효력
형식적 효력	예산으로 법률 개폐 불가	법률로 예산의 변경 불가

---

18 행정과 정치 답 ①

정치행정이원론은 정치의 역역으로부터 행정의 분리를 강조하는 것으로, 행정의 무능과 타락한 정당정치 등 엽관주의의 폐단을 극복하기 위해 대두되었다.

(선지분석)
② 통치기능설은 정치행정일원론적 입장이다.
③ 잭슨(Jackson) 대통령은 엽관주의자로, 엽관주의적 입장은 행정이 정치에 종속되어있다고 보는 입장이다. 정치로부터 행정이 독립되어야 한다는 입장으로 행정학을 설립시킨 학자는 윌슨(Wilson)이다.
④ 정책학은 기본적으로 행정과 정치의 상호연관된 것으로 보므로 정치와 행정을 일원적 입장에서 파악한다.

---

19 우리나라의 중앙부처 답 ②

행정각부에 장관 1명과 차관 1명을 둔다. 다만, 기획재정부, 과학기술정보통신부, 외교부, 문화체육관광부, 보건복지부, 국토교통부는 차관 2명을 둔다(「정부조직법」 제26조 제2항). 법무부는 복수차관 부처가 아니다.

③ 부총리는 기획재정부장관과 교육부장관이 각각 겸임한다(「정부
조직법」 제19조 제3항).

④ 중견기업에 관한 소관 부처는 산업통상자원부이고, 기술보증기
금관리업무는 종래 금융위원회가 담당하였으나 문재인 정부 조
직 개편에 의하여 중소벤처기업부로 이관되었다.

| 20 | 조세지출예산제도 | 답 ② |

조세지출예산제도는 조세감면의 구체적 내역을 예산구조를 통하여
밝힘으로써 입법부의 행정부에 대한 통제를 강화하는 제도이다.

③ 조세감면은 정치적 특혜의 가능성이 커서 특정산업에 대한 지
원의 성격을 가지며, 부익부 빈익빈의 가능성이 있으므로 이를
통제하기 위하여 조세지출예산제도가 필요하다.

| 21 | 조직시민행동(OCB-O) | 답 ④ |

조직시민행동은 조직에 대한 조직시민행동(OCB-O)과 개인에 대
한 조직시민행동(OCB-I)으로 구분할 수 있다. 신사적 행동(스포츠
맨십), 성실행동, 시민의식행동(시민정신)은 조직에 대한 조직시민
행동(OCB-O)이고, 예의성, 이타적 행동은 개인에 대한 조직시민
행동(OCB-I)이다.

| 22 | 행정재정립운동(refounding movement) | 답 ② |

행정재정립운동은 1980년대 이후 행정과 직업공무원제에 대한 불
신이 증가하면서 엽관주의적 요소가 확대되자 이에 대한 반작용으
로 스바라(Svara)를 중심으로 1990년 초반 미국에서 발생한 운동
으로, 정책과정에서 직업공무원의 적극적인 역할을 옹호하였다. 웜
슬리(Wamsley)는 『행정재정립론(1990)』을 통해 행정재정립운동
을 뒷받침하였다.

③ 정부를 재구축하고 민간부문이 공공서비스 공급에 참여할 필요
가 있다고 강조한 것은 오스본과 개블러(Osborne & Gaebler)
의 『정부재창조론』이다.

④ 관료제가 아닌 고객중심적 행정을 중시하는 입장은 오스본과
개블러(Osborne & Gaebler)의 『정부재창조론』이다.

| 23 | 사회구성주의(social consturction) | 답 ③ |

ㄱ, ㄴ, ㄷ이 옳은 설명이다.

ㄹ. 이탈집단은 정치적 권력이 약하며 사회적 인식도 부정적인 집
단이다. 따라서 이들에게는 강력한 제제가 허용되고 이들은 저
항도 크지 않다.

📋 **사회구성주의에 따른 정책대상집단 - 슈나이더와 잉그램(Schneider & Ingram)**

구분		사회적 인식	
		긍정적	부정적
정치적 권력	강	<수혜집단> 예 학자, 퇴역 군인, 중산 층, 노인 등	<주장(경쟁)집단 > 예 부자, 노동조합, 소수 민족 등
	약	<의존집단> 예 어린이, 어머니들, 장 애인 등	<이탈집단> 예 범죄자, 테러리스트 등

| 24 | 르위키(Lewicki)의 공공정책갈등 | 답 ④ |

르위키(Lewicki)는 갈등프레임을 정체성 프레임, 특징부여 프레임,
갈등관리 프레임, 상황요약 프레임, 사회적 통제 프레임, 위험 프레
임, 손익 프레임으로 분류하였다. 이 중 특징부여 프레임이란 상대
방이 속한 집단과 구성원에 대한 의미부여를 의미한다.

①, ②, ③ 정체성 프레임은 자신과 자신이 속한 집단에 대해 피해
자라는 정체성을 부여하는 프레임, 사회적 통제 프레임은 권력
의 정당성에 대한 갈등 해결 당사자들의 인식을 나타내는 프레
임, 손익 프레임은 문제 상황이 자신에게 어떠한 이익과 손해를
가져오는지에 대한 당사자의 평가에 대한 프레임, 갈등관리 프
레임은 갈등관리 방법들에 대한 선호를 나타내는 프레임, 상황
요약 프레임은 갈등상황에 대한 요약적 진술을 나타내는 프레
임이다.

| 25 | 경합가치모형(CVM) | 답 ② |

조직의 성장과 자원 확보를 목표로 하는 모형은 개방체제모형이다.
합리목표모형의 목표는 생산성과 능률성 향상이다.

📋 **퀸과 로바흐(Quinn & Rohrbaugh)의 경합가치모형**

구분	조직(외부)	인간(내부)
통제	<합리목표모형(합리문화)> • 목적: 생산성, 능률성 • 수단: 기획, 목표설정, 합리 적 통제	<내부과정모형(위계문화)> • 목적: 안정성, 통제와 감독 • 수단: 의사소통, 정보관리
유연성 (신축성)	<개방체제모형(발전문화)> • 목적: 성장, 자원획득, 환경 적응 • 수단: 유연성, 용이함	<인간관계모형(집단문화)> • 목적: 인적자원 발달, 능력 발휘, 팀워크, 구성원 만족 • 수단: 사기, 응집력

정답

p. 19

01	③	02	④	03	③	04	②	05	②
06	①	07	①	08	③	09	②	10	③
11	②	12	④	13	④	14	③	15	④
16	②	17	③	18	④	19	④	20	①
21	②	22	③	23	①	24	①	25	④

01 　매슬로우(Maslow)의 욕구계층이론　답 ③

매슬로우(Maslow)의 욕구계층이론에 따르면 욕구는 완전히 충족되어야 다음 순서의 상위 욕구가 발로하는 것이 아니라, 어느 정도 충족되면 그 욕구의 강도는 약화되고 상위 욕구가 발생한다.

선지분석
① 매슬로우(Maslow)에 따르면 욕구는 상·하위 욕구로 계층을 이루고 있으며, 하위 욕구일수록 욕구의 강도가 강하다.
②, ④ 욕구는 하위 욕구에서 상위 욕구 순으로 발로하며 생리적 욕구, 안전 욕구, 사회적 욕구(애정의 욕구), 존경 욕구, 자아실현 욕구의 순으로 발로한다.

02 　특별회계　답 ④

특별회계를 설치하면 회계의 복잡화로 국가재정의 전체적인 관련성 파악이 어려워질 수 있으며, 예산이 팽창하는 부작용이 발생할 우려가 있다.

선지분석
① 특별회계는 일반회계와 별도로 운영되기 때문에 정부기업의 수지(수입과 지출)를 명확히 파악할 수 있게 해준다.
② 특별회계를 통하여 자금을 확보하여 정부의 사업 운영의 안정화를 기할 수 있다.
③ 특정 세입을 특정 지출과 연관시키게 되므로 재정의 칸막이 현상과 경직성을 심화시킬 수 있다.

03 　행정개혁의 성공요건　답 ③

보수적이고 안정적인 행정조직의 운영은 개혁에 대하여 부정적인 입장을 취하게 되고 결과적으로 행정개혁의 성공을 어렵게 할 수 있다. 행정개혁을 위해서는 쇄신적인 행정조직이 필요하다.

선지분석
① 행정개혁이 성공하기 위해서는 불확실성에 적절히 대처하여 위험과 불확실성을 낮추고 실현 가능성을 제고하여야 한다.
② 행정개혁이 성공적으로 이루어지기 위해서는 내·외관계인의 참여, 기존 질서와 마찰이 적은 지속적이고 점진적인 전략의 선택, 복수의 대안적 개혁안 제시 등을 통하여 저항을 최소화할 필요가 있다.
④ 개혁의 추진비용과 효과를 체계적으로 분석하여 저비용-고소득의 능률적 기대성과의 제시는 행정개혁을 성공할 수 있게 한다.

04 　뉴거버넌스(New Governance)　답 ②

뉴거버넌스(New Governance)는 정부의 역할을 노젓기(rowing)가 아닌 방향잡기(steering)로 본다는 측면에서 신공공관리론(NPM)과 공통된 입장이다.

선지분석
① 뉴거버넌스의 인식론적 기초는 공동체주의이다.
③ 뉴거버넌스는 국민을 고객으로 인식하는 신공공관리론에 비판적 입장이며, 국민을 주인으로 인식한다.
④ 뉴거버넌스는 과정통제에 중점을 둔다.

📋 **신공공관리론(NPM)과 뉴거버넌스(New Governance) 비교**

구분		신공공관리론(NPM)	뉴거버넌스(New Governance)
공통점	정부역할	노젓기(rowing) → 방향잡기(steering)	
차이점	인식론적 기초	신자유주의	공동체주의
	관리기구	시장	연계망
	통제의 중점	산출통제	과정통제
	관료의 역할	공공기업가	조정자
	국민에 대한 인식	고객	주인
	작동원리	경쟁(시장 메커니즘)	협력
	분석수준	조직내부 문제	조직 간 문제
	서비스	민영화, 민간위탁	공동공급
	관리방식	고객지향	임무중심

05 　「정부업무평가 기본법」　답 ②

정부업무평가라 함은 국정운영의 능률성·효과성 및 책임성을 확보하기 위하여 중앙행정기관(대통령령이 정하는 대통령 소속기관 및 국무총리 소속기관·보좌기관을 포함), 지방자치단체, 중앙행정기관 또는 지방자치단체의 소속기관, 공공기관이 행하는 정책 등을 평가하는 것이다(「정부업무평가 기본법」 제1조, 제2조 제2호).

선지분석
① 국무총리는 정부업무평가 기본계획을 최소한 3년마다 그 계획의 타당성을 검토하여 수정·보완 등의 조치를 하여야 한다(「정부업무평가 기본법」 제8조 제2항).

③ 공공기관의 평가는 원칙적으로 외부기관이 평가한다(「정부업무평가 기본법」 제22조 제1항).
④ 정부업무평가의 공개는 의무사항이다(「정부업무평가 기본법」 제26조).

06　계선조직　　　　답 ①

계선조직은 수직적·계층적 구조를 띠는 조직으로, 목표달성에 직접 관여하거나 고객에게 직접 봉사하는 조직이다.

(선지분석)
②, ③, ④ 참모조직에 대한 설명이다.

📄 계선조직과 참모조직 비교

계선조직	참모조직
• 계층적 성격	• 비계층적 성격
• 수직적 명령·복종관계	• 수평적 대등관계
• 조직의 목표달성에 직접적으로 기여	• 조직의 목표달성에 간접적으로 기여
• 국민과 직접 접촉	• 국민과 직접 접촉하지 않음
• 구체적인 명령·집행권 행사	• 구체적인 명령·집행권 없음
• 일반행정가 중심	• 전문행정가 중심

07　조세지출　　　　답 ①

조세지출은 징수해야 할 조세를 받지 않음으로써 사실상 보조금을 지급한 것과 같은 효과를 발생시킨다.

(선지분석)
② 조세지출예산제도는 1959년 서독에서 처음 도입되었다.
③ 조세지출은 징수해야 할 세금을 징수하지 않음으로써 특혜를 부여하는 방식의 간접지출에 해당한다.
④ 조세지출예산제도는 조세지출을 예산의 형식으로 통제하는 방식으로 입법부가 행정부의 무분별한 조세지출을 통제하기 위한 것이다.

08　공익　　　　답 ③

공익은 현대행정의 최고가치를 가지는 이념으로 가치와 규범을 중시하는 정치행정일원론의 등장과 관련이 있다.

(선지분석)
① 공익은 행정이념이 추구하는 최고의 가치로, 자유, 정의, 사회적 공동선의 실현 등으로 표현되는 바 공익이 무엇인지에 대하여는 일치된 견해가 없다.
② 일반적으로 공익의 실현을 중시하게 되면 행정의 가치판단성을 중시하게 되어 결과적으로 행정권한이 확대된다.
④ 공익에 대한 정의는 시대와 상황에 따라 달라지므로 공익에는 동태적인 불확정적 요소가 존재한다.

09　지역사회의 발전요인　　　　답 ②

퍼트남(Putnam)은 사회적 자본을 강조하면서 사회적 자본을 상호 이익을 증진시키기 위한 조정과 협력을 촉진시키는 네트워크, 규범 그리고 사회적 신뢰를 사회조직의 특징으로 정의하고 사회적 자본의 원천으로서 사회적 연계망, 규범, 신뢰 등을 제시한다.

10　사이먼(Simon)의 절차적 합리성　　　　답 ③

사이먼(Simon)은 합리성을 내용적 합리성과 절차적 합리성으로 구분하였다. 절차적 합리성은 추론이라고 불리는 특별한 사유과정으로서 '행동대안을 선택하기 위하여 사용된 절차가 인간의 인지능력과 한계에 비추어 보았을 때 얼마만큼 효과적이었는지의 정도'를 의미한다.

(선지분석)
①, ②, ④ 모두 내용적 합리성에 대한 내용이다. 내용적 합리성은 완전 분석적 합리성으로 '주어진 목표와 제약조건하에서 목표달성을 위한 최적수단을 선택하는 정도'로서 선택의 과정보다는 결과에 초점을 맞추는 합리성이다.

11　상향식(bottom-up) 정책집행　　　　답 ②

상향식(bottom-up) 접근방법은 일선공무원들에게 권한과 재량이 주어지기 때문에 결정자와 집행자 간 발생하는 대리비용의 문제가 발생할 수 있다.

(선지분석)
① 상향식 정책집행이 성공하기 위해서는 집행현장의 일선공무원들의 전문적인 지식과 문제해결 능력이 중요하다.
③ 상향식 정책집행이 성공하기 위해 정책집행 현장에서 발생하는 개별 문제점을 일선공무원이 파악하여 대응하게 함으로써 일선공무원에게 권한을 분산하고 그들의 참여가 증대될 수 있다.
④ 상향식 정책집행은 정책집행에서 정책집행자들의 정책결정자에 대한 순응과 정책결정자의 정책집행자에 대한 통제가 아닌, 정책집행자의 재량과 자율을 강조한다.

12　공무원의 구분　　　　답 ④

군무원은 특정직공무원이다. 법관, 검사, 외무공무원, 경찰공무원, 소방공무원, 교육공무원, 군인, 군무원, 헌법재판소 헌법연구관, 국가정보원 직원, 경호 공무원과 특수 분야의 업무를 담당하는 공무원으로서 다른 법률에서 특정직공무원으로 지정하는 공무원은 특정직공무원이다. 일반직공무원은 기술·연구 또는 행정 일반에 대한 업무를 담당하는 공무원이다(「국가공무원법」 제2조 제2항).

13 「부정청탁 및 금품 등 수수의 금지에 관한 법률」　답 ④

「부정청탁 및 금품 등 수수의 금지에 관한 법률」 제2조 제3호 각 목에 따르면 금전, 유가증권, 부동산, 물품, 숙박권, 회원권, 입장권, 할인권, 초대권, 관람권, 부동산 등의 사용권 등 일체의 재산적 이익(가목)과 음식물·주류·골프 등의 접대·향응 또는 교통·숙박 등의 편의 제공(나목) 및 채무 면제, 취업 제공, 이권 부여 등 그 밖의 유·무형의 경제적 이익(다목)은 모두 '금품 등'에 해당한다.

14 국가재정　답 ③

「국가재정법」 제88조 제1항에 따르면 기획재정부장관은 국세감면율이 대통령령이 정하는 비율이하가 되도록 노력하여야 한다고 규정하고 있는데, 이는 재정의 건전성 유지를 위한 규정이다.

(선지분석)

①, ②, ④ 예비비(「국가재정법」 제22조), 계속비(「국가재정법」 제23조), 명시이월비(「국가재정법」 제24조)는 모두 재정의 신축성 유지를 위한 규정이다.

15 조직의 규모　답 ④

일반적으로 조직의 규모가 확대되면 복잡성, 표준화, 공식성, 분권화가 초래된다.

(선지분석)

① 조직의 규모가 확대될수록 부서의 통폐합보다는 새로운 단위부서가 신설되고 분업화에 의한 구조적 분화가 발생한다.
② 복잡성은 증가하지만 관리자에 의한 직접적 감독보다는 간접적 감독으로 전환된다.
③ 구성원은 조직의 부품화로 인격상실이 발생할 수 있다.

16 「지방자치법」　답 ②

청주시 흥덕구는 기초자치단체인 청주시의 구이기 때문에 지방자치단체가 아니다.

(선지분석)

① 서울특별시 노원구는 기초지방자치단체이다.
② 경기도 안성시는 기초지방자치단체이다.
③ 제주특별자치도는 광역지방자치단체이다.

17 변혁적 리더십　답 ③

변혁적 리더십은 ㄱ. 영감적 리더십, ㄴ. 지적 자극(촉매적 리더십), ㄷ. 개별적 배려, ㅁ. 카리스마적 리더십을 구성요소로 한다. ㄹ. 성취욕구는 바스(Bass)가 제시한 변혁적 리더십과 직접적인 관련이 없다.

📋 변혁적 리더십의 구성요소

카리스마적 리더십	리더가 난관을 극복하고 현 상태에 대한 각성을 표명함으로써 부하들에게 자긍심과 신념을 부여하고 존경과 신뢰 획득
영감적 리더십	부하가 도전적 목표와 임무, 미래에 대한 비전을 열정적으로 받아들이고 계속 추구하도록 격려
개별적 배려	부하에 대한 특별한 관심을 바탕으로 개인의 특성을 파악·고려함으로써 개인적 존중감 전달
지적 자극	부하들이 형식적 관례를 타파하고 새로운 관념을 촉발하도록 함
촉매적 리더십	연관성이 높은 공공의 문제를 다루는 데 촉매작용을 할 수 있는 리더십

18 지방행정체제개편　답 ④

「지방자치분권 및 지방행정체제개편에 관한 특별법」 제18조 제4호에 따르면 지방행정체제개편을 주거단위의 근린자치 활성화의 사항이 반영되도록 추진하여야 한다.

「지방자치분권 및 지방행정체제개편에 관한 특별법」 제18조【지방행정체제 개편의 기본방향】지방행정체제개편은 주민의 편익증진, 국가 및 지방의 경쟁력 강화를 위하여 다음 각 호의 사항이 반영되도록 추진하여야 한다.
1. 지방자치 및 지방행정계층의 적정화
2. 주민생활 편익증진을 위한 자치구역의 조정
3. 지방자치단체의 규모와 자치역량에 부합하는 역할과 기능의 부여
4. 주거단위의 근린자치 활성화

19 시장실패와 정부실패　답 ④

자연독점은 상품의 특성상 여러 기업이 생산하는 비용보다 한 기업이 독점적으로 생산할 때 비용이 적게 들어, 자연스럽게 독점시장이 생겨나는 것을 의미한다. 생산규모가 커질수록 생산단가가 지속적으로 낮아지는 산업의 특수성 때문에 생산규모가 큰 선발기업이 후발기업의 시장진입을 막는 현상이 나타나게 된다. 그런데 자연독점적 성격을 띠던 시내전화와 같은 서비스 시장에서도 경쟁이 가능하게 된 것은 기술의 발달로 생산조건이 변했다고 보기 때문이다.

(선지분석)

① 순수 공공재의 경우 비경합성과 무임승차 현상으로 인해 똑같은 양의 공공재를 소비하고 똑같은 양의 편익을 얻기는 힘들다.
② 긍정적 외부효과가 존재하는 경우 정부의 개입이 없으면 생산이 효율적인 소비보다 부족하게 이루어진다.
③ 선거를 의식하는 정치인의 시간할인율은 사회의 시간할인율에 비해 높아, 장기적 이익과 손해의 현재가치를 낮게 평가하는 경향이 있다.

| 20 | 신행정학 | 답 ① |

신행정학은 사회의 현실문제 해결을 위한 행정의 적극적 개입을 강조하였으므로 정치적 중립성 확보와는 거리가 멀다.

(선지분석)

②, ③, ④ 신행정학은 현실문제의 해결을 위한 적실성과 실천성을 강조한 이론으로 사회적 형평성, 대응성, 민주성, 인간성, 정치성 등을 주요 가치로 한다.

📄 **신행정학의 특징**

1. 사회적 형평 등 새로운 행정이념 중시
2. 사회 격동에의 대응과 행정의 독립변수적 역할, 적극적 가치관 중시
3. 문제지향성·공공정책문제·정책분석의 강조
4. 행태론의 지양과 규범주의의 추구
5. 사회적 적실성과 대응성 중시
6. 가치의 추구와 행정철학 및 행정도덕의 중시
7. 고객지향적 행정과 고객의 참여 강조

| 21 | 「공직자윤리법」 | 답 ② |

재산등록의무자는 4급 이상의 국가공무원 및 지방공무원과 이에 상당하는 보수를 받는 별정직공무원이다(「공직자윤리법」 제3조 제1항 제4호).

(선지분석)

① 공직유관단체에는 공기업이 포함된다(「공직자윤리법」 제3조의2 제1항 제2호).
③ 등록할 재산에는 본인의 배우자 및 직계존속·직계비속 것도 포함된다(「공직자윤리법」 제4조 제1항 제2호, 제3호).
④ 등록할 재산에 혼인한 직계비속인 여성과 외증조부모, 외조부모, 외손자녀 및 외증손자녀는 제외한다(「공직자윤리법」 제4조 제1항 제3호 단서).

| 22 | 주민직접참여제도 | 답 ③ |

「지방자치법」 제14조에서 주민투표에 관한 사항은 별도로 법률로 규정한다고 명시하고 있으며, 주민감사청구는 제16조에서 규정하고 있다.

(선지분석)

① 「지방자치법」은 주민총회는 규정하고 있지 않다. 다만, 주민소환은 제20조에서 주민소환에 관하여 따로 법률로 규정한다고 명시하고 있다.
② 주민참여예산은 「지방재정법」에서 인정하고 있다.
④ 「지방자치법」은 제17조에서 주민소송에 관하여 규정하고 있으나, 주민총회는 규정하고 있지 않다.

| 23 | 통합 | 답 ① |

시·군 통합은 지방행정의 광역행정의 일종으로 집권화를 야기한다. 따라서 행정의 대응성은 저해된다. 행정의 대응성 제고는 분권성을 강화할 때 효과적이다.

(선지분석)

②, ④ 시·군 통합으로 광역적인 행정문제를 효과적으로 해결할 수 있고 대규모 행정 서비스 및 규모의 경제 실현이 가능하다.
③ 기존 시·군이 사실상 하나의 생활권인 점을 감안할 때 생활권과 행정권의 불일치를 해소하고 일치를 이룰 수 있다.

| 24 | 사회적 능률 | 답 ① |

디목(Dimock)의 사회적 능률은 사회적 형평성이 아닌 능률성을 실현하기 위한 개념이다.

(선지분석)

② 사회적 능률은 기존의 고전적 이론에서의 인간성을 고려하지 않은 기계적 능률을 비판하면서, 인간의 사회적 관계 및 심리적 만족 등의 실현을 염두에 둔 능률성을 강조하였다.
③, ④ 사회적 능률은 사회·심리적 요인을 고려한 (경제적)능률성과 관련 있는 개념이다.

| 25 | 조직혁신 | 답 ④ |

조직혁신의 대상 변수란 조직과 관련 있는 여러 변수들 중에서 혁신의 대상이 되는 변수로, 이로 인하여 나머지 변수들에 변화를 일으키게 되는 변수를 뜻한다. 레비트(Levitt)에 의하면 조직 내에는 과업, 인간, 기술, 구조의 4개의 주요 조직혁신의 대상 변수가 있다. 이들은 상호 간 관련이 있는 변수이며 복합적 체계로 작동한다.

합격을 위한 **확실한 해답!**
해커스공무원 교재 시리즈

기출문제집 시리즈

해커스공무원
7개년 기출문제집
영어

해커스공무원
7개년 기출문제집
국어

해커스공무원
10개년 기출문제집
한국사

해커스공무원
14개년 기출문제집
현 행정학

해커스공무원
14개년 기출문제집
神행정법총론 (세트)

해커스공무원
20개년 기출문제집
관세법

해커스공무원
14개년 기출문제집
회계학

해커스공무원
11개년 기출문제집
교정학

해커스공무원
8개년 기출문제집
사회

해커스공무원
8개년 기출문제집
교육학

해커스공무원
14개년 기출문제집
명품 행정학

해커스공무원
11개년 기출문제집
쉬운 행정학 (세트)

해커스공무원
해설이 상세한
기출문제집
세법

해커스공무원
해설이 상세한
기출문제집
神헌법 (세트)

해커스공무원
해설이 상세한
기출문제집
局경제학

해커스공무원
대한국사 윤승규
기출 1200제

영역별 문제집

해커스공무원
국어 비문학
독해 333

적중문제집 시리즈

해커스공무원
적중 700제
영어

해커스공무원
적중 700제
국어

해커스공무원
적중 700제
한국사

해커스공무원
기출+적중 1000제
과학

해커스공무원
기출+적중 1000제
수학

실전동형모의고사 시리즈

해커스공무원
실전동형모의고사
영어 1, 2

해커스공무원
실전동형모의고사
국어 1, 2

해커스공무원
실전동형모의고사
한국사 1, 2

해커스공무원
실전동형모의고사
행정학 1, 2

해커스공무원
실전동형모의고사
행정법총론 1, 2

해커스공무원
실전동형모의고사
사회 1, 2

해커스공무원
실전동형모의고사
과학 1, 2

해커스공무원
실전동형모의고사
수학 1, 2

해커스공무원
실전동형모의고사
神헌법 1, 2

해커스공무원
실전동형모의고사
局경제학

면접마스터

해커스공무원
면접마스터